LE JOUR
DU SCORPION

LE QUATUOR INDIEN

Déjà parus :

Le Joyau de la Couronne
Le Jour du Scorpion

A paraître :

Les Tours du Silence
Le Partage du Butin

Paul Scott

LE JOUR DU SCORPION

roman

Traduit de l'anglais par Mac Duchamp

Sylvie Messinger, Éditrice
24, rue de l'Abbé-Grégoire
Paris 6e, France

The Raj quartet : The Day of the Scorpion
publié par William Heinemann Ltd

Livre premier

Le prisonnier du Fort

PREMIÈRE PARTIE

L'arrestation, 1942

I

L'arrestation de l'ex-Premier ministre Mohammed Ali Kassim eut lieu dans sa maison, à Ranpur, le 9 août 1942, à cinq heures du matin. Muni d'un mandat d'arrêt délivré en vertu des Ordonnances sur la défense du territoire, un officier de police accompagné par deux gardes armés était arrivé dans une voiture suivie d'une escorte motorisée. L'officier attendit dix minutes devant le portail verrouillé tandis que le *chaukidar,* le veilleur, allait réveiller un domestique qui en réveilla un autre, lequel réveilla Mr Kassim. Lorsque l'officier pénétra dans le hall, Mr Kassim, en pyjama, l'y attendait déjà.

– Bonjour, lui dit-il. Vous aurait-on tiré du lit de si bonne heure uniquement à cause de moi?

– Je le crains, admit l'officier en lui tendant le mandat d'arrêt auquel l'ex-Premier ministre ne jeta qu'un rapide coup d'œil.

Ayant prié l'Anglais d'entrer, Mr Kassim s'esquiva en promettant de ne pas être long. Mrs Kassim vint proposer une tasse de thé à l'officier qui ne crut pas devoir l'accepter en de telles circonstances. La maîtresse de maison manifesta d'un hochement de tête sa compréhension et retourna aider son mari à se préparer.

Dix minutes plus tard, Mr et Mrs Kassim étaient de retour dans le vestibule.

– Où m'emmenez-vous? demanda Mr Kassim.

– J'ai ordre de vous conduire au Palais du gouverneur, lui annonça l'officier après un instant d'hésitation. Mes instructions s'arrêtent là.

– Bien sûr. Mais il ne peut s'agir que d'une première formalité : on ne risque pas de me garder bien longtemps là-haut. Espérons toutefois qu'on ne m'enverra pas dans la prison de Kandipat : il n'y a pas plus déprimant et humide.

Il se tourna vers sa femme pour l'embrasser tandis que l'officier s'écartait afin d'aller examiner un des nombreux portraits accrochés au mur. La tête et les épaules du policier s'arrêtèrent docilement en position de profonde attention devant celui d'un vieil hindou portant toute une panoplie de décorations d'un bel effet : certainement le père de l'ex-Premier ministre. L'officier nota une ressemblance. Les Kassim avaient toujours été des gens riches et influents. La maison était grande et meublée avec faste, mais il y flottait ce relent épicé caractéristique de la cuisine et des parfums indiens qui a toujours eu le don d'indisposer les Anglais, simplement parce qu'il ne leur semblait pas vraiment compatible avec un monde civilisé.

– Je suis prêt, annonça Mr Kassim.

– Vous n'emportez rien?

– Mais si, tout est là, dit Mr Kassim en désignant une valise et un matériel de couchage contre le mur. Hier soir, après avoir pris connaissance des résultats du vote du comité exécutif du Congrès à Bombay, j'ai tout préparé en pensant que cela nous éviterait une perte de temps.

L'officier esquissa une moue pour masquer sa surprise et son embarras. Les dispositions prises concernant les lieux de détention à venir l'avaient été dans le plus grand secret depuis pas mal de temps, et quant aux arrestations, il allait de soi qu'elles devaient bénéficier d'un effet de surprise.

Sans un mot, l'officier prit la valise et la literie pour les transporter jusqu'à la voiture. Dans la cour, tous les serviteurs étaient rassemblés afin d'assister au départ de leur maître pour la prison.

Il faisait encore nuit noire. Mrs Kassim était restée dans la maison. L'Anglais attendit que Mr Kassim se soit installé à l'arrière du véhicule pour avertir d'un signe de tête les motocyclistes qu'ils pouvaient mettre leurs engins en marche, et s'installa lui-même à côté de son passager. Soulagé d'être venu à bout sans encombre du plus délicat de sa mission, l'officier éprouva le besoin d'allumer une cigarette. Il chercha son paquet dans sa poche. Pour lui témoigner qu'il lui était reconnaissant de s'être montré si coopératif, il en offrirait une à Mr Kassim. La dernière fois qu'il lui avait incombé d'arrêter un membre du Congrès, les choses avaient pris une tournure singulièrement désagréable : aux railleries et aux injures avait succédé pendant tout le trajet l'énumération des iniquités dont s'était rendu coupable le *Raj,* la souveraineté britannique. Mr Kassim, lui, conservait une réserve parfaite. Certes, de la part d'un musulman cela n'avait rien d'étonnant : les musulmans sont des hommes d'action, non des discoureurs. Avec eux on savait toujours plus ou moins à quoi s'en tenir, et ils avaient l'art d'accepter dignement l'inévitable. A ce propos, l'officier se dit qu'en bon musulman Mr Kassim ne fumait certainement pas, et qu'il était donc préférable que lui-même s'abstienne.

***

– Je suis désolé, Monsieur Kassim, commença Sir George Malcolm.

Les deux hommes se tenaient dans la grande pièce haute de plafond où, en 1937, Mr Kassim avait été reçu par le précédent gouverneur pour se voir invité, en termes vagues et peu convaincants, à former un ministère, et où, en octobre 1939, il était venu lui remettre en personne sa démission et celle de ses collègues. Il avait été admis dans cette pièce bien d'autres fois, mais ces deux occasions étaient les plus mémorables.

– Je vous en prie, ne vous excusez pas. Ont-ils également arrêté Gandhi?

– Oui, si j'ai bien compris.

– Et tous les membres du comité à Bombay?

– En fait, acquiesça le gouverneur, c'est le grand ratissage. Même les membres de vos sections locales du Congrès ont été embarqués.

D'une des hautes fenêtres, la lumière de l'aube commençait à se glisser dans la pièce. Au loin, Kassim put distinguer la masse des bâtiments du Secrétariat. Sous son ministère, les lumières y restaient souvent allumées toute la nuit. On racontait que le précédent gouverneur, se retrouvant seul avec son aide de camp après avoir reçu la démission de Kassim, s'était écrié : « Dieu merci, on va enfin avoir la paix un moment. » En apprenant cette boutade, un Anglais du Secrétariat avait plaisanté : « C'est ça, parlons de paix. C'est bien le moins, au bout de deux mois de guerre! » Et l'habitude s'était réinstallée de quitter le bureau à quatre heures pour aller échanger quelques balles de tennis et prendre un verre au club avant de rentrer s'habiller pour dîner.

– Je parie que vous avez fait votre valise dès hier soir, poursuivit le gouverneur. Pensez-vous que vos collègues ont eu la même réaction?

– Ils sont ici, eux aussi?

– Non, ailleurs.

– A Kandipat?

Le gouverneur, comme Kassim s'y attendait, ne répondit pas. Dans les cas d'arrestations massives, les Anglais avaient toujours le réflexe absurde de faire grand mystère des différents lieux où ils expédiaient les personnalités les plus en vue du Congrès.

– Où qu'ils soient, puis-je savoir pourquoi moi je suis ici?

Le gouverneur enleva ses lunettes, les balança au bout de ses doigts avant de les poser sur son buvard. Le plus grand désordre régnait sur le bureau, contrastant avec la déplaisante netteté que son prédécesseur y maintenait en permanence.

– J'avais à cœur de vous parler.

– Avant de m'envoyer à Kandipat?

– Je ne pense pas qu'il s'agisse de Kandipat. Êtes-vous d'accord pour que nous ayons un entretien?

– Est-ce que j'ai encore le choix? lui fit remarquer Kassim en souriant.

– Qui sait? lança le gouverneur qui se laissa aller en arrière, une main passée derrière le dossier de son fauteuil tandis qu'il jouait de l'autre avec ses lunettes. Voyons, imagine-t-on rien de plus stupide? Qu'est-ce que vos compatriotes attendent de nous? Que nous nous croisions les bras en vous laissant paralyser tout à loisir le pays? En toute bonne foi, comment peut-on supposer qu'un chantage puisse nous contraindre à vous offrir l'indépendance, comme cela, en plein milieu d'une guerre mondiale, alors qu'en Birmanie les Japonais nous narguent sur le Chindwin, à un jet de pierres de nos frontières?

– En toute bonne foi, comment quelqu'un a-t-il jamais pu croire qu'en nous arrêtant tous, y compris Gandhi, cela rendrait la situation plus tenable?

– Parce qu'ainsi vous ne pourrez plus appeler les ouvriers des usines à se mettre en grève, les cheminots à immobiliser les trains, les dockers à bloquer les ports et les soldats à déposer les armes. C'est ce que vous avez voté au Congrès, hier à Bombay.

– Je n'ai pas voté, Monsieur le gouverneur.

– Non, vous n'avez pas voté parce que l'an dernier vous avez démissionné du comité exécutif du Congrès. En revanche, vous êtes toujours membre du parti. Mais à en croire certaines rumeurs, vous envisageriez de le quitter.

– Elles sont sans aucun fondement.

– Vraiment?

Kassim croisa ses mains.

– Il ne s'agissait que de rumeurs, nées des espoirs de certains, Mr Jinnah, par exemple.

– Bien sûr, j'en ai entendu parler, admit le gouverneur en riant. Est-il exact que Jinnah est allé jusqu'à vous promettre un portefeuille au Bengale ou au Sind, si vous adhériez à la Ligue musulmane?

– Disons que ma démission du comité lui a laissé croire qu'en ce qui me concernait, tous les espoirs lui étaient permis. Il a même chargé un certain personnage de m'interroger sur mes intentions, et il est vrai qu'il a été fait allusion à un brillant avenir dans un ministère d'une des provinces à majorité musulmane, mais sans en arriver aux promesses précises.

– Et quelle a été votre réponse?

– Je me suis contenté de dire la vérité : que j'avais

démissionné du comité à seule fin de consacrer plus de temps à mes activités de juriste, et que, de toute façon, je n'étais pas un opportuniste. Je me dois d'insister sur ce dernier point avant que nous allions plus avant. Je suppose que vous avez l'intention de m'offrir une échappatoire qui m'éviterait la prison.

– Pas une échappatoire. Mais il est vrai qu'au moment où vous envisagez sérieusement de démissionner du parti du Congrès, je considérerais votre incarcération comme un lamentable gaspillage de votre talent et de votre temps.

– Je n'envisage nullement de démissionner, monsieur le gouverneur. Quels motifs pourraient m'y pousser?

Le gouverneur se redressa dans son fauteuil, remit ses lunettes et s'empara d'un crayon.

– Le motif primordial, c'est que vous ne vous sentez plus du tout solidaire de la ligne politique suivie par le Congrès. Il y a longtemps que cette politique heurte vos sentiments et vos idées, et plus le temps passe, plus le divorce entre vous et eux s'accentue. Vous avez commencé par être choqué en 1937 lorsque le parti du Congrès, après avoir gagné les élections provinciales, a pris des airs dégoûtés avant d'accepter des ministères. Vous avez été choqué par la façon dont ils crurent adroit de sauver la face en acceptant ces ministères dans le seul but de prouver que la formule d'un gouvernement fédéral était vouée à l'échec. Vous avez été alarmé lorsque vous vous êtes rendu compte, sur le terrain, de l'impossibilité de former un ministère provincial qui aurait reflété fidèlement les aspirations de l'électorat local. Dans votre province, le Congrès l'emportait d'une très faible majorité, qui justifiait la formation d'un gouvernement de coalition. Vous teniez à faire entrer Nawaz Shah dans votre cabinet, mais c'était un membre de la Ligue musulmane et, de ce fait, pas un de vos collègues au parti n'était prêt à admettre un tel choix. Mais à l'Assemblée, lors des grands débats, vous votiez avec la Ligue, et jamais avec la droite hindoue groupée derrière le mouvement Mahasaba. Ce comportement vous a attiré assez de critiques. Comme vous pouvez le constater, dit le gouverneur en souriant, j'ai planché sur la question. Vous connaissiez l'état d'esprit qui régnait dans les districts et vous saviez que même si les musulmans exagéraient leur tableau de la situation, les dangers qu'ils décrivaient étaient bien réels, tout comme l'étaient les mesures d'intimidation prises un peu partout à l'égard de votre communauté. Vous découvriez que, pour certains, le parti du Congrès qui se voulait laïque, parti voué à la conquête de l'indépendance et à la réalisation de l'unité nationale, n'était qu'un tremplin pour donner le pouvoir aux hindous et à eux seuls. Vous n'aviez que des raisons d'être inquiet. Chaque fois qu'on vous citait l'exemple d'un acte discriminatoire, d'une injustice dont avait été victime un musulman, de violences commises à l'égard d'un musulman, d'enfants musulmans que l'on obligeait à saluer le drapeau, ou à chanter l'hymne du parti du Congrès, non seulement vous trouviez tous ces comportements répréhensibles, mais vous y voyiez autant d'affronts creusant davantage le fossé entre les deux principales communautés du pays. Et pour ajouter à votre malaise, vous découvriez que vous n'aviez plus un, mais deux maîtres : votre électorat et les dirigeants du Congrès. Cela vous torturait car ces derniers ne sont que des chefs de parti et non pas, comme vous, des responsables légitimes, des représentants du peuple – et cependant, ils vous dictaient votre conduite. C'est pourquoi, lorsque le Vice-Roi a déclaré la guerre à l'Allemagne, vous avez dû démissionner pour appliquer le mot d'ordre du Congrès, tout en mesurant ce que votre geste avait constitutionnellement d'absurde.

» Votre démission, mon prédécesseur ici-même s'est empressé de l'accepter, parce que c'était un homme de la vieille école, convaincu que l'Inde n'est gouvernable que par décrets, et qu'il venait de passer deux ans et demi, carré dans son fauteuil, à rire sous cape du spectacle grotesque que lui offrait un ministre essayant vainement de servir à la fois son électorat et ses chefs politiques. Et ce qui vous a peut-être le plus choqué, c'est ce qu'avait de politiquement aberrant cette obligation de démissionner. Privés du pouvoir, les hommes politiques ne brassent que du vent. A quel titre votre parti pourrait-il continuer à prétendre parler au nom de l'Inde entière? A quel titre, Mr Kassim? Où sont passées vos justifications? Vous connaissez la réponse aussi bien que moi. Dégommées. Tombées à l'eau. Dans le pétrin. Pourquoi? Parce que votre parti a négligé le fait qu'en gagnant la première bataille pour la conquête du pouvoir, une épreuve vous attendait. Elle avait pour enjeu l'indépendance de l'Inde qui, quoi que vous en pensiez maintenant, était à portée de votre main en 1937, lorsque des hommes comme vous devinrent ministres. Mais le Congrès n'a plus songé qu'à consolider et étendre son influence face à la Ligue musulmane. Vos coreligionnaires ont bien été obligés d'en déduire qu'à terme le Congrès s'acheminerait vers une Inde hindoue, donc vers une partition du pays. Je ne vous mets pas en cause, Mr Kassim. Vous saviez ce que représentait le pouvoir politique et à quel point il était insensé d'y renoncer. Vous saviez parfaitement qu'avec la venue de la mission Cripps, en avril, s'offrait à votre parti la dernière chance de reprendre sa place. Pour une fois, ce n'était pas l'Angleterre qui essayait de vous circonvenir à moindres frais, car nous agissions sous la pression de nos alliés, et plus particulièrement des États-Unis. Vous avez dû saisir tous les avantages qu'il y avait à négocier dans de telles conditions : non seulement l'état de guerre vous faisait bénéficier de propositions inespérées, mais les circonstances vous offraient votre dernière chance de vous opposer efficacement à la Ligue de Jinnah. Et que s'est-il passé? Votre parti a rué comme un cheval ombrageux à la seule idée qu'après la guerre chaque province ou groupe de provinces pourrait se doter de sa propre constitution au lieu de rester sous le régime de la constitution fédérale. Tout le monde a crié au loup. Ce ne serait rien moins que la réalisation du Pakistan. Mais, jusqu'à ce jour, qui avait cru un seul instant que le Pakistan, cette union artificielle de provinces musulmanes du Nord-Ouest, cette utopie née du cerveau d'un poète, pourrait jamais être prise au sérieux? Eh bien, maintenant, l'idée n'est plus seulement considérée crédible mais acquise. Et rien ne serait arrivé si vous aviez accepté les propositions de la mission Cripps, si vous aviez repris vos fonctions et si, en un mot, vous aviez travaillé à aider votre pays à sortir victorieux de la guerre et à obtenir son indépendance en préservant son intégrité. Au lieu de quoi, vous nous avez claqué la porte au nez et vous avez passé l'été à battre la campagne en proclamant qu'il fallait rendre la vie intenable aux Anglais pour les contraindre à quitter le pays, car les Japonais ne constituaient pas une menace pour l'Inde. Et pendant que le Congrès perdait son temps à propager cette théorie ridicule, les hommes de Jinnah restés en poste dans les provinces à majorité musulmane mettaient les bouchées doubles. Enfin, pour couronner le tout, vous adoptez cette résolution « Quittez l'Inde » ou ce sera la désobéissance civile – aussi séditieuse qu'un appel à l'insurrection générale. Et pourtant vous ne l'approuvez pas plus que tout le reste, n'est-ce pas, Mr Kassim? Parce que vous savez que les Anglais ne toléreront pas qu'on exige leur départ au moment où ils essaient de concentrer tous leurs efforts pour contenir les Japonais. Et cela – je me dois d'y insister – non seulement pour nous préserver d'une défaite, nous et notre pays, mais pour vous l'épargner également, à vous et à votre pays. Vous savez tout cela aussi bien que moi, Mr Kassim, et cependant vous êtes toujours un des piliers du parti du Congrès, une de ses figures les plus convaincantes, les plus utiles à sa propagande, à l'image qu'il veut donner d'un parti panindien. Votre influence dans cette province est telle qu'elle justifie que je vous fasse arrêter sans hésiter, au titre de fauteur potentiel de troubles graves, dès l'instant où votre parti, je dis bien *votre parti,* Mr Kassim, a commis hier un acte de haute trahison en décidant d'offrir son appui aux ennemis de la Couronne. Et une question m'obsède : Mr Kassim, pourquoi êtes-vous toujours membre du Congrès? Car au cours des trois dernières années, quelles décisions a-t-il prises, quelles stratégies a-t-il adoptées, qui vous aient parues sages ou efficaces?

– Peut-être aucune, convint Kassim.

– C'est bien cela, aucune. Aussi, mon cher Kassim, de grâce ne vous laissez pas entraîner à partager le sort de ces gens-là. Ils resteront en prison aussi longtemps que durera la guerre. Ne permettez pas que vos capacités restent inemployées, que votre loyauté soit si mal récompensée. Libérez-vous sur-le-champ. Dès que vous aurez rédigé votre lettre de démission, je déchirerai ce papier stupide qui autorise votre arrestation. Depuis que vous avez abandonné votre charge de ministre en 1939, il n'y a pas un geste de vous, pas un discours, pas une lettre, pas un pamphlet, pas une déclaration publique ou privée que l'on puisse retenir comme chef d'inculpation. Une seule chose justifie votre emprisonnement : c'est votre allégeance au Congrès, votre situation de membre influent d'un mouvement qui est désormais hors la loi.

– Je comprends parfaitement, Sir George.

Le gouverneur étudia l'expression de Kassim. Puis il se leva, se dirigea vers une des hautes fenêtres, regarda dehors et revint lentement vers son bureau. Kassim attendait, les mains toujours croisées.

– Je veux que vous fassiez partie de mon conseil exécutif, déclara le gouverneur. Si j'avais les moyens constitutionnels de rétablir l'autonomie de cette province, je sais à qui je confierais la direction des affaires. Faute de mieux, je tiens à m'attacher votre collaboration, Mr Kassim.

– C'est très aimable, Sir George. Je suis très flatté.

– Mais vous refusez, n'est-ce pas? Vous refusez de démissionner? Vous préférez aller en prison? Dans ce cas, veuillez m'excuser d'avoir insisté et soyez assuré que ma proposition n'avait rien d'insultant à votre égard.

– Je vous en prie, je le sais, dit Kassim en faisant un geste de dénégation.

Le gouverneur regagna son fauteuil, enleva ses lunettes et resta penché en avant, les coudes appuyés sur le bureau.

– Quel gâchis! s'exclama-t-il brusquement. Mais pourquoi, Mr Kassim? Vous êtes d'accord avec tout ce que j'ai dit, et pourtant, sans même prendre le temps de la réflexion, vous rejetez ma proposition. Pourquoi?

– Parce que vous ne m'offrez qu'un emploi, alors que

moi, j'aspire à une nation – et je n'y aspire pas seul.

– Une nation?

– On peut mettre en doute le bien-fondé des moyens mis en œuvre pour y parvenir. Oui, j'ai désapprouvé maintes fois les moyens utilisés. Et s'il n'y avait que les fins et les moyens qui comptent, sans doute aurais-je repris ma liberté depuis longtemps. Mais je ne crois pas qu'ils constituent l'essentiel. Ce qui est important, c'est l'idée qui commande aux fins et aux moyens. Depuis un quart de siècle, cette idée dirige mes activités politiques, et c'est dans mon parti, quelles que soient les fautes qu'il commet, et nulle part ailleurs, Sir George, qu'elle s'incarne.

» En l'occurrence, je ne suis pas d'accord avec vous lorsque vous considérez que l'indépendance de l'Inde n'est plus un objectif prioritaire. L'indépendance n'est pas quelque chose qu'on peut fragmenter ou accorder graduellement à sa convenance. Un pays est indépendant ou ne l'est pas. Certaines initiatives peuvent, certes, accélérer ou retarder le processus qui l'y conduit. Mais, à elle seule, l'indépendance n'est pas le but que je poursuis ni celui que poursuit mon parti – au prix de maintes erreurs, j'en conviens. Il ne s'agit pas simplement de chasser les Anglais du pays. Il s'agit de créer une nation capable de tenir son rôle dans le concert des nations, et nous savons que tout ce qui nous porte à la division retarde la naissance de cette nation. C'est pourquoi nous ne cessons d'insister sur le fait que le Congrès est un Congrès panindien. Et qu'il soit un parti politique ne vient qu'en second lieu, même si un jour il ne doit plus être que cela. Et dans le même temps, Sir George, nous essayons de réaliser ce que votre gouvernement a toujours jugé de son intérêt de ne pas entreprendre : unifier l'Inde, faire que chaque Indien se sente avant toute chose un citoyen à part entière de ce pays. Peut-être y voyez-vous la volonté de cimenter un front de résistance face aux Anglais. Vous n'auriez qu'en partie raison. Ce qui nous préoccupe surtout, c'est de prévoir le sort de l'Inde après votre départ. Et nous travaillons dans le noir, en nous guidant sur une lueur lointaine, faute de modèle, car nous n'avons aucune idée de ce que sera exactement cette Inde future. C'est pour cela que je vous disais que nous étions à la recherche d'une nation. Je m'y emploierai bien mieux en prison, je crois, qu'en occupant un fauteuil dans le conseil exécutif de Votre Excellence.

Tandis que Kassim parlait, le gouverneur avait sorti un document d'une chemise. Par-dessus le bureau, il le tendit à Kassim, qui décroisa ses mains, prit la feuille de papier et sortit ses lunettes de sa poche.

– Comme vous allez le constater, Mr Kassim, il s'agit d'une courte note où vous vous engageriez, si vous acceptiez de la signer, à vous abstenir de tout acte qui pourrait avoir pour effet de troubler l'ordre public ou de compromettre la défense du royaume. L'engagement vaudrait pour six mois, à dater de la signature. Comme vous pouvez également le constater, une clause additionnelle stipule que le signataire devra, si besoin est, user de tout son pouvoir pour neutraliser les effets que d'autres, par de tels actes, auraient pu provoquer dans la province. Il n'est pas fait mention de votre éventuelle démission du parti du Congrès. Vous n'avez qu'à signer ce papier, et moi je déchirerai celui-ci.

– Oui, je vois, dit Mohammed Ali Kassim en posant la note sur le bureau et en rangeant ses lunettes dans leur étui. Ainsi, vous prévoyez des troubles graves. Vous avez mesuré les risques qu'il y avait à nous arrêter pour nous empêcher d'inciter à la révolte ce que vous appelez la populace. Mais elle est peut-être capable de se soulever toute seule et avec toutes les conséquences imprévisibles que cela comporte. Elle peut exiger de savoir ce que nous sommes devenus. Elle peut susciter la montée d'éléments indésirables. En attendant, vous me proposez de devenir une sorte de garant de la paix civile, au prix de mon intégrité. Effectivement, on ne me met plus dans l'obligation de démissionner du Congrès, tout simplement parce que cela n'est plus nécessaire : si je signe, je m'en exclus moi-même. Mais je n'en ferai rien, et vous n'y comptiez pas vraiment, même s'il était de bonne guerre de tenter le coup. En fin de compte, vous allez devoir affronter sans moi les excès de la populace.

– Mais certainement, lui répliqua le gouverneur qui resta un moment silencieux à observer Kassim avant d'ajouter : vous êtes décidément dans une curieuse situation.

– Je ne trouve rien de très curieux à ma situation.

– Je pensais à votre rôle de père de famille, et plus précisément à votre fils aîné qui est officier. Autant que je sache, il combattait en Malaisie, et il a été fait prisonnier par les Japonais. Je n'ai jamais très bien compris pourquoi vous lui aviez permis de s'engager dans l'armée britannique.

– Permis? Il n'avait pas besoin d'obtenir mon consentement. Il a agi en toute liberté. Si l'Inde a besoin d'un gouvernement, elle a également besoin d'une armée. Il est devenu officier, moi j'ai été ministre.

– Et vous servez tous les deux la Couronne. Parfait. Mais lui continue, pas vous. Vous avez dû entendre parler des pressions dont seraient l'objet les Indiens en captivité, à qui on offre la liberté à condition qu'ils acceptent de combattre dans l'armée japonaise. L'ennemi pourrait utiliser l'annonce de votre arrestation pour inciter votre fils à passer dans leur camp. C'était, j'en suis convaincu, un excellent officier. Il leur serait d'une grande utilité. De toute façon, sa loyauté risque d'être mise à rude épreuve s'il apprend que nous avons jeté son père en prison. Il n'a pas, comme vous l'avez eue, la possibilité de démissionner. La différence est de taille.

– Je suis sûr qu'il saura l'apprécier. Comme il saura apprécier le fait que je ne puis laisser des considérations personnelles influencer mon jugement politique.

– Je n'en doute pas, convint le gouverneur en se levant pour signifier à Kassim que l'entretien était terminé.

Kassim l'imita. Au creux de l'estomac, il sentit le pincement familier : il ne voulait pas aller en prison. Il serra la main que lui tendait le gouverneur.

– Malheureusement, du moins pour le moment, nous devons garder votre lieu de détention secret, y compris pour votre famille. La correspondance qui vous sera adressée ou que vous expédierez passera obligatoirement par mes services. J'ose espérer qu'à l'occasion vous songerez à m'écrire personnellement.

– Je n'y manquerai pas. Et est-ce que je serai autorisé à lire les journaux?

– Je donnerai les instructions nécessaires.

– Permettez-moi de vous remercier et de vous dire au revoir.

– Au revoir, Mr Kassim.

Kassim salua de la tête et se dirigea vers la porte à double battant derrière laquelle le jeune policier qui l'avait pris en charge à son arrivée au palais et les deux hommes de la police militaire anglaise l'attendaient. Resté debout derrière son bureau, le gouverneur lui lança avant qu'il sorte :

– Puis-je vous faire part d'une pensée qui vient de me traverser l'esprit?

– Je vous en prie, Excellence.

– Je suis convaincu qu'un jour vous occuperez ce bureau.

Kassim sourit et laissa son regard faire le tour de la pièce. A cet instant, une telle pensée avait quelque chose qui lui soulevait le cœur.

– Oui, vous avez probablement raison, dit-il sans cesser de sourire.

Puis se retournant, il fit ses premiers pas en direction d'un avenir plus immédiat : la prison.

A la tombée du jour, on vint chercher Mohammed Ali Kassim dans la pièce située au dernier étage du Palais du gouverneur où il était resté détenu toute la journée, pour le conduire en voiture jusqu'à la gare de marchandises de Ranpur. Sur une voie de garage, on le fit monter dans un wagon affecté aux transports de troupes, et dont les fenêtres étaient aveuglées par des volets métalliques. Un second officier vint rejoindre celui qui accompagnait Kassim. La seule porte du wagon encore en usage était gardée par une sentinelle armée. Aux alentours, se tenaient quelques soldats et des policiers. Le wagon était vide. Les deux jeunes officiers échangeaient des propos à voix basse. Kassim installa son matériel de couchage sur une des banquettes en bois. Peu après, on lui apportait son dîner : soupe, poulet, salade, riz au lait arrosé de confiture – manifestement le menu à l'européenne du buffet de la gare. Les deux officiers s'absentèrent eux-mêmes à tour de rôle pour aller dîner. A neuf heures, on accrocha le wagon à un train. Les deux officiers s'étaient installés au milieu de la voiture, tandis que les gardes occupaient l'extrémité opposée à celle que s'était attribuée Kassim. Le train se mit en marche. Les officiers continuaient à parler à voix basse tout en fumant des cigarettes. De temps en temps, il échangeaient une plaisanterie. A dix heures, tandis que le train roulait toujours aussi lentement, franchissant bruyamment des ponts métalliques ou des aiguillages, Kassim fit sursauter les officiers en se levant brusquement pour ouvrir sa valise. Il devina qu'ils portaient machinalement la main à leur pistolet. Ayant sorti son tapis de prière, il se tourna vers eux : « Je suppose que vous n'êtes pas en mesure de m'indiquer dans quelle direction se trouve l'ouest ? » leur dit-il en souriant. Il étendit son tapis par terre et resta debout le temps de trouver le calme avant de réciter les quatre *Isha,* les prières de la nuit.

Au cours de la nuit il se réveilla plusieurs fois. Les officiers et les sentinelles montèrent la garde à tour de rôle. Il observait leurs visages dans la lumière blafarde des ampoules nues pendant au-dessus de leurs têtes : des formes aux contours flous. La faible clarté laissait dans la pénombre l'extrémité du wagon où Kassim était couché, mais il s'apercevait que ses gardiens surveillaient le moindre de ses mouvements. La dernière fois qu'il se réveilla, le cadran lumineux de sa montre-bracelet lui apprit qu'il était près de cinq heures. Le train était arrêté, mais il y avait peu de chances pour qu'il soit arrivé à destination. Dans le silence de la nuit, Kassim perçut le jappement lointain d'un chacal. Il se leva, déclenchant aussitôt une réaction de méfiance chez l'officier. Ayant sorti de sa valise son nécessaire de toilette en cuir, une serviette éponge et de quoi se raser, Kassim se dirigea vers la cabine de douche dont la porte ne fermait pas. Une ampoule nue éclairait un carrelage d'un vert sale et des murs habillés de carreaux de porcelaine craquelée. La fenêtre était garnie de barreaux protégeant une vitre de verre dépoli. Kassim se doucha, se rasa et remit les vêtements qu'il portait depuis son départ. La porte des toilettes battait régulièrement : le train était reparti lentement. A sa sortie, Kassim constata que les deux officiers étaient réveillés. Il les salua d'un signe de tête, rangea ses affaires de toilette dans sa valise et déroula son tapis de prière par terre. Il récita alors les deux prières d'avant le lever du soleil. Et il accomplit la dernière prosternation en se répétant le premier et le dernier verset de la sourate du « Voyage nocturne » : « Louange à celui qui a transporté son serviteur du temple sacré au temple éloigné... Gloire à Allah qui n'a point d'enfants ni d'associés au pouvoir. Il n'a point de protecteur chargé de le préserver de l'abaissement... »

Toujours agenouillé, il roula son tapis de prière et le rangea dans sa valise. Ayant plié son matériel de couchage, il en fixa solidement les sangles avant de s'asseoir sur la dure banquette. Les officiers se rendirent à tour de rôle dans la cabine de douche à l'autre bout du wagon. A la porte, la sentinelle se leva, réveilla son co-équipier et baissa la vitre pour regarder dehors. Le train s'immobilisa. La pluie tambourinait sur le toit. Kassim se demanda si, à Ranpur, sa femme, était déjà réveillée. Il pensa à sa fille mariée, installée dans le Panjab, à son fils Ahmed, là-bas à Meerut, et à son fils aîné Sayed qui était Dieu sait où, dans un de ces maudits camps de prisonniers.

Très lentement, le train s'était remis en marche. Les deux officiers avaient terminé leurs ablutions. C'était au tour des sentinelles d'aller faire leur toilette. Les officiers marmonnaient entre eux. L'un d'eux consulta sa montre, s'étira et alla regarder par la fenêtre ouverte. On doit distinguer les premières lueurs de l'aube, pensa Kassim. L'officier resta un moment planté devant la fenêtre. Dans le wagon, les lumières s'éteignirent. Il s'y infiltrait une légère brume grisâtre – le brouillard froid du petit matin. L'officier quitta la fenêtre et rejoignit son compagnon. Ils ajustèrent leur ceinturon. Le cœur serré, Kassim regarda ostensiblement ailleurs. Quelques minutes plus tard, le train s'arrêtait. Une voix s'éleva à l'extérieur et l'un des officiers s'adressa à quelqu'un sur le ballast. Puis il ouvrit la porte et descendit. Son compagnon alluma une cigarette. Un des soldats, l'arme à la bretelle, étudiait la paume de sa main gauche comme s'il s'était coupé ou s'y était enfoncé une écharde. Un bruit métallique fit résonner le wagon : on le détachait du convoi. Il ne pleuvait plus. Loin vers l'avant retentit un coup de sifflet. Kassim se leva. Le soldat cessa de s'intéresser à sa main et l'officier jeta un regard circulaire avant de répondre à une voix venue de l'extérieur et de descendre à son tour du wagon. Un officier portant un brassard fit son apparition :

– Monsieur Mohammed Ali Kassim? demanda-t-il comme s'il pouvait y avoir un doute.

– Oui.

– Par ici, s'il vous plaît.

Kassim s'empara de sa valise et de son matériel de couchage. Arrivé à la porte du wagon, il dit à l'officier stationnant en bas : « Je vous serais reconnaissant de bien vouloir m'aider à descendre mes bagages. »

Un peu en retrait se tenaient deux hommes de la police militaire. Le wagon était arrêté sur une voie de garage. Un camion se trouvait garé devant le rideau baissé d'un entrepôt. L'endroit sentait le poussier. L'officier tendit le bras. Kassim lui passa tour à tour la valise et le matériel de couchage, puis il se retourna afin de descendre de face le raide marchepied. Puis il attendit. L'officier au brassard descendit à son tour et désigna les bagages :

– Tout est là?

– Oui.

– Parfait. Veuillez suivre mes hommes, il vont vous accompagner au camion.

– Est-ce que je pourrais savoir où vous m'emmenez?

– Au fort, dit l'officier après une courte hésitation.

– Le fort?

L'officier parut surpris.

– Vous êtes à Premanagar, lui annonça-t-il.

– Je vous remercie, dit Kassim. Je l'ignorais.

Il regarda autour de lui. Toutes les voies de garage se ressemblent. Il n'était pas revenu à Premanagar depuis qu'il avait parcouru la province en 1938. A l'époque, il n'avait d'ailleurs fait qu'apercevoir le fort à distance, et il n'en gardait aucune image précise. Il se souvint cependant que Premanagar n'était pas très éloigné de Meerut où vivait son fils Ahmed. S'il informait sa famille de son lieu de détention et si on lui permettait de recevoir des visites, peut-être pourrait-il le voir.

II

De petite taille, le visage tout ridé, le cheveu rare et d'un blanc jaunâtre, le commandant Tippit avait le teint fleuri.

– Au fond, voyez-vous, je suis un historien, confiait-il à Kassim. En 1938, j'ai quitté l'armée, mais ce sont eux qui sont venus me relancer. Dans ce cas, vous comprenez qu'ils se devaient de m'offrir le commandement du fort.

Kassim en convint d'un signe de tête.

– Il se trouve que j'ai entrepris d'écrire l'histoire du fort. Vous n'imaginez pas quelle richesse elle comporte. Un de ces jours, si vous avez du temps à perdre, je vous en soumettrai la lecture de quelques pages. J'aimerais connaître votre avis.

– J'ai beaucoup de temps à perdre.

– Croyez que je regrette d'avoir été absent le jour de votre arrivée. Voyons, depuis combien de temps êtes-vous ici? s'interrogea le commandant Tippit en laissant son regard errer distraitement sur les papiers éparpillés devant lui.

– Neuf jours, laissa tomber Kassim.

– Et à part cela, êtes-vous confortablement installé?

– Je suis bien installé.

– Avez-vous des réclamations à faire?

– Oui. Un certain nombre.

– Mais bien sûr, le lieutenant Moran Singh m'a signalé qu'il m'avait préparé une note à ce sujet. Elle doit être quelque part ici. Je verrai de quoi il s'agit.

– Ne pourriez-vous en prendre connaissance dès maintenant?

Le commandant Tippit avait des yeux d'un bleu délavé. Il les fixa sur Kassim, comme s'il cherchait à se souvenir pour quelles raisons il lui était impossible d'aborder ce sujet dans l'immédiat. « Le genre d'homme, pensa Kassim, qui supplée à son manque d'envergure, de détermination et d'astuce par une implacabilité de végétal aveugle. Rien d'étonnant dans ce cas à ce que le jeune sikh, placé directement sous l'autorité du commandant Tippit, ait su précisément jusqu'où il pouvait aller trop loin dans son rôle de geôlier sans crainte d'être désavoué par son supérieur. »

– En tout premier lieu, demanda Kassim, est-il bien dans les intentions du gouvernement de me garder pour ainsi dire au secret? Pour autant que je le sache, il y a ici beaucoup d'autres détenus qui sont dans le même cas que moi. Ni eux ni moi ne sommes des criminels. Les autres prisonniers semblent pouvoir se rencontrer très librement; de ma fenêtre, je les aperçois dans la cour extérieure. En ce qui me concerne, je n'ai pu parler qu'à mes gardes et au lieutenant Moran Singh. Cet état de choses va-t-il se prolonger longtemps?

– Oui, je comprends, opina le commandant Tippit.

Kassim attendit.

– Je regrette que vous preniez les choses ainsi, finit par dire le commandant. Le vieux zenana où vous êtes logé est une construction très curieuse. Un de ces jours, il faudra que j'y fasse un tour et que je note tout ce qu'il offre comme particularités intéressantes.

– Certains des autres détenus seraient sûrement intéressés eux aussi.

– Oh, je ne le pense pas, car si je puis me permettre, il n'y a aucune commune mesure, sur le plan intellectuel, entre eux et vous. Les autres prisonniers du fort constituent pour ainsi dire le tout-venant de votre mouvement, lui confia le commandant qui fit une mine dépitée, comme s'il se rendait soudain compte du tour décevant pris par la conversation. Il y a plusieurs semaines, nous avons été prévenus d'avoir à nous préparer à héberger comme il convient un détenu de marque, et bien sûr, nous avons immédiatement pensé qu'il s'agissait de Gandhi ou de Nehru. Ma première réaction a été de me dire que nous n'avions rien qui puisse faire l'affaire. C'est curieux à quel point on peut ne pas voir ce qui vous crève les yeux. J'avais tellement pris l'habitude d'apercevoir par la fenêtre, en étant assis ici, cette fameuse maison des femmes, et d'y aller régulièrement pour y lire ou écrire en paix que je la considérais pratiquement comme faisant partie intégrante de mon bureau. Enfin, je me suis rendu compte à quel point elle conviendrait. Non seulement elle est au centre de la citadelle, mais je l'ai, si j'ose dire, en permanence sous les yeux. J'ai donc tout fait préparer avant mon départ. Remarquez que je savais à quel point je regretterais de ne plus pouvoir faire servir à mon usage personnel la petite maison qui est un lieu si propice à la méditation. J'avoue d'ailleurs avoir éprouvé une certaine tristesse hier soir lorsque le lieutenant Moran Singh m'a annoncé que le zenana était désormais occupé. Mais j'ai été encore plus intéressé d'apprendre qui vous étiez. Un descendant de l'illustre maison des Kassim. Voyez-vous, au temps où un Kassim était le vice-roi du Grand Mogol, le fort se trouvait sur le territoire qu'il administrait. Mais, bien sûr, je ne vous apprends rien. Votre parent, l'actuel nabab de Meerut, est un de ses descendants directs. Hier soir, j'ai trouvé très intéressant le fait qu'un Kassim revienne à Premanagar, et, à dire vrai, j'ai été plutôt soulagé d'apprendre que l'occupant du zenana était musulman. Mais au fait, êtes-vous sunnite ou chiite?

– Commandant Tippit, vous n'avez toujours pas répondu à ma question. Je suis convaincu que les officiers qui m'ont accompagné depuis Ranpur vous ont remis une lettre de Sir George Malcolm. Vous recommande-t-on dans cette lettre de me tenir dans un isolement complet?

– Une lettre?

– Certainement. Celle qui est près de votre coude gauche. Je reconnais l'en-tête.

Tippit prit la lettre, l'examina d'un regard vide et la reposa.

– Alors, interrogea Kassim, y a-t-il dans cette lettre quoi que ce soit qui justifie l'isolement qu'on m'impose?

– Non.

– Y a-t-il dans cette lettre quoi que ce soit concernant les journaux?

– Vous êtes autorisé à lire les journaux?

– Parfaitement. Mais on ne m'en a remis aucun. C'est mon deuxième objet de plainte.

– Je vais en parler séance tenante au lieutenant Moran Singh.

– Je l'ai déjà fait à plusieurs reprises et je lui ai même remis la liste des journaux qui m'intéressaient. J'ai également écrit à ma femme pour lui demander de m'en envoyer. Cette lettre et plusieurs autres sont toujours là, sur votre bureau.

– Je vais en prendre connaissance dès que possible. Vous comprendrez que je sois tenu de les lire avant de les poster.

– Nullement. Si elles doivent être lues, elles le seront à Ranpur, soit par le service de censure du secrétariat soit par celui du gouverneur. Éventuellement, par les deux. Je n'ai pas encore écrit personnellement au gouverneur comme il me l'a demandé, mais je vais à présent lui faire part de ce que ma situation présente comporte d'intolérable.

– Il s'est passé tant de choses si pénibles, dit le commandant Tippit en levant les yeux au ciel, apparemment sans percevoir l'ombre d'une menace dans les propos de Kassim.

– Comment le saurais-je? Je n'ai ni radio ni journaux, et mes gardes sont muets. Quant au lieutenant Singh, non seulement il ne me dit rien mais il n'expédie pas mes lettres, et il ne me remet pas le courrier qu'on m'adresse. Je n'ai pas encore reçu une seule lettre alors qu'on m'en a envoyé plusieurs, j'en suis sûr.

– Une violence insensée. Et comment savoir qui est à blâmer? Et que dire de cette pauvre jeune fille et de cette malheureuse femme. Cela a certainement mis le feu aux poudres. Il n'a été question que de scènes de pillage, d'émeutes, d'incendies. Mais oui, tel que je vous le dis. On se contente de rester dans l'expectative. On déplore, mais on patiente. Et sans compter tout le reste... J'ai différé parce que même les voies ferrées ne sont plus sûres. A Ranpur, la tension est extrême. A Mayapore, l'autorité civile demande main-forte à l'armée. Tout le pays est en ébullition. Puis-je vous offrir une tasse de thé?

– Non, merci.

– Il est dix heures passées. J'ai l'habitude de prendre du thé à dix heures. C'est une question de régime. Mais voyez-vous, dès que je m'absente, tout se dérègle. Et il va être dix heures cinq.

Il n'avait pas regardé sa montre et n'avait rien fait pour qu'on lui apporte son thé. Des *chaprassis* attendaient sur le banc, dehors, mais il n'en appela aucun.

– Enfin, maintenant que je suis de retour, les choses vont rentrer dans l'ordre. Le lieutenant Moran Singh a d'ailleurs tout mené avec une précision exemplaire. Mais je crains de ne pouvoir apporter aucun changement à vos conditions de détention dans le fort. Avez-vous d'autres griefs à formuler?

– Je vais avoir besoin de papier et d'encre.

– Je demanderai au lieutenant Singh de faire le nécessaire.

– Le zenana comprend deux pièces habitables : celle qui me sert de chambre à coucher et celle qui me sert de bureau. J'aimerais les partager avec un autre prisonnier.

– Lequel?

– N'importe lequel, je n'en connais aucun.

– Comme je vous l'ai dit, ce sont des hommes de la base, de la piétaille. C'est impossible. Absolument contraire à tous mes principes. Je suis d'ailleurs surpris que vous me fassiez une telle requête. Vous avez été appelé à remplir de très hautes fonctions. Je sais, je sais, l'exercice du pouvoir est un métier solitaire. Moi aussi, Mr Kassim, je suis un homme seul dans cette forteresse. Et votre présence ici me sera d'un grand réconfort. A l'occasion, je serai ravi de bavarder avec vous. Je suis très curieux des arts et de la littérature islamiques comme de l'histoire du monde musulman. Si je ne me trompe, le poète urdu Gaffur, du début du XVIIIe siècle, est également un de vos ancêtres? Je me suis permis de traduire en anglais quelques-uns de ses vers. Peut-être accepteriez-vous d'y jeter un coup d'œil?

Kassim baissa la tête.

– Je pense être parvenu à deux ou trois reprises à restituer quelque chose du flamboiement et de la simplicité du texte original. Vous devez connaître parfaitement l'œuvre poétique de Gaffur, Mr Kassim?

– Je l'ai lue, oui, lorsque j'étais étudiant. Depuis, j'ai été accaparé par d'autres sujets. Vous disiez que des troubles graves avaient éclaté dans le pays?

– Oui : pillages, incendies criminels, sabotages. Des hommes de la force publique assassinés. Des rails arrachés. Des magistrats séquestrés dans des prisons où flottait le drapeau du Congrès. L'armée a dû intervenir. Il y a eu des morts. Quel gâchis! Quelle violence! Quelle terrible violence! Sans objet. On en est venu à bout. Autant oublier tout cela. N'en plus parler.

– Vous avez mentionné une jeune fille?

– Oui, elle a été violée. Une autre femme plus âgée a été molestée. L'Indien qui la raccompagnait en voiture a été assassiné.

– C'étaient des Européennes?

– Des Anglaises. La femme est enseignante dans une école de la Mission. La jeune fille appartient à un excellent milieu. Ses agresseurs sont sous les verrous.

– Cela s'est passé à Ranpur?

– Non, à Mayapore. La ville est sous contrôle militaire. Vos compatriotes ont commis des actes monstrueux. Je ne vous comprends pas, Mr Kassim. En politique nous nous opposons, nous sommes ennemis. Mais je suis un être humain. Je suis un historien, réellement. Le présent ne m'intéresse pas et le futur encore moins. Il n'y a que l'art et la contemplation du passé qui puissent réconcilier les hommes. A l'avenir, j'espère vous voir satisfait de votre sort. Considérez le fort comme un refuge qui vous met à l'abri des épreuves et des déceptions.

Kassim attendit pour s'assurer que Tippit n'avait plus rien à ajouter. Il se leva alors, remercia le commandant et lui demanda : « Avec votre permission, je vais regagner mes quartiers. »

***

Sortant du bureau du commandant, il traversa la cour en direction du zenana sous l'œil des chaprassis et des sentinelles armées qui montaient la garde sous la véranda à balustrade des anciens casernements. Au centre de la cour, un mélia donnait un peu d'ombre. Dans la terre rouge, quelques flaques d'eau reflétaient le bleu du ciel où le vent du sud-ouest chassait des lambeaux de nuages. Il pleuvrait vraisemblablement vers la mi-journée.

A l'est la cour était délimitée par les casernements et, sur ses trois autres côtés, par un haut mur crénelé de brique rouge percé, au sud et à l'ouest, de portails en bois clouté, et flanqué de bastions à ses angles. Le commandant Tippit avait établi ses quartiers dans un pavillon carré attenant au mur sud. A l'autre bout de la cour, adossé au mur nord, se dressait le vieux zenana, une bâtisse de brique et de pierre à un étage, avec des vérandas superposées, protégées par des arcades de bois découpé. On accédait à l'étage par un escalier en bois. Il régnait dans l'endroit une forte odeur de grain et de sacs de jute qui montait du rez-de-chaussée utilisé comme entrepôt. A l'étage, sauf les deux pièces occupées par Kassim, tout était délabré. Les pièces recevaient le jour par les portes ouvrant sur la véranda, et par des fenêtres munies d'écrans de pierre ajourée d'où on avait vue sur la cour extérieure ainsi que sur les murs d'enceinte du fort. Le zenana ouvrait sur ce qui avait été la cour réservée aux femmes. Les casernements devaient être les anciens quartiers des domestiques. Du côté de la cour, Kassim n'apercevait que le dôme de la mosquée au-dessus du mur méridional. En revanche, de ses fenêtres il découvrait la plaine qui s'étendait au-delà des murs d'enceinte de la citadelle.

Les murs des deux pièces qu'occupait Kassim étaient blanchis à la chaux. Dans l'une, il disposait d'un lit et d'une penderie; dans l'autre, d'une chaise, d'une table et d'un calendrier qu'il avait apporté. Tant qu'il ne saurait pas combien de temps durerait sa détention, il s'abstiendrait d'y cocher les jours. « Je me lève comme d'habitude à six heures, était-il en train d'écrire à sa femme. A huit heures, ils m'apportent mon petit déjeuner. Entre-temps, j'ai pris un bain, je me suis habillé et j'ai lu. Ensuite, sauf s'il pleut, je me promène dans la cour un moment et je rentre pour tenir mon journal ou écrire mon courrier jusqu'à l'heure du déjeuner. Après quoi, je fais une sieste et je reprends ma lecture jusqu'à quatre heures, quand on m'apporte du thé. Ensuite je refais un peu de marche avant de prendre un bain. Enfin je lis jusqu'à l'heure du dîner. Le temps me paraît long, bien évidemment. Aujourd'hui, j'espère recevoir des lettres. Lorsque tu écriras aux enfants, n'oublie pas de leur transmettre toute mon affection. On m'a dit qu'il y avait eu beaucoup d'agitation dans le pays, j'espère qu'il ne t'est rien arrivé de fâcheux. Tous ces événements doivent te bouleverser. Ne m'écris que dans la mesure du possible. On ne me permet pas de me raser moi-même, c'est très désagréable. On m'a confisqué tout mon nécessaire à barbe, et tous les deux jours, j'ai la visite d'un barbier. Aujourd'hui, j'ai les joues râpeuses. Ils craignent certainement que j'attente à mes jours. On a même subtilisé mon petit miroir. Je finirai par oublier de quoi j'ai l'air. Ils m'ont laissé ta photo et celle des enfants. J'élève mes pensées recueillies envers mon ancêtre, le noble Ahmed Gaffur Ali Rashid! J'ai pensé à lui en regardant les photos. »

Ahmed Gaffur Ali Rashid n'avait jamais existé. La femme de Kassim comprendrait aussitôt qu'il s'agissait d'un code : les premières lettres des mots lui indiqueraient où il se trouvait. Il espérait que la censure n'y prêterait pas attention. On avait dû éplucher ses premières lettres, mais celle-ci était la quatrième. Il passa sa main sur son menton et ses joues, en se demandant si le régime de la prison ne l'avait pas déjà amaigri.

***

Voici donc le visage de Kassim. Il est fait de toute une histoire, l'histoire des guerres saintes et des guerres de conquêtes entreprises au nom de l'Islam. Kassim peut remonter dans sa généalogie jusqu'à ce guerrier assoiffé d'aventures, ayant nom Mir Ali, qui arriva de Turquie, à l'apogée de l'Inde musulmane. Mir Ali ayant épousé une princesse hindoue, le couple adopta la nouvelle religion instaurée par le Grand Mogol Akbar pour réconcilier tous les habitants de l'Inde dans l'adoration d'un même dieu. Akbar espérait offrir à ses coreligionnaires comme aux hindous passés sous sa domination un terrain d'entente où ils se sentiraient tous égaux. Mais sous le règne d'Aurangzeb, les Kassim revinrent à leur foi islamique. L'empire déclinait déjà, et Aurangzeb réveillait le prosélytisme des serviteurs d'Allah et de son Prophète pour cimenter l'édifice chancelant. Une nouvelle vague de conversions, y compris parmi les fiers Rajputs, confirma, s'il en était besoin, que la foi est toujours une des premières victimes à être sacrifiées sur l'autel des intérêts temporels.

Pour l'un des Kassim, qui réintégra le monde musulman – l'aîné des petits-fils de Mir Ali –, la récompense ne se fit pas attendre : il obtint la charge de vice-roi d'un territoire s'étendant de Ranpur à Meerut. Il devait être assassiné par un de ses fils qu'il avait élevé au rang de gouverneur du palais. Les guerres intestines, les guerres menées contre les princes hindous, contre les envahisseurs venus de l'Ouest – les Mahrattas – précipitèrent la chute de la dynastie mogole. En sous-main, les ministres du Grand Mogol s'adjugeaient des principautés et conspiraient pour accroître leur pouvoir, ouvrant inconsidérément les portes au flot qui allait les emporter : la horde des marchands étrangers qui se répandaient dans le pays, infatigables et omniprésents, en qui ils voyaient des moyens facile de s'enrichir. C'étaient en réalité autant d'aventuriers français, anglais ou portugais venus commercer et qui s'implantaient pour défendre leur zone d'échanges en faisant progressivement main basse sur le pays. Ceux-là s'entre-déchiraient, et s'ils venaient au secours d'un prince hindou menacé par un voisin, c'était pour mieux le dépouiller. Au début du XIXe siècle, il ne restait du vaste territoire autrefois administré par le petit-fils de Mir Ali que le petit état de Meerut sur lequel régnait un Kassim qui avait su s'attirer les bonnes grâces des Anglais en leur prêtant main-forte à point nommé. De là, il avait vu son autorité confirmée et ses prétentions au titre de nabab reconnues. Ayant l'heur de ne pas gêner les Anglais, dans leurs visées coloniales ou mercantiles, le nabab de Meerut avait eu tout loisir de prospérer et fleurir, telle une rose égarée dans le désert des ambitions défuntes du Grand Mogol.

Tout cela était inscrit sur le visage de Kassim : un profil de médaille – le front bombé mis en valeur par la calvitie, un nez puissant dominant un menton volontaire et une bouche aux lèvres fermes et non dénuées de sensualité. De face, ce visage frappait par le caractère massif des mâchoires. Ses cheveux, en demi-couronne sur l'arrière du crâne, commençaient à grisonner. Curieusement, la vigueur de ses traits imposait l'idée d'un Kassim inattendu, non plus hiératique et autoritaire, mais façonné par l'expérience séculaire d'activités sinon sans mérite du moins sans éclat. C'était le Kassim de la classe moyenne – tel qu'était bien Mohammed Ali –, un Kassim descendant de Mir Ali et de son épouse hindoue par leur fils cadet, une branche qui s'était enracinée plus modestement mais plus profondément dans le pays d'adoption que celle du fils aîné. Elle ne pouvait s'enorgueillir d'avoir donné à la famille ni vice-roi, ni nabab, ni chef militaire. En revanche, elle avait été prodigue en hommes d'affaires et en grands dignitaires de l'État. On pouvait l'appeler la lignée de Ranpur, celle qui avait offert à l'Inde des imams, des universitaires, des hommes de loi, des fonctionnaires, des philosophes, des mathématiciens, des médecins et même un poète – Gaffur Mohammed, dont le commandant Tippit admirait tant les vers. Plus récemment, elle avait offert au pays un membre du conseil provincial en la personne du père d'Ali Kassim dont l'officier de police avait remarqué le portrait en venant arrêter celui qui avait été Premier ministre de la province – un homme qui avait peut-être hérité d'Akbar le rêve de voir se réaliser l'unité de l'Inde indépendante. Il n'était pas en prison pour autre chose. Il ne s'était pas attiré l'hostilité de Mr Jinnah pour un autre motif. Jinnah, qui s'appelait aussi Mohammed Ali et qui œuvrait à la création d'un état musulman indépendant, lui dont les ancêtres n'étaient pas des Turcs mais des hindous convertis à l'Islam.

Un mois après son arrivée au fort de Premanagar, Mohammed Ali Kassim, que les journaux désignaient habituellement par ses initiales MAK, et les Anglais dans leurs conversations, par Mac, demanda et obtint du commandant Tippit la permission de créer un petit jardin devant le zenana. C'est à cette même époque qu'il écrivit sa première lettre au gouverneur.

« Il a fallu que j'attende un certain temps, écrivait-il à Sir George, avant d'être autorisé à recevoir du courrier et à lire la presse. Mais depuis, je suis submergé. N'ayant été informé que tout récemment des événements survenus après l'annonce des arrestations massives effectuées dans tout le pays, j'ai aussitôt éprouvé le besoin de vous écrire à ce sujet, compte tenu de l'unanimité avec laquelle les journaux ont cherché à établir que les émeutes avaient été fomentées par le Congrès et dirigées par des chefs restés dans l'ombre mais choisis par des gens tels que moi pour prendre en main la situation si nous étions arrêtés et mis hors d'état d'intervenir. Je n'ai pas oublié ce que je vous disais, lors de notre dernière rencontre, au sujet de la populace qui se soulève spontanément et suscite l'apparition de toutes sortes d'éléments indésirables. C'est grosso modo ce qui s'est passé, même si certains incidents, tels ceux survenus à Dibrapur, ont visiblement été prémédités. Mais si ces éléments indésirables n'ont pas surgi en une nuit, il ne s'agit pas davantage d'hommes manipulés par le Congrès. Et ce ne sont pas non plus des communistes, lesquels sont acquis sans réserve à la lutte contre le fascisme depuis qu'Hitler a cru bon d'envahir la Russie. Ces éléments n'ont d'autres maîtres qu'eux-mêmes et ils sont dangereux pour nous tous.

Apparemment, la plupart des gens pensent qu'on a coupé l'herbe sous les pieds du Congrès en emprisonnant ses membres les plus influents. Or, il est maintenant établi que Mr Gandhi comptait sur la résolution *Quit India*, comme on l'appelle désormais, pour amener le vice-roi à accepter d'établir un vrai dialogue avec les chefs du Congrès. Je partage son point de vue. (Si j'ai fait ma valise dès l'annonce de l'adoption de la résolution par le Congrès, c'est en vertu d'une logique strictement personnelle et j'avoue qu'au moment où j'y cédais, je comptais bien en sourire par la suite, comme cela vous arrive après avoir cédé à la peur d'un danger imaginaire.) Comme vous le savez, Gandhi n'a jamais dit *comment* le pays devrait traduire dans les faits son refus pacifique de participer à l'effort de guerre. Gandhi n'a jamais brillé par son sens pratique, à tel point que ses proches ont tous été un jour ou l'autre stupéfiés par les dimensions que pouvait prendre son manque de pragmatisme. Ceux de vos compatriotes qui ne l'aiment pas ne se font d'ailleurs pas faute de le taxer d'hypocrisie, et, bien sûr, en ce moment on ne parle que de l'effet désastreux de sa dernière machination. Vous-même avez utilisé le terme de chantage, et les Anglais, pour la plupart, se sont considérés comme les victimes d'un chantage auquel ils refusaient de céder. J'espère que vous allez vous désolidariser de cette façon de voir, si vous ne l'avez déjà fait. De toute façon, c'est une théorie à double tranchant. On peut aisément soupçonner les Anglais de nous avoir promis l'indépendance après la victoire à condition de tout subordonner pour le moment à l'effort de guerre. Certes vous pouvez nous rétorquer que rien ne nous permet de douter de votre bonne foi, quoique Churchill ait balayé toute ambiguïté en déclarant que le droit des peuples à disposer d'eux-mêmes, inclus dans la Charte de l'Atlantique signée en 1941 par votre pays, ne pouvait en aucun cas concerner l'Inde. Pour notre part, nous pouvons vous faire remarquer qu'il est hors de propos de mettre la guerre en parallèle avec ce que nous réclamons depuis des années. Elle a certes rendu notre demande plus véhémente et votre refus plus catégorique, mais la nature de l'un comme de l'autre n'a pas changé. Elle n'a fait qu'ajouter un facteur émotionnel nouveau et un nouvel ensemble d'éléments pratiques qui accroissent nos divergences. J'espère cependant que vous serez d'accord avec moi pour penser que si toutes ces arrestations n'avaient pas eu lieu, les violences dont le pays a été le théâtre ces dernières semaines auraient été évitées. Auquel cas, bien sûr, vous auriez dû trouver un moyen beaucoup plus onéreux pour sortir de l'impasse où vous mettait le peuple indien en refusant de participer plus longtemps à l'effort de guerre. Il est tellement plus facile de tirer sur des émeutiers dirigés par des éléments incontrôlables que de contraindre des ouvriers à reprendre le travail dans une usine d'armement, des dockers à décharger des cargos ou des chauffeurs à remettre des locomotives en marche. Et le gouvernement devait s'attendre à la réaction de colère du peuple indien devant les arrestations massives de ses chefs : un peuple en fureur, désemparé, anxieux de prouver à ses dirigeants qu'il saurait être à la hauteur de la situation, mais également harcelé par le doute, la peur et tous les sentiments qui débouchent sur la violence. Je n'ai aucun scrupule à accuser le gouvernement d'avoir délibérément usé de provocation à l'égard du peuple indien – car il ne peut avoir eu la naïveté insultante de croire que ce peuple est décidément si veule et apathique qu'il resterait sans réaction lorsqu'il verrait disparaître les hommes qui ont pris son destin en charge.

La preuve est faite que ce pays est capable de courage et de détermination. J'ai lu dans la presse les comptes rendus des émeutes, des incendies, des pillages, des actes de sabotage et des meurtres qui ont été commis, j'ai appris que la police et l'armée ont tiré sur des foules d'hommes, de femmes et d'enfants désarmés et qu'il y a eu des morts de part et d'autre. Qu'un peu partout on a essayé de prendre d'assaut les prisons, de faire dérailler les trains et sauter les ponts. Je suis sûr que beaucoup d'Indiens, et plus particulièrement parmi ceux qui ont été jetés en prison (dont le nombre n'a cessé d'augmenter depuis le 9 août) sont fiers du comportement de la nation. Pour ma part, j'éprouve surtout de la colère, du chagrin et une émotion nés d'un profond sentiment d'impuissance à changer le cours des événements.

Mes sentiments de colère et de tristesse ne procèdent d'aucun parti pris. Je les éprouve en pensant à des gens que je ne connais pas, comme par exemple tous ces jeunes Anglais sous l'uniforme qui sont ici sans rien savoir de l'Inde sinon que c'est un pays très éloigné du leur et peuplé de gens étranges à la peau foncée. Beaucoup se sont retrouvés, comme on dit, en train de prêter main-forte au pouvoir civil. Leur stupéfaction a vite cédé au ressentiment dès l'instant où ils ont compris qu'ils étaient venus défendre un pays farouchement décidé à se débarrasser d'eux. Il y a eu entre autre cette terrible affaire des deux officiers canadiens de l'Air Force que les habitants d'un village bombardé ont littéralement mis en pièces en croyant qu'ils pilotaient les avions responsables. Même si c'était le cas, cela ne change rien à une situation qui nous concerne tous. Enfin, j'ai été particulièrement bouleversé d'apprendre les violences dont ont été victimes deux Anglaises dans notre province : l'agression, près de Ranpur, de la surintendante des écoles de la Mission du district et le viol de Miss Manners dans les jardins du Bibighar à Mayapore. Je connaissais l'oncle de Miss Manners, Sir Henry Manners, depuis qu'au début des années trente, alors qu'il était gouverneur de la province, il m'avait invité à faire partie des comités qu'il organisait pour essayer de faire tomber les barrières entre le pouvoir et le peuple indien.

Manners était un administrateur de grande envergure – tolérant, chaleureux, admirable en tous points. Sa nomination au poste de gouverneur de la province avait éclairé d'une lueur d'espoir l'obscurité où nous nous débattions. S'il comptait des ennemis, c'était parmi les réactionnaires anglais et les extrémistes indiens. Sans la possibilité qu'il m'offrit de m'affirmer dans les comités, mon parti ne m'aurait peut-être pas permis d'accéder au poste de ministre. Vous comprendrez pourquoi ce qui est arrivé à sa nièce m'a bouleversé. Cet incident n'a d'ailleurs pu qu'attiser les passions dans la province et à Mayapore. Le premier article que j'ai lu sur cette affaire ne parlait que d'une jeune Anglaise violée par six jeunes Indiens qui avaient tous été rapidement arrêtés. Il m'avait laissé des plus sceptiques tant le ton utilisé était outrancier et même hystérique. Malheureusement, la matérialité des faits semble établie, et j'ai appris avec consternation que la victime n'était autre que Miss Manners.

Cependant, il m'apparaît que dans cette malheureuse affaire on a délibérément cherché à brouiller les cartes. D'après un article du *Statesman,* il semblerait que les six hommes arrêtés « grâce à la diligence du chef de la police locale » n'aient rien à voir avec le viol puisqu'ils seraient à présent détenus en vertu des Ordonnances sur la défense du territoire. La presse a-t-elle mal interprété certaines informations? Par quel tour de passe-passe ces hommes ont-ils été accusés de viol pour finir par être dans le même temps innocentés et inculpés pour menées subversives? Autant de mystères qui restent entiers. Tout est bien étrange dans cette affaire, ne serait-ce que le fait qu'un des hommes arrêtés, un certain Kumar, était un ami intime de Miss Manners et qu'elle aurait formellement refusé de témoigner contre lui en affirmant qu'il ne correspondait en rien à l'image qu'elle gardait de ses agresseurs. Je sais que la famille de Miss Manners a de nombreuses relations dans le pays. Sauf erreur, elle doit être la fille d'un frère de Sir Henry Manners. J'ai lu qu'à Mayapore elle habitait MacGregor House, demeure de Sir Nello et Lady Lili Chatterjee, des amis de Sir Henry et de Lady Manners. Elle devait toutefois vivre le reste du temps chez sa tante à Rawalpindi. Je me suis permis d'écrire à Lady Manners pour lui témoigner ma sympathie. Je vous adresse ci-joint cette lettre non cachetée en vous demandant de bien vouloir la transmettre à sa destinataire. Il va de soi que je n'attends de vous aucune réponse concernant toutes les questions que je me pose, comme un homme réduit au simple rôle de spectateur, sans que son goût pour l'engagement et l'action contre l'injustice en ait été diminué ou affecté. »

***

« Son Excellence vous remercie pour votre lettre, écrivait un mois plus tard un des secrétaires de Sir George, et me charge de vous transmettre également les remerciements de Lady Manners pour la lettre que Son Excellence lui a fait parvenir. »

Kassim leva les yeux vers le lieutenant Moran Singh qui venait de lui apporter la lettre du gouverneur. Debout près de la porte, celui-ci souriait.

« Vous en connaissez des gens importants! Des lettres du palais du gouverneur!... » s'exclama le lieutenant Singh avant de ressortir. Kassim l'entendit invectiver une sentinelle. Moran avait de la famille à Ranpur. Il avait proposé à Kassim de faire parvenir, contre rétribution, des messages à Mrs Kassim par l'entremise de ses parents. Il avait l'habitude de toucher des pots-de-vin et il revendait tout ce qu'il pouvait prélever dans les magasins du gouvernement. « Le commandant Tippit est cinglé », avait-il cru bon de déclarer à Kassim avant de lui assurer que, moyennant une certaine somme, il se faisait fort de convaincre Tippit de permettre à certains prisonniers de venir régulièrement lui tenir compagnie. Kassim avait décliné ces offres : Moran Singh représentait tout ce qu'il exécrait chez ses compatriotes.

Kassim nota dans son journal : « Reçu une réponse du palais du gouverneur qui dissipe une méprise : en me demandant de lui écrire personnellement, le gouverneur n'avait nullement l'intention de se montrer amical. Il comptait bien que je lui écrive sans avoir à me répondre. Il tenait à me garder sous le coude. Je suis un cas en observation. Il a d'ailleurs dû donner des ordres pour que je sois tenu à l'écart des autres prisonniers. Il compte sur l'isolement pour m'inciter à reconsidérer ma situation. Sous son apparence de libéralisme qui lui permet une cordialité de façade, c'est un serviteur inconditionnel de l'État. Il attend peut-être que les conditions de détention me mettent à genoux. Si je lui écrivais que j'ai changé d'avis et que je suis prêt à démissionner du Congrès et à entrer dans son conseil exécutif, je pourrais être de retour chez moi à la fin de l'année. Dans ce cas, j'aurais d'ailleurs du travail dans tous les domaines. Mais ne l'accablons pas. Mon épreuve n'est que morale et sa conduite à mon égard n'est dictée que par le souci de gouverner la province d'une main ferme et au mieux des intérêts de la population. Le gouverneur ne s'embarrasse pas de considérations sur le passé ni sur l'avenir, il est tout entier dans le présent. C'est là un trait de caractère typique des Anglais. S'ils admettent un jour qu'il n'y a pas d'avenir en Inde pour eux, ce sera parce que l'Inde ne coïncide plus avec l'idée qu'ils ont d'eux-mêmes et de leur devoir. Ils se soucieront alors bien peu de notre sort. De même, le gouverneur découvrira tôt ou tard que je ne suis plus d'aucune utilité pour la mise en œuvre de sa politique dans cette province. C'est peut-être déjà plus ou moins le cas. S'il avait pensé que je puisse lui servir dans l'immédiat, il m'aurait écrit lui-même. On ne peut s'empêcher d'admirer un tel cynisme. Nous devrions en prendre de la graine. Dans la conduite de nos affaires publiques, nous faisons la part trop belle à nos émotions. Les Anglais ne risquent pas de tomber dans ce travers. Ils nous mettent sous les verrous, nous relâchent, nous réemprisonnent en fonction de leurs intérêts immédiats, avec un détachement courtois auquel, heureusement ou malheureusement, nous répondons par une résignation tout aussi courtoise. En réalité ils agissent collectivement, ce qui leur permet un tel détachement. Quant à nous, nous réagissons individuellement, ce qui nous affaiblit. Nous n'avons pas encore acquis l'instinct collectif. Les Anglais envoient Kassim en prison. Le prisonnier du zenana est un homme. Et son geôlier? Le geôlier est une idée. Dans sa solitude, le détenu essaie d'atteindre ses semblables. Il écrit à Sir Malcolm et à Lady Manners. Mais il ne les atteint pas, protégés qu'ils sont par l'instinct collectif de leur race. La réponse qu'il reçoit ne vient pas d'eux, mais de quelqu'un qui parle en leur nom. Pour l'un comme pour l'autre, il eût été inopportun de répondre personnellement. Je comprends leurs raisons. Mais comprendre n'a jamais réchauffé le cœur de personne. »

Au mois de mai de l'année suivante, le prisonnier du zenana remarqua deux faire-part dans un numéro du *Times of India.* A la rubrique des naissances, il lut : *Manners. Le 7 mai, Srinagar. Daphné a donné le jour à une fille, Parvati.* Et à celle des décès : *Manners. Le 7 mai à Srinagar. Daphné, fille des regrettés Mr et Mrs George Manners et nièce bien-aimée d'Ethel et de feu Sir Henry Manners.*

Je ne comprendrai jamais les Anglais, se dit Mohammed Ali Kassim. Quel étrange mélange d'arrogance et d'insensibilité peut inciter une vieille dame à annoncer à la face du monde que sa nièce, qui a été violée neuf mois plus tôt par des Indiens dans les jardins de Bibighar, vient d'accoucher d'un enfant métis? « C'est comme si, écrivit-il dans son journal, la vieille Lady Manners avait tenu à nous accuser publiquement pour être sûre que l'incident resterait en mémoire et que nous saurions qu'elle nous tenait tous pour responsables. Je n'ai pas gardé de cette dame le souvenir d'une personne capable d'une telle réaction, mais bien sûr, sa nièce est morte en couches. Elle tient à nous signifier qu'il n'y aura jamais de pardon pour l'acte commis par une poignée des nôtres cette nuit-là.

A moins qu'elle veuille nous faire savoir qu'elle a pardonné et que, pour l'amour de l'Inde, elle offre à l'enfant une place dans son cœur. Comment savoir? Si les Anglais ont du cœur, ils ne le montrent jamais, ou très exceptionnellement et en privé. »

DEUXIÈME PARTIE

Une histoire

I

« Et voilà, c'est au tour des souvenirs de cette pauvre Daphné, après ceux d'Henry », murmura Lady Manners. Et elle tendit le journal de sa nièce à Suleiman pour qu'il le range dans la cassette métallique noire, comme, quelques mois plus tôt, il y avait rangé les papiers personnels de Sir Henry Manners avec un air de vénération. Il prit le cahier de Daphné sans aucun ménagement et le posa dans la boîte puis attendit, l'air boudeur. Il portait toujours sa vieille toque d'astrakan, alors que, des mois plus tôt, il lui avait soutiré de l'argent pour la remplacer.

Il est jaloux, pensa-t-elle, et il m'en veut de l'avoir envoyé à Rawalpindi pour mettre la maison en ordre avant mon retour. Il est vrai que le voyage de Srinagar à Rawalpindi et retour en autocar est fatigant – et un peu humiliant, pour un vieux domestique de confiance. Il a les cheveux tout gris, comme moi. Mais pourquoi ne s'est-il jamais laissé pousser la barbe? Maintenant, s'il la laisse pousser, il faudra que je m'attende à le voir apparaître d'un matin à l'autre pour me dire, Memsahib, je suis vieux, laissez-moi partir. Avant de mourir, je dois aller à La Mecque, et après je teindrai ma barbe au henné et je rentrerai pour me retirer et passer le temps qu'il me reste à vivre, en paix, honorablement, avec la bénédiction d'Allah le Miséricordieux.

Dans ce cas, moi aussi je partirai, mais pas pour La Mecque. Pour où alors? En fait, je ne sais ni où ni comment, ni qui pourrait bien m'être miséricordieux.

Elle regarda par la fenêtre les eaux dormantes du lac et elle entendit l'enfant pleurer. Elle fit un geste, et l'accompagna d'un mot qui exprimait la même chose. *Khatam.* Fini. Suleiman ferma le coffret, tourna la clé qu'il tendit ensuite à sa maîtresse. Ses doigts bruns étaient restés souples, comme préservés d'avoir passé toute une vie à prendre soin de ses biens et des biens d'Henry – ses dieux, ses icônes. Mais ceux de Daphné ne lui inspiraient rien, comme s'ils étaient partis en fumée, évanouis. Elle rangea la clé dans son sac à main, vaguement consciente que son geste avait quelque chose de définitif. Mais tu as été beau à ton heure, poursuivit-elle en elle-même, et tu as eu une femme et deux concubines que tu faisais passer pour tes belles-sœurs. Et en plus, tu as semé pas mal d'enfants ici ou là.

Maintenant, tu te retrouves tout seul, comme moi. Et on ne peut même pas se parler comme se parlent un homme et une femme qui ont des souvenirs en commun. Il n'empêche que si tu mourais, je passerais des jours à pleurer, comme tu te couvrirais la tête et tu resterais des jours sans parler à personne si je mourais. Mais dans le monde où nous vivons – en sursis entre l'entrée et la sortie ou entre la sortie et l'entrée – nous restons sagement dans nos rôles respectifs de maîtresse et de domestique. Une façon d'éviter de trop se gêner.

Suleiman prit la cassette et sortit de la chambre de sa maîtresse. Remontant la coursive de la maison flottante du côté de la berge de l'île où elle était amarrée, il passa devant la chambre d'amis à deux lits, traversa la salle à manger et descendit les deux marches du salon donnant sur la véranda d'où on apercevait la rue opposée, où attendaient les tongas prêts à transporter les passagers débarquant des *shikaras* jusqu'à la place où se garaient les voitures et les autobus.

Juste sous la véranda étaient groupés des shikaras – une embarcation pour les passagers, une autre pour les bagages, et, un peu plus loin, la demi-douzaine de barques où s'entassaient des produits de l'artisanat du Cachemire : panneaux de bois sculptés, châles, tapis, fleurs – sans oublier un diseur de bonne aventure. Il était à peine sept heures en ce matin brumeux et frileux de septembre. Mais la demi-heure qui précédait le départ pouvait suffire pour faire des affaires. De sa chambre, Lady Manners entendit les cris des vendeurs interpellant Suleiman pour lui proposer un pourboire s'il retournait la chercher. Soit, se dit-elle, aujourd'hui je vais me laisser tenter. Et elle se rendit sur la véranda où Suleiman se tenait, frêle et voûté, les pans de sa chemise bleue dépassant sous une vieille veste de tweed d'Henry qu'il avait passée pour se protéger du froid matinal et qui tranchait sur la blancheur de son pantalon bouffant. Il tenait la cassette serrée contre sa poitrine, comme un reliquaire, sans rien dire, le regard fixé sur la rive opposée, montant la garde près du tas de bagages. Dès qu'il s'aperçut de sa présence, il avertit le *khansamar* (le majordome) qui fit aussitôt un signe aux hommes se tenant sur les barques pour les prévenir qu'il était temps de s'occuper des bagages. Alertés par l'imminence du départ, les vendeurs lancèrent des cris, interpellant directement la vieille dame en lui tendant ce qui leur paraissait le plus susceptible de retenir son intérêt. Elle invita d'un geste l'homme qui lui avait vendu un châle trois ans plus tôt, et qui attendait toujours qu'elle lui redonne une chance. C'était justement pour ça qu'elle le choisissait. Il s'élança, jouant des coudes pour franchir la barque où les hommes chargeaient les bagages. Laissant tomber son chargement sur la véranda, il salua Lady Manners à l'orientale, puis, dénouant les coins du ballot, il en sortit une pièce de laine tissée à la main, parsemée de fils d'or, d'argent et de broderies multicolores. Il agitait l'étoffe pour la faire chatoyer. Assise sur la chaise qu'était allé chercher le khansamar, elle regardait le manège de l'homme qui vantait sa marchandise avec une candide malhonnêteté.

Autrefois, pensait-elle, Suleiman savait me protéger des manigances des gredins, lui notre gredin bien-aimé, lui qui ne nous a jamais trompés, mais qui repérait toutes les canailles à cent lieues à la ronde, comme de pâles répliques de ce qu'il avait été, et éventait tous leurs tours pour les avoir pratiqués de longue date. Mais il reste planté là comme une statue. Il me laisse me débrouiller seule en estimant sûrement qu'il n'a plus rien à apprendre à une vieille élève comme moi. Et, mine de rien, il tend l'oreille parce que la petite pleure.

Voilà, je vais prendre ce châle-là, il fera parfaitement l'affaire pour me protéger du froid cet hiver. A mon âge, les fautes de goût ne tirent plus à conséquence. Ce mariage de soie écarlate et de fils d'argent, quel feu d'artifice! Mais je ne le porterai jamais. Cet autre n'est pas mieux! Ce vert, de si bon matin il faut avoir le cœur bien accroché! Au fond, n'importe lequel conviendra, je suis décidément trop vieille pour ce genre de coquetterie. Est-ce que j'ai besoin de me parer pour quitter le Cachemire? Ce voyage, je l'ai fait tant de fois! Mais aujourd'hui, je sens que c'est le dernier. Et si je cherchais simplement à conjurer le mauvais sort, à me persuader que je ne suis pas si près de la fin?

J'achète peut-être ce châle pour la petite Parvati, dont Suleiman écoute encore les pleurs bien qu'il ne parle jamais d'elle. L'a-t-il même regardée une seule fois?

Tout compte fait, elle jeta son dévolu sur un châle assez neutre pour ne choquer personne, elle le paya, salua l'homme et retourna dans sa chambre. Elle s'en voulait d'avoir eu un réflexe de bon goût au lieu de se donner le plaisir de faire une extravagance.

Un quart d'heure plus tard, le khansamar frappait à la porte pour lui annoncer que tout était prêt pour le départ. Elle était restée tout ce temps assise, coiffée de son vieux casque colonial à voilette, gantée, regardant le lac par la petite fenêtre, en récitant mentalement la courte prière par laquelle elle commençait toujours la journée. Elle se leva, remercia l'homme et sortit. Tous les gens qui l'avaient servie étaient là, rassemblés à l'avant de la maison flottante : les douze hommes du bateau et les trois domestiques de la villa qu'elle avait habitée de novembre 1942 à juin 1943, avant de s'installer sur le lac. Ils attendaient, la regardant en silence. Elle leur avait distribué des pourboires la veille. Elle resta un moment immobile avant de leur dire : « Je vous remercie » et, s'appuyant sur le khansamar, elle descendit dans le shikara garni d'un matelas et protégé par un dais de broderie – ce qui avait incité un jour Henry à déclarer qu'il avait l'impression d'être Antoine invité à bord du bateau de Cléopâtre. La jeune *ayah* portant la petite fille était déjà assise au bout du matelas. Elle s'était voilée pour entreprendre le voyage hors de la vallée qu'elle n'avait encore jamais quittée. Dès que Lady Manners se fut installée, Suleiman, serrant toujours le reliquaire contre lui, monta à bord et prit place à la proue de l'embarcation. Derrière elle, les trois hommes levèrent d'un même mouvement leur pagaie en forme de cœur. La barque se glissa entre celle des camelots. Lady Manners se retourna pour faire un signe d'adieu, mais déjà la maison flottante n'était plus qu'une forme floue qui se noyait dans le brouillard. Elle pensa aux fleurs oubliées dans le vase sur la table de chevet et dont elle aurait aimé être sûre qu'elles étaient toutes fanées. Un passage d'une lettre de Daphné lui revint à l'esprit : « Irons-nous à Srinagar, chère tante, pour y habiter dans une maison flottante que nous emplirons de fleurs? »

« Je repars dans deux jours, avait-elle écrit à sa vieille amie Lili Chatterjee à Mayapore, et ce sera pour moi, comme on dit, l'occasion de tourner une page – je fais allusion, bien sûr, à l'épreuve que vous savez, et que votre trop courte visite cet été, vos sages conseils et les sentiments que vous avez eu le courage d'exprimer après avoir vu l'enfant, n'ont pas peu contribué à alléger. Puis-je espérer votre visite, par exemple aux environs de Noël, lorsque j'aurai regagné Pindi? Je crois pouvoir deviner, sans trop courir le risque de me tromper, que je suis devenue de celles qu'on ne reçoit pas. Il faut dire que mes compatriotes me trouvent désormais bien encombrante, et qu'avec cette enfant qui vit sous mon toit, je fais figure de scandale – une notion très pratique pour désigner tout ce qu'ils estiment devoir être effacé des mémoires le plus vite possible. Ce n'est bien sûr pas la solitude où je suis confinée depuis plusieurs mois qui me fait souhaiter votre visite mais le besoin, autrement plus important, de faire des projets, de partager des souvenirs et d'échanger des idées avec quelqu'un qui vous comprend.

» Aujourd'hui, nous faisons quitter à notre maison

flottante son mouillage d'été – celui que vous trouvez tellement à votre goût, – pour descendre le lac et raccourcir la distance qu'auront à parcourir nos shikaras après-demain. Depuis votre passage, un bateau s'est amarré quelque temps non loin du nôtre. Mes voisins occasionnels sont repartis il y a quelques jours pour Pankot. Dès leur arrivée, ils ont cru devoir déposer leur carte chez moi, et j'ai envoyé Aziz leur rendre la politesse. Résultat : de leur bateau me parvenait une atmosphère presque palpable de gêne et de curiosité, et lorsque nos shikaras se croisaient, on n'en finissait plus de se saluer d'un air contraint. A part cela, on ne s'est jamais rendu visite sauf vers la fin de leur séjour, lorsqu'un après-midi une des deux jeunes filles de la maison, qui passait en barque, m'a aperçue sur le pont. Elle m'a aussitôt fait signe et après avoir demandé à ses rameurs de se rapprocher, elle m'a demandé si elle pouvait monter. J'ai eu beau trouver le procédé quelque peu cavalier, il m'était difficile de lui opposer un refus. Sans crier gare, elle a commencé la conversation en me déclarant que si sa famille avait délibérément évité de me rencontrer, c'était parce qu'ils craignaient d'être incapables de dissimuler qu'ils cherchaient avant tout à éviter de faire allusion à la pauvre Daphné (« l'affreuse affaire de votre nièce », pour reprendre ses propres termes). C'est pourquoi elle avait tenu à venir mettre les choses au clair avant leur départ. Ayant souvent entendu la petite pleurer, elle a exprimé le désir de la voir, et nous sommes descendues dans la cabine où Parvati a son berceau. La jeune fille, qui s'appelle Sarah Layton, est restée un long moment à regarder le bébé en silence. L'enfant dormait et la nourrice a pris aussitôt une attitude agressive. Je suppose que ma visiteuse espérait découvrir une enfant à la peau très claire, comme il arrive parfois dans de tels cas. « Elle est si menue », a-t-elle fini par remarquer, comme si elle n'avait jamais vu un bébé de quatre mois. Elle m'a remerciée de lui avoir permis de voir la petite, et, après une nouvelle hésitation, elle a accepté de prendre le thé sous la tente arrière. En chemin, elle a eu un mouvement de surprise en passant devant les malles au nom de Daphné. Cette petite m'a décidément intriguée. Autant que je sache, il n'est pas courant de rencontrer dans ce pays des Anglaises jeunes et jolies capables de s'intéresser à autre chose qu'aux jeunes gens de leur milieu. Elles sont aussi, je le sais, rêveuses et distraites, mais chez Miss Layton, il s'agit de quelque chose de plus complexe, qui a très peu à voir avec l'égocentrisme habituel des jeunes filles.

» Lorsqu'ils m'ont envoyé leur carte, le nom de Layton a éveillé en moi un écho, mais ce n'est qu'en entendant Miss Layton me parler de Ranpur et de Pankot que mes souvenirs se sont précisés. A l'époque où Henry était gouverneur, nous sommes restés cinq ans à Pankot et nous avons dû avoir l'occasion de rencontrer cette famille. En prenant le thé, la jeune fille m'a appris qu'elle, sa sœur et sa mère occupaient une maison flottante avec un oncle et une tante. Le colonel Layton, qui commandait en Afrique du Nord le 1er régiment de fusiliers de Pankot (les fameux Pankot Rifles) a été capturé là-bas par les Allemands. Il a d'abord été interné dans un camp en Italie, mais l'avance des Alliés l'a fait transférer en Allemagne. Je suppose qu'en l'absence de son père Sarah Layton a tenu à faire les choses dans les formes et à réparer par sa visite ce que l'attitude du reste de la famille pouvait avoir de grossier. Ils sont d'ailleurs peut-être tous intimement convaincus de n'avoir cédé qu'au souci de respecter ma tranquillité. Mais, sous l'apparente délicatesse d'un tel comportement, je retrouve la réprobation générale qui m'est devenue familière. Peut-être serait-il plus juste de parler de consternation et d'incrédulité à propos des réactions que j'ai provoquées en gardant Daphné près de moi dès l'instant où j'ai su qu'elle allait avoir un enfant dont le père serait un des six voyous qui l'ont agressée, et en adoptant en quelque sorte cette enfant au lieu de le confier tout bonnement à un orphelinat.

» Comme je lui demandais si elle passait d'agréables vacances, Miss Layton m'a appris que c'étaient les premières qu'elle s'accordait depuis le début de la guerre, elle et sa sœur servant dans les Forces auxiliaires féminines.

(Elles sont affectées au Quartier Général de la zone militaire de Pankot.) Sa sœur, qui est sa cadette, s'est fiancée à un jeune homme en garnison à Pankot mais qui vient d'être muté brusquement à Meerut d'où il a écrit pour demander que le mariage ait lieu dans les plus brefs délais, et dans la ville où il est cantonné. Les jeunes mariés devront se contenter d'une lune de miel de deux ou trois jours, car il craint de devoir rejoindre le front du jour au lendemain (il est l'un des rescapés des régiments qui ont réussi à se replier de Birmanie en 1942). A Meerut, les Layton espèrent être les hôtes du nabab – qui participe à l'effort de guerre en hébergeant les familles des fonctionnaires qui ne trouvent pas à se loger dans le quartier européen. Depuis que nous l'avions rencontré, Henry et moi, bien des années se sont écoulées. Il doit maintenant accuser un certain âge, tout comme d'ailleurs son homme de confiance, cet étonnant Russe émigré, un certain comte Bronowsky, qu'il a ramené de Monte-Carlo dans les années vingt au moment précisément où le nabab faisait scandale par sa liaison avec une Européenne. J'ai raconté à cette jeune fille que les Anglais ont longtemps détesté le comte jusqu'à ce qu'ils constatent son heureuse influence sur le nabab. Comme elle me demandait quel cadeau elle pourrait faire au nabab s'il était leur hôte, considérant les liens de parenté existant entre le nabab et le célèbre poète urdu du XVIIIe siècle Gaffur (ainsi, d'ailleurs, qu'avec l'ex-Premier ministre M. A. Kassim) je lui ai suggéré d'acheter un recueil des poèmes de Gaffur et de le faire relier spécialement. Je lui ai indiqué un artisan du bazar de Ranpur qui est passé maître dans la dorure au fer.

» Elle m'a regardée avec une expression d'envie des plus surprenantes chez une jeune personne et elle m'a déclaré : « Vous savez tant de choses ! » J'ai bien ri et je lui ai répondu que détenir quelques parcelles de savoir faisait partie des rares avantages de la vieillesse. Mais il s'agissait, m'a-t-elle assuré, de tout autre chose, de quelque chose n'ayant que peu de rapport avec la mémoire. Sur ce, elle s'est levée. Comme je l'invitais à revenir me voir, elle m'a répondu qu'elle n'y manquerait pas si l'occasion se présentait. Je ne l'ai pas revue, mais après leur départ de Srinagar un jeune garçon qui avait été à leur service m'a apporté de sa part un bouquet de fleurs accompagné d'un mot : « Avec les meilleures pensées et les remerciements de Sarah Layton. »

» Depuis, j'ai repensé à ce qu'elle m'a dit à propos de ce savoir distinct de la mémoire, et peut-être l'essentiel tient-il au fait qu'en la renseignant sur mille et une choses, je lui ai donné l'impression non seulement d'avoir derrière moi une longue expérience, mais également d'être sans illusion sur ce qui constitue les valeurs et le sens que l'on peut donner à la vie. Il serait intéressant de rencontrer le reste de la famille qui doit être typiquement celle d'un militaire, à cela près que *personne n'est jamais typique.* Enfin, ce que je veux dire c'est qu'il est certainement possible de se faire une idée assez précise des expériences, des attitudes, du comportement et des projets d'une telle famille en Inde, et d'en déduire sans trop d'erreur ce qui constitue la toile de fond de la vie de cette jeune fille. J'ai été touchée par son envoi de fleurs – et par le fait qu'elles seront fanées lorsque je partirai pour Pindi. »

La vieille dame est en tailleur beige clair et corsage de soie crème, fermé jusque sous le menton par une rangée de boutons de nacre. Si la raideur de ses articulations lui rend pénible son installation sur le matelas, elle n'en laisse rien paraître. Enfin, appuyée au dossier, la nuque un peu raide sous le casque colonial, une main levée pour un geste d'adieu empreint de dignité, elle offre l'image d'une élégance surannée, qui ne doit pas faire oublier que les dames de son temps furent parfois de grandes voyageuses. Le brouillard matinal enveloppe les montagnes, plane au-dessus du lac. Le shikara avance au rythme des pagaies qui creusent l'eau et se relèvent. Suleiman, debout, semble statufié. Le dos courbé, la jeune Cachemirienne berce le bébé. Fugace estampe où les cultures et les races semblent suspendues dans le temps.

II

Les Layton partageaient leur temps entre Ranpur et Pankot, car le 1er Pankot Rifles, commandé par le colonel Layton, prenait ses quartiers d'hiver à Ranpur et partait en garnison à Pankot pendant la saison chaude. Le régiment recrutait d'ailleurs le plus gros de ses effectifs parmi les robustes paysans des collines des environs de Pankot. Leur réputation de guerriers valeureux remontait, semble-t-il, bien avant l'occupation mogole. Au cours du XVIe siècle, la population avait plus ou moins délaissé le culte des divinités locales pour se convertir à l'islam et faire allégeance au conquérant mogol. Depuis, s'ils avaient toujours fait figure de musulmans aux yeux des Anglais, ces montagnards n'en étaient pas moins restés des polythéistes convaincus. Dans les villages, on trouvait encore des effigies des anciens dieux hindous locaux auxquels les femmes apportaient des offrandes – à la saison des semailles et à celle des récoltes, lorsqu'elles étaient fiancées ou futures mères, après la naissance d'un fils ou la mort d'un époux. Les hommes, eux, se tenaient ostensiblement à l'écart de telles pratiques, mais ils n'entreprenaient jamais un voyage sans s'assurer auparavant qu'une proche parente avait bien déposé la veille du départ le bol de lait caillé et la guirlande de fleurs au sanctuaire de la divinité du cru.

L'unique mosquée de Pankot desservait toute la région des collines. La plupart des jeunes hommes qui arrivaient de leur village pour se présenter au bureau de recrutement ne faisaient aucune différence entre la mosquée, le temple de Kali ou les églises anglicanes ou catholiques. Ils vénéraient le nom d'Allah comme d'ailleurs les noms des divinités attachées à leur village et ils reconnaissaient au premier une suprématie que lui valait son omniprésence, son omnipotence et sa miséricorde. Ils jugeaient d'ailleurs préférable de le tenir à l'écart des petites affaires quotidiennes. Après la mort, Allah vous accueillait dans sa demeure. En attendant, il fallait s'efforcer de vivre en restant honnête, travailleur et vigoureux. Pour mériter sa bienveillance, il suffisait de ne pas s'écarter du droit chemin, autrement dit, de s'abstenir de boire et de fumer, d'être un bon mari, d'avoir de nombreux enfants, de ne pas voler ni frauder, de maintenir son toit en bon état et de pourvoir aux besoins de sa famille. Il était aussi important d'être en règle avec les autorités – payer ses impôts, faire des cadeaux aux petits fonctionnaires, témoigner de sa loyauté envers les hauts dignitaires. Cela ne dispensait pas de chercher à se ménager les bonnes grâces des divinités locales qui avaient plus de temps à perdre qu'Allah, et donc plus le goût de tourmenter les pauvres mortels, soit en les privant de pluie ou en les inondant, soit en changeant les enfants mâles en femelles dans le ventre des femmes, soit en gâtant le sang des pauvres gens. Allah l'omniscient comprenait qu'on ménage les dieux des collines. C'était d'ailleurs surtout l'affaire des femmes qui, elles, ne comprenaient pas grand-chose à Allah, le cultivateur parfait, le guerrier sans égal. C'est lui qui bénissait l'épi de blé et donnait sa force à notre bras droit. Mourir en combattant les ennemis d'Allah était le plus sûr moyen d'aller au paradis. Dans la plaine qui s'étend autour des collines, et même à Pankot, on trouvait des hommes qui ignoraient tout d'Allah. Autant dire qu'ils ne valaient guère plus que des femmes. L'homme blanc n'était pas de ceux-là. A Pankot, il y avait des mosquées réservées aux Européens. Il y avait aussi le *Daftar,* le Bureau du Sahib officier recruteur où se rendaient les garçons qui voulaient devenir des cipayes, des soldats. Les ennemis de l'homme blanc étaient les ennemis d'Allah. L'homme blanc avait beau appeler Allah : « Notre Père », c'était toujours d'Allah qu'il s'agissait. Pour lui, le Prophète n'était pas Mohammed mais Jésus-Christ. De toute façon, le même ciel ne servait-il pas de toit au monde entier? A Pankot, il s'étendait au-dessus de la mosquée, au-dessus du temple hindou, des deux églises, du Palais du Gouverneur et du Bureau de Recrutement. Pour le garçon arrivant des collines, tous ces édifices symbolisaient le mystère et l'autorité, et le Daftar où se tenait l'officier recruteur était à leurs yeux le plus important, tant d'un point de vue pratique que mystique.

Avant d'entreprendre le voyage qui les conduirait de leur village à Pankot, tous les garçons consultaient un parent plus âgé, capable de les initier aux innombrables mystères du Daftar. Pour un jeune homme, ce voyage constituait son premier test de virilité. Être refusé vous marquait pour la vie d'une tache infamante. On prétendait qu'il y avait au bazar de Pankot des hommes qui préféraient être réduits à mendier ou à mourir de faim plutôt que de rentrer chez eux après avoir été déclarés inaptes au service par l'officier recruteur. On ne pouvait se targuer d'être un homme que si on avait passé les épreuves de sélection avec succès. Et ainsi, chaque année, ils arrivaient la mine sombre (vite troquée contre un sourire épanoui tant les gens de Pankot étaient d'un commerce agréable), la couverture roulée sur l'épaule, pieds nus, tous munis de la preuve tangible d'un lien de famille existant avec les Pankot Rifles – un short kaki soigneusement rapiécé, une brochette de médailles, un mot de recommandation d'un oncle gradé implorant qu'on accepte son neveu au service du roi-empereur (qui se confondait vaguement dans les esprits avec le Grand Mogol et Allah).

La période du recrutement intensif s'étendait du début d'avril à la fin de septembre et coïncidait avec le départ pour les collines des civils et des militaires qui abandonnaient Ranpur pour six mois à la suite du gouverneur et de tout son personnel administratif.

Durant ces six mois, Pankot devenait une ville où régnait une intense activité sociale et mondaine. Les mêmes qui se rencontraient à Ranpur se retrouvaient à Pankot, mais dans un cadre si différent, tellement plus enchanteur. Au palais d'été du gouverneur (construit dans le style néo-gothique suisse faisant appel essentiellement au bois, contrairement à celui de Ranpur où dominait l'usage de la pierre, des ornements en stuc et des vérandas à balustrade), les réceptions avaient quelque chose de moins guindé sans être pour autant moins protocolaires. Tous les clubs en vue y étaient représentés, mais les sous-officiers et les jeunes fonctionnaires avaient une préférence marquée pour le Pankot Club où ils étaient assurés de rencontrer des jeunes filles arrivées depuis peu de la patrie et ne répugnant pas au flirt.

Pankot était un endroit qui, tout en restant très anglais, invitait à un certain abandon. L'air y était vif, les conifères y abondaient. L'Inde, la vraie, s'étendait plus bas vers le sud. Au nord, là où la terre et le ciel se rejoignaient, lorsque l'écran de nuages se levait on apercevait la ligne déchiquetée de l'Himalaya, la signature indélébile de Dieu. L'été à Pankot était plus chaud que l'été anglais, mais avec des soirées et des nuits fraîches, et les pluies n'avaient pas la violence des déluges qui s'abattaient en bas, sur la plaine.

La ville n'attirait que très peu de touristes et encore moins de civils ou de militaires en congés, qui lui préféraient Darjeeling, Naini Tal ou le Cachemire. Une ligne de chemin de fer à voie étroite et unique reliait Ranpur à Pankot. Il fallait compter huit heures de train dans le sens de la montée et six heures dans celui de la descente. Il y avait aussi une route, qu'empruntaient l'autocar indien et les camions militaires. La voie de chemin de fer et la route donnaient l'impression de se perdre, de se retrouver, de jouer à saute-mouton. Au fur et à mesure qu'on s'élevait, les villages se clairsemaient et changeaient d'aspect. On apercevait de moins en moins de buffles et davantage de bœufs blancs à bosse et de chèvres. Puis la route se lançait en serpentant à l'assaut des contreforts : le ruban poussiéreux parti de la plaine calcinée atteignait progressivement les hauteurs verdoyantes. Les sons étaient assourdis, amplifiés et renvoyés en écho au gré des parois rocheuses qu'ils rencontraient ou des précipices qui les absorbaient. L'air sentait bon la forêt.

Pankot s'étendait sur trois collines et à leur pied. La voie de chemin de fer venait buter contre un massif rocheux que la route contournait à l'abri d'une voûte d'arbres pour descendre dans la combe où elle longeait d'abord le périmètre militaire piqueté de baraquements. Puis elle atteignait le bazar de Pankot, construit dans le style indo-tyrolien : des maisons de bois à deux étages, avec des vérandas en surplomb au-dessus des échoppes et des boutiques proposant des châles brodés, des objets en argent martelé, des coffrets de bois incrustés de motifs de lotus en cuivre. On y trouvait également des cafés indiens, une succursale de l'Imperial Bank of India, un garage, un marchand de cycles ainsi que l'Hindu Hotel et le Muslim Hotel. Les autocars ne montaient pas dans Pankot mais s'arrêtaient au pied du bazar, sur une place où stationnaient également un ou deux taxis, des poneys et des tongas. C'était le pôle d'attraction des colporteurs, des saints vagabonds vivant d'aumônes et des gamins en haillons qui se chamaillaient pour cirer les chaussures du promeneur. L'endroit sentait l'essence, le crottin de cheval et la bouse de vache, l'encens et le bois de santal, les épices et la graisse des plats cuisinés en plein air au charbon de bois. Les enseignes étaient libellées en anglais, en écriture devanagari et en caractères arabes. Au centre de la place, délimitée de part et d'autre par le temple de Kali et la mosquée, se dressait un obélisque monolithique érigé en 1925 à la gloire des fusiliers de Pankot tombés au cours de la Grande Guerre. En novembre, on venait déposer au pied du monument la traditionnelle couronne de pavots artificiels ainsi que des offrandes de lait caillé, de beurre fondu, et de fleurs sauvages.

Ville étagée sur des collines, Pankot se déployait en éventail, ou plutôt en V. Le bras droit partant de la place du monument aux morts conduisait jusqu'aux hauteurs dominées par le palais d'été du gouverneur. Le bras gauche aboutissait, après un parcours plus abrupt, au quartier résidentiel indien où des princes et des hommes fortunés avaient leur villa, ou même leur palais (*mahal).* Les Anglais n'y venaient pratiquement jamais. Pour eux, tout Pankot se résumait au quartier auquel on accédait par la fourche droite du V, où se trouvaient regroupés les clubs, tous les bâtiments administratifs, le terrain de golf, les bungalows, les résidences d'été des Européens, pour la plupart dissimulées derrière d'épais rideaux de pins et dont la présence n'était signalée au bord de la route que par des poteaux indicateurs situés à l'entrée des allées. On n'en éprouvait pourtant aucune impression de camp retranché. En effet, à chaque tournant la route offrait des échappées sur les propriétés en contrebas. Certains résidents prétendaient que Pankot leur rappelait les collines du Surrey autour de Caterham. On trouvait ici des militaires ou des civils à la retraite qui ne venaient pas y attendre la fin (bien que certains soient enterrés dans le cimetière anglican de St. John ou dans le cimetière catholique de St. Edward) mais profiter des années qui leur restaient à vivre dans un endroit où ils se sentaient chez eux, où l'on pouvait disposer à bon marché d'une nombreuse domesticité et cultiver des fleurs rapportées d'Angleterre avec des résultats parfois très spectaculaires. Un endroit enfin où la vie avait une sérénité due au sentiment du devoir accompli.

C'est à Pankot que se situaient la plupart des souvenirs d'enfance de Sarah Layton. Elle et sa sœur Susan y étaient nées. Sarah, en mars 1921, sous le signe du Bélier, et Susan en novembre 1922, sous le signe du Scorpion. Les dates de leur baptême étaient consignées dans le registre de la paroisse St. John, tout comme celle du mariage de leurs parents, en 1920 : John Frederick William Layton (lieutenant au 1er Pankot Rifles, fils de James William Layton, Indian Civil Service) et Mildred Rose Muir, fille d'Howard Campbell Muir, lieutenant-général à l'État-Major. Contrairement à son père, un fonctionnaire de l'Indian Civil Service qui avait gravi successivement les échelons, le père de Sarah et Susan avait choisi la carrière militaire. Comme la majeure partie des jeunes Britanniques de ce milieu, il avait fait toutes ses études en Angleterre. Il y était arrivé à l'âge de huit ans, amené par des parents au moment des grandes vacances. Peu après le retour du couple en Inde, Mr Layton fut nommé commissaire délégué du district de Pankot. A cette occasion, il se fit connaître et apprécier par les habitants des collines qui le voyaient souvent arriver dans leur village, seul, sur son poney. Fuyant son bureau, il abattait une longue course pour le plaisir de bavarder avec les villageois.

John Layton avait hérité de sa mère une constitution

délicate. En Angleterre comme en Inde, sa santé resta pendant plusieurs années un sujet d'inquiétude. Il avait été convenu qu'il retournerait auprès de ses parents pour les vacances de l'été 1907, l'année où il entrerait dans son adolescence. Mais devant les réticences de son grand-père paternel à le laisser partir (le jeune garçon passait ses congés auprès de lui, dans le Surrey), ce fut sa mère qui prit le bateau pour l'Angleterre. Malade bien avant de partir (le climat vivifiant de Pankot avait été sans effet sur sa santé trop délabrée par ses séjours à Mayapore et à Dibrapur), elle arriva dans un tel état que son fils de treize ans ne lui trouva pas la moindre ressemblance avec le souvenir qu'il gardait d'elle. Comme il devait le confier un jour à Sarah, dans un de ses rares moments d'abandon (rares mais non absolument imprévisibles dans la mesure où Sarah était la préférée de ses deux filles et Susan, la préférée de Mrs Layton) : « J'étais sûrement très déçu. Ma mère paraissait prématurément vieillie. C'était comme si elle tenait le rôle d'une vieille femme dans une pièce de théâtre, et lorsqu'elle est morte, j'ai continué à songer à elle comme à une actrice. J'avais l'impression que ma vraie mère était toujours vivante à Pankot. Et c'est pourquoi, lorsque mon père s'est remarié et qu'il est venu en Angleterre en 1909 avec Mabel, sa nouvelle épouse, elle m'a semblé plus vraie que ma vraie mère. Mais pourquoi est-ce que je te raconte tout cela? »

La première Mrs Layton mourut en 1907, six semaines après son retour en Angleterre, d'une pneumonie double consécutive à une crise de paludisme. Le jeune Layton, qui avait repris ses études au collège de Chillingborough, revint dans le Surrey pour assister à l'enterrement de sa mère. A cette occasion, il écrivit à son père pour lui confier qu'il était triste et lui décrire – aidé en cela par son grand-père – la pierre tombale.

La seconde femme de son père était la veuve d'un commandant du 1er Pankot Rifles, mort en héros sur la Frontière Nord-Ouest de l'Inde. Le jeune garçon fit sa connaissance au cours de l'été 1909 lorsqu'elle vint en Angleterre avec son père. Il la trouva épatante. Curieusement, elle lui rappelait sa vraie mère. Elle le traita comme s'il était déjà un homme, ce qui était presque le cas : c'était un brillant élève de quinze ans, d'un physique agréable, plutôt mince mais bien charpenté et dont la voix avait mué. Il ressemblait énormément à son père, et il fut flatté que sa belle-mère en fasse la remarque. « Il a les yeux de son père », s'était-elle écriée. C'était une femme bien en chair qui lui prenait volontiers le bras, comme s'il était un homme. Elle lui demanda de l'appeler Mabel, un prénom qui jusque-là lui déplaisait, mais qu'il trouva dès lors très à son goût.

Lorsque son père finit pas lui demander : « Alors, John, comment la trouves-tu ? » il s'exclama sincèrement : « Oh ! Je la trouve formidable ! » Son père lui prit la main et la pressa. Ils étaient allongés dans le verger du Surrey, sous un pommier dont les fruits commençaient à prendre des teintes automnales.

– Et qu'est-ce que tu vas choisir, John, lui demanda son père, une carrière dans l'administration ou dans l'armée ?

– Oh ! L'armée, déclara-t-il sans hésiter en pensant au défunt mari de sa belle-mère. Les Fusiliers de Pankot, ajouta-t-il, comme pour s'excuser.

Son père souriait, étendu, les yeux fermés.

– Bien sûr, poursuivit le jeune Layton, si tu es d'accord. J'aimerais ne pas chercher à tirer profit de ta situation dans l'administration, mais me débrouiller seul dans un domaine différent. Tu comprends ?

– Non, pas du tout, lui répondit son père qui répéta en souriant de plus belle : Non, décidément, pas le moins du monde.

Lorsque le jeune Layton revint en Inde en 1913, tout frais émoulu de l'école militaire de Sandhurst, son père était membre du Conseil exécutif provincial au titre d'expert financier. Lui et Mabel habitaient à Ranpur un vieux bungalow imposant. Il séjourna chez eux une semaine. Mabel offrit en son honneur un dîner auquel elle convia le commandant et le capitaine du 1er Pankot Rifles ainsi que leurs épouses. Avant l'arrivée des invités, elle tint à vérifier si l'uniforme que s'était commandé le jeune Layton chez un tailleur de Londres était réglementaire et seyant. Il se composait d'une culotte collante couleur aile de corbeau, de hautes bottes souples, d'une chemise blanche à col cassé, d'un nœud papillon en soie, d'une haute ceinture également en soie noire et d'un dolman en serge vert bouteille, soutaché de noir et fermé sous le cou par une petite chaîne d'argent. Il était fier de porter cette tenue et ne broncha pas lorsque Mabel, d'un coup d'éventail sur la poitrine, lui confirma : « Tu es splendide dans cet uniforme et je suis sûre que tu sauras lui faire honneur ! »

On était en octobre. Une semaine plus tard, John rejoignait son régiment à Ranpur avant de partir pour le centre de recrutement de Pankot. En octobre et novembre, de jeunes montagnards continuaient de se présenter au Daftar dans l'espoir d'être enrôlés. Au dépôt, le sous-lieutenant John Layton assistait aux séances de recrutement afin de se familiariser avec les critères de sélection en usage, surveillait l'exercice des jeunes recrues ou commandait la revue du matin et du soir. En plus du lieutenant faisant fonction d'officier recruteur, deux autres officiers anglais étaient affectés en permanence à Pankot : le commandant du dépôt et un capitaine. Layton et le lieutenant partageaient un bungalow situé près du terrain de golf. Ses obligations militaires lui laissaient beaucoup de temps libre qu'il se devait d'utiliser à remplir ses devoirs mondains, autrement dit à laisser sa carte chez des personnalités et des fonctionnaires européens de Pankot en tenant compte de leur ancienneté. En hiver, sans être déserte, la ville prenait un aspect douillettement calfeutré. Pour tout un chacun, John était d'abord le fils de James Layton et le beau-fils de Mabel. Il ne s'en formalisait nullement. Pour lui, à tout bien considérer, la vie n'était qu'une question de sens du service. Il se disait que sa mère, à cause de sa santé précaire, n'avait pas bien saisi le caractère inéluctable de cet impératif. A Pankot, on se souvenait d'elle comme de quelqu'un qui n'avait pas su être à la hauteur de ses devoirs d'Européenne – ce qui n'était pas le genre de reproches qu'on risquait de faire à la nouvelle Mrs Layton.

John faisait beaucoup d'exercice : il montait tous les jours, jouait au tennis, et, pendant les week-ends, il partait seul pour de longues promenades dans les environs. Mais il les écourtait généralement, car les pistes désertes des collines le mettaient mal à l'aise.

La maison que son père et Mabel occupaient habituellement en été à Pankot était fermée. Il espérait ne pas être retenu à Ranpur lorsqu'ils y viendraient passer l'été 1914. D'autant qu'en 1915, il serait sûrement envoyé sur la Frontière Nord-Ouest avec son régiment qui n'y était pas retourné depuis 1907, l'année où sa mère était morte en Angleterre et où le mari de Mabel était tombé, précisément sur ce front. Il pensait aussi au moment – sûrement encore lointain, car en temps de paix les promotions sont longues à venir – où, nommé lieutenant, il resterait toute l'année à Pankot à la tête du bureau de recrutement. Son père serait alors sûrement à la retraite, et il choisirait peut-être de vivre à Pankot. Certains prétendaient que la vie en Inde avait des effets néfastes sur les liens familiaux, compte tenu des longues périodes où les enfants se trouvaient séparés de leurs parents. Quelques-uns avaient même envoyé leurs enfants dans des institutions en Inde. Les résultats n'avaient rien eu d'encourageant. Les enfants semblaient marqués pour la vie, ils devenaient des sortes d'apatrides. Quant au jeune Layton, les années passées en Angleterre n'avaient fait que renforcer le culte qu'il vouait à son père, à sa belle-mère et à sa patrie.

En août 1914, l'Angleterre entra en guerre avec l'Allemagne. En 1915, le 1er Pankot Rifles s'embarqua pour Suez. Le régiment combattit en Mésopotamie. A cette occasion, l'officier hindou Muzzafir Khan Bahadur reçut à titre posthume la Victoria Cross, tandis que le colonel se voyait décerner le Distinguished Service Order et que deux officiers, dont Layton, recevaient la Military Cross. En 1918, les rescapés furent envoyés sur le front en Palestine, et enfin, en 1919, le 1er Pankot Rifles – ou plutôt, ce qu'il en restait – réembarquait pour l'Inde. Son retour à Ranpur fut différé en raison des émeutes qui venaient d'éclater dans le Panjab. Selon les Indiens, les troubles n'avaient d'autre cause que la nouvelle loi Rowlatt, qui, en dépit de l'engagement pris en 1917 d'accorder au pays le statut de dominion, permettait de continuer à appliquer certaines mesures d'exception directement inspirées des Ordonnances sur la Défense du Territoire. Parmi ces mesures, on trouvait la poursuite des arrestations et des emprisonnements d'Indiens sans jugement. Pour bon nombre d'Anglais, tous ces troubles n'étaient qu'un signe des temps, la preuve désagréable qu'au terme de cette guerre, la plupart des gens n'avaient plus aucun sens des valeurs et qu'ils subissaient l'influence néfaste des rouges et des radicaux.

Mais l'action du général Dyer, en avril, à Amritsar, où il donna personnellement l'ordre à un détachement de gurkhas d'ouvrir le feu sur une foule de civils désarmés, pour le simple motif qu'ils n'avaient pas tenu compte de sa proclamation interdisant tout rassemblement – massacre qui fit plusieurs centaines de morts et plus d'un millier de blessés –, tua dans l'œuf un début de révolte générale, et, dès le mois de mai, le 1er Pankot Rifles, qui avait été gardé en réserve dans l'éventualité où il aurait fallu faire intervenir l'armée, levait le camp et rentrait dans ses quartiers.

Pour célébrer le retour du régiment, on organisa à Pankot une parade militaire à laquelle assistèrent le gouverneur entouré des membres de son conseil et le général commandant en chef de Ranpur, le lieutenant-général Muir. Le fils de l'officier Muzzafir Khan Bahadur, un enfant de sept ans, et sa veuve, enveloppée des pieds à la tête dans un burkha noir, furent présentés au gouverneur et au général.

A cette occasion, le gouverneur remit au jeune orphelin

la médaille décernée à son père. Les officiers décorés se tenaient dans la tribune officielle tandis que le régiment défilait au son des fifres et des tambours, suivi par le 1er régiment des Ranpurs (commandant en second, le chef de bataillon A. V. Reid, décoré du Distinguished Service Order et de la Military Cross) qui était allé au feu au Moyen-Orient, et des bataillons de fortune formés pour les besoins de la guerre et qui seraient bientôt dissous. La marche était fermée par un bataillon de Pankot Rifles choisi pour être détaché à Mayapore, qui deviendrait sa garnison d'hiver.

Le jeune Layton faisait partie des officiers décorés qui avaient été invités à assister au défilé dans la tribune officielle.

« Je me souviens, confiait-il plus tard à sa fille Sarah, que tout ce cérémonial m'avait mis mal à l'aise, comme s'il ne correspondait pas à ce que nous attendions. J'avais l'impression que quelque chose était irrémédiablement perdu. Peut-être l'innocence. A moins que j'aie été particulièrement sensible au fait que mon père était mort, que la guerre n'avait été qu'un gâchis, que je n'avais rien fait pour mériter une décoration et que Mabel n'arrêtait pas de pleurer. Mais c'était tout de même un très beau jour. »

Le père de John Layton était mort en 1917, au terme d'une brève maladie, due à un abcès au foie qui était lui-même l'aboutissement d'une infection amibienne n'ayant jamais été correctement diagnostiquée et traitée.

Il était mort à l'hôpital Minto de Ranpur, et avait été enterré au cimetière St. Luke. Mabel assurait qu'à une année près, il avait failli être nommé Chevalier de l'Ordre de l'Empire des Indes. Depuis cette disparition, le jeune Layton trouvait sa belle-mère changée. Elle avait fondu en larmes au cours du défilé, mais lorsqu'elle emmena son beau-fils au cimetière St. Luke pour lui montrer la tombe de son père, elle avait paru distraite, ou désinvolte.

On aurait dit qu'elle avait perdu le sens ou le goût de mettre à l'aise les gens qui se trouvaient en sa compagnie.

Et elle allait faire encore pire un an plus tard, alors que son beau-fils avait déjà épousé Mildred Muir, une des filles du général. A la suite de l'enquête menée par une commission créée par le gouvernement de l'Inde pour faire la lumière sur les conditions dans lesquelles avait eu lieu le massacre d'Amritsar, des investigations du parti du Congrès, du débat de la chambre des Communes sur les conclusions du Conseil supérieur de l'Armée, le général Dyer avait été mis à la retraite anticipée avec demi-solde.

Mabel Layton surprit et choqua la colonie anglaise de Ranpur et de Pankot en refusant ostensiblement de faire cause commune avec toutes ses compatriotes qui s'employaient activement à recueillir les dons destinés au fond d'aide au général Dyer. Toutes ces dames tombaient de haut, ayant pris pour un patriotisme exemplaire et farouche les larmes versées par Mabel au cours de la parade militaire et le visage fermé qu'elle leur opposait pardessus la tasse de café ou de thé qu'on lui offrait. Elle leur apparut sous un jour imprévisible : veuve d'un soldat tombé pour l'empire, veuve une seconde fois d'un fonctionnaire mort à la tâche, belle-mère d'un jeune officier qui avait vaillament combattu pour son pays, et qui était le gendre du général Muir, elle se révélait étrangère à l'idéal pour lequel tous ces hommes (y compris son père qui avait été amiral) vivaient ou avaient vécu. Lorsque l'on apprit que la collecte faite au profit du général Dyer avait atteint la coquette somme de 26 000 livres, les dames de Pankot et de Ranpur ne se tinrent plus de joie. Mabel Layton ne désarma pas pour autant : « Vingt-six mille livres? Voyons, combien d'Indiens inoffensifs sont-ils morts à Amritsar? Cent? Deux cents? Trois cents? Il ne semble pas qu'on soit très fixé, mais allons-y pour deux cent soixante. Cela fait cent livres l'unité. Nous voilà donc fixés sur le cours actuel d'un mort à peau brune! » Et elle envoya un chèque de cent livres au fond de secours réuni par les Indiens au profit des familles victimes du massacre d'Amritsar. Seuls l'Indien à qui elle l'adressa et le jeune Layton connurent son geste.

– Je n'en parlerai pas, pour ne pas te faire de tort, lui déclara Mabel d'un ton qui aurait pu lui laisser croire qu'il l'avait suppliée de garder le secret. Les gens sont incapables de comprendre, et je ne tiens pas à risquer de compromettre ta carrière. Tu n'as pas les moyens de t'offrir une belle-mère qui prend ouvertement le parti des indigènes, ce qui est la dernière de mes intentions. D'ailleurs, ce sale pays me fait horreur, c'est bien lui qui m'a enlevé mes deux maris. Je me moque de ce vieux général comme des gens du coin, mais là où je ne marche plus, c'est lorsqu'on voudrait nous faire croire qu'on a mis la main sur ce pays uniquement pour son bien et pas du tout dans notre propre intérêt. Dyer peut prendre soin de lui-même mais pas les indigènes, pour la bonne raison que nous sommes ici pour le faire à leur place. Et s'il faut *réellement* tirer dans le tas comme dans un jeu de quilles pour leur prouver qu'on ne les oublie pas, ayons au moins la décence de l'admettre, quitte à dire au gars qui en descend un peu trop de se débrouiller avec sa conscience et de faire en sorte que ceux qui nous doivent leurs statuts de veuves et d'orphelins ne meurent pas de faim. Parmi les victimes, il y a bien eu des enfants, n'est-ce pas? Et à eux, que leur doit-on?

Elle libella son chèque à l'ordre d'un certain Sir Ahmed Akbar Ali Kassim, un riche musulman de Ranpur qui faisait partie du conseil exécutif provincial du gouverneur où il avait été le collègue du défunt mari de Mabel. Son fils, Mohammed Ali, faisait des débuts remarqués dans la carrière juridique et venait de s'inscrire au parti du Congrès qui, sous l'impulsion de Mohandas Karamchand Gandhi, faisait de la non-coopération une arme pour réclamer l'indépendance et non plus seulement l'autonomie.

– Tu es jeune, disait Sir Ahmed Akbar à son fils. Tu laisses ton cœur gouverner ta tête. Lorsque tu auras mon âge, tu sauras maîtriser tes émotions. Tu crois que ce qui s'est passé à Amritsar marque une étape nouvelle? Tu te trompes. Et si tu penses que le Congrès indien est en mesure de garantir que de tels événements ne se reproduiront plus, tu es encore dans l'erreur. Tu estimes qu'à Amritsar, les Anglais ont fait la preuve qu'ils mentaient lorsqu'ils parlaient de liberté et qu'ils se sont en réalité comportés comme des tyrans sanguinaires? Alors, tu es encore dans l'erreur. C'est au contraire parce que les Anglais sont sincères en parlant de liberté que de tels événements sont possibles. C'est précisément leur sincérité qui a tant effrayé leurs opposants. Je ne parle pas de nous, mais de certains Anglais qui auront d'ailleurs de moins en moins d'influence. Ce sont des hommes comme ce général Dyer que tu considères bien à tort comme un monstre. Il croit sincèrement que Dieu lui a confié la mission de sauver l'Empire et qu'à Amritsar se dressait une intolérable menace contre cet Empire.

» Regarde, poursuivit le vieil homme en montrant un chèque à Mohammed Ali. C'est une Anglaise qui me l'adresse, en me chargeant de le verser, sans en révéler l'origine, au fond de secours pour les veuves et les orphelins du massacre. Parmi les Anglais que tu rencontres, il y en a pour qui tu as de la sympathie, d'autres que tu détestes, et d'autres, la majorité, qui te sont indifférents. Mais ceux qui comptent, tu ne les verras jamais. Ils sont en Angleterre, et en tant qu'individus, ils n'ont aucune importance pour nous. Si tu crois que nous vivons sous le contrôle des Anglais qui sont ici - vice-roi, gouverneurs, commissaires et officiers supérieurs - alors tu te trompes. Nous sommes gouvernés par des gens qui ne savent même pas où se trouve Ranpur. Mais depuis peu, ils savent où se trouve Amritsar, et beaucoup n'aiment pas ce qu'ils en savent. Ceux qui aiment ce qu'ils ont appris sont dans le même état d'esprit que le général à Amritsar, ils ont peur et, comme tous les gens qui ont peur, ils crient plus fort que tout le monde et tirent au hasard.

» A Amritsar, des Indiens ont bel et bien été massacrés, mais on a également assisté à une sorte de suicide. On assistera à d'autres scènes de ce genre. Il faut beaucoup de temps pour qu'une nation voie le jour, et il en faut également beaucoup pour qu'une vieille nation meure de ses propres mains. Si tu veux être efficace, commence par faire la distinction entre les Anglais qui nous gouvernent et ceux qui ne font qu'appliquer les consignes. Comprends que nous faisons partie intégrante de l'évolution politique et sociale des Anglais et que si nous voulons en partager les fruits, nous devons partager également les efforts qu'elle implique et nous soumettre aux règles qu'ils s'imposent à eux-mêmes.

– Tu veux dire, lui demanda Mohammed Ali, qu'il faut se résigner à être tirés comme des lapins si on ose revendiquer le droit de s'exprimer librement?

– Ça, c'est ce qu'ils ont mis en pratique chez eux contre leurs propres concitoyens, il n'y a pas encore si longtemps. Mais quels que soient les progrès réalisés par les Anglais chez eux, nous devons nous contenter d'en profiter avec un certain décalage dans le temps.

– Non, répliqua Mohammed Ali en souriant, désormais nous devons les devancer, et de plusieurs longueurs.

Le vieil homme resta un moment silencieux, non qu'il fût à court d'arguments, mais parce qu'il apercevait au détour de la conversation l'inéluctable enchaînement de violences qui se préparait.

– Peut-être suis-je trop vieux, finit-il par dire. Je ne parviens plus à déchiffrer les textes imprimés en petits caractères, et je suis convaincu que l'Anglaise qui m'a envoyé ce chèque est dans le même cas que moi. Elle se contente de relire un vieux contrat « écrit gros ». Le tien est-il « écrit gros », ou est-ce toi qui as le regard particulièrement perçant?

En 1919, à son retour à Ranpur, John Layton avait vingt-six ans. Son expérience antérieure le désignait tout naturellement pour le poste d'officier recruteur à Pankot. Dès le mois de mai, il s'installait avec Mabel dans le bungalow situé près du terrain de golf, où il avait séjourné avec le lieutenant en octobre et novembre 1913.

Mabel et le père de John avaient longtemps caressé

l'espoir de se retirer un jour à Pankot. A cette fin, ils avaient jeté leur dévolu sur une maison baptisée « Rose Cottage ». Son seul inconvénient était d'être située sur l'autre versant de la colline dominée par le palais d'été du gouverneur, mais en revanche elle possédait un jardin délicieux et jouissait d'une vue particulièrement étendue. Au surplus, son propriétaire, un veuf d'un âge avancé, n'en avait sûrement plus pour très longtemps à vivre.

James Layton ne disposait pas de fortune personnelle, et il ne laissa pas grand-chose à sa veuve en mourant. Mabel s'était retrouvée à la tête d'un petit capital à la mort de son premier mari – lequel ne s'était pourtant rien refusé de son vivant. Mabel n'ayant pas d'enfant, John Layton serait vraisemblablement son seul héritier – détail d'autant moins négligeable qu'il était impossible à un officier de vivre décemment de sa solde en temps de paix. Le service de l'empire exigeait qu'on ait les moyens de tenir son rang. James Layton avait approvisionné régulièrement le compte de son fils, et, après sa mort, Mabel avait pris le relais. John ne manquait donc pas d'argent, et possédait même, grâce à sa solde en service actif, quelques économies. En outre, Mabel avait l'intention, s'il se mariait, de lui verser le capital augmenté des intérêts qui constituait l'héritage de son père. Il disposerait ainsi du minimum sans lequel un homme de son milieu ne peut prétendre fonder un foyer et pourvoir à l'éducation de ses enfants.

Un jour viendrait où il hériterait la maison de son grand-père dans le Surrey. Ses enfants y passeraient leurs vacances en compagnie de leur mère ou de Mabel. Tous ces projets d'avenir lui paraissaient d'autant plus d'actualité qu'à vingt-six ans il venait de décider qu'il était temps de songer au mariage.

III

A Ranpur, le commandant de la garnison, le général de corps d'armée Muir, avait trois filles : Lydia, Mildred et Fenella, qu'on appelait couramment Lyddy, Millie et

Fenny. Retenues en Angleterre par la guerre, les jeunes filles venaient d'arriver en Inde. Fenny était sotte et exubérante. Lydia ne se consolait pas de la perte de son fiancé, un officier de la Royal Navy porté disparu dans l'Atlantique. Restait Millie avec qui Layton se sentait en confiance au point de pouvoir rester en tête à tête avec la jeune fille sans parler, lorsqu'ils avaient épuisé les sujets de conversation.

Mrs Muir mettait à chaperonner ses filles un art consommé : elle savait doser judicieusement les occasions qui pouvaient s'offrir à un jeune homme de se retrouver avec l'une d'elles. On prétendait qu'elle tenait à jour une liste des hommes constituant un bon parti, et qu'on pouvait être sûr d'y figurer dès l'instant où son œil de lynx se trouvait affligé d'une soudaine myopie lorsque, lors d'un bal, on se risquait à entraîner en dansant l'une de ses filles sur la terrasse.

Après plusieurs rencontres de ce genre, Layton décida qu'il était tombé amoureux de Mildred Muir et – détail autrement plus important – qu'elle avait succombé à son charme. Après qu'il lui eut fait une déclaration en règle, elle lui avoua qu'elle serait heureuse de devenir sa femme. Sur ce, il demanda au général la main de sa fille avec un tel luxe de formalisme dans le droit fil de la plus pure tradition que – comme devait le raconter plus tard Mildred à sa fille Sarah – il conquit le père en même temps que la fille.

On annonça les fiançailles en septembre. Il était prévu que le mariage aurait lieu en mai 1920. A cette date, Layton aurait droit à un congé de longue durée après douze mois passés au poste d'officier recruteur. Le couple partirait en lune de miel au Cachemire avant de rendre visite au grand-père du jeune homme dans le Surrey.

Sa belle-mère Mabel semblait approuver tous les plans de John. Elle lui demanda de la ramener à Ranpur, et s'y réinstalla au Smith's Hotel où elle avait déjà séjourné après son veuvage. Elle avait refusé l'hospitalité que les Muir lui offraient à Flagstaff House, la résidence d'été du commandant de la place de Pankot. John Layton découvrit à sa solitude un charme insoupçonné. Ayant pris l'habitude de partir à l'aventure chaque week-end dans les collines, tantôt à pied tantôt à cheval, il finit par s'attirer la sympathie des villageois qui lui offrirent bientôt régulièrement l'hospitalité. Dans le pays, on savait qu'il était le fils unique de Sahib Layton et le seul capable de raconter les hauts faits d'armes de l'officier Muzzafir Khan Bahadur. Le soir, dans les villages, les hommes de tous âges se pressaient autour de lui pour l'écouter, et, au-delà du cercle de lumière vacillante dispensée par les lampes à pétrole, souvent il devinait la présence attentive des femmes. Ayant fait honneur à la nourriture et à la boisson qu'on lui offrait, il dormait ensuite d'un sommeil profond, l'esprit et le corps en paix. Il appréciait la simplicité grave et la dignité chaleureuse de ses hôtes. Il songeait parfois : « Au fond, mon vrai pays est ici », peut-être parce qu'il commençait à entrevoir que pour les Anglais vivant en Inde, la notion de pays natal finissait par perdre son poids de pierre et de ciment, de vergers et de pâturages, pour ne plus signifier qu'un lieu d'élection mystérieusement enfoui dans le cœur.

***

En août 1920, tout juste rentrés d'Angleterre, John Layton et sa jeune femme trouvèrent Mabel toujours installée au Smith's Hotel de Ranpur. Après avoir séjourné une semaine auprès d'elle, ils réintégrèrent Pankot où les attendaient le général, Mrs Muir et Fenny. Lydia, qui avait accompagné le jeune couple en Angleterre, avait décidé d'y rester en jurant ses grands dieux qu'elle ne remettrait plus jamais les pieds en Inde. Elle tint parole et finit par épouser un médecin de Bayswater chez qui elle s'était d'abord engagée comme secrétaire.

En octobre, Mildred redescendit avec son mari dans la plaine. En attendant son affectation dans un régiment, Layton servit d'aide de camp à son beau-père et de capitaine du 1er Pankot Rifles. A l'occasion, il siégeait dans des conseils d'enquête. En février 1921, il ramena Mildred à Pankot, ainsi que Mrs Muir et Fenny. A eux tous ils occupèrent une aile de la résidence d'été du général. Cinq semaines plus tard, le 27 mars, à la clinique de Pankot, Mildred donnait le jour à une fille, Sarah.

En apprenant que son premier enfant était une fille, Layton éprouva une déception qui se trouva vite balayée à la vue d'un bébé qui offrait non pas l'habituel frimousse toute fripée des nouveaux-nés mais un petit visage lisse et rose. Bien qu'il l'en eût vivement priée par lettre, Mabel refusait toujours aussi obstinément de quitter Ranpur, ne fût-ce que pour venir admirer le nouveau-né. En octobre, la petite famille redescendit prendre ses quartiers d'hiver : John Layton venait d'être nommé en remplacement du capitaine du 1er Pankot Rifles qui était muté à l'École supérieure de guerre de Quetta. Il s'installa avec Mildred et le bébé dans le bungalow qu'ils allaient occuper pendant plusieurs années, au numéro 3 de la Kaboul Road. Ceinte de murs, la propriété comprenait une maison d'habitation à colonnes décorées de stuc imitant le marbre et ombragée par de grands arbres, des écuries, un quartier pour les domestiques, et une vaste pelouse où pourraient s'ébattre Sarah et Susan (née en 1922 à Pankot) sous l'œil du *mali* Dost Mohammed, le chef jardinier, qui avait une si longue pratique des serpents et des scorpions qu'il sut toujours éviter aux fillettes d'apercevoir un de ces animaux vivants. Sauf en une occasion, lorsqu'il leur fit la démonstration du « suicide » d'un scorpion, pris au piège d'un cercle de feu, qui finit par s'infliger une piqûre mortelle en recourbant sa queue sur lui-même.

Sarah se souvenait du scorpion (dont elle avait surveillé la fin dramatique avec la curiosité détachée des enfants) et du jardin au 3 de la Kaboul Road, de la véranda ombragée où l'on pouvait se réfugier pour fuir l'ardeur du soleil, de la chambre à haut plafond qu'elle occupait avec Susan, de leurs deux petits lits jumeaux habillés de moustiquaires, de la porte à claire-voie que Mumtez, leur vieille nourrice, fermait chaque soir et contre laquelle elle poussait son lit. Sarah se souvenait également du chant enroué des coqs qui la réveillaient tôt le matin. Elle mélangeait un peu les souvenirs se rapportant au vieux bungalow de Ranpur avec ceux, plus nets, de Pankot. Mais, en cet été 1939, aucun des témoins muets du passé qu'elle retrouvait ne parvenait à bouleverser la jeune fille de dix-huit ans qui était de retour après toutes ces années passées en Angleterre, qui l'avaient vue se détacher de l'enfance et aborder l'âge adulte. Leurs réalités n'étaient que les reflets des images qu'elle avait gardées. Trop d'espace séparait les lieux précis dont elle se souvenait – lieux qui étaient comme les châteaux forts de sa mémoire, et ces châteaux forts étaient dans la réalité d'une précision trop prosaïque pour s'accorder à l'impression magique, à la fois plus vague et plus vraie, qu'ils avaient laissée dans son esprit d'enfant.

Elle éprouvait un sentiment d'insécurité qu'atténuait cependant la conscience de son histoire personnelle et de son appartenance irrécusable à une famille. Elle se sentait tout à la fois en pays étranger et en pays connu. La langue lui revenait lentement. Elle finit par s'apercevoir que ce qu'elle croyait avoir oublié n'avait tout simplement jamais fait partie de son vocabulaire, car elle avait parlé cette langue alors qu'elle était fillette – tandis qu'à présent elle devait la manier comme un instrument de communication entre adultes.

Et pourtant, pensait Sarah, ici nous sommes et demeurons curieusement des enfants. En Inde, j'ai l'impression de retrouver un pays où tout semble uniquement destiné à servir de décor à un jeu. Un jeu auquel Susan et moi n'avons pas le droit de participer tant que nous n'aurons pas été jugées dignes d'en connaître les règles. Et d'ici là, on ne cessera de nous dire, comme on le fait en ce moment, de ramasser nos jouets et d'aller nous amuser ailleurs. Et tôt ou tard, tout ce qui faisait la magie du jeu s'évanouira et nous découvrirons que la forteresse était en carton, les soldats en plomb, et moi en cire ou en porcelaine. Et jamais plus Mumtez ne se couchera devant la porte pour nous défendre contre les ogres. Mumtez est partie depuis longtemps, je ne sais où. Maman se souvient à peine d'elle. Mais peut-être n'a-t-elle été à notre service que très peu de temps. Par contre, maman se souvient très bien de Dost Mohammed, mais pas du tout du jour du scorpion. En revanche, elle parle du jour du serpent, dont ni Susan ni moi n'avons gardé le souvenir, peut-être parce que Dost Mohammed et maman ont toujours soigneusement évité d'y faire allusion devant nous.

En grandissant, les enfants oublient leurs jouets au grenier et ils continuent de jouer comme si ce n'était pas un jeu, mais la vie pour de bon. Pourtant, dès qu'on avance un peu dans le temps, tout n'est plus qu'une affaire de toiles d'araignées, de vieux coffres et de longues journées passées calfeutré chez soi à recenser ses pauvres trésors au lieu de sortir et de risquer d'avoir les pieds trempés et de prendre froid. Pankot nous sert de refuge, de lieu de retraite. Ranpur également. Pas le vrai Pankot ni le vrai Ranpur bien sûr, mais *notre* Pankot et *notre* Ranpur qui sont si loin de la réalité, ce qui explique notre désarroi lorsque nous les retrouvons après une longue absence. A Ranpur, nous mesurons brusquement l'immensité de la plaine qui s'étend alentour, et à Pankot, nous constatons à quel point les collines que nous avions quittées amicales et protectrices sont en fait menaçantes, altières et dangereuses. C'est notre premier choc lorsque nous revenons ici. Mais nous cessons très vite de voir cette réalité-là, car elle est très déplaisante.

La maison à Pankot et le bungalow de Ranpur, que leurs parents occupaient respectivement en été et en hiver, n'avaient rien à voir avec ce que Sarah et Susan avaient connu avant leur départ pour l'Angleterre. C'étaient des demeures beaucoup plus imposantes, car leur père était à présent commandant du 1er régiment de Fusiliers de Pankot, au terme d'une carrière sans éclat mais non sans promotions, qui l'avait conduit avec son épouse de Ranpur à Lahore, puis à Delhi, Peshawar et Quetta.

Sarah et Susan revinrent en Inde en 1939 accompagnées par le major Grace et sa femme (tante Fenny et oncle Arthur) qui rentraient d'un congé de longue durée. Susan venait de terminer ses études et Sarah, qui avait un trimestre d'avance sur sa sœur, en avait profité pour suivre un cours de secrétariat afin de posséder un bagage qui lui permettrait éventuellement de se rendre utile.

Tante Fenny, la cadette des filles Muir, avait épousé Arthur Grace en 1924, l'année où son père prit sa retraite. A l'époque, tout le monde se demandait depuis longtemps pourquoi elle avait éconduit systématiquement les jeunes sous-officiers qui, au fil des années, lui avaient fait la cour. Et son choix, survenant au moment où le général et Mrs Muir étaient sur le point de regagner définitivement l'Angleterre, et se fixant sur Arthur Grace, avait généralement donné l'impression qu'elle s'était brusquement rendu compte à quel point elle avait trop attendu et que, prise de panique à l'idée de rester vieille fille, elle avait jeté son dévolu sur celui qui se trouvait, ce jour-là, à ses côtés.

Dans l'armée, son mari faisait une carrière plus que terne, et de plus, le couple était resté sans enfant. Aussi, d'année en année, tante Fenny était-elle devenue méconnaissable, sans plus rien qui rappelât la futile mais délicieuse jeune fille des années 20.

Filleule de tante Fenny, Sarah avait été, à trois ans, demoiselle d'honneur à son mariage. Elle ne gardait aucun souvenir de l'événement, mais les gens qui y assistaient lui étaient familiers grâce à la photo qu'en conservait tante Lydia à Londres, et qui figurait aussi dans l'album de sa mère en Inde.

On y voyait les Layton et les Muir, un peu guindés dans leur costume de cérémonie, entourant une tante Fenny plus jeune et un oncle Arthur plus svelte, avec Sarah au premier plan, un bouquet à la main, à côté d'un petit garçon de cinq ans en costume de page (il devait se prénommer Giles) qui était le fils du commandant en chef de John Layton.

Si la photo avait particulièrement retenu l'attention de

Sarah, c'était peut-être parce que Mabel Layton y figurait, entre le père de Giles et un civil indien d'un certain âge, un familier du gouverneur, lequel était également présent au mariage, accompagné de son épouse. Le groupe avait posé dans le jardin de Flagstaff House, la résidence d'été du commandant à Pankot. On apercevait à l'arrière-plan les balustrades en bois et la glycine luxuriante. Mabel Layton portait une capeline qui ne laissait apparaître que le bas de son visage où semblait hésiter un vague sourire.

Sarah se souvenait qu'enfant, en Inde, elle avait peur de tante Mabel, peut-être parce qu'elle était la belle-mère de son père et que dans toutes les histoires, les marâtres sont toujours de méchantes femmes. En 1933, l'été où l'arrière-grand-père du Surrey devait s'éteindre à quatre-vingt-quatorze ans, tante Mabel accompagna le major et Mrs Layton en Angleterre. A cette occasion, Sarah redécouvrit tante Mabel, qu'elle trouva sympathique.

Au cours de la longue période d'exil en Angleterre, Sarah et Susan habitaient à Londres chez tante Lydia et passaient une partie de leurs vacances d'été chez leur arrière-grand-père du Surrey. Apparemment, Susan était la préférée du vieil homme : c'est elle qu'il prenait sur ses genoux pour leur raconter des contes et des légendes, qui étaient souvent à faire frémir, ou les aventures de jeunesse de leur père et de leur grand-père, toujours dans le Surrey. Sarah n'en éprouvait aucune jalousie. Elle et le vieillard avaient tacitement admis que Susan était le bébé de la famille, qu'il convenait à ce titre de choyer. En fait, Susan appréciait peu ces histoires, qui l'effrayaient ou lui paraissaient incompréhensibles.

Susan ne pleura pas lorsque grand-papa Layton mourut. Sarah non plus, mais elle sentit que ce n'était pas pour les mêmes raisons que sa jeune sœur. Il s'éteignit vers la fin de l'été 1933, peu avant la date prévue pour le retour en Inde des parents des fillettes et de tante Mabel. Sarah se dit que si sa sœur ne pleurait pas, c'était parce qu'elle n'avait jamais considéré grand-papa comme une personne mais comme un vieux meuble dégageant une odeur plutôt désagréable, avec lequel il fallait vivre en été et qui s'animait de temps en temps à la fois pour son plus grand désagrément et pour le plaisir de se voir conforter dans le sentiment qu'elle avait de sa propre importance dans une maison où tout le monde était à sa dévotion. Cet été-là, Susan avait découvert sur les genoux et dans les bras de son père et de sa mère d'autres raisons d'être sûre de ses moyens de séduction. En effet, elle avait mis à profit les quelques semaines qui avaient précédé la mort de grand-papa pour avouer à sa mère, à grand renfort de larmes, qu'elle détestait tout simplement vivre en Angleterre. Sarah en était restée confondue. Depuis leur arrivée en Angleterre elle avait dissimulé sa propre tristesse pour ne pas compromettre la bonne humeur de Susan qui avait semblé s'accommoder sans difficulté de ce que leurs parents appelaient « l'opération de déracinement et de replantation en terre natale » (une terre qui avait d'abord paru aux fillettes aussi inhospitalière que pourrait l'être le Groënland pour un pygmée). Les larmes que versait à présent Susan semblaient une caricature de celles que Sarah avait stoïquement ravalées.

Elle trouva la conduite de sa sœur assez déloyale et en soupçonna la sincérité. La façon théâtrale dont elle avait laissé éclater son aversion pour l'Angleterre, pour tante Lydia, pour l'école et pour grand-papa tenait sûrement de la pose et du besoin d'obtenir à tout prix qu'on s'occupe d'elle au moment où l'attention de toute la famille était accaparée par la mort de grand-papa. Sarah elle-même se sentit visée sans trop savoir ce que sa sœur pouvait lui reprocher. Mais puisqu'elle se plaignait ainsi, c'était que Sarah n'avait pas su remplir son rôle de grande sœur. Et c'est pour ces raisons qu'au moment où grand-papa mourut, elle non plus ne pleura pas, sentant confusément l'inutilité de donner libre cours à la manifestation d'une émotion. Une vie bien remplie était arrivée à son terme : c'était le sort commun. Un jour viendrait où ce serait le tour de sa mère, de son père, de tante Mabel – sûrement d'abord de tante Mabel, à moins d'un accident, d'une guerre ou d'un désastre en Inde, comme par exemple une épidémie de choléra ou simplement une maladie. Et si Susan n'avait pas versé une larme, c'était probablement parce que la mort de quelqu'un d'aussi vieux que grand-papa n'avait aucune place dans son univers et ne l'affectait que dans la mesure où elle monopolisait l'attention des autres à son détriment.

Susan se refusa à assister à l'enterrement. Il n'y avait aucune raison de l'y contraindre, mais Sarah s'insurgea lorsqu'on lui proposa de rester à la maison pour tenir compagnie à sa sœur. « Non, je veux y aller », déclara-t-elle à sa mère, avec qui, après ces années de séparation, elle n'avait pas renoué une relation facile. « Grand-papa était très gentil avec nous. Mrs Bailey peut veiller sur Susan. » Mrs Bailey était la vieille gouvernante, à qui son maître avait légué trois cents livres. « Et Susan n'aura qu'à l'aider à préparer le repas de funérailles. » Sarah se disait que, de la sorte, sa sœur prendrait tout de même sa part du deuil. Elle espérait aussi que les odeurs de cuisine chasseraient celle qui régnait dans la maison comme si, quelque part, un bouquet de fleurs fanées avait été oublié dans un vase d'eau croupie.

Le jour de l'enterrement, pour aller à l'église Sarah partagea la voiture où avaient pris place tante Mabel et deux parents âgés de la famille Layton qu'on était allé accueillir à la gare. En route, ils parlèrent de gens que Sarah ne connaissait pas jusqu'au moment où elle comprit qu'il s'agissait de ses propres parents en les entendant nommer Mildred et John. Elle ne pleura pas au cours du service funèbre à l'église ni au cimetière où elle se tint près de la fosse où, après les discours de circonstance, on déposa le cercueil dans lequel était enfermé grand-papa, et pas davantage durant le trajet de retour à la maison. Mais elle pleura le soir, dans son lit – alors que Susan, qui ne lui adressait plus la parole, s'était endormie. Ce qui lui arracha des larmes, ce fut de penser que grand-papa s'était arrangé pour mourir juste au bon moment, autrement dit pas avant que les parents de Sarah et tante Mabel soient arrivés en Angleterre mais assez tôt cependant pour qu'ils n'aient pas à retarder leur retour en Inde ou à repartir sans bien savoir à quoi s'en tenir. Selon la formule du médecin, il avait su « tirer sa révérence » à point nommé.

Sarah pleura de découvrir cette volonté d'effacement, ce respect des autres. Elle pleura surtout parce qu'elle souhaitait plus que tout retourner en Inde. Sans grand-papa et le Surrey, l'Angleterre redevenait un pays étranger où sa sœur et elle avaient été condamnées à passer un certain nombre d'années pour obtenir le droit de devenir adultes. Désormais, à douze ans, elle se sentait suffisamment grande pour aider sa mère à veiller sur son père – et pour ramener seule, s'il le fallait, Susan au vieux bungalow de Ranpur où Mumtez les protégeait des nuits noires et mystérieuses. Qu'on lui ait dit que ses parents habitaient maintenant à Lahore ne rendait pas moins évocatrice l'idée qu'elle se faisait de son retour en Inde. Et elle se moquait bien que l'Inde fût, selon tante Lydia « un pays où une femme blanche ne pouvait exister normalement ». D'ailleurs, elle ne la croyait pas. Sa mère était tout à fait normale, et tante Mabel aussi, malgré cette habitude déconcertante qu'elle avait de détourner la tête lorsqu'on voulait l'embrasser (de sorte que le baiser atterrissait sur l'oreille) et le fait qu'elle tenait tout le monde à distance. Ce qui n'empêchait pas de la surprendre parfois en train de vous observer avec le plus vif intérêt, visiblement curieuse de savoir ce que vous faisiez ou ce que vous pensiez et pourquoi.

Ce fut Mabel qui révéla à Sarah la vérité au sujet du scorpion, deux jours après l'enterrement de grand-papa. Susan continuait à la bouder. Elle se trouvait seule dans le verger lorsque Tante Mabel la rejoignit : « Si tu ne fais rien, viens donc te promener avec moi ! »

Elles traversèrent le verger et sortirent par la barrière donnant accès au pré en pente descendant jusqu'au ruisseau. La pratique avait fini par y tracer un petit chemin. Un paysan louait le pré pour ses vaches. Même lorsqu'elles étaient groupées à l'autre extrémité de la prairie, Susan avait trop peur des bêtes pour s'y aventurer. Sarah, elle, aimait les vaches. Elles n'étaient pas des animaux sacrés comme en Inde. Elles étaient tièdes et sentaient bon. Sarah aimait les voir couper net une touffe d'herbe, d'un mouvement enveloppant de leur langue épaisse et souple. Elle se demandait comment elles faisaient pour ne pas arracher l'herbe avec toutes les racines, et à quoi elles pouvaient penser lorsqu'elles relevaient brusquement la tête en mâchonnant, les oreilles pointées, se battant les flancs de leur queue chasse-mouches, et qu'elles vous surprenaient en train de les regarder. D'autres fois, elles broutaient frénétiquement d'un bout à l'autre du pré sans prêter la moindre attention à ceux qui passaient. Aujourd'hui, elles étaient dispersées de part et d'autre du chemin. « Elles ne sont pas méchantes », dit Sarah en prenant la main de tante Mabel pour la rassurer et parce que le chemin était creusé d'ornières. « Elles ne sont pas à grand-papa », ajouta-t-elle, oubliant qu'il n'était plus en mesure de posséder quoi que ce soit. « Elles appartiennent à Mr Birtwhistle. Il lui arrive de nous laisser le regarder lorsqu'il les trait. »

– Et cela te plaît?

Avant de répondre, Sarah prit un temps :

– Non, mais cela m'intéresse. Je crois que je dirais qu'un livre ou qu'un jeu me plaît. Mais lorsqu'il s'agit des choses de la vie, comme traire les vaches, je préfère dire que ça m'intéresse. Est-ce que cela te paraît convaincant?

– D'une certaine façon, oui.

Lorsqu'elles arrivèrent au bord du ruisseau, Sarah passa devant tante Mabel pour lui montrer sur quelles pierres il fallait marcher pour passer sur l'autre rive et entrer dans le petit bois.

– C'est notre bois privé, lui annonça-t-elle. De l'autre côté, il y a une clôture et un terrain qui appartient à Mr Birtwhistle. Susan et moi, on peut y pénétrer pourvu qu'on reste sur le pourtour. Mais maintenant, tout va changer. C'est sûrement le dernier été que nous passons ici. Papa projette de louer la maison, ou peut-être de la vendre.

Elle s'interrompit en se rendant compte qu'elle parlait à tante Mabel comme s'il s'agissait d'une étrangère alors qu'elle devait être beaucoup mieux informée qu'elle-même des projets de son père. Elle oubliait que tante Mabel était déjà venue ici bien avant la guerre de 14-18 pour y faire la connaissance de son beau-fils, et qu'elle n'avait vraisemblablement plus rien à apprendre concernant le pré, le ruisseau et le petit bois.

– Est-ce que tu regretteras cet endroit? lui demanda tante Mabel.

– Je crois, oui, même si nous n'y venions qu'en juillet et en août. Ce qui me rend triste, c'est de savoir que je ne pourrai plus y revenir même si j'en ai envie.

Elles restèrent un long moment à regarder couler le ruisseau. Sarah s'abstint de s'asseoir sur la berge, car tante Mabel était trop âgée pour en faire autant. Au bord de l'eau, la terre était toujours humide. Le temps était chaud, mais à l'ombre il faisait frais. Tante Mabel avait gardé son manteau : en Angleterre elle avait toujours un peu froid. Exactement comme Sarah trois ans plutôt, mais depuis elle s'était habituée au climat de l'île. Il lui arrivait de faire des rêves en couleur où elle se retrouvait en plein soleil à Pankot. Le babillage du ruisseau à la rencontre des pierres lui faisait penser à Pankot, un Pankot en miniature. D'ailleurs, en Angleterre tout semblait être à une échelle réduite. Même les gens qui, comme tante Lydia, y habitaient en permanence, semblaient manquer d'une dimension, comme si le fait de vivre sur une petite île les marquait définitivement. Mais c'était peut-être un raisonnement un peu simpliste. Sarah s'obstinait à chercher à y voir plus chair et elle s'aperçut que tante Mabel, elle aussi, était absorbée dans ses pensées. Cette façon de se retirer en soi-même lui parut également le propre des Anglais fixés en Inde, contrairement aux autres qui parlaient inconsidérément de tout ce qui leur passait par la tête. A ce propos, elle nota une similitude, qui lui avait jusque-là échappé entre tante Mabel, pourtant peu loquace, et sa sœur Susan qui jacassait sans arrêt mais ne confiait le fond de sa pensée qu'exceptionnellement, aux gens qui lui paraissaient dignes de confiance, comme par exemple leurs parents.

Sarah ne distinguait pas la nature du lien secret de parenté qui unissait ainsi tante Mabel et Susan mais elle y reconnaissait l'empreinte de l'Inde. Les Anglais qui s'expatriaient en Inde étaient décidément très différents des autres. Lorsqu'ils revenaient au pays, ils s'y sentaient comme des visiteurs qui s'apercevaient que le fil qui les reliait aux autres était devenu extrêmement ténu (ténu était un des mots nouveaux qu'affectionnait particulièrement Sarah). De part et d'autre, des zones entières de sensibilité n'avaient plus aucun point commun.

– Il est temps de rentrer si nous ne voulons pas être en retard pour le thé et compliquer la tâche de Mrs Bailey, dit Sarah.

En chemin, elle se retrouva brusquement dans un de ses « drôles d'états », comme elle les appelait. C'était comme si brusquement les choses et les sons la fuyaient. Comme si elle avait à la fois regardé à travers les jumelles de grand-papa par le mauvais bout et mal réglé le poste de radio. Apparemment, rien ne trahissait aux yeux des autres ce qu'elle éprouvait. Elle en était arrivée à la conclusion que ces « drôles d'états » étaient provoqués par de brusques poussées de croissance. A certains moments, croyait-elle, elle grandissait tellement que le sang n'arrivait plus à irriguer convenablement son cerveau – d'où ces fugaces troubles visuels et auditifs. Aucun autre facteur particulier ne provoquait l'apparition de ses états bizarres : les conditions atmosphériques ne jouaient aucun rôle et pas davantage son état personnel. Qu'elle se sente reposée ou fatiguée, affamée ou sans appétit, rien ne préludait à ces brusques dérapages. Elle trouvait ces expériences plutôt intéressantes même s'il lui arrivait de s'inquiéter des effets que cela pouvait avoir sur ses propos et sur son comportement lorsque le phénomène la surprenait en pleine conversation avec quelqu'un. En la circonstance présente, Sarah prit soin de bien refermer la barrière du verger et de veiller à ce que tante Mabel ne trébuche pas sur une motte de terre, elle-même n'étant pas très sûre de son équilibre car son sens des distances et des perspectives était sensiblement perturbé.

Elle traîna un peu, espérant que le « drôle d'état » allait passer. Pour l'instant, elle se sentait comme une géante dans un verger miniature. « Je crois qu'un caillou est entré dans ma chaussure », dit-elle d'une voix qui lui résonna étrangement dans la tête mais ne lui sembla pas capable d'être entendue par sa tante. Parfois, il arrivait qu'en se penchant on provoque le retour à la normale en faisant affluer le sang à la tête. Elle aperçut une pomme cachée dans l'herbe. Ses pieds et la pomme étaient minuscules et comme hors de portée. En effet, on avait beau se sentir grand comme un géant, si on portait le regard sur une partie de soi-même, elle vous paraissait d'une dimension dérisoire et située à l'infini. Lorsqu'elle eut passé la main dans sa sandale, Sarah la posa sur la pomme, fascinée par la distance qui l'en séparait, et au même moment, une guêpe qui commençait à creuser la partie talée du fruit la piqua à un doigt. La douleur était vive, son cerveau l'enregistra correctement, mais une couche d'insensibilité séparait encore la sensation et la certitude de sa réalité. Enfin, elle s'entendit crier.

– Qu'est-ce qu'il y a? demanda tante Mabel.

– Une bête m'a piquée.

Tout était rentré dans l'ordre. Son doigt lui faisait très mal. Tante Mabel lui prit la main et regarda le petit point rouge autour duquel la peau commençait à s'enflammer.

– C'était une abeille ou une guêpe?

– Oh, une guêpe, je crois. Elle creusait son trou dans la pomme.

– Tu as déjà été piquée par une guêpe?

– Deux fois, oui.

– Alors, ça va. On va rentrer et mettre quelque chose sur ton doigt.

– Habituellement, Mrs Bailey y met du jus de citron. Pourquoi vaut-il mieux que j'aie déjà été piquée?

– Parce qu'il arrive que certaines personnes soient allergiques aux piqûres de guêpe.

– Et elles peuvent en mourir?

– Oui, mais c'est un cas très rare.

– Je croyais que seules les morsures de serpent et les piqûres de scorpion étaient mortelles.

– Non, il n'y a pas qu'elles. Et d'ailleurs elles ne sont pas toujours mortelles.

Elles traversèrent le verger, se dirigeant vers la pelouse et la maison. Lorsqu'il faisait beau, comme c'était le cas ce jour-là, on prenait le thé dehors, à l'ombre du cèdre. Mais ce ne serait pas possible aujourd'hui, car la famille se pliait aux exigences du deuil qui interdit un thé champêtre, ne serait-ce que pour éviter de froisser les sentiments de Mrs Bailey. Sarah se félicitait qu'aucun membre de sa famille ne semblât croire en Dieu. Elle-même n'y croyait pas vraiment. Elle n'aimait pas les gens dits pieux, ou plutôt, elle ne les aimait pas lorsqu'ils cessaient de se comporter comme tout le monde pour faire acte de piété. Les religieux, tels les moines ou les nonnes ou les saints, lui paraissaient plus convaincants dans la mesure où ils mettaient leur vie au service de leur foi. Si on avait la foi, c'était le moins qu'on puisse faire, pensait-elle. Sinon, il fallait essayer d'être le plus possible charitable et généreux.

Elle trouvait agaçant que Susan n'ait jamais été piquée par une guêpe ou une abeille. Il est vrai que tout semblait toujours lui réussir. Tante Lydia allait même jusqu'à dire que, quoi qu'il arrive, elle retomberait toujours sur ses pieds. Susan ne se souvenait plus du jour du scorpion, et pourtant elle était bien accroupie près de Sarah lorsque Dost Mohammed avait allumé le fatidique cercle de feu.

– Est-il vrai, demanda Sarah au moment où elles atteignaient la pelouse inondée de soleil, que lorsqu'on allume un cercle de feu autour d'un scorpion, il se tue parce qu'il sait qu'il ne pourra pas échapper à la mort?

– Non, ce n'est pas vrai.

La réponse ne surprit pas Sarah, bien qu'elle eût assisté un jour à ce qui semblait en tous points prouver la thèse du suicide.

– Les scorpions sont très sensibles à la chaleur, lui dit tante Mabel, c'est d'ailleurs pour cela qu'ils vivent cachés sous les pierres ou dans les trous, et qu'ils sortent surtout à la saison des pluies. Ce qui les tue, c'est la chaleur dégagée par le cercle de feu. Leur queue se recourbe par simple réflexe de défense : ils veulent attaquer le feu et non se suicider.

– Oui, je comprends.

Sarah regrettait cependant que la version du suicide ait été purement et simplement inventée. En général elle admirait le courage et l'intelligence, et le petit scorpion noir de Ranpur lui semblait avoir prouvé qu'il possédait ces deux qualités essentielles. Se sachant condamné, il en tirait les conclusions qui s'imposaient et il agissait en conséquence, sans hésiter. Sarah avait toujours admiré les guerriers qui, dans l'histoire, lorsqu'ils étaient vaincus, périssaient de leur propre main, et d'ailleurs, enfant, elle avait maintes fois fait un cauchemar où son père, ayant perdu une bataille, décidait de se sacrifier plutôt que de se rendre.

Maintenant que tante Mabel lui avait dit la vérité, elle en éprouvait un certain soulagement. Entre autres, elle espérait que son père n'aurait jamais à commettre un acte aussi horrible que le suicide, et d'ailleurs rien ne prouvait que le scorpion était irrémédiablement condamné. Le feu pouvait s'éteindre de lui-même, il n'était pas impossible qu'il se mette à pleuvoir. En attaquant, le scorpion faisait preuve d'un courage téméraire mais non désespéré. Tant qu'on se bat pour survivre, tout peut arriver.

Dans la cuisine, Mrs Bailey préparait des sandwiches au concombre en surveillant la bouilloire pour le thé. Elle soigna le doigt de Sarah. Après le thé, Susan s'installa près de la fenêtre du salon pour feuilleter un des magazines de sa mère. Sarah monta dans leur chambre et s'assit devant la fenêtre d'où on apercevait le pré de Mr Birtwhistle. Elle se mit à dessiner dans un cahier de brouillon l'arbre généalogique de la famille en commençant par grand-papa Layton. Sans savoir pourquoi elle avait entrepris de faire ce dessin, elle se sentit de mieux en mieux au fur et à mesure qu'elle progressait dans son exécution. Elle mesurait les extraordinaires capacités qu'arrivaient à déployer les familles pour durer et se transmettre de génération en génération ce qui constituait leur patrimoine. Après la branche Layton, elle dessina la branche Muir, comprenant sa mère et ses deux sœurs (tante Fenny et tante Lydia avec leurs époux, oncle Arthur et oncle Frank) et leurs parents, le général et Mrs Muir. Chaque année à

Noël, tante Lydia et oncle Frank emmenaient Sarah et Susan en Écosse où le général et Mrs Muir s'étaient retirés. Sarah n'aimait pas l'Écosse, c'était un pays montagneux et beaucoup trop froid. Avant de retourner en Inde, son père et sa mère devaient aller y passer quelques jours tandis qu'elle et Susan se rendraient à Bayswater, chez tante Lydia et oncle Frank, qui n'étaient pas venus à l'enterrement mais avaient envoyé des fleurs. Ni Sarah ni Susan n'aimaient beaucoup tante Lydia, mais elles avaient toujours fait en sorte de ne pas trop le laisser paraître.

En ce qui la concernait, cela venait peut-être du fait qu'elle sentait à quel point sa tante n'aimait pas l'Inde. Brusquement, elle prit un crayon rouge et entoura d'un cercle ceux de sa famille qui étaient des Indes, puis elle prit un crayon bleu pour ceux qui étaient restés en Angleterre. Tante Lydia en faisait partie bien qu'elle ait séjourné dix-huit mois en Inde après la guerre. L'arbre ainsi agrémenté portait beaucoup plus de cercles rouges que de cercles bleus. « Voilà mon héritage », conclut Sarah avant de s'apercevoir qu'elle n'avait mis aucun cercle autour de tante Mabel. Elle posa le crayon rouge, prit le bleu et resta la main en suspens. « Mais pourquoi »? s'interrogea-t-elle pour finalement attribuer à tante Mabel le cercle rouge qui signalait la filiation indienne.

Six années plus tard, en juillet 1939, Sarah retrouva le cahier de brouillon parmi d'autres reliques de son enfance restées entassées dans une malle en cuir chez tante Lydia, et qu'elle avait entrepris de trier avant d'aller les brûler au fond de la cour envahie par les mauvaises herbes, que sa tante s'obstinait à appeler un jardin. C'était un peu ses années d'enfance en Angleterre qu'elle voyait s'envoler en fumée, non sans un pincement au cœur imprévu.

Tante Lydia était sortie faire des courses en compagnie de Susan et de tante Fenny qui était de retour en Angleterre avec oncle Arthur. Susan tenait absolument à s'acheter des vêtements tropicaux à Kensington, ce que Sarah estimait être du temps perdu. Mais Susan avait jeté son dévolu sur un casque colonial pourvu d'un voile abritant amplement la nuque, ainsi que sur des chemisiers blancs et des culottes de cheval. Dans cette tenue, elle comptait bien ressembler point pour point à l'héroïne du *Jardin d'Allah.* Elle projetait également de s'acheter des robes en soie et aussi en crêpe Georgette (un tissu peu approprié au climat de l'Inde, parce que, dès qu'on transpire, il vous colle à la peau) et aussi une canne-siège, sans compter tout ce qui lui paraîtrait propre à parfaire l'image qu'elle avait d'elle-même – une jeune fille d'une suprême élégance qui allait retourner dans une des possessions de l'Empire où l'attendait celui qui deviendrait l'élu de son cœur. D'autant que la dite jeune fille avait un père lieutenant-colonel qui venait opportunément d'être nommé au poste de commandant du 1er bataillon de son vieux régiment, les Pankot Rifles, et pouvait à juste titre espérer, s'il y avait la guerre – ce qui semblait plus que probable – passer général de brigade et enfin général de division.

Ce qui faisait peut-être la différence entre Sarah et Susan, c'est que cette dernière semblait annexer les choses et en tirer profit sans se poser de questions, alors que sa sœur les examinait anxieusement avant de les accepter. Sarah ne se sentait jamais vraiment disponible, vraiment confiante. Elle n'avait aucune disposition pour jouir simplement des choses de la vie. Elle passait invariablement à côté, alors que Susan profitait avidement de tout.

On était en juillet. Dans l'air du soir flottaient des odeurs de brique chaude, d'herbe écrasée, ainsi que de pneus surchauffés et de gaz d'échappement, à cause de la circulation sur Bayswater Road. Les vestiges de son enfance finissaient de brûler sous ses yeux, une enfance, une adolescence qui avaient fait d'elle une jeune femme robuste, capable de résister aux affrontements que susciterait en elle le mélange du sang Muir et du sang Layton. Cet héritage la prédisposerait plus à se révolter qu'à se soumettre.

« Mais pour le moment, j'avance dans le noir, se dit-elle, et c'est surtout sur ce point que je suis différente de Susan, qui vit continuellement dans une lumière que personne ne peut ignorer. On retrouve l'éclat de cette même lumière autour de tante Fenny et d'oncle Arthur, et aussi de tante Lydia et d'oncle Frank, mais avec des jeux d'ombre différents. Pour mes parents, je ne saurais le dire, je suis restée trop longtemps éloignée d'eux. Et s'il en est d'autres qui tâtonnent dans l'obscurité, je l'ignore. »

Quinze jours plus tard, accompagnée de sa sœur Susan, de sa tante Fenny et de son oncle Arthur, Sarah Layton embarquait sur un paquebot de la Peninsular and Oriental Steam Navigation Company appareillant pour l'Inde.

TROISIÈME PARTIE

Un mariage, 1943

I

– Ainsi, selon vous, Mrs Layton s'adonnerait à la boisson? Vous voulez dire, en cachette? demanda le comte Bronowsky au jeune Kassim en lui tendant un verre de whisky.

Ahmed prit le verre mais le garda à distance de ses narines. Il détestait l'odeur de l'alcool. Il n'y avait que lui ou son valet de chambre pour introduire clandestinement de l'alcool dans le palais. Cependant, bien qu'il s'entraînât chaque jour à en boire systématiquement une certaine quantité, le goût et l'habitude tardaient à lui venir. Mais il en faisait une question de principe; parce qu'au fond, quel autre droit avait-il que celui de devenir un parfait alcoolique?

– Je ne pourrais pas affirmer qu'elle boit en cachette, mais j'ai remarqué que c'est toujours elle qui est la première à boire et la dernière à s'arrêter et qu'elle ingurgite habituellement deux verres quand les autres en vident un. Enfin, j'ai remarqué qu'elle se comporte souvent de façon bizarre.

Bronowsky s'éloigna en boitant du chariot à alcools et se dirigea vers un des deux fauteuils en rotin de la véranda, tournés face au jardin plongé dans l'obscurité. Il s'assit, plaça sa jambe gauche infirme sur le tabouret et leva son verre en regardant Ahmed de son œil droit. Il avait perdu l'usage de sa jambe et celui de son œil gauche, dissimulé sous un bandeau noir maintenu par un élastique, à la suite d'un attentat anarchiste dont il avait été victime à Saint-Pétersbourg, sur la perspective Nevski, alors qu'il se rendait au Palais d'Hiver peu avant qu'éclate la Révolution d'Octobre.

– Qu'est-ce qui vous fait dire qu'elle se comporte de façon bizarre? interrogea-t-il.

Ahmed prit l'autre fauteuil et regarda le comte qui allumait une de ses cigarettes russes à bout doré. Celle-là était rose. La boutique de Bombay qui l'approvisionnait lui en envoyait de toutes les couleurs.

– Disons qu'elle a des sautes d'humeur imprévisibles et qu'elle devient particulièrement aimable lorsqu'elle a un verre en main.

– Vous m'avez dit que son mari est prisonnier dans un camp en Allemagne? Est-elle encore séduisante?

– Elle n'a pas encore de cheveux gris, mais elle se repoudre souvent.

– Et sa sœur, cette Mrs Grace, est-elle aussi fantasque?

– Non. Avec elle, aucune surprise. Mais elle ne dédaigne pas certains écarts de langage et elle ignore pratiquement l'art de parler à voix basse.

– Mon cher enfant, quels propos avez-vous bien pu surprendre vous concernant?

– Eh bien, il semble que, pour un Indien, je sois plutôt actif, dit Ahmed en souriant.

– Si je ne me trompe, c'est un compliment.

– Je crois, oui. Et de plus, si j'empestais moins l'ail, je ferais un parfait *maître d'hôtel*[1].

– Je doute fort que Mrs Grace sache faire la différence entre un bon et un mauvais maître d'hôtel. Mais en ce qui concerne l'ail, je lui donne raison.

– C'est très bon pour la santé. Mon père avait toujours un oignon dans sa poche pour prévenir les rhumes. Simple superstition, j'en conviens. Tandis que les vertus de l'ail sont démontrées scientifiquement. Et en plus, son odeur masque celle du whisky. Comme vous voyez, c'est aussi pratique d'un point de vue religieux que social.

Au loin retentit un roulement de tambour. On célébrait un mariage hindou. De sa main libre, Ahmed marqua la

1. En français dans le texte. (*N.d.T.*)

cadence sur le bras du fauteuil. Au cours du Ramadan, ces manifestations bruyantes provoquaient parfois des affrontements entre hindous et musulmans. Une perspective qui n'était pas pour lui déplaire.

– Parlez-moi des deux demoiselles Layton, dit Bronowsky en cherchant une position confortable dans son fauteuil. Sont-elles plus à votre goût? Commencez par me parler de celle qui va se marier.

Toujours aussi avide de renseignements et de potins, pensa Ahmed. Quant à lui, il n'éprouvait aucune curiosité, ni pour les gens qui lui paraissaient très lointains, ni pour les choses ou les idées qui passionnaient tout le monde. Mais il aimait les moments qu'il passait avec Bronowsky, en partie parce que le vieux conseiller lui accordait une attention flatteuse, mais surtout parce que l'insatiable curiosité du comte l'aidait à se former sa propre opinion sur les gens qu'il rencontrait, à les regarder d'un œil objectif et perçant – ce qu'il était incapable de faire pour son propre compte. En fait, dès qu'il quittait Bronowsky son indifférence reprenait le dessus, et il se disait d'ailleurs que si son interlocuteur l'encourageait à venir le voir pour bavarder, c'était parce qu'il appréciait par-dessus tout la compagnie des jeunes gens.

– Miss Layton est une petite personne dont le visage fiévreux m'est apparu au-dessus d'une pièce de tissu blanc, demandant si la teinte lui allait. Elle est arrivée à convaincre tout le monde qu'elle ne peut rien faire par elle-même. Si, par hasard, elle lève le petit doigt, elle s'arrange pour avoir l'air de braver l'impossible. On se bouscule pour l'approcher, et sans que son prochain mariage y soit pour quelque chose. Elle a sûrement toujours été une sorte de pôle d'attraction.

– Est-ce qu'elle aime le capitaine Bingham?

Comment Bronowsky voulait-il qu'il le sache? D'ailleurs, Ahmed n'était pas très sûr du sens qu'il convenait de donner à ce mot. Son père aimait sa mère. Son frère aimait l'armée. Lui-même aimait mâcher des gousses d'ail. Bronowsky aimait les commérages. Apparemment, il s'agissait d'une combinaison d'impulsions, de désirs et de plaisirs. Lui-même éprouvait de temps en temps le besoin de faire l'amour avec des filles. Pour cela, il fréquentait des prostituées. Il avait pris goût aux rapports sexuels comme il s'était mis à aimer l'ail. Mais lorsque le comte lui demandait si Susan Layton aimait le capitaine Bingham, il faisait allusion à un sentiment où prédominait la capacité de s'oublier soi-même s'il le fallait pour servir ce que l'on aimait. Non, il ne pensait pas que Miss Layton soit capable d'un tel renoncement.

– Non. Je ne crois pas qu'elle aime vraiment le capitaine Bingham.

– Vous voulez dire qu'il ne s'agit entre eux que d'une attirance physique?

– De la part du capitaine, certainement. Lorsqu'il la touche, par exemple, elle est plus irritée que troublée, surtout si elle est en train de penser à la robe qu'elle va se faire confectionner.

– Un peu de gêne, dit Bronowsky. Apparemment vous faites allusion à une réaction qu'elle a eue en public. Les Anglais sont très pudiques concernant tout ce qui touche à la sexualité. Mais si vous étiez une mouche sur le mur et que vous puissiez voir Miss Layton et le capitaine en tête-à-tête, vous seriez très surpris. Et peut-être même choqué.

Ahmed resta silencieux. Il avait joué le rôle de la mouche sur le mur, ou, plus précisément, celui d'une ombre au coin de la véranda de la maison des hôtes occupée par Miss Layton et ses parents. Miss Layton tenait la pièce de tissu blanc à la hauteur de son visage. Elle avait rabroué sans ménagement le capitaine Bingham qui cherchait à l'enlacer : « Oh! Voyons Teddie! » s'était-elle écriée d'un ton excédé. Ce qui contredisait en tous points la théorie du comte, d'autant qu'en public non seulement Miss Layton acceptait les démonstrations d'affection du capitaine mais les recherchait pour ainsi dire à intervalles réguliers, comme lui étant dues. Et elle était alors aussi empressée que lui à lui prodiguer et à recevoir les caresses qui étaient de mise entre futurs mariés. Il fallait qu'ils soient seuls pour qu'elle inflige à son fiancé une rebuffade.

– A quoi pensez-vous? lui demanda Bronowsky.

– A la mouche sur le mur, lui répondit Ahmed après avoir bu une gorgée de whisky.

– L'idée d'être cette mouche vous séduit?

– Les mouches sur les murs finissent parfois par se faire écraser.

– Ce sont les risques du métier. Parlez-moi de la plus jeune des sœurs Layton, celle qui ne se marie pas encore.

– Mais ce n'est pas la plus jeune. Miss Sarah Layton est l'aînée.

– Ah, bon! Voilà qui est intéressant. Je parie qu'elle est moins jolie mais plus sérieuse.

– Elle passe son temps à poser des tas de questions sur l'administration, les coutumes, l'histoire locale.

– Est-elle si peu gâtée par la nature?

– De toute façon, les jeunes filles blanches me laissent froid. Elles ont toutes quelque chose d'inachevé. Et lorsqu'elles ont de beaux cheveux, cela leur donne l'air encore plus artificiel.

– Elle est donc jolie?

– Oui. Et, pour un Anglais, sûrement aussi séduisante que sa sœur. Elle a un meilleur fond, ce qui est pire.

– Pourquoi?

– Cela la rend plus dangereuse. C'est le genre d'Anglaise qui vous incite aux confidences. Qui vous pose des questions de plus en plus personnelles afin de vous faire croire qu'elle s'intéresse à vous et qu'elle recherche votre amitié. Mais ce n'est qu'un piège. Au premier geste de familiarité de votre part, clac, le piège se referme.

– N'êtes-vous pas en train de faire de la psychologie?

– Vous n'êtes pas d'accord? Je ne fais que répéter ce que j'ai entendu. Pour ma part, je n'ai pas d'opinion sur la question.

– Qu'est-ce que vous voulez que je vous dise? Que vous devez vous méfier des questions indiscrètes que vous souhaitez voir Miss Layton vous poser?

– Non, ne vous inquiétez pas, je suis toujours sur mes gardes. Je voulais simplement connaître votre opinion sur la question.

– Quelle question?

– Savoir si les Anglais ou les Anglaises qui font preuve de bienveillance à notre égard sont plus dangereux que ceux qui nous traitent grossièrement.

– Vous êtes sûr de bien vouloir parler des Anglais, et non des Blancs? Me trouvez-vous dangereux?

– Vous êtes à coup sûr l'homme le plus dangereux de Meerut. C'est du moins ce que tout le monde prétend. On court les plus grands périls rien qu'à s'entretenir avec vous. Mais vous êtes exceptionnel à tous points de vue. Non, je ne parlais pas des Blancs mais bien des Anglais. Si nous avions été colonisés par les Russes, je parlerais des Russes. Ce n'est pas le fait d'être Blanc qui est en cause. Si l'amitié des Anglais est redoutable pour nous, c'est uniquement parce que nous sommes sous leur domination. Elle est redoutable à double titre : elle affaiblit notre volonté de résistance à leur égard et elle est incompatible avec leurs instincts de groupe. Ils sont d'ailleurs très conscients des dangers qu'ils courent eux-mêmes en nous offrant leur amitié : si nous y répondons avec trop d'empressement, en tant qu'individus ils ont l'impression de nous avoir laissés prendre barre sur eux, et, en tant que membres d'une classe sociale, d'avoir laissé leurs bonnes intentions les trahir. Alors, clac, le piège se referme. Et peu importent les effets que cela peut avoir sur nous.

– C'est vraiment le fond de votre pensée?

– Non, mais c'est ce qu'on nous dit. Les gens passent leur temps à nous mettre en garde. C'est devenu une vraie manie. Heureusement pour moi, contrairement à mon père, je n'ai que faire de l'amitié d'un Anglais ou d'une Anglaise. Mais il est intéressant d'observer le comportement d'une personne comme Miss Sarah Layton. C'est un peu comme un étudiant en chimie qui vérifie en laboratoire la justesse d'une formule.

– Votre verre est vide. Resservez-vous.

Ahmed se leva. Au moment où il passait devant

Bronowsky, celui-ci lui tendit son verre. Le jeune homme le prit, mais le comte garda sa main prisonnière.

– Avez-vous écrit à votre père comme vous me l'aviez promis?

– Non.

– Pourquoi?

– Toujours pour la même raison. Je commence la lettre et je m'arrête, faute de savoir quoi lui dire. D'ailleurs, quelqu'un lira la lettre avant lui. C'est tout à fait décourageant. Alors, j'écris à ma mère, et elle le tient au courant de mes faits et gestes.

– Ce n'est pas la même chose.

Ahmed avait emporté les deux verres jusqu'au chariot à liqueurs. Il versa généreusement deux doigts de White Horse dans le sien, trois dans celui de Bronowsky, et les noya d'eau de Seltz. Bronowsky le regarda s'approcher de lui en clignant de son œil valide, comme pour s'assurer d'un effet théâtral. Il ne prit pas aussitôt le verre que lui tendait Ahmed.

– Ce n'est pas la même chose, répéta-t-il. Vous ne trouvez pas?

– Si, mais il s'est fait à l'idée que je le décevrai toujours.

– C'est une idée à laquelle vous tenez beaucoup plus que lui, dit Bronowsky en prenant son verre. Elle vous sécurise. Sans cette certitude, vous seriez désemparé. Voyez-vous, mon cher enfant, ce qui m'a le plus désarçonné lorsque j'avais votre âge, ce fut de découvrir que mon père approuvait la décision importante que je venais de prendre.

– De quelle décision s'agissait-il?

– De me marier. Avec une de mes cousines. Nous n'étions pas amoureux l'un de l'autre, mais elle aurait sûrement fait une épouse parfaite. Ce qui m'avait décidé, c'est que je croyais dur comme fer que mon père n'éprouvait pour elle qu'aversion. Je m'attendais à un affrontement violent. Au lieu de quoi, il m'a embrassé, les larmes aux yeux. Rien de plus inquiétant. J'ai renoncé à mon projet sur-le-champ, non sans regret car j'étais peut-être un peu amoureux d'elle. Dès que j'ai annoncé à mon père que j'avais changé d'avis, je me suis senti mieux. Il m'a tourné le dos sans un mot, après m'avoir gratifié d'un de ses regards de mépris absolu. Ce n'est qu'à sa mort que j'ai retrouvé un sentiment d'insécurité. Il ne me restait plus qu'à mériter sa désapprobation posthume dans le plus grand nombre de domaines possibles, en faisant tout ce qui me semblait susceptible de lui répugner. En prenant par exemple des positions libérales qui étaient à l'époque plutôt en faveur parmi les propriétaires fonciers éclairés. Des poses, aucune conviction de ma part. J'allais dans la bonne direction pour de mauvaises raisons, exactement comme vous. Vous vous acquittez correctement de vos fonctions parce que vous savez que votre père vous désapprouve de les avoir acceptées. En somme, vous tenez à lui faire honte, alors qu'en général un fils veut faire honneur à son père. Mais êtes-vous sûr qu'il ait honte de vous? Ne serait-il pas plus exact de dire que vous avez grandi dans une famille où tout le monde avait des idées très claires concernant tous les problèmes que pose l'Inde, et que vous avez longtemps cru que vous hériteriez naturellement ces idées comme on hérite les biens de ses parents. Or ce n'était pas le cas, et vous ne l'avez compris que progressivement. Mais qui a été déçu, vous ou votre père? Peut-être observait-il avec affection et compassion la lutte que vous meniez contre vous-même, sans savoir comment vous aider. En le fuyant, vous ne faites que compliquer les choses, parce qu'en réalité c'est vous que vous cherchez à fuir. Si vous ne l'aimiez pas, vous n'auriez aucune difficulté à lui écrire à la prison.

Ahmed sourit.

– N'ayez ni honte ni peur de vos émotions, poursuivit Bronowsky. Cela va à l'encontre de votre indianité. Et le danger, pour la jeunesse indienne, c'est justement de se dénaturer. Terre des extrêmes, l'Inde exige des tempéraments extrêmes. La sophistication des Européens est incompatible avec votre culte de la non-violence. Leur combinaison est désastreuse. La première n'est qu'un vernis qui dissimule notre violence foncière. Mais vous autres Indiens, vous ne retenez de nous que l'apparence.

Ce vernis superficiel ajouté à votre non-violence n'aboutit qu'à une émasculation.

Ahmed grimaça un sourire.

– La fornication peut être aussi bien une partie de plaisir qu'un refuge. Mon cher petit, vos escapades au Chandi Chowk ne sont en rien des garants de votre virilité.

– Que dois-je faire alors? Prendre la tête d'une armée pour aller délivrer les prisonniers du fort de Premanagar?

– Cela ne serait déjà pas si mal. En fait, je ne vois rien de plus magnifique. Je trouve très significatif le fait que ce soit la première chose à laquelle vous ayez pensé. Quel retentissement cela aurait dans le monde! Si vous en arriviez là, les Anglais vous condamneraient à la prison à vie, et ils riraient, bien sûr, car les projets voués à l'échec ont un côté risible, mais ce serait sans méchanceté. Vous leur inspireriez du respect. En revanche, si vous les menaciez de vous suicider pour obtenir la libération de votre père, non seulement ils ne lèveraient pas le petit doigt pour vous en empêcher mais ils vous prieraient de vous exécuter sans perdre de temps, furieux qu'ils seraient d'être l'objet d'un tel chantage. Je ne leur donnerais pas tort. La non-violence est ridicule. Resterez-vous à dîner?

– Non, le professeur Nair m'a invité au dernier moment.

– Qu'est-ce qu'il manigance encore?

– Je l'ignore.

– Vous n'êtes pas toujours aussi attentif que vous le devriez. Moi, rien ne m'échappe. Le nabab tient à être informé de tout. Au fait, il sera de retour vendredi.

– Et votre visite à Gopalakand?

– Très agréable. J'y ai laissé le nabab quelques jours de plus pour son agrément. Le recueil de poèmes de Gaffur va lui faire plaisir. Qui en a eu l'idée?

– Je ne sais pas. Ce matin, je leur ai fait visiter les salles du palais accessibles au public. Le nabab compte-t-il assister à la réception de mariage?

– Si je le lui conseille, comme je pense le faire, il s'y

rendra. Quel est le programme des réjouissances pour demain?

– Courir les boutiques une fois de plus. Miss Layton, celle qui veut tout savoir, projette de faire du cheval demain matin avant le petit déjeuner.

– Seule?

– Je suppose que je suis censé l'accompagner. Naturellement, je me tiendrai derrière elle à distance respectueuse.

– Ne soyez pas surpris s'il se révèle que vous avez fait seller les chevaux pour rien. Sa mère ou le capitaine Bingham risque de lui déconseiller cette promenade matinale avec un Indien. Qui seront les autres invités à la réception?

– Le major Grace est arrivé vendredi. C'est un oncle de la mariée. Il y aura aussi un ami du capitaine Bingham, le capitaine Merrick, qui sera son garçon d'honneur.

– Merrick?

– Oui, vous le connaissez?

– Je ne crois pas. Merrick? Pourtant ce nom me dit quelque chose. Si vous dînez avec le professeur Nair, ne vous mettez pas en retard.

Après être allé poser son verre sur le chariot à liqueurs, Kassim revint se planter devant Bronowsky, mais ne lui serra pas la main pour prendre congé. Avec ses intimes, le comte s'abstenait de ce genre de civilités. Pour un quasi-septuagénaire, il était bien conservé, pensait Ahmed. Pas une ride, le teint frais. Au début de son accession au poste de Premier ministre, Bronowsky s'était heurté à une faction (menée par la bégum) qui avait tenté de l'empoisonner. Ses empoignades avec le nabab étaient légendaires. Mais à présent, il avait sur lui un ascendant absolu.

Il avait fallu du temps à Ahmed pour mesurer à quel point il lui devait sa position à la cour du nabab. Au début, il croyait que ce dernier souhaitait personnellement prendre sous son aile le plus jeune fils d'un de ses parents éloignés – un homme unanimement respecté – un garçon ayant lamentablement échoué dans ses études et ne montrant aucune aptitude pour les carrières traditionnellement embrassées par la branche Kassim de Ranpur : le droit, la politique ou l'administration. En fait, en écrivant d'abord à Mohammed Ali Kassim, puis en venant sur place à Ranpur, Bronowsky avait feint d'agir à l'initiative du nabab. Son entrevue avec Mohammed Ali Kassim avait été brève. A l'époque, le père d'Ahmed, qui était encore à la tête du gouvernement provincial, avait bien d'autres sujets de préoccupation : le vice-roi venait de déclarer la guerre à l'Allemagne. Mis devant le fait accompli, les dirigeants du Congrès protestaient bruyamment. Au moment où Ahmed arriva à Meerut, son père démissionnait de son poste de Premier ministre, conformément aux consignes du Congrès.

« Enfin, au moins *vous,* vous êtes libre, lui avait dit le nabab après l'annonce de l'arrestation de son père en 1942. Vous êtes sous notre protection et vous le devez au comte Bronowsky. » Devant la surprise d'Ahmed, le prince lui avait révélé qu'il devait sa place à la cour au comte, ce dernier ayant estimé qu'il serait bon pour un Kassim d'être initié aux rouages administratifs d'un État indien. « Depuis que vous êtes ici, vous avez certainement entendu bien des griefs contre le comte Bronowsky. Moi-même, à l'occasion, je ne me fais pas faute de le critiquer. Sachez cependant que sa loyauté à l'égard de la maison des Kassim est sans pareille, et qu'il a une haute idée de leur destin. »

Ahmed ne voyait pas en quoi son humble personne pouvait servir de si beaux desseins. Certes, depuis un an, il constatait que Bronowsky semblait l'apprécier. Mais auparavant, il n'avait guère été qu'un sous-fifre, affecté successivement dans tous les secrétariats des ministères : Finances, Travaux Publics, Santé, Instruction Publique, Justice. Nommés par le nabab dont ils formaient le Conseil d'État, tous les ministres étaient des parents du prince. Deux d'entre eux portaient le nom de Kassim.

Le Conseil d'État était une des innovations du comte Bronowsky. En vingt ans, il avait fait passer Meerut de l'autocratie féodale, où le souverain ne recevait ses sujets qu'à l'occasion de *durbars* (audiences) périodiques, à une semi-democratie, où les durbars se tenaient toujours mais dans laquelle le fonctionnement de l'État ne se réduisait plus à des marchandages confinés dans l'ombre des cabinets et des alcôves du palais.

C'était à Bronowsky que l'Etat de Meerut devait la séparation du pouvoir judiciaire et du pouvoir exécutif, la refonte du code civil et pénal, la création du poste de ministre de la Justice où il avait réussi à ne placer, par souci d'impartialité, que des hommes étrangers à la ville – dont un juge anglais à la retraite qui avait siégé dans une Haute Cour provinciale des Indes. « Je veux régner sur un état moderne, lui avait déclaré le nabab en 1921 à Monte-Carlo. Faites de moi un prince de son temps. » En remplissant scrupuleusement les termes de son contrat, Bronowsky coupa l'herbe sous les pieds des fonctionnaires britanniques du département politique qui s'élevèrent contre la nomination « du satané *émigré* russe » au poste de Premier ministre d'un état avec lequel ils avaient toujours entretenu des rapports privilégiés. Pour eux, Bronowsky ne pouvait être qu'un rouge, un espion, un aventurier cupide, dont la présence aux côtés du prince se révélerait funeste.

Le Résident britannique à Gopalakand, dont une des attributions était de conseiller le nabab de Meerut et le Maharadja de Gopalakand, avait formellement désapprouvé la nomination de Bronowsky en remplacement du frère cadet du nabab. Quand il n'était encore que prince héritier, l'actuel nabab courait les femmes et dépensait sans compter. Les Anglais lui préféraient son cadet, qui leur paraissait d'un naturel plus aimable et plus malléable. Quant au père des princes, il était prêt à céder aux quatre volontés des représentants du pouvoir britannique pourvu qu'ils lui permettent de régner en paix. Sous la pression du Résident, qui le mit sans ménagement en garde contre les dangers que représentait son fils aîné pour la quiétude de l'État, il demanda la main de la fille d'un prince voisin très puissant pour son fils cadet, dans le dessein caché d'écarter du trône le prince héritier. Mais la princesse qui, à l'occasion d'une fête, avait aperçu ce dernier par une fenêtre du zenana, avait jeté son dévolu sur lui. Le mariage eut lieu selon les vœux de la jeune fille. Le nouvel époux n'en amenda pas pour autant sa conduite : il n'avait songé qu'à préserver ses droits légitimes et il estimait à juste titre que les Anglais n'oseraient jamais entreprendre quoi que ce soit contre le gendre d'un prince tout-puissant. De caractère volontaire, la jeune bégum devint une épouse insupportable. Il finit par la détester comme il détestait son frère, qui avait été nommé Premier ministre. Le jeune nabab prit des maîtresses et tomba amoureux d'une jeune femme blanche qu'il suivit à Monte-Carlo. Au plus fort du scandale qui s'ensuivit, Bronowsky était entré en scène.

– Bonsoir, dit Ahmed.

Il descendit les marches de la véranda.

– Transmettez mes compliments au professeur Nair, lui cria Bronowsky au dernier moment. Et ne manquez pas de lui annoncer que vous devez faire du cheval demain matin avec Miss Layton.

– Puis-je savoir pourquoi?

– Il vous conseillera mieux que moi sur la conduite à tenir avec cette jeune personne et sur l'interprétation de ses gestes, de ses inflexions de voix, auxquels vous risquez de vous méprendre. En un mot, il vous fera bénéficier une fois de plus des fruits de son incommensurable expérience.

Ahmed souriait encore lorsqu'il prit sa bicyclette et se prépara à l'enfourcher.

– Oh! J'oubliais, poursuivit Bronowsky en baissant la voix et en prenant soin de bien détacher chaque syllabe, tâchez d'en savoir le plus possible sur son visiteur.

– Son visiteur?

– Oui, et qui est accompagné d'une femme. C'est un vieux lettré, qu'on appelle le Pandit Baba. Il vient de Mayapore. J'aimerais savoir dans quel but.

– Vous pensez à quelque chose de précis?

– Non, mais tous ceux qui rendent visite au professeur ont toujours une raison précise de le faire, même s'ils ne le découvrent qu'en repartant.

– Pour quelqu'un qui vient de rentrer de Gopalakand, vous me paraissez bien informé.

– C'est que je paie très cher pour l'être. Et le Pandit Baba n'est pas un inconnu à Meerut. Avez-vous eu suffisamment de whisky pour vous contenter sans trop de difficulté de jus de fruits le reste de la soirée?

– Je crois que ça ira.

– Alors, passez une bonne soirée, mon cher enfant, et si vous faites un détour par Chandi Chowk en rentrant, soyez prudent.

Ahmed lui fit un signe de la main avant de s'engager dans l'allée qui menait du bungalow de Bronowsky à la grille d'entrée que lui ouvrit le gardien déjà emmitouflé dans un châle. Ahmed tourna à droite et pédala en direction de la ville sur la route empierrée. Des souffles d'air tiède éventaient la nuit. Le nouvelle lune qui avait marqué le début du Ramadan était presque pleine, et occupait sa place dans le ciel, telle une grosse orange accrochée au-dessus de la ville. Elle allait bientôt commencer à décroître pour finir par disparaître. On célébrerait alors l'Idal-Fitr, la « Petite fête », marquant la rupture du jeûne que, pendant le Ramadan, le bon musulman doit observer du lever au coucher du soleil. Se souvenant qu'il venait de boire du whisky, Ahmed sortit une gousse d'ail de sa poche et se mit à la mâcher. La route n'était pas éclairée et son phare avant ne marchait pas, mais la nuit n'était pas vraiment noire, et il aimait rouler dans cette pénombre. Il aimait se livrer à des activités banales ne comportant *a priori* aucun risque mais où le danger pouvait surgir à l'improviste et tout faire basculer dans le drame. Courtiser délibérément le danger lui paraissait sans intérêt. Il avait expliqué un jour son attitude au professeur Nair en la comparant à celle du promeneur qui se trouve pris par hasard dans une manifestation de rue tournant à l'émeute par contraste avec ceux qui y participent délibérément. Au temps où il était étudiant, Ahmed avait toujours préféré faire le coup de poing sans savoir ni pour quoi ni pour qui il se battait. « On m'a fait tomber de bicyclette, et je me suis mis à cogner sur tous ceux qui passaient à ma portée. Et lorsque j'en ai eu assez, j'ai sauté sur ma bicyclette, et j'ai pris le large sans que personne ne se soit apparemment demandé dans quel camp je me trouvais. »

En approchant de la ville, la route longeait le collège hindou pour les garçons, une institution qui, comme le Conseil d'État, devait son existence au comte Bronowsky. Numériquement minoritaires, puisqu'ils ne représentaient que vingt pour cent de la population, les musulmans de Meerut avaient gardé la haute main sur l'administration de la ville depuis l'époque mogole. Les mosquées y étaient beaucoup plus nombreuses que les temples. La même politique restrictive était appliquée à l'égard des écoles hindoues. A la fin du XIXe siècle, les musulmans s'étaient vus offrir une Académie d'enseignement supérieur, mais elle n'assurait qu'une formation médiocre – hormis pour la récitation du Coran, disaient les mauvaises langues. En fait, ce bagage suffisait au jeune homme ambitionnant un poste dans l'administration locale. Jusqu'à l'inauguration du Collège hindou en 1924, les parents hindous qui souhaitaient voir leur fils poursuivre des études devaient obtenir son admission dans un établissement d'une autre ville, et la plupart du temps ces étudiants ne retournaient plus à Meerut, mais briguaient un poste dans les services administratifs du gouvernement de l'Inde. Cette hémorragie des talents hindous ne faisait que conforter les musulmans dans leur position privilégiée et dans l'opinion que l'hindou n'est guère apte qu'au commerce ou à l'usure. Mais Bronowsky s'alarma de cette situation et convainquit le nabab qu'il fallait y remédier efficacement. Le collège, un bâtiment néo-gothique de brique rouge aux fenêtres et arcades soulignées de stucs, et précédé d'une avant-cour plantée de cocotiers, était ouvert aux jeunes hindous de la ville sans distinction de fortune. Dès sa création, il avait eu un succès incontesté.

– C'est toi, Ahmed? dit de loin le professeur Nair. Debout en haut des marches de son bungalow, le principal du collège le regardait s'approcher. Ahmed poussait sa bicyclette, ayant mis pied à terre avant de franchir le portail de l'établissement. Le professeur Nair se détachait dans le cadre de lumière de la porte ouverte derrière lui. Il était tout habillé de blanc, tunique et larges pantalons.

– Oui, professeur. Suis-je en retard?

– Non, tout au plus quelques minutes.

– Le comte Bronowsky est rentré de Gopalakand. Il m'a chargé de vous transmettre ses respects, dit Ahmed en appuyant sa bicyclette contre le soubassement de la véranda.

Il rejoignit le professeur qui lui prit les deux mains. Ahmed le dépassait d'une courte tête.

– J'ai un visiteur de marque, lui chuchota le vieil homme. Est-ce que cela t'ennuierait de te déchausser? C'est un horrible défenseur de la plus rigoureuse orthodoxie. Il ne mangera sûrement rien.

– Qui est-ce? lui demanda Ahmed en se baissant pour délacer ses chaussures.

– Le Pandit Baba Sahid de Mayapore. Il a entrepris un commentaire de la *Bhagavad Gita.* Je veux dire, c'est sa principale occupation. Surtout, ne lui serre pas la main et évite de t'asseoir à un endroit où ton ombre pourrait l'atteindre. C'est passablement horripilant. A dire vrai, je suis sorti pour me détendre un peu. Je fumerais bien une cigarette, mais il est capable de sentir l'odeur de la fumée. Comme tu vois, on finit toujours par être victime de ses mauvaises habitudes.

– Est-ce que je peux garder mes chaussettes?

– Bien sûr, c'est très sale par terre. Viens, le Pandit est un grand admirateur de ton père.

A l'intérieur régnait une odeur inhabituelle d'encens. Ahmed ne connaissait que la pièce à droite du vestibule, où ils se tenaient habituellement pour bavarder, et la salle à manger, à gauche. Au bout du vestibule une porte ouvrait sur la cour, où Mrs Nair gardait une chèvre au piquet. Ahmed supposait qu'on accédait aux autres pièces de la maison directement par la cour.

En entrant dans le salon, Ahmed constata que tous les sièges avaient été remplacés par des petits tapis et par des coussins. Le Pandit Baba était assis en tailleur sur un coussin, et il en monopolisait trois ou quatre autres qui, empilés, soutenaient son coude gauche. Il était vêtu d'une tunique et d'un pantalon bouffant et coiffé d'un turban aussi gris que sa barbe. Des lunettes à monture d'acier et à verres ronds chevauchaient son nez un peu camus.

– Ahmed est le fils de notre illustre MAK. Un jeune homme aux multiples talents qui se contente pour le moment d'être le secrétaire mondain du nabab.

Le Pandit Baba observait le jeune homme par-dessus ses lunettes. Ses yeux étaient franchement jaunes. Il restait immobile et impassible. Ahmed soutint son regard. Il y avait décidément une catégorie d'hindous qu'il ne pouvait approcher sans une vague antipathie. C'était sans doute atavique. Le Pandit Baba finit par prendre la parole. Il avait une petite voix aiguë.

– Vous ne ressemblez pas à votre père, dit-il en hindi.

– Ah, vous le connaissez! lui répondit Ahmed en anglais. C'est ce que l'on me dit souvent, il paraît que je tiens de ma mère. Personnellement, je ne me trouve aucun air de famille avec mes parents.

– Pourquoi me répondez-vous dans une langue étrangère? lui demanda le Pandit Baba en fronçant les sourcils.

– Parce que je manie mal l'hindi.

– Préféreriez-vous me parler en urdu? lui demanda le vieil homme dans cette langue.

– Je préfère l'anglais, Pandit Sahid. C'est la langue que nous parlons tous à la maison. Ma mère est native du Panjab et, de ce fait, elle n'a jamais pu communiquer avec mon père qu'en anglais. Même en urdu, je me débrouille médiocrement.

– Vous n'éprouvez pas de honte à n'utiliser que la langue d'une puissance étrangère, la langue de l'occupant, des geôliers de votre père? lui demanda le Pandit en revenant à la langue hindi.

Ahmed ne doutait pas qu'il aurait droit à quelques mots en bengali, à une phrase ou deux en tamoul, sinon même à quelques citations en sanscrit. Le Pandit était visiblement fier de ses prouesses linguistiques, fier de comprendre l'anglais, tout en mettant un point d'honneur – comme beaucoup de ses semblables – à proclamer que dès qu'on aurait chassé les Anglais du sol indien, on en ferait autant de leur langue. Mais alors, par quoi la remplacerait-on? Car ce savant Pandit Baba lui-même aurait été bien incapable de comprendre les habitants d'un des villages des environs de Meerut, et l'interprète auquel il aurait dû recourir, comme le faisaient tous les fonctionnaires, lui aurait traduit le dialecte local en anglais.

– Non, lui répondit posément Ahmed, je n'en suis pas honteux.

Le professeur Nair fit diversion en prenant place sur un coussin et en invitant, du geste, le jeune homme à l'imiter. Son pantalon étroit ne lui facilitait pas l'opération. Le Pandit Baba continuait de le fixer d'un regard inquisiteur. Ahmed s'aperçut alors que si l'homme paraissait trôner, c'était parce qu'il était assis sur une double épaisseur de coussins.

– Je ne connais pas personnellement votre père, dit le Pandit Baba en anglais, mais je l'admire beaucoup. D'ailleurs, si on ne voyait pas si souvent sa photo dans les journaux, son visage ne me serait pas aussi familier.

Ahmed opina, le Pandit Baba se remit à le scruter. Le jeune homme constatait une fois de plus que les hommes qui excellent dans un domaine – et il ne doutait pas que ce fût le cas du Pandit dans sa spécialité – ne pouvaient résister au besoin d'être reconnus comme des lumières dans toutes les sphères de l'activité humaine. Il ne connaissait rien de plus drôle que de voir réunis plusieurs de ces hommes exceptionnels rivalisant d'originalité dans leurs visions du monde et se jalousant comme des enfants. Tout jeune, il avait eu l'occasion d'assister à de telles réunions chez son père (il se souvenait de Gandhi lui donnant une orange, du Pandit Nehru lui caressant la tête, et aussi de Maulana Azad qui l'avait pris sur ses genoux), tandis qu'à l'extérieur patientait une foule d'admirateurs ou de curieux venus là dans l'espoir d'apercevoir les hommes illustres. Dès qu'ils s'apprêtaient à combler les vœux du public, ces sages oubliaient instantanément leurs querelles, soulagés qu'ils étaient de pouvoir enfin aller retrouver le monde qui allait les conforter dans la haute idée qu'ils avaient d'eux-mêmes et de leur capacité à en résoudre les problèmes, les mystères et les injustices.

En une de ces occasions, il avait demandé à son frère aîné Sayed, qui n'aimait rien tant que se prendre au sérieux et était de ce fait plutôt assommant, pourquoi ces gens attendaient dehors. « Parce qu'ils savent que nous allons sauver l'Inde. La délivrer des Anglais. » Le lendemain matin, en allant à l'école, Ahmed avait pu constater que les Anglais étaient toujours là mais que les professeurs et les grands élèves faisaient grève pour protester contre les arrestations opérées le soir précédent. Pour quelle raison? Les Indiens qui avaient accompagné le Mahatma de la maison des Kassim à la gare, avaient ensuite bombardé de pierres et de gravats les forces de police qui voulaient les disperser. Le résultat? Les Indiens chargés, matraqués à coup de *lathis,* ces longs bâtons lestés de plomb, piétinés par les chevaux de la police montée. Deux jours plus tard, son père était jeté en prison pour six mois pour avoir prononcé un discours que le Mahatma lui avait expressément demandé de prononcer.

– Dites-moi à quoi vous pensez, lui enjoignit le Pandit Baba.

« Impudent bonhomme! s'indigna intérieurement Ahmed. A rien, si tu veux savoir, parce que j'ai vidé mon esprit des idées dont les gens de ton espèce m'ont bourré le crâne. »

– Je pensais à mon père en prison, dit-il enfin d'un ton neutre.

Et le miracle se produisit. Les coins de la bouche du Pandit se relevèrent pour le gratifier d'un sourire approbateur, le sourire du vieil homme qui ne peut qu'applaudir à toute marque de piété filiale. « Quelle comédie! pensait Ahmed. Et il n'a jamais rencontré mon père. Ce qui me révolte le plus, c'est cette facilité avec laquelle les gens feignent les émotions. »

– Je voulais dire, poursuivit-il, lorsque mon père est allé en prison pour la première fois. J'étais encore un petit garçon.

– Ne pensez pas à votre père comme à un homme en prison, dit le Pandit Baba avec componction. En réalité, ce sont ses geôliers qui sont enfermés et peut-être même nous tous qui ne sommes pourtant pas retenus entre quatre murs. Car ce qui est à l'intérieur d'une chose est de ce fait même à l'extérieur d'une autre. Le temps viendra où nous abattrons les murs. Ce sera notre tâche de prisonniers. Ce faisant, nous nous libérerons, nous et nos geôliers. Et il n'est pas question pour nous d'attendre patiemment qu'on signe notre ordre d'élargissement. Nous devons le rédiger nous-mêmes. Je parle bien sûr par métaphore.

Ahmed acquiesça. En Inde, tout le monde s'exprimait par métaphore, sauf les Anglais qui appelaient les choses par leur nom et pouvaient ainsi donner à leurs pires mensonges les apparences les plus convaincantes de la vérité.

– Avez-vous fait bon voyage depuis Mayapore, Panditji? lui demanda Ahmed pour voir comment le bonhomme allait réagir à une tentative aussi effrontée pour changer de sujet.

Le Pandit se contenta de faire un geste vague de la main et ouvrit la bouche comme s'il allait reprendre son discours.

– Et c'est la première fois que vous venez à Meerut? s'empressa d'enchaîner Ahmed.

– Oh! Non, Panditji a déjà habité ici par le passé, intervint le professeur Nair.

Ahmed jeta un coup d'œil au professeur et remarqua que de minuscules gouttes de sueur perlaient à son crâne chauve. La pièce était pourtant fraîche. Posé par terre dans un coin, un ventilateur ronronnait en pivotant sur son pied, comme un spectateur suivant au ralenti une partie de ping-pong, apparemment plus intéressé par la conversation, pensa Ahmed Kassim, qu'il ne l'était lui-même.

– Mais toutes ces dernières années, il les a passées à

Mayapore, ajouta le professeur Nair sans quitter des yeux son illustre invité, tel un conservateur de musée couvant du regard une de ses pièces les plus rares.

– Je vois, dit Ahmed. Ainsi vous étiez à Mayapore au moment où ont éclaté les émeutes?

– De quelles émeutes voulez-vous parler?

– Des émeutes qui se sont produites en août l'année dernière.

Le Pandit Baba prit un air mauvais.

– Vous devez faire allusion à des événements dont je n'ai pas eu connaissance, finit-il par dire d'un ton qui signifiait qu'en aucun cas un vieil homme de sa trempe ne risquait de perdre son sang-froid. A ma connaissance, le terme «émeute» désigne les actions violentes et illégales d'un groupe de personnes, qui tombent par le fait même sous le coup de la loi. A Mayapore, comme dans toute l'Inde, il n'y a jamais eu que des manifestations de gens pacifiques et responsables qui voulaient protester contre les arrestations d'hommes accusés sans preuve d'avoir commis un crime. S'il s'agit bien de ce que vous appelez à tort des émeutes, alors oui, j'étais à Mayapore lorsque des gens ont été brutalement châtiés pour avoir voulu témoigner leur désapprobation devant les injustices commises par ceux qui prétendent détenir l'autorité légale dans ce pays.

Ahmed inclina la tête, d'un mouvement dont il avait pu mesurer l'efficacité au cours des dernières années, qui suggérait une soumission, un acquiescement muet.

Un geste qui contraignait la plupart du temps ses interlocuteurs à passer de l'attaque à la défensive, pour justifier une victoire qui avait été concédée avec une telle ambiguïté.

– Ce qu'il faut, annonça le Pandit Baba, c'est avoir une notion juste des choses et en parler en termes précis et adéquats. La confusion de l'esprit engendre des discours confus. Lorsque vous parlez d'émeutes, vous empruntez à tort le langage des Anglais. Veillez à penser et à vous exprimer en véritable Indien. Ce n'est pas toujours facile, je vous le concède, mais la facilité n'apporte que des déboires, affirma-t-il en laissant les coins de sa bouche esquisser un sourire.

Ahmed hochait la tête avec application en se demandant pour quelle raison le professeur Nair avait tant insisté pour lui faire rencontrer ce diable d'homme, et s'il aurait l'occasion de voir la femme qui l'accompagnait. Mais apparemment, il avait été convié à une soirée exclusivement masculine, et même Mrs Nair s'abstiendrait de venir la troubler par sa présence.

– Et où en êtes-vous du commentaire de la *Bhagavad Gita* dont m'a parlé le professeur Nair?

N'obtenant d'autre réponse qu'un nouveau geste vague de la main, Ahmed Kassim jeta un coup d'œil au professeur qui était toujours en sueur, le regard fixe, un sourire crispé aux lèvres. La présence du Pandit n'était pas à ce point éprouvante qu'elle puisse expliquer à elle seule l'état catatonique dans lequel semblait être plongé le professeur.

– Je suppose que votre père est au fort de Premanagar, dit le Pandit après ce long silence.

– Il semblerait, oui.

– Vous n'en êtes pas sûr?

– Non.

– Vous pensez qu'il pourrait être ailleurs?

– Franchement, je n'en sais rien.

– Mais vous pouvez lui écrire et il peut vous répondre, même si on censure sa correspondance.

– En effet, j'ai régulièrement de ses nouvelles par ma mère.

– Avant son départ en prison, vous avez bien dû convenir d'un code secret pour communiquer dans vos lettres sans que la censure s'en rende compte.

– Autant que je sache non, ni ma mère ni moi-même n'y avons pensé.

– Enfin, dit le Pandit en se rembrunissant, j'espère que votre père et votre mère sont en bonne santé.

– Oui, mais en ce qui concerne ma mère, elle s'est résignée au pire. Les séjours de mon père en prison sont désormais indissociables de son expérience conjugale.

– Vous me semblez amer et triste.

– Pas le moins du monde. Je me borne à constater un état de fait.

– D'être musulmane et originaire du Panjab lui rend peut-être tout plus difficile. Sa famille a sûrement plus d'affinités avec Mr Jinnah et la Ligue qu'avec les gens du Congrès.

– Je suppose, oui.

– Nul doute que l'absence de son mari ne soit pour elle une lourde épreuve, et que cette solitude ne lui pèse, puisqu'elle ne peut se tourner vers sa famille sans paraître déloyale vis-à-vis de son mari.

– En fait, je crois que ma mère est plus souvent en colère qu'abattue. En colère à force d'entendre les gens parler de mon père comme d'une vitrine musulmane du Congrès.

– Une vitrine musulmane? Je ne connais pas cette expression.

– Cela signifie que le Congrès n'offre des postes clés à des musulmans comme mon père que pour réduire au silence ceux qui prétendent que le Congrès fait le lit du pouvoir politique hindou.

– Oui, je vois. Une vitrine musulmane.

– Il n'y a pas que les musulmans adeptes de Mr Jinnah qui défendent cette opinion, certains congressistes soucieux de faire leur propre publicité ne s'en privent pas, et ils n'ont d'ailleurs pas entièrement tort.

– Mr Kassim, s'indigna le Pandit, la vérité n'est pas divisible. Une telle affirmation ne peut contenir ne serait-ce qu'un semblant de vérité si elle est fausse. Est-ce que les chefs du Congrès accordent à des musulmans qui ne le méritent pas des avantages au détriment d'hommes politiques hindous? C'est vrai, ou c'est faux. Mais cela ne peut pas être *en partie* vrai ou faux.

Ahmed opina et s'efforça, une fois de plus, de détourner la conversation.

– Comptez-vous rester quelque temps à Meerut, Panditji?

– Non. Je dois retourner à Mayapore sous peu, dit le vieillard en souriant comme s'il savait que quoi qu'il arrive, il aurait le dernier mot.

– Juste quelques jours de repos alors?

– Je ne compte nullement me reposer.

– Panditji tient à consulter certains ouvrages de notre bibliothèque, expliqua le professeur Nair qui semblait avoir repris ses esprits. C'est une des raisons pour lesquelles il nous honore de sa visite, mais j'ose espérer qu'avant de repartir il se laissera convaincre de la nécessité de s'adresser à nos étudiants.

Le Pandit Baba ferma les yeux et pencha la tête d'un côté puis de l'autre.

– Puisque vous habitez Mayapore, Panditji, peut-être connaissiez-vous cette Anglaise, Miss Manners? Il semblerait qu'elle ne comptait pas que des Anglais parmi ses amis.

– Non, je ne la connaissais pas personnellement.

– Elle est morte en mettant au monde un enfant. Les journaux ont publié son avis de décès.

– Je sais, Mr Kassim. Auriez-vous une raison personnelle de vous intéresser à cette personne?

– Non, mais l'affaire a fait tant de bruit par ici qu'on ne peut plus parler de Mayapore sans penser aussitôt à Miss Manners et au viol dont elle a été victime dans les jardins du Bibighar.

– Personne n'a jamais pu prouver qu'il y avait eu viol. On a arrêté des suspects qu'on a jetés en prison sans jugement, en les accusant de soi-disant activités politiques subversives.

– Soi-disant?

– Soi-disant. Aucun débat public, tout a été mené tambour battant sous le couvert des Ordonnances sur la Défense du territoire. En réalité, on s'est contenté de supposer que cette jeune personne avait été violée.

– J'espère que la jeune fille avait dépassé le stade des suppositions, ne put s'empêcher de faire remarquer Ahmed.

– Je reconnais qu'une telle expérience ne doit pas laisser la victime dans un bien grand doute.

– Vous n'excluez pas le fait qu'elle ait tout inventé?

– Je n'accepte et je n'exclus rien, Mr Kassim. Je m'en tiens aux faits, et aucun fait n'a pu être légalement établi.

Des hommes ont été arrêtés, c'est entendu. Pour le moment, les Anglais essaient par tous les moyens d'étouffer l'affaire, et autant que je sache, aucune procédure judiciaire n'est en cours. D'ailleurs, la jeune fille a toujours refusé d'identifier les suspects arrêtés.

– En connaissiez-vous certains?

– Oui. Il s'agissait de jeunes gens instruits.

– Et connaissiez-vous celui qui était précisément un ami de Miss Manners?

– Vous voulez parler de Hari Kumar?

– Oui, je crois que c'est bien son nom. Le connaissiez-vous, Panditji?

– Lorsqu'il est rentré d'Angleterre sa tante m'a demandé de lui donner des cours d'hindi. Il ne parlait qu'anglais. Mais il n'avait aucune envie d'apprendre sa langue natale. Une seule chose comptait pour lui, oublier et faire oublier à tout prix qu'il était indien. Il a passé toute son enfance et son adolescence en Angleterre où il s'était fait de nombreux amis anglais. Il ne comprenait absolument pas pourquoi il ne pouvait pas en être de même ici, et cela le désespérait. Sa tante, qui l'a recueilli puisqu'elle est sa seule famille, restait pour lui une étrangère.

– Mais il avait une amie, une amie anglaise en la personne de Miss Manners? Et peut-être étaient-ils plus que des amis?

– Je ne prête pas l'oreille aux commérages. Il leur arrivait de sortir ensemble. Il paraît qu'elle était différente de ses compatriotes. Quelle ineptie! Comme si les Anglais sortaient d'une usine, fabriqués sur le même modèle, parlant, pensant, agissant tous de la même manière. Ce n'est le cas pour personne, ni pour eux ni pour nous. Mais là où il ne peut y avoir de confusion possible, c'est que nous sommes indiens et qu'eux sont anglais. Aucune intimité réelle n'est possible entre eux et nous. Ni possible ni souhaitable. Contentons-nous de vivre en paix avec eux, s'ils consentent d'abord – sinon, c'est impossible – à nous rendre ce qu'ils nous ont volé et qui nous appartient depuis toujours. Et pour les contraindre à nous restituer notre liberté, notre devoir est de les combattre sans répit. Ce qui n'implique pas que nous devions les haïr ou les aimer lorsqu'ils auront quitté notre pays. Le lion ne partage pas la couche du tigre et le corbeau ne niche pas avec l'hirondelle. Les hommes sont multiples et divers. Qu'ils se contentent donc, lorsqu'ils ne peuvent s'aimer, de se tolérer et de se respecter. Les hindous ont sur les autres cet avantage qu'ils naissent naturellement aptes à comprendre et à accepter ce vieux concept de diversité.

– Il y a un moment, vous avez dit que les gens avaient manifesté pour protester contre l'arrestation de Kumar et de ses compagnons accusés d'un crime qu'ils n'ont pas commis. Mais qu'en savent-ils? demanda Ahmed après avoir respecté un temps de silence pour s'assurer que le Pandit avait bien terminé sa démonstration.

– En un sens, vous ressemblez bien à votre père, remarqua le Pandit en souriant, vous partagez avec lui l'art et le goût des argumentations serrées. D'un instant à l'autre, vous allez me démontrer que puisque les manifestants n'avaient aucun moyen de savoir de source sûre si les jeunes gens arrêtés étaient ou non coupables, ils avaient agi instinctivement en dehors de la légalité et s'étaient donc effectivement comportés comme des émeutiers.

– N'y-a-t-il pas là matière à débat?

– Il y a toujours matière à débat, quoi que l'on affirme, et même si c'est avec preuve à l'appui. En l'occurrence, deux éléments doivent être pris en considération. Tout d'abord, ce qui s'est passé à Mayapore ne différait guère des réactions suscitées par les arrestations des chefs du Congrès, dont votre père. A Mayapore, s'y ajoutait non pas tant l'indignation de voir des hommes arrêtés arbitrairement, que celle provoquée par des informations qui circulèrent très vite en ville selon lesquelles les garçons arrêtés avaient été torturés et souillés par la police la nuit même de leur arrestation pour leur extorquer des aveux. Ces informations venaient du commissariat et précisaient qu'aucune confession n'avait pu être obtenue des suspects en dépit des mauvais traitements qu'ils avaient subis. On apprenait du même coup qu'on les avait fouettés et contraints à manger de la viande de bœuf. Pour ma part, je considère qu'aucun de ces jeunes hommes ne me paraît capable d'en arriver à violer une jeune fille. La police les a arrêtés dans une cahute située non loin des jardins du Bibighar. Ils y buvaient clandestinement de l'alcool. En fait, les policiers étaient à la recherche de Kumar – dont l'amitié avec Miss Manners était connue. Et il n'est pas sans importance de noter que l'Anglais qui dirigeait la police était lui aussi un ami de Miss Manners. C'est lui qui, la nuit même, a conduit personnellement les interrogatoires, et qui a décidé d'infliger aux jeunes hommes différents sévices. Tous ses subordonnés parlent de lui comme d'un homme démoniaque, cruel et pervers. S'il s'est particulièrement acharné sur Kumar, c'est parce que lui aussi courtisait la jeune Miss Manners. Et pendant ce temps-là, les auteurs du viol, si viol il y a eu, des voyous sans aucun doute, avaient tout loisir pour se fondre dans la nature. Tout cela m'a été rapporté par des gens qui le tenaient d'un des policiers musulmans horrifié d'avoir dû assister aux interrogatoires. C'est également lui qui a révélé que le chef de la police avait fait charger par ses hommes la bicyclette trouvée au Bibighar dans le fourgon qui les conduisait au domicile de Kumar. Après avoir arrêté le jeune homme chez lui, les policiers ont « découvert » la dite bicyclette dans le fossé voisin. Le chef de la police en a aussitôt conclu à la culpabilité de Kumar dans le viol. De toute façon, aucune enquête n'a été ordonnée et personne n'a été invité à témoigner. Ce chef de la police est d'une habileté machiavélique. Le juge Menen et le commissaire délégué n'ont pas manqué d'être frappés par tout ce que cette affaire avait de louche, mais les garçons ont eu peur de parler, et quant à Kumar il s'y est toujours refusé obstinément. Il voulait avant tout être traité à l'égal d'un citoyen anglais, et n'a jamais affiché que mépris pour ceux qui n'avaient pas d'aussi bonnes manières que lui, ce qui était le cas du chef de la police qui, de son côté, s'attendait à ce que Kumar lui témoigne le respect et la crainte qu'un Indien doit éprouver en présence d'un Sahib blanc. Si les autres garçons ont, comme tous les étudiants hindous qui se respectent, tenu des propos subversifs et manifesté leur sentiment patriotique, la police anglaise les avait certainement fichés depuis longtemps et il était alors facile de les accuser de menées révolutionnaires tombant sous le coup des Ordonnances sur la Défense du territoire, qui s'accommodent à toutes les sauces et qui ont d'ailleurs été promulguées à cet effet. Il est tout à fait grotesque d'en accuser du même coup Kumar qui déteste tout ce qui touche de près ou de loin aux Indiens. Il ne jure que par l'Angleterre et vit dans le regret des années passées dans ce pays.

– Est-il toujours en prison?

– Ils sont tous en prison, mais on a pris soin de les séparer. Kumar est à la prison Kandipat de Ranpur. Sa tante a obtenu la permission de lui écrire et de lui envoyer des livres et de la nourriture. Elle est accablée. Elle aimait beaucoup celui qu'elle appelait son « neveu anglais ». Vous ne dites rien, mon ami? s'enquit le Pandit Baba en se tournant vers le professeur.

– Je vous écoute avec une grande attention. Je ne savais pas que vous étiez à ce point concerné par ce cas si intéressant.

– Intéressant, oui. Le genre d'affaire dont le père de notre jeune ami aurait aimé pouvoir s'occuper pour y démêler le vrai du faux et faire triompher la vraie justice. Mais c'est justement le genre d'affaire qu'on ne veut surtout pas soumettre aux juristes. Pour notre part, nous nous emploierons à empêcher qu'elle ne tombe dans l'oubli, et souvenons-nous que la justice n'est pas seulement du ressort des tribunaux mais qu'elle est l'affaire de tous. Mr Kassim, vous avez l'air chagrin. Permettez-moi de me retirer, cher professeur, et de vous laisser enfin dîner tranquillement, en vous souhaitant une bonne nuit.

Nair et Ahmed se levèrent et saluèrent le Pandit Baba, puis ils se rendirent dans la salle à manger où leurs couverts étaient dressés à l'européenne.

– J'espère que vous n'avez rien contre la cuisine végétarienne? chuchota le professeur à Ahmed. Les odeurs de viande grillée lui auraient été intolérables.

II

Sarah se demandait si le jeune Mr Kassim avait délibérément choisi les plus mauvais chevaux des écuries du palais ou s'il n'avait pu trouver mieux. Sa monture avait commencé par se cabrer devant son ombre, pour glisser ensuite sur une plaque de terre argileuse et s'arrêter finalement au beau milieu du terrain en friche qui s'étendait du palais aux portes de la ville, pour se mettre à brouter tranquillement l'herbe qui était à sa portée. De son côté, Mr Kassim semblait avoir toutes les peines du monde à retenir son cheval. Tournant la tête vers le jeune homme un peu en retrait derrière elle, elle comprit qu'il luttait contre sa monture, car sur ses avant-bras nus, les muscles saillaient. Son visage était en partie dissimulé par l'ombre de son casque colonial.

– Êtes-vous sunnite ou chiite, Mr Kassim? lui cria-t-elle d'un ton qui rappelait celui d'une maîtresse d'école.

– Chiite, lui lança Ahmed en se rapprochant.

– Est-ce très différent?

Laissant croire à son cheval qu'il lui abandonnait l'initiative de ses mouvements, Ahmed lui fit faire une volte.

– Non, pas vraiment. Les chiites ont contesté l'autorité des trois premiers califes qui succédèrent à Mahomet. Il s'est produit une sorte de rupture politique.

– Pour les chiites, qui est le successeur légitime de Mahomet?

– Un homme appelé Ali. Le gendre de Mahomet. Nous commémorons sa mort au début du mois de Muharram. Mais les sunnites partagent avec les chiites le deuil d'Ali.

– Le nabab est-il lui aussi un musulman chiite?

– Oui.

– Y a-t-il aussi des sunnites à Meerut?

– Oui, mais en petit nombre.

– Si vous piquiez un trot? lui suggéra Sarah, cette sacrée carne aura peut-être l'idée de vous suivre au lieu de se gaver d'herbe.

Pour toute réponse, Ahmed rapprocha sa monture de celle de Sarah, prit la bride des mains de la jeune fille et la tira d'un coup sec. Le cheval redressa la tête et la garda haute, la bouche retroussée par le mors.

– Maintenez-le comme cela, lui conseilla Ahmed.

Sarah glissa sa main sur la bride jusqu'à frôler celle d'Ahmed. Ce faisant, elle sentit l'odeur d'ail que dégageait l'haleine du jeune homme. Peut-être tenait-il à lui faire comprendre qu'il avait surpris les propos de tante Fenny.

– Je vous remercie.

Elle mit son cheval au pas. Il n'arrêtait pas d'encenser pour lui faire allonger la bride. Ahmed avait repris sa place à quelques mètres derrière elle. Peut-être l'ennuyait-elle avec toutes ses questions, à moins qu'il ne fût timide. En chemise à manches courtes et culotte de cheval, il était exactement le genre d'homme dont son futur beau-frère aurait déclaré admirativement : « Pour faire le coup de poing, il doit être un peu là ! » Mais au fond, c'était bien là le propre des musulmans. « Non, se reprit mentalement Sarah, pas des musulmans mais des Indiens comme Mr Kassim, de souche arabe, persane ou turque. » Tous avaient hérité la résistance des races aguerries par la rigueur des climats où les extrêmes s'opposent (elle pensait aux déserts).

Le climat de l'Angleterre avait lui aussi forgé la résistance des Anglais. Quelques années plus tôt, Sarah avait rédigé un exposé qu'elle n'avait pas craint d'intituler : « Les effets du climat et de la topographie sur le caractère humain. » L'idée lui en était venue l'été de la mort de grand-papa, le jour où, ayant accompagné tante Mabel dans le pré jusqu'au bord du ruisseau, elle avait été frappée de découvrir qu'elle avait sous les yeux une réplique en miniature du paysage entourant Pankot. C'était à ce moment-là qu'elle s'était amusée à distinguer parmi les membres de sa famille ceux qui étaient restés purement anglais et ceux chez qui l'influence de l'Inde était devenue prépondérante. Deux ans plus tard, elle écrivait dans son exposé : « Bien que jouissant d'un climat tempéré, l'Angleterre offre, dans un espace très restreint, une grande diversité de conditions naturelles. Ces conditions rendent les habitants résistants, actifs, énergiques et particulièrement jaloux de leur indépendance. Ce sont ces qualités qu'ils mettent en valeur dans les pays qu'ils ont colonisés, pays où les indigènes, en raison du climat chaud et humide, sont enclins à une certaine passivité et à une certaine mollesse, mises à profit par les Européens, et particulièrement les Anglais pour les garder sous leur domination. De retour sur leur île natale, ces exilés sont généralement surpris de constater à quel point tout y est de taille réduite et propre à donner à ceux qui l'habitent l'impression d'avoir maîtrisé facilement l'hostilité de leur environnement. »

Sarah se rappelait mot pour mot le commentaire de son professeur, à l'encre rouge dans la marge : « Travail intéressant, exposé bien mené en ce qui concerne les effets du climat. Votre référence aux conditions topographiques ne m'a pas convaincue, mais étiez-vous très au fait de ce que vous vouliez démontrer ? »

Tout cela était si loin. Pourtant, même encore aujourd'hui elle sentait qu'elle aurait eu du mal à mettre au clair sa pensée, son impression, nées de la constatation qu'une similitude secrète existait entre le souvenir qu'elle gardait alors de Pankot et le tableau champêtre que composaient le pré, le ruisseau et le bois de Mr Birthwistle.

– Qui habite là ? demanda-t-elle en désignant sur sa droite un grand bungalow protégé par de hauts murs blancs.

– Le comte Bronowsky.

– Est-il vraiment comte ?

– Je crois. Oui.

– On fait un galop en direction des portes de la ville ?

– Si vous voulez, mais par là il y a un *nullah* à traverser.

– Tant pis, allons-y.

Elle éperonna sa bête. C'était le meilleur moment, celui qui suit une courte hésitation, lorsqu'on sent l'animal rassembler ses forces, se ramasser avant de s'élancer, tel un ressort qui se détend brusquement. Il lui semblait alors chaque fois qu'elle allait trouver et suivre le chemin caché qui mène à un monde inexploré, pourvoyeur de jouissances insoupçonnées, monde dont elle atteindrait trop vite les limites, mais qui lui aurait permis de goûter au plaisir pur et exaltant réservé à ceux qui osent franchir d'un bond les barrières de leur environnement quotidien.

En arrivant à proximité du petit cours d'eau presque asséché, Sarah rassembla son cheval et voulut lui faire exécuter une virevolte à gauche. La bête regimba puis finit par se soumettre, non sans avoir suscité chez la cavalière une légère crispation d'anxiété. Ahmed la suivait comme son ombre. Sarah éprouva une euphorie inattendue, le sentiment d'une perfection rare. Ils remontèrent au galop le long du petit cours d'eau asséché et le franchirent d'un bond dans la partie où il se resserrait à proximité de la route menant du palais à une des portes de la ville, seul vestige en place de l'ancienne enceinte. Sur la route bordée d'arbres, ils semblaient sauter d'une flaque d'ombre à une autre. Ils dépassèrent une file de chariots tirés par des buffles, puis un groupe de femmes portant des paniers sur leurs têtes. Le fond de l'air était comme saturé par l'odeur douceâtre des feux de bouse de vache. Son cheval semblait vouloir foncer tête baissée sur la chaussée en direction de la ville. Non sans peine, elle réussit à le pousser vers la droite, pour continuer dans la grande aire en friche jusqu'à un groupe de trois banians dont les branches formaient une sorte de voûte de verdure. Mr Kassim se tenait toujours impertubablement à distance respectueuse, un peu en retrait sur la gauche. Elle se retourna et lui adressa un sourire. Elle éprouvait un tel plaisir d'être là, à cette heure matinale. Il lui avait machinalement rendu son sourire, visiblement loin de partager sa jubilation, soucieux qu'il était de veiller à ce qu'il ne lui arrive rien de fâcheux. A sa place, Teddie se serait cru obligé de lui demander comment elle allait et, dès le retour au palais, il se serait plaint interminablement du caractère rétif des chevaux.

– C'est curieux, Mr Kassim, dit-elle en regardant la ville au loin, depuis que je suis là je n'ai pas entendu une seule fois l'appel du muezzin, et pourtant j'aperçois un nombre incroyable de minarets.

– C'est parce qu'en ce moment le vent ne souffle pas dans la direction propice.

– Ils appellent bien les fidèles à la prière cinq fois par jour?

– Oui.

– J'ai lu que les prières de l'Id al-Fitr devaient être récitées non pas dans les mosquées mais en plein air.

– Oui, et d'ailleurs vous avez dû voir des rassemblements de fidèles. Mais l'an dernier, par exemple, l'Id est tombée pendant la mousson et les prières ont été exceptionnellement récitées à l'intérieur.

– Et cette année?

– Ce sera au début de la prochaine lune.

– Et si le temps est couvert?

– Dans ce cas, il suffit de compter les jours, soit trente jours après le début du Ramadan, autrement dit la semaine qui suivra le mariage de votre sœur.

– Vraiment? C'est merveilleux, ainsi ce sera un moment de réjouissance pour tout le monde.

Elle mit son cheval au pas, puis au galop. Tout le monde se réjouira. Tout le monde se réjouira. Tout le monde... Elle apercevait les toits du palais. Le soleil était déjà haut, la fraîcheur délicieuse du petit matin avait depuis longtemps disparu. Elle nota l'apparition de la première phase du phénomène propre à la plaine indienne qui fait disparaître progressivement la ligne d'horizon comme si la terre devenait extensible. « Elle fuit, elle se dérobe sans cesse, se dit Sarah, elle prend le large et nous laisse. » Mr Kassim était toujours à quelques mètres derrière elle, un peu décalé sur la gauche. « C'est comme si nous étions rejetés l'un contre l'autre, poursuivit-elle mentalement, refoulés par le mouvement de fuite de l'étendue vers son centre incurvé. Et voilà que je recommence à éprouver ce sentiment bizarre, comme le jour de la piqûre de guêpe, de ne pas parvenir à prendre moi aussi mes vraies dimensions, à me dilater comme la terre qui me porte. Mais pourquoi, pourquoi ce sentiment qui me laisse sur ma faim? Bon, maintenant je suis une adulte et toutes ces questions ne sont plus de saison. Allons, au galop! » Sarah passa en revue les hommes qu'elle aurait pu épouser, qui lui avaient paru séduisants. Mais est-ce que l'amour existait, et avait-il quelque chose à voir avec l'impulsion purement physique que certains hommes avaient éveillée en elle. Teddie et Susan avaient-ils éprouvé l'un pour l'autre ce genre d'attirance? Ce qui était sûr, c'est que Susan ne doutait jamais que tout ce que la vie lui offrait lui soit dû. « En ce qui me concerne, là où le bât blesse, c'est que je passe mon temps à me poser inutilement des questions. Si je continue ainsi, je m'enlèverai toute chance d'être heureuse. »

Ils obliquèrent à gauche et longèrent un certain temps le lit du *nullah.* Sur les berges boueuses où le soleil effaçait les dernières traces de la mousson, on distinguait des empreintes de sabots de chèvres et de chevaux.

– Lorsque vous montez seul, est-ce qu'il vous arrive de venir par ici, Mr Kassim?

Sa réponse lui échappa. Ils avaient rebroussé chemin et passaient de nouveau non loin de la maison du comte Bronowsky. C'était une belle demeure entourée d'un vaste jardin, construite à l'abri de hauts murs, pour l'agrément d'un étranger, d'un Européen bien en cour, comme aux temps où les nababs monnayaient leurs faveurs aux compagnies anglaises, portugaises ou françaises. Quelque chose disait à Sarah que le vieux comte ne lui serait pas sympathique. Certes, tout le monde s'accordait à reconnaître que son influence sur le nabab était des plus bénéfiques, mais s'il avait pris des initiatives heureuses pour l'état de Meerut, il ne semblait pas s'être oublié lui-même. Elle n'imaginait pas son père se retirant dans ce genre de petit palais. Il choisirait plutôt une maison à Purley ou un chalet à Pankot – s'il décidait de rester en Inde. Des gens comme Teddie ou Susan se refusaient à admettre que la génération de leurs parents serait la dernière à qui s'offrirait un tel choix. Avec ou sans la guerre, tout allait changer très vite, la fin d'une époque approchait et elle serait l'occasion de violentes convulsions. Sarah songea que, comme Mr Kassim, elle ferait sûrement partie des nombreuses victimes provoquées par une telle mutation.

Brusquement, elle fit virer son cheval et se retrouva face au jeune homme qui n'eut que le temps de serrer la bride à sa propre monture pour éviter une collision. Incapable de lui expliquer son geste, elle se contenta de sourire sans cesser d'écouter les cris rauques des corbeaux. Étrangement, avant de se rendre compte qu'elle ne pourrait raisonnablement justifier sa conduite, elle avait eu le temps de se dire que la vie offrirait plus d'intérêt si les gestes gratuits y trouvaient plus facilement leur place. Mieux valait donc ne pas chercher au sien un sens conventionnel et rassurant, et se contenter de sourire au jeune homme interloqué.

En arrivant devant la maison des hôtes, elle aperçut son futur beau-frère en compagnie de son garçon d'honneur sur la terrasse. « Hello, leur lança-t-elle, quelle bonne surprise! Vous prenez le petit déjeuner avec nous? »

L'officier Teddie Bingham était le genre d'homme sur lequel Mrs Layton aurait aimé avoir l'avis de son mari avant de lui accorder la main de sa fille Susan. Mais, à la guerre comme à la guerre, et puisque les renseignements qu'elle avait pris sur le jeune homme ne lui avaient rien appris de fâcheux, elle s'en était remise aux conseils de Sarah : « Contente-toi de lui donner le nom du régiment de Teddie. Tu peux ajouter qu'ils sont très épris l'un de l'autre. Pour le moment, il n'a pas besoin d'en savoir plus. Ce qui compte, c'est qu'il soit rassuré. »

« Bien sûr, avait convenu Mrs Layton. Il n'empêche qu'il n'a pour toute famille qu'un oncle dans le Shropshire. Son père était dans les Muzzafirabad Guides et il s'est brisé le cou au cours d'une partie de chasse. Quant à sa mère, pour son malheur elle s'est remariée, et elle est morte à Mandalay. Et tous ces détails, nous les tenons de Teddie lui-même ou de Dick Rankin. »

Le général Rankin commandait la région militaire. A sa sortie de l'École supérieure de guerre de Quetta, Teddie avait été affecté au quartier général de Pankot. Pour un officier ayant eu les attributions de commandant en second de la compagnie des Muzzafirabad Guides, qui avait été décimée en Birmanie lors de la retraite, ce n'était pas une affectation avantageuse. Étant sorti de Quetta, il aurait pu espérer une nomination dans l'état-major d'une division en campagne. Il était le premier à l'admettre, et espérait que cette affectation n'était pas définitive. En attendant, il se félicitait qu'elle lui ait permis de rencontrer Susan.

Avant de jeter son dévolu sur Susan, il avait fait la cour au caporal Sarah Layton qui servait, avec sa sœur, au quartier général de Pankot. Il avait alors semblé qu'il allait échapper à la règle voulant que tous les hommes qui étaient attirés par l'aînée des filles Layton finissent invariablement par la délaisser au profit de sa sœur qui était, de l'avis unanime, plus jolie, plus enjouée, qui avait plus d'allant, comme disaient les gens de Pankot. Susan régnait donc en permanence sur un groupe de jeunes gens, sans faire de distinction entre ses admirateurs qui lui arrivaient via Sarah ou directement.

Teddie se révélant immunisé contre Susan, les dames de la bonne société de Pankot dirigèrent leur bienveillante attention sur la sœur aînée. Elles discutaient à n'en plus finir de cette intéressante situation chaque fois qu'elles se retrouvaient pour prendre le thé, jouer au bridge, répéter la pièce qu'elles allaient monter, ou tenir le buffet au cercle régimentaire des hommes de troupe. Il était grand temps que Sarah se décide, disaient-elles. Elle avait déjà vingt-deux ans, elle était d'une conduite irréprochable et plutôt agréable à regarder. Sa famille ne comptait que des hommes qui avaient fait leurs preuves tant au regard des normes anglo-indiennes que des critères propres à Pankot, et son père, qui avait combattu en Afrique du Nord, était maintenant prisonnier en Allemagne.

De plus, Sarah Layton se révélait être un soutien précieux pour sa mère, qui, pour une femme d'officier, manquait singulièrement de cran, faisait preuve d'un certain laisser-aller et paraissait toujours dans les nuages. Cette femme qui avait été bonne bridgeuse faisait maintenant une partenaire exécrable, sans compter qu'elle n'acquittait pas toujours ses pertes à ce jeu. Par chance, Sarah s'en chargeait, comme elle se chargeait de régler les notes en souffrance chez Mohammed Hossain le tailleur, ou au magasin général de Jalal-ud-din. Enfin elle manifestait, comment dire?... un penchant des plus regrettables pour la boisson.

Sarah Layton était décidément devenue l'élément stable et sûr de la famille sur lequel tous se reposaient, et l'on trouvait d'autant plus injuste le fait que sa mère lui préférât si ostensiblement sa jeune sœur. Cette dernière le savait et en profitait amplement, ce qui constituait certainement son défaut le plus criant et celui dont découlait notamment une certaine futilité doublée d'impertinence. Mais comment le lui reprocher? Elle avait une telle séduction! Et le bon goût de ne pas faire semblant de l'ignorer.

Tel n'était pas le cas de cette pauvre Sarah. Si l'idylle entre Sarah et Teddie Bingham passionnait tant les dames de Pankot, c'était en grande partie parce que le jeune homme était plutôt bien de sa personne même si ses yeux d'un bleu très pâle suscitaient quelques réserves et si la couleur de ses cheveux d'un blond tirant sur le roux était pour Mrs Fosdick le signe indiscutable d'une nature faible et versatile. Ce à quoi Mrs Paynton répliquait qu'autant qu'elle sache, les yeux clairs avaient toujours trahi un tempérament exceptionnellement amoureux et que, pour sa part, elle n'appréciait rien tant que ce genre de faiblesse. (A cet aveu, ces dames avaient cru bon de sourire.) Quant à Sarah, elle leur inspirait cette réflexion que dans la vie, c'étaient toujours les gens particulièrement calmes et discrets à qui il finissait par arriver les choses les plus extraordinaires. Enfin, il ne fallait tout de même pas oublier que les jeunes personnes en question étaient revenues en Inde parées de la fraîcheur intacte de leur jeunesse. Les parents qui voyaient ainsi leurs filles rentrer d'Angleterre ne sous-estimaient pas les dangers qu'elles couraient dans un milieu où les jeunes filles étaient en minorité. Même les créatures les plus défavorisées par la nature avaient leur chance – considérant la multitude des jeunes hommes aux ardeurs amoureuses attisées par le climat et une continence forcée. Les jeunes filles subissaient tout autant l'influence d'un climat qui échauffe le sang – et la griserie de voir tant d'hommes mendier leurs faveurs. Aussi, la première année du retour en Inde était-elle placée sous le signe d'une expectative prudente de la part des parents, qui feignaient de laisser à leurs filles la bride sur le cou mais surveillaient leurs moindres gestes. Au cours des six premiers mois, les jeunes filles annonçaient habituellement pour le moins à cinq ou six reprises qu'elles avaient rencontré l'homme de leur vie. Les six mois suivants exigeaient de la part des adultes une vigilance accrue car le septième homme qui risquait d'apparaître avait toutes les chances de faire figure de prince charmant en la personne d'un invité indifférent au charme de la jeune fille, généralement pour la raison qu'il connaissait déjà toute la romance par cœur.

Au terme de cette première année, le temps venait pour les parents de prendre sérieusement les choses en main. Il était alors étonnant de constater à quel point les jeunes filles faisaient preuve de docilité et acceptaient d'agréer un prétendant répondant aux vœux de leur famille. La troisième année était tout naturellement consacrée à la maternité et permettait aux nouveaux grands-parents de pousser un soupir de soulagement.

Mais la guerre était venue brutalement bouleverser le déroulement harmonieux de ce vieux rituel. C'est ainsi que les filles Layton étaient les dernières recrues de ce que les plaisantins avaient pris l'habitude d'appeler la « flottille de pêche ». En ces temps troublés, il n'arrivait plus que des infirmières. Dans le même temps, le vivier de la gent masculine où l'on ne trouvait autrefois que des éléments triés sur le volet s'était transformé en un flot grouillant d'hommes de toutes conditions et parfois d'extraction des plus douteuses. Dans des villes comme Pankot, on se sentait débordé, assiégé par cette marée montante. On avait beau essayer de rester entre soi – et la station ne manquait pas de personnalités exceptionnelles parmi les gens de bonne compagnie –, de se convaincre que le cœur des choses restait à l'abri de la bourrasque, ce n'était pas un mince réconfort que de constater que l'aînée des filles Layton avait arrêté son choix sur un homme dont on ne pouvait mettre en doute les qualités de gentleman. En l'absence de son père, Sarah, moins d'un an après son retour d'Angleterre, faisait décidément preuve d'une appréciable maturité d'esprit.

Depuis le début de la guerre, la vie en Inde était devenue d'une platitude désolante. Aussi les dames de Pankot comptaient-elles beaucoup sur le mariage de Teddie et de Sarah pour lui redonner un peu d'éclat. Et qui sait, une chose en amenant une autre, contrairement à l'an passé où avaient éclaté tous ces troubles dans la plaine, on avait tout lieu d'espérer que le gouverneur et son épouse ne se contenteraient pas de passer en coup de vent dans leur palais d'été. En attendant, chacun s'attachait à sauver tout ce qui avait fait le charme et le prix de la vie en Inde avant la guerre. On était encore plus reconnaissant aux Layton d'offrir à la communauté la perspective excitante d'un mariage qui serait le clou de la saison d'été. A ce prix, on pouvait fermer les yeux sur les travers de Mrs Layton, d'autant qu'elle restait une des femmes les plus séduisantes de la ville. Et on faisait taire aussi l'envie que ces trois femmes suscitaient en bénéficiant d'un bungalow de fonction situé en face des casernements du 1er Pankot Rifles. Considérant la crise du logement qui sévissait à Pankot avec l'afflux des nouveaux arrivants, elles auraient pu aller habiter à Rose Cottage, chez la vieille Mabel Layton. Évidemment, il y avait cette Miss Batchelor, une institutrice missionnaire à la retraite (et vieille fille endurcie), que Mabel Layton avait prise comme pensionnaire. Vraiment, la vie n'était simple pour personne.

Lorsque le bruit se répandit que Sarah et Teddie ne se fréquentaient apparemment plus, ce fut la consternation.

L'espoir qu'il ne s'agissait que d'une brouille d'amoureux fit long feu lorsque l'on vit le jeune homme partager avec deux autres officiers le privilège d'accompagner Susan à une soirée dansante au club, à laquelle Sarah s'abstint de paraître. A cette occasion, on remarqua qu'il faisait danser Susan plus souvent qu'à son tour et qu'elle lui accorda la dernière valse de la soirée. Le lendemain, Mrs Paynton rapporta qu'ayant rencontré Sarah Layton dans le magasin de Jalal-ud-din, elle s'était vue gratifier d'une réponse évasive, à peine polie, à une question bienveillante qu'elle lui posait concernant la santé du capitaine Bingham. On avait beau savoir qu'en de telles circonstances il fallait faire preuve d'indulgence, on ne pouvait s'empêcher de noter que Sarah n'avait jamais mis beaucoup de cœur dans la façon dont elle se conformait aux règles de la courtoisie. Par ailleurs, n'y avait-il pas matière à réflexion, lorsque l'on connaissait un tant soit peu les jeunes gens, en les voyant les uns après les autres délaisser une jeune fille pour se précipiter aux pieds de sa jeune sœur.

« Si vous voulez mon avis... », s'enhardit à proposer la jeune Mrs Smalley, qui hésita cependant à poursuivre, ne serait-ce que parce que personne ne le lui demandait jamais, et cette fois-ci pas davantage. Mais elle ne pouvait laisser passer cette occasion de briller aux yeux de ses aînées : « Avec elle, ce qui cloche, c'est qu'elle ne prend pas vraiment la chose au sérieux... »

L'assistance ayant médité la formule, Mrs Paynton demanda :

– Quelle chose au sérieux?

– Oh! Mais tout! s'exclama audacieusement Mrs Smalley en souriant nerveusement. Tout. Nous tous. L'Inde. Notre raison d'être ici. Et cela, malgré tout et malgré elle. Malgré tout ce qu'on lui a appris. Je crois que même si les hommes n'en parlent jamais, c'est quelque chose qu'ils sentent très bien. Beaucoup mieux que nous, oserais-je dire. Je suppose qu'au bout d'un certain temps, ils éprouvent l'horrible impression que Sarah Layton se moque tout simplement d'eux. Et de nous tous. Oh! Mais je regrette. Peut-être n'aurais-je pas dû dire tout cela...

Le silence qui suivit cette longue intervention permit à la pauvre Mrs Smalley de souhaiter tout à loisir que la terre s'ouvre sous ses pieds et l'engloutisse. Elle – une Smalley (ce qui était un comble) – avait osé critiquer en public une Layton. Et qui plus est, en osant parler explicitement de *la chose*. Personne, jamais, ne se hasardait à parler nommément de la chose.

Soudain, la voix de Mrs Paynton rompit le silence et Mrs Smalley n'en crut pas ses oreilles.

– Mon petit, tout cela me paraît du plus grand intérêt, dit-elle et, se tournant vers les autres dames, elle ajouta : Je ne suis pas loin de penser que Lucy a mis le doigt sur la plaie.

Lucy Smalley accepta en tremblant la cigarette que lui proposait Mrs Fosdick.

– J'en ai pris conscience pour la première fois l'an dernier, poursuivit-elle après qu'on l'eut instamment pressée d'expliquer ce qu'elle entendait lorsqu'elle prétendait que Sarah Layton ne prenait pas la chose au sérieux. Nous parlions de toutes les abominations qui avaient été commises à Mayapore, confia-t-elle. (Ce qui était beaucoup dire dans la mesure où, lorsqu'elle se trouvait en compagnie de Sarah, elle se hasardait rarement à émettre une opinion, occupée qu'elle était à observer et à écouter son interlocutrice.) Je pensais qu'elle était peut-être timide et qu'il fallait l'aider à se détendre. Cela n'avait rien à voir avec ce qu'elle disait, mais j'ai fini par être convaincue qu'elle ne cessait de tout mettre en question. Parfois, elle semblait brûler d'envie de céder au besoin de nous critiquer comme si tout ce qui arrivait était notre faute. Je ne pense pas pour autant qu'elle soit radicale ou je ne sais quoi d'autre. Mais elle me regardait comme si je n'étais pas une vraie personne. Enfin, c'est l'impression que j'avais. Que tout ce que nous disions ne lui paraissait pas sérieux, que c'était comme un jeu qui ne l'intéressait pas.

Ces dames échangèrent des regards lourds de sous-entendus.

– Je crois être au fait de ce que vous voulez dire, Lucy, déclara Mrs Paynton. Et je pense que cela recoupe ce que tout le monde pressentait plus ou moins. Ce qui me fait arriver à la conclusion qu'il est grand temps que cette petite se range.

Les dames en convinrent. Mrs Smalley sentit que sa gloire était déjà du passé. Chacune se résigna à devoir accepter cette nouvelle image de Sarah Layton et à se dire qu'elle rentrerait dans le droit chemin dès qu'elle rencontrerait l'homme qui lui convenait et que les choses lui seraient d'autant plus faciles que son feu follet de sœur serait mariée.

Trois semaines plus tard, lorsque Susan et Teddie créèrent la surprise en annonçant leur mariage, Mrs Fosdick ne se fit pas faute de rappeler ce qu'elle avait toujours pensé des hommes aux yeux clairs et de remarquer qu'il était difficile de faire confiance à quelqu'un qui n'hésitait pas, après avoir courtisé une jeune fille, à annoncer sans transition qu'il allait en épouser la sœur. Les autres dames déclarèrent qu'il fallait surtout voir dans ce choix la preuve que le capitaine Bingham était irrésistiblement attiré par un je ne sais quoi que les filles Layton avaient en commun bien que Sarah semblât, dans ce domaine, promettre plus qu'elle ne pouvait tenir, ce dont, tôt ou tard, les hommes se rendaient infailliblement compte. Enfin, lorsqu'il fallut bien admettre que Sarah ne manifestait aucun dépit mais gratifiait les nouveaux fiancés de ses plus beaux sourires, il devint pour tout le monde évident qu'elle souriait bel et bien à leurs dépens.

Quoi qu'il en soit, restait un mariage dont on continuait à faire grand cas. Aussi, lorsque le capitaine Bingham se vit brusquement affecté au nouveau quartier général de Meerut, Mrs Fosdick déclara qu'elle ne serait pas autrement surprise si l'on apprenait d'un jour à l'autre que le mariage était à l'eau. Le départ des Layton pour de brèves vacances à Srinagar la confirma dans son idée que Susan allait bientôt s'apercevoir qu'elle était sur le point de commettre une bêtise et qu'elle allait laisser filer sa prise pour ferrer un autre poisson. Nouveau coup de théâtre : les dames Layton rentrèrent précipitamment du Cachemire et annoncèrent que le mariage aurait lieu beaucoup plus tôt que prévu, non plus à Pankot, mais à Meerut. Même en temps de guerre, et compte tenu du fait que le fiancé devait incessamment retourner au front, tout le monde s'accorda pour trouver que cette précipitation devait cacher quelque chose.

– Je doute, confia Mrs Paynton, qu'un tel comportement puisse trouver grâce aux yeux de Mrs Layton. Mais j'imagine qu'elle n'a pas le choix et qu'elle se fait violence pour ne pas paraître désavouer sa fille. Apparemment, les mariés n'auront droit qu'à une lune de miel de trois jours. N'allons pas jusqu'à supposer...

Non. S'agissant d'une Layton, il était des choses qu'on ne supposait pas.

Peu après son transfert à Meerut, Teddie Bingham dut se rendre à l'évidence : s'il voulait se marier, il fallait que sa fiancée vienne le retrouver dans cette ville, et ils devraient se contenter d'une lune de miel de soixante-douze heures à Nanoora Hills avant qu'il rejoigne son unité sur le front. Au grand étonnement de sa famille, Susan n'éleva aucune objection et décida qu'un mariage à Meerut serait tout ce qu'il y a de plus drôle, surtout si – comme on pouvait l'escompter – le nabab les hébergeait dans la maison des hôtes construite dans l'enceinte du palais pour accueillir les invités de marque. Elles iraient chercher tante Fenny et oncle Arthur à Ranpur et gagneraient ensuite Meerut avec eux. Sur ce, le major Grace informa Mrs Layton qu'il ne pourrait se rendre à Meerut que le vendredi précédant le mariage. Qu'à cela ne tienne, décida Susan, nous occuperons seules pendant huit jours la maison des hôtes du nabab. Selon Teddie, le prince l'avait mise à la disposition du commandant de la région militaire pour la durée de la guerre. La demeure avait beau ne pas se trouver dans le quartier résidentiel européen, elle était située dans l'enceinte gardée du palais et offrait toutes les garanties de sécurité.

Il était prévu qu'un ami de Teddie, blessé en Birmanie et qui servait depuis peu d'aide de camp au général

Rankin, accompagnerait la famille Layton en train jusqu'à Meerut. Huit jours avant le départ, il fit savoir qu'il était hospitalisé à Pankot pour une jaunisse. « Un de perdu... » chantonna Susan qui partit sur-le-champ au quartier général pour appeler Teddie. « Il va s'arranger pour trouver quelqu'un à Meerut, probablement l'officier qui est logé avec lui », annonça-t-elle triomphalement à son retour. Ce qu'il y a de remarquable, pensa Sarah, c'est que pour la première fois Susan a fait d'elle-même et spontanément ce dont elle aurait pu, comme toujours, laisser quelqu'un d'autre se charger. Quant au fait qu'elles n'auraient pas d'escorte masculine pour se rendre à Meerut, la question se résoudrait d'elle-même. Le train serait certainement bondé de jeunes officiers, qui, dès qu'ils apercevraient quatre femmes seules sur le quai (finalement, tante Fenny viendrait à Pankot et serait du voyage), se feraient un plaisir de les aider.

Et ce fut exactement ce qui se produisit.

Il y avait le Meerut des palais, des mosquées, des bazars grouillant de monde, et le Meerut des vastes espaces verts, des casernements, des rues au tracé géométrique dans le quartier résidentiel européen, qui portaient des noms tels que Wellesley, Gunnery et Mess. Les deux Meerut étaient séparés par un lac longé d'un côté par la route et la voie ferrée. Au sud, les jardins qui bordaient l'eau portaient le nom de Izzat Bagh, (le Jardin de l'honneur), parce que le premier nabab avait déclaré qu'aussi longtemps qu'il y aurait de l'eau dans le lac, les Kassim régneraient sur la ville. Une prédiction sans danger, puisque de mémoire d'homme on n'avait jamais connu le lac à sec. Mais il est toujours téméraire de braver le destin, qui aime avoir le dernier mot. Les habitants de Meerut s'attendaient au pire. Pourtant la mousson se montra anormalement humide et longue les deux années qui suivirent la prédiction. La deuxième année, le lac déborda, emportant les cabanes des pêcheurs dont plusieurs se noyèrent, et tous les habitants de Meerut y virent le signe d'une connivence céleste avec les Kassim dont l'honneur – l'*izzat* – avait été si dramatiquement sauvé. Le lac devint le symbole de la puissance du nabab, de sa fécondité, de la pérennité de sa descendance. Les mollahs déclarèrent solennellement le lac béni par Allah, et les hindous qui représentaient pourtant 80 % de la population s'en virent interdire l'accès, y compris au temps de *Divali,* la Fête des lumières, qui symbolise l'année nouvelle. A l'extrémité sud du lac, on construisit une nouvelle mosquée ainsi qu'un palais dont les jardins descendaient jusqu'à l'eau. Le poète de la cour – Mohammed Gaffur – tint à célébrer la beauté du lac :

> N'oublie pas, Gaffur,
> Tes vers sont comme les pétales d'une rose.
> Ils perdront leur parfum et tomberont en poussière.
> Un instant, ils auront embaumé les jardins
> Qui gardent l'objet de ta fierté. Puissent-ils chanter
> Le Seigneur du lac éternellement.

C'est dans ces jardins que vers le milieu du XIXe siècle on construisit la maison des hôtes dans le style palladien en vogue en Europe tandis que, dans le même temps, avec l'accord du nabab, les Anglais établissaient un camp militaire au nord du lac.

Il y avait deux gares : Meerut (*City*) et Meerut (*Cantonment*). Les trains en provenance de Ranpur stationnaient une bonne demi-heure en gare de Meerut (*Cantonment*). Celui de 7 h 50, qui arrivait toujours avec un retard de trente à quarante minutes, ne semblait repartir qu'à contrecœur. A petite vitesse – jamais plus de quinze kilomètres/heure – il négociait les aiguillages, embranchements et passages à niveau, arrivait au lac qu'il longeait en surplomb, dominant la route taillée un peu plus bas dans la pente aboutissant à l'eau. Il se traînait comme s'il attendait à tout moment que les signaux ferroviaires passent au rouge sans qu'il ait le temps de serrer les freins. Un désastre semblait toujours plus ou moins imminent lorsqu'on passait de la ville moderne à l'ancienne cité, du pouvoir actuel aux héritiers de la gloire passée.

« Si, par extraordinaire, je ne pouvais venir vous accueillir à la gare, n'allez surtout pas vous aventurer en ville, avait écrit Teddie Bingham à Mrs Layton. De toute façon, je vous enverrai quelqu'un à ma place. »

– Tout va bien, leur annonça-t-il en guise de bienvenue dans la cohue qui régnait sur le quai. Vous avez à peine vingt-cinq minutes de retard. Si vous n'y voyez pas d'inconvénient, nous allons prendre le petit déjeuner au buffet de la gare où j'ai retenu une table.

Il posa un baiser sur la joue de Mrs Layton, serra la main de Mrs Grace, garda la main de Sarah dans la sienne quelques secondes, comme pour lui signifier qu'il savait lui devoir une explication depuis qu'il lui avait préféré sa sœur. Enfin il se tourna vers Susan, sa ravissante petite fiancée qui, avant même qu'il l'ait serrée dans ses bras, s'évertuait à jouer les effarouchées. Depuis une demi-heure elle s'exerçait à parfaire la pâleur distinguée qui seyait, pensait-elle, à une jeune fille qui va épouser un officier sur le point de repartir sur le front. Devenu, quant à lui, réellement cramoisi, Teddie s'employa efficacement à résoudre les problèmes que lui posait cette arrivée. Sa rougeur trahissait autant son plaisir de retrouver Susan que l'effort disproportionné qu'il devait toujours fournir pour venir à bout des tâches les plus simples et plus particulièrement lorsqu'il se sentait responsable de la sécurité et du confort de personnes du sexe opposé. Il s'était fait accompagner d'un gradé indien qui se tenait près du véhicule militaire pour réceptionner les porteurs au turban rouge des différents bagages des voyageuses. La tenue de l'homme : chemise et culotte courte kaki, raides et sans un pli, d'une perfection réglementaire, jurait avec l'exotisme du turban agrémenté d'une écharpe de mousseline kaki.

– Ne vous inquiétez pas pour vos bagages, les rassura Teddie, Noor Hussain les transportera directement à la maison des hôtes où vous les retrouverez tout à l'heure.

Ayant remercié les officiers du compartiment voisin qui avaient veillé sur ces dames, Teddie conduisit les passagères au buffet de la gare en leur frayant un chemin au milieu de la cohue.

Sarah attendait le petit déjeuner avec impatience. Elle sentait qu'elle contemplerait avec plus d'indulgence, et plus de confiance dans leur avenir, le tableau que lui offraient Susan et Teddie lorsqu'elle aurait commandé ses œufs au bacon, son porridge ou ses cornflakes, les toasts et la confiture, et bu sa première tasse de café en allumant sa première cigarette.

Il y avait chez Teddie Bingham quelque chose qui la chiffonnait. Ce garçon n'arrivait pas à s'imposer. En ce sens, il ressemblait à tous les jeunes gens qui l'avaient attirée quelque temps et dont elle s'était très vite et sans regret détournée, faute de leur trouver le moindre intérêt. Ce qui distinguait Teddie, c'était que Susan avait accepté de l'épouser. Sarah ne parvenait pas à comprendre pourquoi elle l'avait choisi, lui, plutôt que n'importe quel autre. Et elle avait beau espérer le contraire, elle ne les croyait pas épris l'un de l'autre.

Leur histoire n'a pourtant rien d'exceptionnel, se disait-elle. Comme nous tous, ils sont nés en Inde dans une famille de militaires ou de fonctionnaires. Études en Angleterre, vacances chez des oncles et des tantes, et retour en Inde. On n'échappait pas à ce parcours fixé une fois pour toutes. Le va-et-vient du troupeau de filles comme elle et Susan, de garçons comme Teddie, fonctionnait toujours : les jeunes juments blanches de bonne famille étaient élevées pour s'accoupler avec les jeunes étalons blancs également de bonne famille, afin d'assurer la pérennité et la pureté de la race. Dans un futur plus ou moins proche, le processus prendrait fin. Lorsqu'on était en Angleterre, cela sautait aux yeux, mais dès qu'on était de retour en Inde, par un étrange phénomène la vision prémonitoire s'effaçait et on était incapable de réagir.

Son regard passa de Susan à sa mère, puis à tante Fenny, et elle se souvint que tante Lydia décrétait depuis longtemps que l'Inde était un pays où une femme blanche « ne pouvait exister normalement ». Enfant, Sarah n'avait pas compris ce que sa tante voulait dire, mais depuis elle y avait repensé et elle avait trouvé l'idée pertinente. Il était exact que les Blanches supportaient mal la transplantation. Arrachées à un pays au climat tempéré, sous l'ardeur d'un climat chaud, elles fleurissaient et se fanaient prématurément, et la vie qu'elles menaient ensuite, lorsqu'il ne leur restait plus qu'une écorce desséchée et rugueuse, était artificielle et frustrante. Sur le nombre, on rencontrait parfois une sorte de phénomène exceptionnel chez qui la sève continuait à circuler sous l'écorce rabougrie. C'était par exemple sa vieille tante Mabel, à Pankot, ou la vieille Lady Manners à Srinagar, qui, en lui parlant, lui avait donné le sentiment aigu et inquiétant de ses propres limites, à tel point qu'en rentrant dans leur maison flottante elle s'était précipitée devant un miroir pour interroger son visage en espérant y découvrir le signe qu'elle n'était pas uniquement ce que son apparence laissait supposer : une banale jeune fille de bonne famille dont le caractère ordinaire était à lui seul la plus sûre des prisons.

– J'espère que vous n'allez pas nous annoncer que la date du mariage est encore avancée et qu'il aura lieu dès demain, déclara tante Fenny à Teddie après avoir inspecté fébrilement la nappe pour s'assurer de sa propreté, avoir consulté la carte, commandé du porridge et des œufs pochés et rangé ses lunettes dans leur étui de cuir rouge. Parce que, s'il en est ainsi, Susan devra trouver quelqu'un d'autre pour la conduire à l'autel : Arthur ne pourra pas être là avant vendredi.

– Non, non. Ne vous inquiétez pas, Mrs Grace, le mariage est bien pour samedi, la rassura Teddie.

– Mais Teddie, et votre garçon d'honneur? demanda Mrs Layton.

– Tout est arrangé. Ce sera mon voisin de chambre. Il s'est déjà rendu à la maison des hôtes afin de s'assurer que tout serait prêt pour vous accueillir, et il doit nous rejoindre ici tout à l'heure. Il s'appelle Merrick. J'espère qu'il vous plaira.

– Merrick? répéta tante Fenny. Ce nom ne me dit rien. C'est un officier de réserve?

– Il a été muté à l'état-major. Auparavant, il était dans la police indienne.

– N'est-ce pas un cas très exceptionnel? interrogea tante Fenny. Le jeune Mr Creighton a remué ciel et terre pour être versé du service civil dans l'armée le temps que durera la guerre, mais il n'y a rien eu à faire. Il m'a parlé d'un garçon qui était à tel point déboussolé de ne pouvoir aller se battre qu'on ne pouvait plus rien en tirer dans son travail et qu'il a bien fallu accéder à sa requête. Peut-être s'agissait-il de ce Mr Merrick. Quel est son prénom?

– Ronald.

– Et dans la police, quel était son grade?

– Oh! Sauf erreur, quelque chose comme chef de la police du district.

– Tiens! Et de quel district s'agissait-il?

– Voyons, est-ce qu'il y a un endroit qui s'appelle Sunder quelque chose?

– Sundernagar, approuva tante Fenny. Un coin perdu. Aucun intérêt, ajouta-t-elle en dédiant à ce Ronald Merrick encore inconnu un sourire dédaigneux.

– Et votre séjour au Cachemire a-t-il été agréable? lui demanda Teddie.

– Une fin de saison mortelle, et pour tout arranger, on a dû avancer notre retour.

– Je suis désolé.

– Nous avons également eu droit à une expérience plutôt fâcheuse. Millie tenait à revenir en bateau sur le lac pour revoir l'endroit de sa lune de miel avec John. Il n'y avait qu'une autre maison flottante dans le voisinage, tout semblait devoir être idyllique. Malheureusement la personne qui l'occupait était tout, sauf quelqu'un que l'on puisse recevoir. Vous ne devinerez jamais de qui il s'agissait.

A la seule idée de devoir entendre devant Susan quelque chose qui impliquait des sous-entendus, Teddie avait déjà le visage en feu. Sarah remarqua que sa mère était toujours absorbée dans la lecture de la carte et n'écoutait apparemment pas la conversation. Elle seule était au courant de sa visite à Lady Manners.

– Non, dit Teddie résigné au pire, je ne vois pas.

– La vieille Lady Manners. Et l'enfant...

– Oh! Vraiment! s'exclama Teddie tandis que son visage passait au pourpre.

– Comment est la maison des hôtes? demanda Mrs Layton en posant la carte sur la table.

– Je n'y suis jamais allé, mais le général assure qu'elle est très confortable, dit Teddie. Vous serez seules à l'occuper. Elle fait partie des dépendances du palais du nabab et ce sont ses domestiques qui l'entretiennent. Le nabab l'a mise à la disposition du général pour la durée de la guerre. A ce titre, elle est considérée comme partie intégrante de la garnison.

– Est-ce que nous pourrons voir le nabab? demanda Susan.

– Pourquoi tenez-vous à voir le nabab? s'enquit Teddie d'un ton taquin.

– Parce qu'il paraît qu'il a fait scandale autrefois en tombant amoureux d'une femme blanche qu'il a poursuivie de ses assiduités jusque sur la Côte d'Azur.

– Vraiment? Qui vous a raconté tout cela?

– C'est moi, dit tante Fenny, mais je pensais que c'était de notoriété publique. Dans les années vingt, la liaison du nabab de Meerut et de cette personne a défrayé la chronique mondaine. Elle était, je crois, russe ou polonaise, et elle aurait bien aimé qu'on la prenne pour une femme du monde bien qu'elle ait sûrement fait ses débuts comme femme de chambre. Je n'ai jamais su comment elle était arrivée en Inde, mais elle avait réussi à tourner la tête du nabab à tel point qu'il lui a proposé d'en faire sa seconde épouse et qu'il est parti sur ses traces toutes affaires cessantes lorsqu'elle a quitté le pays. Il l'a retrouvée à Nice ou à Monte-Carlo. Et je me souviens que, pour finir, ils ont eu des démêlés, à propos de bijoux dont elle prétendait qu'il lui avait fait cadeau – en rétribution de ses services, j'imagine. C'est à cette occasion que le comte Bronowsky a joué entre eux les conciliateurs avec un tel succès que le nabab l'a ramené dans ses bagages à Meerut et en a fait son Premier ministre.

– Mais oui, acquiesça Teddie, j'ai entendu parler de Bronowsky. Il est toujours là?

– Oui, je crois, et il est aussi russe et comte que moi je suis pape et polonaise. Il n'empêche que le nabab ne jure que par lui, et qu'il a toute l'estime de nos représentants, à ce que prétend Arthur. C'est sûrement exact, sinon ils auraient depuis longtemps mis le nabab en demeure de s'en débarrasser.

– Tu n'as toujours pas répondu à ma question, Teddie, lui rappela Susan, mais il est vrai que lorsque tante Fenny a quelque chose à raconter, il faut en prendre son parti et savoir attendre.

Ce disant, elle dédia un sourire à Mrs Grace, mais Sarah discerna sous la couche de poudre de riz la rougeur qui trahissait l'irritation de sa sœur chaque fois qu'elle se sentait négligée.

Susan se contentait habituellement d'écouter la conversation d'une oreille distraite tout en suivant ses pensées, mais les moindres remarques de Susan exigeaient – et généralement obtenaient – une réponse immédiate. Sarah était stupéfaite de voir avec quelle désinvolture sa sœur interrompait une discussion puis se renfermait dans un silence qui laissait l'assistance en suspens. C'était comme si elle avait besoin de vérifier périodiquement l'impact de sa personnalité sur son entourage.

– Je demandais à Teddie si nous aurions l'occasion de rencontrer le nabab.

– Je ne sais pas. Il est absent, il ne sera de retour qu'à la fin de la semaine. Le commandant de la garnison de Meerut et sa femme, Mrs Hobhouse, m'ont recommandé de l'inviter à la réception, mais rien ne me permet d'assurer qu'il viendra.

– Pourquoi? La réception doit bien avoir lieu au club?

– Oui, mais c'est le Ramadan, et il doit jeûner du lever au coucher du soleil.

– J'aimerais tant avoir un nabab à mon mariage et surtout un nabab qui s'est distingué par ses turpitudes. D'un autre côté, si nous lui témoignons des égards, il aura peut-être l'idée de nous faire un cadeau, et qui sait, cela pourrait aussi bien être des rubis ou une émeraude fabuleuse ou un collier de perles qu'il gardait en réserve.

Teddie souriait et regardait avec attendrissement les brillants de la modeste bague de fiançailles qu'il avait offerte à Susan. Ce fut le moment qu'elle choisit pour se laisser aller contre le dossier de sa chaise – signifiant ainsi qu'on pouvait reprendre la conversation sans elle. Les serveurs leur apportèrent enfin le petit déjeuner.

***

Dans la salle du buffet, Sarah compta douze tables dont dix étaient occupées. Au plafond, trois ventilateurs fonctionnaient à demi-régime. Les fenêtres donnant sur le quai étaient garnies de verre dépoli. Le portrait du roi-empereur George VI ornait un des murs, tandis que sur le mur opposé une affiche d'avant la guerre vantait la beauté du Taj Mahal d'Agra. Les serveurs allaient et venaient pieds nus, sur le sol carrelé blanc et noir, vêtus et gantés de blanc, le ventre barré d'une haute ceinture noire et verte. Deux officiers indiens, des sikhs, occupaient une table. Une surveillante du Service infirmier impérial de la reine Alexandra déjeunait avec un capitaine d'artillerie, et une Anglo-Indienne avec un sous-officier de l'Intendance. Les autres clients étaient des officiers anglais arrivés eux aussi par le 7 h 50, ou qui attendaient le départ du prochain train.

Et selon toute vraisemblance, se disait Sarah, à l'exception des deux sikhs et de la petite sang-mêlé, nous sommes tous censés représenter quelque chose. Elle se mit à regarder sa mère, sa tante et sa sœur comme si elles lui étaient aussi étrangères que les occupants des autres tables qui sacrifiaient au rituel du petit déjeuner à l'anglaise dans un buffet de gare, à des milliers de kilomètres de leur pays d'origine. Voici par exemple une femme bien en chair et solidement charpentée, nota-t-elle en regardant tante Fenny. Tout porte à croire qu'elle a réussi sa transplantation en Inde, ou du moins qu'elle l'a beaucoup mieux réussie que sa voisine, une femme relativement mince pour son âge et à l'expression triste. Mais il y a dans ses gestes quelque chose d'un peu trop cassant, dans sa voix quelque chose d'un peu trop cinglant, et, lorsqu'elle se tait, sa bouche est un peu trop pincée. Malgré ou à cause de l'impression de force qu'elle cherche à imposer, on ne peut s'empêcher de l'imaginer se retrouvant seule et s'asseyant, le regard perdu dans le vague, un regard dont la douceur jure avec l'aigreur qui pince ses lèvres. Les pensées, les souvenirs qui l'habitent sont chargés non de bonheur mais de regrets amers et d'accusations rancunières. A côté d'elle, la femme au visage mélancolique est sa sœur. Elles ont le même nez. Il y a entre elles une apparence d'intimité qui annonce une longue expérience commune n'impliquant pas nécessairement des échanges et une complicité profonde. En fait, leur intimité a pris fin depuis très longtemps, au sortir de l'enfance. D'ailleurs, elle n'a réellement existé que pour la femme triste qui laisse ses mains esquisser des gestes d'une curieuse imprécision, comme s'ils étaient le vague reflet de ceux qu'elle adressait naguère à une personne désormais absente pour lui exprimer sa joie, son affection et sa fidélité lorsqu'elle partageait chaque instant de sa vie.

Tout cela est bien beau, objecta Sarah, seulement voilà, moi je sais que si ma mère a un air un peu absent c'est surtout parce qu'elle se demande combien de temps elle va devoir décemment attendre avant de s'accorder son premier verre de la journée. Allons, conclut Sarah, tu n'as jamais que quarante-cinq ans et tu n'as pas encore perdu tous tes moyens de séduction. Il n'est absent que depuis trois ans, et les hommes ne manquent pas en Inde. Je comprends la bouteille dans la penderie et la flasque dans ton sac à main, cela ne me choque pas.

Son regard se porta sur Susan et Teddie. L'image qu'ils donnaient d'un couple parfaitement assorti voguant vers le bonheur la laissait sceptique. Teddie était pétri de bonnes intentions – superficielles et ne masquant que du vide. Susan se jouait délibérément la comédie, la comédie de la belle jeune femme brune aux yeux bleus, qui se lance enfin fébrilement dans le tourbillon de la vie. Mais Sarah devinait dans ce comportement irresponsable la permanence d'une puérilité sans joie. Elle et sa sœur étaient devenues de plus en plus étrangères l'une à l'autre.

Le malheur pour elles, c'était qu'en Inde toute véritable vie privée leur était interdite. Seul comptait le rôle que chacune devait jouer en public. D'ailleurs, dans cette salle, chaque visage s'efforçait d'exprimer quelque chose de dépassé, d'indéfinissable – la vague conscience de se sacrifier pour un pouvoir et une cause faisant partie de leur héritage collectif et qui impliquait le besoin de toujours tout braver tête haute.

Elle alluma une cigarette. Teddie et tante Fenny commentaient les bruits qui couraient concernant la prochaine nomination de Lord Wavell à la vice-royauté et celle de Lord Louis Mountbatten comme commandant suprême interallié pour l'Asie du Sud-Est. Tante Fenny estimait que c'était une erreur de dépouiller le Grand Quartier Général en Inde de sa traditionnelle souveraineté militaire. Pour sa part, Teddie était convaincu qu'un ancien militaire comme Lord Wavell ferait un bon vice-roi qui saurait rétablir la confiance de ses compatriotes. Sarah avait l'impression d'avoir entendu cent fois ce genre de propos. Le serveur venait d'apporter du café et il était reparti chercher les journaux du matin : le *Times of India* pour Mrs Layton, *The Civil and Military Gazette* pour tante Fenny, éventuellement le dernier numéro de *The Onlooker* pour Susan et le *Statesman* pour Sarah – un choix que tante Fenny désapprouvait. Il avait beau s'agir d'un journal anglais, on y passait son temps à critiquer la politique du gouvernement et à exagérer l'ampleur de la famine au Bengale pour en rendre tout le monde responsable excepté les marchands de grains indiens qui gardaient en réserve des tonnes de riz dans l'intention de les écouler sur la marché lorsque les cours auraient atteint des sommes astronomiques. « Sans parler de l'obscurantisme obstiné des Bengalis qui préfèrent mourir de faim plutôt que de modifier un tant soit peu leurs habitudes alimentaires. Conséquence : on dispose de tonnes de blé dont personne ne veut. »

En faisant tomber sa cendre de cigarette, Sarah remarqua dans le cendrier son mégot précédent, marqué de rouge à lèvres. Elle y vit comme un signe de sa vie intime, la bouteille à la mer rejetée par la marée sur une île où elle avait parfois l'impression d'être la seule à souhaiter qu'arrive un canot de sauvetage.

***

Ils se trouvèrent brutalement confrontés à un vaste plan d'eau, réfléchissant implacablement une lumière aveuglante qui semblait leur transpercer les yeux de mille aiguilles de feu.

– Nous arrivons en vue du palais, annonça le capitaine Merrick qui n'obtint pour toute réponse qu'un « ah » étouffé de Mrs Layton, dont on ne savait s'il exprimait l'admiration ou la déception. Vous regardez dans la mauvaise direction miss Layton, ajouta-t-il en se penchant vers Sarah de façon à lui parler presque dans l'oreille.

Elle eut l'impression qu'il venait de lui effleurer l'épaule du bout des doigts. Sans être désagréable, sa voix, bien timbrée, avait quelque chose d'irritant.

– Je ne regarde nulle part, répondit Sarah. La réverbération de l'eau est trop aveuglante, ajouta-t-elle en plaçant sa main en écran devant ses yeux.

– Je m'y attendais, lorsque vous êtes montée à l'avant de la voiture. Si vous voulez, nous allons nous arrêter pour que vous puissiez changer de place, lui proposa le capitaine Merrick.

– Non, ce n'est pas la peine. J'aperçois très bien le palais maintenant, lui assura Sarah qui distinguait au loin, se reflétant dans l'eau, une construction d'un rose passé d'où se détachaient de petits tours, le dôme blanc d'une mosquée et la silhouette gracile d'un minaret.

La maison des hôtes, une petite demeure à colonnade de pierre grise, se dissimulait à demi parmi les arbres à l'extrémité de la route qu'ils suivaient en bordure du lac. Debout dans de longues barques plates, les pêcheurs jetaient leurs filets qui faisaient frissonner la surface miroitante de l'eau.

– Vous voyez où commencent les roseaux? Ils marquent les limites de la zone de pêche, dit la voix près de l'oreille de Sarah. Ainsi les abords du palais sont protégés. C'est un métier qu'ils se transmettent de père en fils et dont ils sont très fiers. Des musulmans, bien sûr.

Mrs Layton fit une remarque d'une voix à peine audible. Le capitaine Merrick se renfonça dans la banquette arrière pour lui répondre. Il s'exprimait avec aisance, mais il était évident qu'il n'était pas sorti d'une grande université britannique. Lorsque les quatre femmes s'étaient rendues aux toilettes du buffet de la gare, tante Fenny leur avait déjà fait part de ses impressions à ce sujet : « Dans la police, il faut s'attendre à trouver un peu de tout. Ce capitaine Merrick, mieux vaut ne pas trop chercher à savoir d'où il sort. A part ça, il sait se tenir, ne trouvez-vous pas? Et pour ce qui est de régler les détails pratiques, il n'a pas son pareil. C'est un trait qui marque infailliblement certaines origines. Vous avez entendu comme il a annonçé à Teddie que nos bagages étaient bien arrivés à la maison des hôtes? Il s'est donné la peine d'aller s'en assurer lui-même avant de venir nous chercher. Voyons, comment allons-nous nous répartir? Toi, Susan et Teddie dans un taxi, moi, Sarah et le capitaine Merrick dans l'autre? » Mais Mrs Layton en avait déjà décidé autrement : « Non, je vais aller avec Sarah et le capitaine Merrick. Il sera toujours assez tôt pour que je joue les belles-mères. » Et elle s'était retirée dans les toilettes. Tandis que tante Fenny et Susan regagnaient la salle, Sarah attendit sa mère en se recoiffant. Ses cheveux étaient du même blond châtain que ceux de sa mère avant que, commençant à grisonner, elle se fasse régulièrement décolorer. Des cheveux raides, impossibles à coiffer. Heureusement qu'elle avait encore le temps de se faire faire une indéfrisable avant le mariage. Elle détestait ses cheveux, elle détestait son menton et ses pommettes hautes. Elle n'avait rien reçu du modelé délicat, de la rondeur gracieuse des Muir. Elle tenait des Layton, avec leurs traits anguleux et affirmés. Elle avait hérité cette particularité de son père qui le tenait lui-même de son grand-père.

Mrs Layton refit son apparition. Sarah surprit dans la glace le regard que lui lançait furtivement sa mère.

Mrs Layton s'approcha d'un lavabo, posa son sac sur la tablette, se lava les mains et arrangea ses cheveux sous son chapeau. Entre elles, les silences n'avaient rien d'exceptionnel. C'étaient des silences étranges que Sarah renonçait la plupart du temps à rompre. Elle y voyait le seul moyen dont disposait sa mère pour établir entre elles une intimité. Parfois, comme maintenant, Sarah éprouvait un irrésistible élan de tendresse pour cette femme toujours un peu absente, qui lui préférait Susan, et qui pourtant, si elle avait besoin d'aide, se tournerait vers elle. Cela, elle le sentait.

Sarah sortit la dernière du buffet de la gare, derrière sa mère et tante Fenny, escortée par le futur garçon d'honneur qui était devenu le plus empressé des chevaliers servants. L'écoutant, l'observant en train de se mettre en quatre pour lui être agréable, Sarah se souvint que peu de temps après son retour en 1939, elle était arrivée à la conclusion que les Anglais en Inde se répartissaient en deux catégories : ceux qui devenaient secs et blêmes et ceux qui prenaient des rondeurs et des couleurs. Comme son père, le capitaine Merrick appartenait à la première catégorie tandis qu'oncle Arthur et Teddie représentaient la seconde. En général, les Anglais minces et pâles faisaient preuve en toutes circonstances de réserve et de courtoisie, y compris à l'égard des Indiens et quels que soient les sentiments qu'ils leur portaient, contrairement aux Anglais sanguins et bien en chair qui passaient leur temps à manifester bruyamment en public leur mauvaise humeur. Dès qu'ils arrivaient à Bombay ou qu'ils occupaient leur premier poste, les jeunes gens semblaient s'empresser de montrer sans équivoque à quelle famille ils appartenaient.

Mais ces deux types d'homme avaient en commun leur attitude à l'égard des femmes anglaises. Elle consistait à ne vous considérer avant toute chose que comme un type d'une espèce menacée, donc devant être inlassablement protégée – par eux. Eux seuls d'ailleurs semblaient être aptes à identifier la menace en question, donc à vous défendre, ne fût-ce que contre vous-même.

Cette attitude uniforme déteignait sur le comportement qu'ils adoptaient en privé à l'égard des femmes anglaises. A Pankot, lorsqu'un jeune homme était amené à bavarder avec Sarah, à l'inviter à danser, à jouer au tennis, à monter à cheval, lorsqu'il l'emmenait au cinéma ou voulait flirter avec elle dans l'ombre propice d'une véranda ou dans une voiture, elle avait toujours eu l'impression qu'il ne faisait que se conformer à un modèle préétabli. « Je suis un beau mâle et toi une belle fille blanche, on est tous les deux de bonne famille, on ne va pas en rester là. Il faut qu'on fasse honneur à tout ça ! » Qu'il soit promis à devenir un représentant de la catégorie des maigres ou de celle des gros, et qu'il ait donc plus ou moins d'ardeur, Sarah avait toujours l'impression que les marques d'intérêt qu'il lui témoignait ne s'adressaient pas à elle mais à un idéal – qu'elle était supposée partager avec lui et qui constituait entre eux un lien indiscutable, une affinité qu'il ne tenait qu'à eux de rendre plus personnelle, plus intime.

En sortant de la gare, Sarah informa le capitaine Merrick du désir de sa mère de partager leur taxi. « Je prends la place avant, capitaine Merrick. Montez à côté de maman. »

Le capitaine eut un instant d'hésitation. Il devait songer à l'odeur du chauffeur indien. En démarrant, le véhicule quitta aussitôt l'ombre et un souffle d'air surchauffé s'engouffra à l'intérieur, réveillant et dispersant les écœurants relents de moisi que dégageait l'homme à ses côtés, plongeant Sarah dans une certaine torpeur. Elle ferma à demi les yeux. Ils descendaient une large rue commerçante bordée d'arcades – le bazar du *cantonment*. Le cliquetis des harnais des chevaux attelés aux tongas, les timbres des bicyclettes, la stridence de la musique indienne déversée par la TSF d'un café mettaient à vif les nerfs de Sarah, irritée de sentir que, plus que jamais ce matin-là, tout allait de l'avant inexorablement sans se soucier d'elle, et qu'elle était incapable de faire face aux événements. Le taxi quitta le bazar pour s'engager dans une avenue qui conduisait à un rond-point où se dressait l'inévitable statue de la reine Victoria dont on apercevait de profil la tête penchée sous le poids d'une imposante couronne, l'air absorbé dans une boudeuse mélancolie.

Entre une double rangée d'arbres, l'artère longeait des propriétés entourées de murs grisâtres qui laissaient de temps en temps entrevoir de vieux bungalows aux vérandas toujours plongées dans une ombre inviolable, des pelouses écrasées de soleil cernées par des parterres de balisiers aux fleurs pourpres. Sarah pencha la tête comme pour mieux se laisser griser par le parfum indéfinissable des floraisons renforcé par l'évaporation des dernières traces de rosée.

« Voici l'église », annonça le capitaine Merrick qui s'adressa ensuite en urdu au chauffeur pour lui demander de ralentir. Agrémentée d'une flèche de style néo-gothique l'église dominait un cimetière ombragé de palmiers qui rappela une fois de plus à Sarah les vieilles gravures sur l'Inde.

« Le chapelain est le révérend Fox », avait cru bon de les informer le capitaine Merrick avant de leur donner un aperçu de l'emploi du temps des jours à venir. Le soir même, une petite réception était prévue au club afin de leur permettre d'être présentées au général (qu'un déplacement empêcherait d'assister au mariage) et au commandant de la garnison, le colonel Hobhouse, ainsi qu'à son épouse. Le lendemain, elles étaient conviées avec Teddie à un dîner donné en leur honneur à la résidence du commandant où elles rencontreraient le chapelain Fox. Le commandant et sa femme assisteraient au mariage. Mrs Layton et Teddie trouveraient-ils le temps d'établir la liste des officiers et des personnalités de la ville qu'ils souhaitaient inviter à la réception? Pour le lunch de mariage, on avait prévenu le fournisseur du club qu'il y aurait une trentaine d'invités. Était-ce suffisant? Pour les faire-part et les cartes d'invitation au lunch, Lal Chand, qui imprimait et publiait le *Meerut Courier*, s'en chargerait et les livrerait en vingt-quatre heures. Le tailleur que Mrs Layton avait demandé par lettre à Teddie se présenterait à la maison des hôtes à midi. A ce propos, le maître d'hôtel dépendait de l'officier d'état-major de la garnison. Il leur présenterait sa note de frais pour les repas et les boissons à la fin de leur séjour. Il n'y aurait guère de différence avec les prix pratiqués au club. Tout le reste du personnel attaché à la maison des hôtes était mis gracieusement à la disposition des invitées par le nabab. Tout en faisant partie intégrante du palais, cette demeure avait son jardin et une entrée privée gardée par des soldats en armes et par un *chaukidar,* un veilleur indien. Le capitaine Merrick croyait savoir qu'une voiture du palais serait mise à la disposition des invitées pour leurs déplacements, et qu'elles pourraient louer des véhicules du parc automobile princier le jour du mariage.

– Enfin, Mrs Layton, un dernier détail : le nabab délègue auprès de vous un jeune homme, un parent éloigné à lui, pour veiller à ce que vous ne manquiez de rien durant votre séjour à Meerut. C'est un Indien musulman et vous le trouverez sûrement très sympathique. Il s'appelle Ahmed Kassim. C'est le fils de Mohammed Ali Kassim qui a été Premier ministre du gouvernement provincial de 1937 à 1939.

– MAK? Mais il est en prison n'est-ce pas? demanda Mrs Layton.

– Précisément. C'est pourquoi je tenais à attirer votre attention sur le jeune Kassim. Encore une fois, c'est un garçon très séduisant, cultivé, et qui parle un anglais impeccable. Pas du tout le genre d'Indien occidentalisé qui prend des airs supérieurs – et croyez-moi, je parle en connaissance de cause.

– Oh! Je n'en doute pas, l'assura Mrs Layton. Teddie nous a appris que vous aviez été dans la police indienne. D'ailleurs, ma sœur brûle d'envie de vous demander comment vous avez réussi à vous faire muter de la police dans l'armée. Avez-vous été posté à Ranpur?

– Oui. Il y a des années. Je n'avais encore qu'un rang subalterne.

– Et où étiez-vous avant votre transfert dans l'armée?

– J'étais chef de la police à Sundernagar.

– Tiens! Nous y avons vécu autrefois. Un coin perdu. Y a-t-il eu des troubles graves l'an dernier?

– Non, fort heureusement, rien de sérieux. C'est ce qui m'a permis de persuader mes supérieurs que je pourrais être plus utile à mon pays dans l'armée.

– Vous nous parliez du jeune Kassim?

– Oui. Comment dire? A Ranpur, la question ne se poserait pas, mais ici le nabab est un souverain à part entière qui règne de droit sur son territoire et, en qualité de représentant du palais, le jeune Kassim a droit à certains égards. Il va sans dire qu'on ne peut le traiter comme un simple garçon de courses. L'état de Meerut a beau être grand comme un mouchoir de poche, c'est un modèle de démocratie tout comme de loyauté envers la Couronne. Un des fils du nabab est officier dans l'Armée de l'air indienne. Et dès le début de la guerre, le souverain a mis son armée personnelle à la disposition de l'état-major anglais. Elle a été versée dans le corps des artilleurs indiens de Meerut qui ont été faits prisonniers par les Japonais en Malaisie. C'est dire à quel point les militaires de Meerut sont en bons termes avec le nabab.

– Comme ils le sont avec tout son entourage, y compris le jeune Mr Kassim. Nous vous promettons d'être irréprochables.

– Je vous demande pardon, Mrs Layton, d'avoir insisté si lourdement. J'ai essayé de vous mettre en garde; aussi empressé et amical que puisse se montrer Mr Kassim, il faut avoir à son égard une certaine circonspection, car il n'est pas un ami inconditionnel des Britanniques. Et c'est bien naturel.

– Rassurez-vous, capitaine Merrick, il n'aura pas le temps de nous gâcher notre séjour.

– Je n'en doute pas.

Sarah entendit la voix du capitaine près de son oreille : « Nous arrivons en vue du palais... Vous regardez dans la mauvaise direction, Miss Layton. »

Au-delà des roseaux, la route s'écartait du lac et se glissait à l'ombre de vieux banians. A gauche, un haut mur de briques au faîte hérissé de tessons de verre la bordait. Le taxi avait ralenti. Il franchit un portail gardé par un cipaye à barbe grise, coiffé d'un turban rouge, sa vareuse kaki serrée à la taille par une large ceinture rouge. Ils remontaient maintenant une allée de gravier bordée de massifs de bougainvillées qui se clairsemaient progressivement. Les murs du palais se découpaient comme des taches roses dans les trouées du feuillage.

– Voulez-vous que je vous dise, annonça Mrs Layton, cela me rappelle le chemin qui menait chez grand-père dans le Surrey.

– Mais voyons maman, là-bas c'étaient des lauriers et des rhododendrons, objecta Sarah qui ne se souvenait que très vaguement de la maison de son arrière grand-père mort l'été de ses douze ans.

– Oui, mais l'effet est le même.

Sarah n'était pas convaincue, mais elle n'insista pas, heureuse de voir sa mère céder à une vague nostalgie – ce qui augurait bien des heures à venir, même s'il était à prévoir que le soir, seule dans sa chambre, elle céderait à une crise de larmes. Pour l'instant, comme put le constater Sarah en jetant un coup d'œil vers l'arrière, sa mère se repoudrait, le menton haut, le cou tendu, avec une sorte de satisfaction hautaine. Puis elle rangea son poudrier dans son sac, sans prêter la moindre attention à sa fille. C'est comme ça, il faut que j'en prenne mon parti, se dit Sarah, tandis que le taxi, débouchant de l'ombre de l'allée, affrontait la lumière aveuglante. Le véhicule passa sous un portique et alla se ranger au bas des quelques marches montant à la colonnade. Le gradé indien au turban paré d'un voile diaphane se tenait près de la camionnette qui avait apporté les bagages des voyageurs. En haut des marches, deux hommes les attendaient qui furent bientôt rejoints par un troisième.

– L'homme au turban rouge est Abdur Rahman, le *head bearer*, c'est-à-dire le majordome du nabab. A ses côtés se tient Abraham, un Indien chrétien qui sera votre maître d'hôtel. Et Mr Kassim vient de les rejoindre.

– Était-ce bien raisonnable?

Sarah reconnut la voix de tante Fenny, et sut également, au ton de sa mère, qu'elle avait déjà bu son premier verre d'alcool de la journée :

– De quoi parles-tu?

– De l'avoir laissée monter, seule avec Mr Kassim.

– Comment aurais-je pu l'en dissuader? Je n'en savais rien.

– Tu n'en savais rien? Tu veux dire qu'elle y est allée en cachette?

– Oh! Fenny. Qu'est-ce qui te prend? Ma fille ne fait pas les choses en cachette. Ils sont allés faire du cheval et ils n'avaient pas à me demander la permission. Ils sont assez grands pour faire ce que bon leur semble. Une de mes filles se marie, l'autre va faire du cheval. Comment pourrais-je m'y opposer? Et pourquoi le devrais-je?

– Décidément, il est devenu impossible de discuter raisonnablement avec toi. Tu sais parfaitement pourquoi il n'est pas prudent que Sarah aille faire du cheval seule avec ce genre d'Indien.

– Quel genre d'Indien?

– Tous les genres. Mais plus particulièrement le genre de ce Mr Kassim.

– Qu'est-ce que tu trouves à redire au genre de Mr Kassim? demanda Sarah en protégeant ses yeux de la réverbération du soleil sur le lac qui, vers le milieu du jour, parvenait à violer l'ombre de la terrasse à arcades où étaient assises sa mère et tante Fenny, près d'une des portes-fenêtres donnant sur le salon plongé dans une semi-obscurité.

Sarah resta debout derrière les deux femmes, le regard maintenant fixé sur le lac dont la blancheur immatérielle lui donnait l'illusion de pouvoir larguer les amarres et s'élancer sur une mer aux vagues brûlantes et nacrées, une mer aussi mystérieuse que dangereuse.

– Pardonne-moi, lui dit tante Fenny, je ne savais pas que tu nous écoutais. Je disais qu'il me paraissait mal à propos de faire du cheval seule avec Mr Kassim.

– Tu as raison, je n'aurais pas dû y aller.

A leur retour dans la cour du palais des hôtes, le garçon d'écurie les attendait et il les avait suivis jusqu'au bas du perron pour tenir le cheval de Sarah pendant qu'elle mettait pied à terre. Mr Kassim avait refusé de déjeuner avec elles comme elle l'y conviait. « Une autre fois, peut-être », lui avait-il dit après l'avoir remerciée. Puis il lui avait demandé s'il pouvait se rendre utile d'une manière ou d'une autre, si ces dames voulaient sortir, ou se faire apporter quoi que ce soit. « Non, je ne crois pas. Merci de m'avoir accompagnée », lui avait-elle dit en se demandant si elle devait ou non lui serrer la main. Mais il était déjà remonté à cheval, toujours avec la même aisance, et touchant son casque du bout de sa cravache en guise de salut, il faisait pirouetter sa monture et s'éloignait. En montant les marches, elle avait écouté le bruit décroissant des sabots sur le gravier.

– Nous n'irons plus faire de cheval ensemble, assura-t-elle en venant regarder tante Fenny bien en face.

Eût-elle dit à tante Fenny combien son visage était éloquent que celle-ci ne l'aurait pas cru. Cette énervante tante Fenny, il arrivait à Sarah de la détester. Mais ce matin, elle se sentait une fois de plus inexplicablement proche d'elle et de sa mère. Sa mère qui gardait les yeux clos, une main abandonnée sur le bord du fauteuil, l'autre fermée sur un verre de gin-fizz, attendant apparemment le déclic qui lui ferait voir les choses à travers un prisme tout personnel.

C'est ma famille, se répéta Sarah. Je les aime. Je tire d'elles mon sentiment de sécurité, et elles tirent en partie le leur de moi.

– Il s'est passé quelque chose? demanda soudain tante Fenny d'une voix blanche.

– Non, rien. Nous étions aussi mal à l'aise l'un que l'autre. C'était la première fois que je me trouvais seule avec un Indien qui n'était pas un domestique. Mais il n'y a pas de quoi en faire un roman. Il ne m'a adressé la parole que lorsque je l'interrogeais, et il n'a jamais chevauché à ma hauteur, mais toujours en retrait.

Le masque figé de tante Fenny s'était animé. Mais les marques laissées par des années de désapprobation intraitable n'en prenaient que plus de relief.

– C'est un jeune homme très convenable, dit tante Fenny, et si j'ai bien compris, son frère est officier. Mais, par les temps qui courent, qui peut prétendre savoir ce que ces jeunes Indiens trafiquent et ce qu'ils ont derrière la tête.

– Peut-être se posent-ils les mêmes questions à notre égard.

– En effet, mais nous ne devons en aucun cas nous embarrasser de telles considérations. Nos responsabilités nous interdisent de chercher à nous voir avec leurs yeux. Ma chérie, dans nos rapports avec les Indiens, nous n'avons qu'une chose à faire : être nous-mêmes, que cela leur plaise ou non.

– Oui, tu as sûrement raison. Mais ici, nous arrive-t-il jamais d'être nous-mêmes?

III

Pour commencer il y eut l'incident de la pierre.

Dans Gunnery Road, la circulation se limitait à la limousine noire roulant à une centaine de mètres d'un Indien à bicyclette qui tenait un parapluie pour s'abriter du soleil, ce qui le faisait zigzaguer légèrement. De loin, le rond-point de la Reine Victoria, dont il fallait faire presque entièrement le tour pour remonter Church Road en venant de Gunnery Road, paraissait désert au chauffeur de la limousine, un vieil homme à barbe grise, portant la livrée du palais. Après avoir doublé une file de femmes portant des paniers sur la tête, il accorda toute son attention au cycliste, pour freiner à temps s'il y avait lieu. Il avait sensiblement ralenti lorsque l'Indien vira à gauche et disparut. La voie était libre jusqu'au rond-point. Mais l'homme avait l'expérience de l'âge (et de quelques accidents sans gravité). Même si la voie paraît absolument libre, on ne sait jamais ce qui peut déboucher d'une rue adjacente. Et au rond-point il fallait guetter à gauche et à droite.

Absorbé par la conduite, il entendit un bruit mais sans l'interpréter. Et puis, soudain alarmé, il freina brutalement, jeta un coup d'œil au capot de la voiture puis au pare-brise et enfin à la vitre qui l'isolait des passagers. Elle était intacte, mais à l'arrière, les deux officiers anglais étaient tassés chacun dans son coin, et baissaient lentement les bras qu'ils avaient levés pour se protéger le visage. Leurs regards allaient du plancher de la voiture à une portière et à l'espace vide entre eux, comme si un animal venimeux s'y était glissé. Enfin le chauffeur s'aperçut que la vitre latérale fixe, tout à l'arrière, avait volé en éclats. Aussitôt il comprit qu'on avait jeté quelque chose sur la voiture. Au même instant, les deux officiers s'animèrent et, en lui hurlant quelque chose, ils ouvrirent chacun leur portière et dégringolèrent de la limousine. Un mot, une idée, une image : une bombe. C'était une chose qui était déjà arrivée. A son tour il ouvrit sa portière, s'élança hors de la voiture, bondit sur les marches de marbre du monument, glissa et s'écroula, la tête cachée dans les bras, attendant l'explosion.

Au bout d'un moment, il se redressa et s'assit sur une marche. Au-dessus de lui, la Reine scrutait toujours imperturbablement la perspective de Gunnery Road maintenant tout à fait déserte. Les deux officiers se tenaient sur la chaussée, à quelques mètres de la limousine. L'un d'eux se tenait un mouchoir contre la joue gauche. L'homme les rejoignit, « Sahibs, dit-il, j'ai cru que vous aviez sauté hors de la voiture parce qu'on avait jeté une bombe. »

Le chauffeur et les officiers s'approchèrent de la voiture et se mirent à inspecter le siège arrière puis le plancher. Le chauffeur contourna la limousine pour examiner l'intérieur par l'autre porte. Il n'avait aucune idée de ce qu'il cherchait, mais ce fut lui qui aperçut l'objet coincé sous un accoudoir du siège. Il le ramassa : « Sahib, c'est une pierre », dit-il en la tendant à l'officier aux yeux bleus qui la montra à celui qui était blessé. Celui-là aussi avait les yeux bleus, mais beaucoup plus pâles.

– Est-ce que tu as vu qui a lancé ça? lui demanda l'officier indemne en le regardant fixement de ses yeux d'un bleu intense.

– Je n'ai vu personne, sahib. Seulement les femmes

avec les paniers, mais on les avait doublées depuis longtemps lorsque la pierre a été jetée. Celui qui l'a fait devait être caché derrière cet arbre, sahib. Mais moi, j'étais occupé à surveiller l'homme à bicyclette qui roulait devant nous, et il a tourné à gauche sans prévenir. L'homme caché, je ne l'ai pas vu. Je regrette, sahib, ce n'est pas un bon présage.

– Comme tu dis, nom d'un chien! lança Teddie Bingham. Ronnie, est-ce qu'il y a du sang sur mon uniforme?

– Non. Mais laissez-moi voir votre joue.

La pommette fendue saignait abondamment. Merrick remit le mouchoir en place.

– Il faudra peut-être quelques points de suture et s'assurer qu'il n'y a pas d'éclats de verre dans la plaie.

– Mais on n'a pas le temps, bon sang!

– Vous n'allez pas vous présenter à l'autel en saignant comme un porc. Allons, venez, montons et prenez garde à ne pas vous asseoir sur un éclat de verre. Dès que nous arriverons à l'église, je téléphonerai de chez le chapelain pour trouver un médecin et si possible, prévenir ces dames, si elles sont encore à la maison des hôtes, que la cérémonie sera légèrement retardée.

Ayant passé l'inspection du siège arrière, Merrick donna l'ordre au vieux chauffeur de les conduire le plus vite possible à l'église.

– Le salaud, grinça Teddie. Qu'il aille se faire foutre, lui, le nabab et sa saloperie de limousine!

– Pourquoi ça?

– Mais enfin, ça tombe sous le sens. Ses armes sont peintes sur la porte de la bagnole, grosses comme votre postérieur. On ne peut pas mieux provoquer un rouge à balancer un pavé dessus pour lui apprendre à vivre, à ce foutu vieux nabab.

Merrick souriait en contemplant la pierre qu'il soupesait dans la paume de sa main droite.

On était en train d'égaliser le bord effrangé d'une manche de sa veste lorsque le nabab reçut le comte

Bronowsky venu l'informer qu'une des limousines du palais louée pour le mariage – une Daimler 1926, ayant appartenu à la défunte bégum – avait été l'objet d'une agression. Le capitaine Merrick venait d'en avertir Ahmed Kassim. Il appelait de chez le chapelain où le capitaine Bingham était soigné par un médecin militaire. Il avait été blessé à la joue. Le capitaine Merrick était sain et sauf. La cérémonie nuptiale avait été retardée d'une demi-heure, et la réception au Gymkhana Club, prévue pour dix heures quarante-cinq, serait décalée d'autant. Il n'était plus nécessaire de se presser.

Le nabab se tenait patiemment debout au milieu de la pièce, le bras tendu, pour permettre à son valet de chambre de couper aux ciseaux les fils qui dépassaient le bord de sa manche. Il détailla attentivement le costume que portait le comte Bronowsky : costume de lin amidonné, chemise de soie assortie et cravate gris perle également en soie. Il s'appuyait sur sa plus belle canne d'ébène à pommeau d'or. Le nabab reporta ensuite son attention sur le jeune Ahmed, vêtu d'un costume en lin gris, visiblement moins coûteux que celui du comte.

Satisfait, le prince s'intéressa de nouveau à l'opération de rafistolage de sa manche de veste.

– Est-ce qu'on a envoyé une voiture de remplacement?

– Le capitaine Merrick a insisté pour qu'on n'en fasse rien. Il assure que celle qui a eu une vitre brisée fera très bien l'affaire.

– A-t-on prévenu le chef de la police?

– Ahmed s'en est chargé, Votre Altesse.

– Est-ce qu'il va mettre la police militaire en branle ou se contenter de procéder à une rafle en ville?

Le comte s'abstint de répondre à des questions que le nabab ne lui posait que pour la forme. Ali Baksh, le chef de la police de Meerut, inspirait au prince une défiance qui le mettait en permanence à la merci d'une disgrâce imprévisible. Par ailleurs, Bronowsky savait à quel point le calme qu'affichait le nabab pouvait être trompeur. Il avait habitué le prince à maîtriser ses sentiments et ses émotions en toute circonstance et à ne jamais oublier qu'il avait en charge un million de sujets, vis-à-vis desquels il devait s'interdire tout ce qui pouvait ressembler de près ou de loin à des conclusions hâtives ou à des actions inconsidérées. Cela n'empêchait pas le comte de savoir qu'en son for intérieur, le nabab était profondément ulcéré et blessé dans sa fierté par l'incident de la limousine.

Bronowsky se prit à sourire. Il pouvait à juste titre être fier de lui-même. Pas à pas et non sans mal, il avait fait d'un autocrate aux goûts extravagants un homme d'État avisé, capable de faire preuve d'autant de ruse et de hauteur impénétrable que le fonctionnaire anglais le plus chevronné. Le nabab était bien la création de Bronowsky, la seule, l'unique œuvre de sa vie. Le comte lui vouait un amour jaloux.

Le nabab plia le bras et examina attentivement le travail effectué par son valet de chambre sur le bord de sa manche. Les règles d'austérité qu'il s'imposait constituaient le couronnement de l'image de marque du prince. Et Bronowsky n'y était pour rien.

Les vêtements visiblement usagés n'étaient cependant pas portés avec l'ostentation d'un homme fortuné qui est près de ses sous, mais il était difficile de deviner ce qu'éprouvaient les gens en remarquant le tissu élimé des longues tuniques boutonnées à col droit, les pantalons bon marché et les sandales maintes et maintes fois ressemelées. Bronowsky avait tendance à opter pour un respect craintif, qui n'avait à coup sûr rien à voir avec le mépris ou la pitié que s'attirent certaines personnes qui ont un revers de fortune. D'ailleurs, la vie publique du nabab était marquée par le faste et la générosité. L'austérité ne s'appliquait qu'à lui. Comme elle n'était apparue que graduellement, ni le nabab ni Bronowsky n'avaient éprouvé le besoin d'en parler. De même, le dandysme vestimentaire du comte ne s'était manifesté que progressivement, un peu comme si l'amour qu'il éprouvait pour le prince avait tenu à se concrétiser dans un aspect diamétralement opposé. Ce qui touchait le plus Bronowsky, c'était de constater qu'il suffisait qu'ils soient en tête-à-tête pour que la splendeur de son plumage prenne aussitôt quelque chose de commun. Les gens qui les auraient observés à ces moments-là auraient douté que, comme on le prétendait, Bronowsky détînt la réalité du pouvoir à Meerut. En fait, la fierté qu'il éprouvait à contempler sa création éclipsait en lui toute vanité personnelle : les qualités exceptionnelles dont on se plaisait à créditer le nabab étaient le fruit du long et patient travail de l'émigré russe.

Le nabab ne semblait guère se préoccuper de l'effet que pouvait produire l'habitude qu'il avait de porter jusqu'à l'usure des vêtements bon marché. Un jour où ils devaient paraître ensemble en public, Bronowsky était arrivé en uniforme de colonel honoraire du régiment d'artilleurs de Meerut (un uniforme qu'il avait conçu lui-même en s'inspirant largement de celui de la garde impériale du tsar). Le nabab lui avait dit :

– Dimitri, dans le carrosse, faites-vous le plus petit possible. Sinon, comment voulez-vous que les gens ne vous prennent pas pour le nabab de Meerut?

– Aussi haut que je puisse m'asseoir, jamais personne ne risquera de me confondre avec Votre Altesse. Un ministre doit honorer l'État qu'il sert, jusque dans sa mise. Ici, le nabab sahib est l'État, et Meerut est son vrai vêtement.

Le nabab s'était contenté de sourire, le même sourire lent à éclore, grave, qui avait joué un si grand rôle pour convaincre le Russe de suivre le petit homme brun à la peau sombre dévoré par la passion, par les chagrins, par les tracas que lui causait jusque sur la Riviera son étrange petit royaume indien. Et depuis ce bref échange, Bronowsky avait remarqué que chaque fois qu'il pénétrait dans une pièce où se tenait le nabab, celui-ci ne lui adressait la parole qu'après avoir passé en revue, d'un regard plus ou moins appuyé, les détails du costume de son Premier ministre. C'était pour lui comme un moyen de se donner confiance. Pendant un certain temps, Bronowsky avait même essayé d'inciter Ahmed à accorder plus d'attention à la façon dont il s'habillait (si tant est qu'on puisse imaginer Ahmed s'intéressant à quoi que ce soit, hormis ce qui le poussait à se rendre régulièrement à Chandi Chowk, le quartier chaud de Meerut).

Pour le moment, Bronowsky notait avec satisfaction les progrès accomplis par le jeune homme dans l'estime du nabab, d'autant qu'il nourrissait le projet de marier Ahmed à la fille du prince. Par esprit de vengeance, la défunte bégum avait élevé Shiraz selon les principes traditionnels les plus rigoureux. A seize ans, la jeune fille ne quittait pour ainsi dire jamais le zenana qu'elle s'était elle-même aménagé. Par ailleurs, sa mère s'était appliquée à lui peindre Bronowsky comme une sorte d'ogre aux mœurs dépravées, qui tenait le nabab sous sa coupe. A force de patience, Bronowsky était parvenu à convaincre la jeune fille qu'il n'avait rien d'un suppôt de Satan, et que surtout, il ne lui voulait aucun mal. Il n'en restait pas moins que ses rares apparitions en public la voyaient tremblante et les yeux baissés, impatiente qu'elle était de regagner l'abri de ses appartements.

Le plus navrant, pensait Bronowsky, c'est que contrairement à son père et à ses deux frères, c'est une vraie beauté. Bronowsky n'avait jamais eu la permission de voir la bégum en face. Dissimulée derrière l'écran ajouré du *purdah,* elle le soumettait à de longs interrogatoires, d'une voix haute et cinglante qui trahissait autant la passion que la cruauté et la malveillance naturelle. A travers l'écran, il voyait chatoyer les soies et les brocarts dont elle s'enveloppait. Elle s'inondait de coûteux parfums d'importation qui agressaient les narines de Bronowsky. De ces éprouvantes confrontations, le Russe sortait conforté dans son aversion pour les femmes, s'indignant de la façon éhontée dont elles abusaient des armes morales que Dieu avait inconsidérément mises à leur disposition pour affronter la sauvagerie du pauvre mâle empêtré dans les subtilités de ses ridicules codes d'honneur. Quand il observait Shiraz, avec les touches de carmin que la confusion posait sur ses joues mates, ses yeux baissés, ses frissons de crainte que le sari ne dissimulait pas, Bronowsky se demandait dans quelle mesure elle avait hérité le tempérament de sa mère et à quelle occasion cet héritage se manifesterait pour le tourment de l'homme – peut-être Ahmed – qui l'épouserait. Mais il se rassurait en se disant que l'influence de la bégum n'était ni fatale ni irréversible et que, de même que les deux garçons n'avaient que très peu de traits de caractère en commun avec leur père, Shiraz pouvait se révéler d'un tempérament très éloigné de celui de sa mère.

Bronowsky faisait peu de cas des deux fils du nabab. Ils avaient échappé à son influence. Moshin, l'aîné, le futur nabab, était un pur produit de l'éducation anglaise telle qu'on la dispense dans les grandes universités. Moshin avait tous les maniérismes pontifiants des Britanniques, sans leur art de tout racheter par leur énergie et leur curieuse tendance à se fustiger, qu'ils appellent leur sens de l'humour. Il passait le plus clair de son temps à Delhi à s'occuper dignement de ce qu'il appelait « ses affaires » en évitant le plus possible de séjourner à Meerut, un endroit que sa femme, entichée de mœurs occidentales, jugeait rétrograde. Abdur, son frère, lui aussi entièrement formé en Angleterre, en avait ramené un goût immodéré pour le cricket où il se révélait piètre joueur, et pour les avions, bien qu'il n'ait pu se qualifier suffisamment pour être admis comme pilote dans l'Air Force.

Bronowsky ne se dissimulait pas que si ces jeunes gens lui avaient offert une image de la beauté masculine capable de le satisfaire, nul doute que ses désirs et son imagination l'auraient entraîné à vagabonder dans la contrée douce-amère délimitée par les inclinations secrètes où il ne s'était plus aventuré depuis tant d'années. S'il s'était refusé à satisfaire ses penchants aux prix d'efforts et de sacrifices douloureux, ce n'était pas seulement par répugnance envers tout ce qui aurait pu le faire passer à ses propres yeux pour un suborneur sans scrupules. En fait, il s'était rendu compte qu'il était exclusivement attiré par les garçons qui, de toute évidence, n'aimaient et n'aimeraient jamais que les femmes. Son cas était sans appel. En l'espace de vingt et un ans, de dix-neuf à quarante ans, il n'avait eu d'aventure avec des hommes qu'à trois reprises. Et pas une seule fois, de toute sa vie, avec une femme.

Maintenant, à l'approche de son soixante-dixième

anniversaire, il ne regrettait ni les occasions manquées ni les chances gâchées. Il ne regrettait pas davantage d'avoir dû cohabiter tant bien que mal dans un corps d'homme avec des désirs de femme. Il n'en avait pas moins éprouvé la joie et la souffrance d'aimer même sans espoir, même à distance. En ce qui concernait les sentiments que lui inspirait Ahmed, il ne cherchait pas à éluder la vérité. Ahmed était bien la dernière incarnation de son idéal, le dernier représentant inaccessible d'une jeunesse et d'une beauté qui l'avaient toujours fasciné. Que l'objet de sa passion secrète fût un jeune homme à la peau brune que ses fonctions lui permettaient d'avoir en sa compagnie à tous moments amusait et attendrissait le Russe. C'était comme si les anciens dieux des forêts le récompensaient enfin de sa longue chasteté. Il recevait ce don inespéré avec une extrême prudence, soucieux de faire la juste part à ses sentiments et à son jugement. En un sens, Ahmed était devenu un des atouts de sa politique, un atout et un piège. En cas de conflit, il savait qu'il sacrifierait Ahmed sans hésiter pour la simple raison que sa politique, aussi fluctuante qu'elle puisse paraître compte tenu des circonstances, lui était dictée par un facteur inaltérable : son dévouement au prince.

***

– Ce n'est pas de très bon augure, remarqua le nabab en s'asseyant. Une pierre? Sur une de nos voitures?

– Oui, sahib, dit Bronowsky en inclinant la tête avant de faire signe au jeune Ahmed de les laisser seuls.

D'une voix particulièrement basse, qui dénotait un effort pour se maîtriser, le nabab l'invita à s'asseoir à son tour. Lui-même, mains et pieds croisés, occupait un fauteuil aux accoudoirs terminés par deux têtes de lion. Quant à Bronowsky, son panama blanc sur les cuisses, il avait posé ses deux mains sur le pommeau d'or de sa canne. La pièce était plongée dans la pénombre. Se glissant entre deux stores baissés, un rai de lumière oblique tombait juste aux pieds du fauteuil du nabab.

La salle offrait une surabondance de meubles et de

palmiers en pots. Elle faisait un peu songer aux palaces des débuts du siècle sur la Côte d'Azur. Il en allait ainsi de toutes les pièces d'apparat du palais, même si leurs dimensions, leurs fenêtres cintrées, leurs claustras, les mosaïques et la cour intérieure témoignaient de l'héritage mogol.

– Dimitri, je ne comprends rien à cette histoire de pierre. Depuis plus de dix ans, aucun incident de ce genre ne s'est produit, dit le nabab les yeux fixés sur une des fenêtres. Et ce jour-là, la pierre visait la bégum.

– Selon les renseignements recueillis par Kassim, il s'agirait de la dernière voiture ayant appartenu à la bégum, mais, ajouta Bronowsky, pour répondre à l'expression d'incrédulité du nabab, à moins d'avoir affaire à un fou, il n'y a sûrement aucun rapport.

– Et on n'a pas la moindre indication sur l'homme qui a commis cet acte?

– Rien, nabab sahib. Il y a donc peu de chances qu'on le retrouve.

– En effet. Toutefois, ce genre d'agression est rarement le fait d'un homme seul. Plusieurs en décident et en confient l'exécution à l'un d'entre eux. Mais pour le moment, ce qui importe, c'est d'arriver à savoir pourquoi on a jeté cette pierre.

– Si je puis me permettre, sahib, je commencerais par me demander contre qui ou contre quoi on a jeté cette pierre. Si nous parvenons à répondre à cette première question, il y a de fortes chances pour que nous découvrions pourquoi.

– Parfait. Contre qui ou contre quoi a-t-on jeté la pierre?

– En premier lieu, nous devons essayer de savoir si on a jeté la pierre contre la voiture ou contre ses occupants. Si c'est contre la voiture, qui porte les armes de Votre Altesse, c'est Votre Altesse qui était visée. Mais tout dément cette supposition. Jamais Votre Altesse n'a été l'objet de la moindre manifestation d'hostilité. C'est le Ramadan, aucun de vos sujets musulmans ne se livrerait à un tel acte au cours du Ramadan. Les hindous de Meerut n'ont que des sujets de satisfaction. Un Fonds de secours vient d'être créé pour venir en aide à ceux que la mauvaise récolte de cette année menaçait de disette. A son retour de Gopalakand hier soir, Votre Altesse a été comme toujours accueillie à la gare par une foule soucieuse de témoigner à son souverain son attachement et sa fidèle loyauté. Non, la pierre n'a pas été jetée contre la limousine, mais contre ses occupants.

– De qui s'agissait-il?

– Du capitaine Bingham et du capitaine Merrick, deux officiers d'état-major du quartier général d'une division de formation récente qui doivent partir dans le courant de la semaine prochaine pour suivre un entraînement spécial avant d'être envoyés au front. Autrement dit, ils sont de passage et sans aucune attache dans la ville.

– Des officiers anglais. Un geste d'hostilité antibritannique, mais également d'hostilité à notre égard. Les membres de la famille Layton sont nos invités.

– Sahib, il est peu probable que l'auteur de l'incident ait su que les officiers se rendaient au mariage ou que vous avez offert l'hospitalité à Miss Layton et à sa famille. De plus, le capitaine Bingham n'est pas votre invité, c'est le futur marié.

– Mais c'est encore pire que je ne croyais. Quel affront! Après le cadeau qu'ils m'ont fait! Nous les en remercions en leur jetant une pierre!

– L'incident s'est produit dans le *cantonment,* sahib.

– Peu importe! Ils sont nos invités où qu'ils se rendent. Qu'est-ce que je vais leur dire tout à l'heure? Qu'ils peuvent compter sur mon hospitalité à Meerut, mais pas sur ma protection? Je veux un rapport détaillé.

– Il sera aussi complet que possible. De toute façon, Son Altesse ne peut qu'exprimer ses regrets et ajouter qu'elle est peinée et stupéfaite qu'une telle chose ait pu se produire à Meerut. Jusqu'à présent, même en août de l'année dernière, nous n'avons eu à faire face à aucune manifestation d'hostilité antibritannique. Par précaution, nous avions interdit les défilés et les réunions politiques et aucun incident ne s'est produit. Après avoir identifié quelques agitateurs, la police s'est contentée de les renvoyer d'où ils venaient. Pour le moment, le mystère de ce jet de pierre reste entier. Sahib, si vous êtes prêt, il est temps de partir, dit Bronowsky. En la circonstance, mieux vaut éviter d'arriver en retard à la réception.

***

Rien qu'une pierre et nous voilà tous transformés, constatait Sarah. Le spectacle vaut le coup d'œil : nous avons acquis une dignité toute neuve. Que nous nous sentions visés par un acte de violence, et nous nous mettons à planer avec grâce, inaccessibles à ce qu'un tel geste peut avoir de vulgaire. Un Indien inconnu, une pierre, une vitre brisée, la joue d'un Anglais fendue par un éclat de verre, et aussitôt le sentiment d'un secret partagé nous galvanise. Et Teddie, au lieu de se sentir quelque peu ridicule avec son sparadrap sur la joue, se tient pâle et digne comme un héros. Je le jugeais mal. Il peut se surpasser, pourvu que notre cause commune soit menacée.

Susan et Teddie se tenaient sur les marches de l'autel. Placée derrière sa sœur, Sarah observait le marié au garde-à-vous, comme l'était d'ailleurs oncle Arthur, un peu plus à gauche, qui venait de remettre la mariée au jeune Bingham. Depuis, il fixait obstinément un point sur la vitre de la baie située au-dessus de l'autel, comme s'il attendait que de là-haut la lumière vienne dissiper l'ombre dont sa famille l'affublait depuis toujours en lui reprochant tout à la fois son incompétence et ses excès de zèle professionnel. Tante Fenny s'était mise à renifler bruyamment et Susan à trembler de tous ses membres au moment où Teddie lui passait l'alliance. Ainsi, en un rien de temps, tout était transformé, chaque vie était définitivement bouleversée. Nous devenons d'autres personnes, songeait Sarah, sans avoir rien compris à ce que nous étions auparavant.

Teddie embrassait sa femme. Il tenait la tête de côté, comme s'il redoutait de chatouiller Susan avec un fil dépassant du pansement. En dépit de l'angle d'où il était donné, le baiser était ferme et décidé. Teddie ne grimaça pas mais sourit dès qu'il se redressa en posant délicatement un doigt sur sa joue blessée comme pour s'excuser de s'être aussi malencontreusement laissé surprendre. C'était à la fois le geste innocent d'un enfant et la réaction théâtrale d'un homme qui sait que toutes les personnes présentes se sont d'ores et déjà posé la question de savoir jusqu'à quel point les effets de sa blessure risquent de compromettre, de diminuer, l'ardeur avec laquelle il se devra de remplir le soir même ses devoirs conjugaux.

Portant la traîne de la mariée, Sarah suivit le couple dans la sacristie, tandis que l'organiste attaquait les premières mesures de la marche nuptiale.

– Hello, Mrs Bingham, murmura-t-elle en embrassant Susan qui rosit de plaisir. Je tenais à être la première à te donner ton nouveau nom.

– Je n'ai pas arrêté de trembler, lui répondit Susan. Est-ce que cela se voyait beaucoup? « Susan Bingham », ça me fait tout drôle!

– Tu t'y habitueras très vite, lui assura Teddie. De toute façon, tu n'as plus le choix.

La famille et le garçon d'honneur entrèrent dans la sacristie.

A tour de rôle, ils signèrent le registre paroissial.

Moins d'une demi-heure après l'incident, deux officiers de la police militaire britannique garaient leurs motos près de l'église. Après la cérémonie religieuse, ils escortèrent la voiture des mariés jusqu'au Gymkhana Club où avait lieu le lunch de mariage et restèrent sur place en attendant le moment d'accompagner le jeune couple jusqu'à la gare. Ils avaient reçu pour consigne de se tenir prêts à empêcher toute nouvelle manifestation antibritannique – puisque telle semblait bien être la nature de l'agression commise contre la limousine transportant les deux officiers anglais.

Leur présence à la sortie de l'église avait sensiblement modifié l'état d'esprit des invités qui regagnaient leurs voitures pour se rendre au Club. Le premier moment de choc passé, ils avaient parlé d'incident regrettable, de provocation lamentable qui ne devait en aucun cas ternir la joie des jeunes mariés. Maintenant, comme si un dieu les avait encouragés à faire preuve de plus de sévérité en leur envoyant deux anges vengeurs, ils n'hésitaient plus à exprimer leur mépris pour l'abjection des auteurs d'un geste aussi lâche, aussi significatif.

En passant sur le lieu du crime, le rond-point de la Reine Victoria, où trois MP se tenaient près d'un camion de la police, les occupants des voitures se rendant au Club s'interrogeaient sur l'endroit d'où on avait jeté la pierre et sur les moyens de fuite qu'avait pu utiliser l'agresseur. Il avait de toute façon amplement pu profiter de l'effet de surprise et de tout le temps qui avait été nécessaire aux deux officiers pour gagner l'église et prévenir la police et le palais du nabab, sans parler du médecin.

Le geste était peut-être imputable à un Indien voulant se venger sur des Européens d'avoir été licencié par ses maîtres - pour vol, ces gens-là sont si chapardeurs! - et qui, ayant entendu parler du mariage, avait sauté sur l'occasion. A moins qu'il s'agisse d'un étudiant qui s'était laissé bourrer le crâne par tout ce que l'on colportait complaisamment sur les iniquités commises en Inde au nom du *Raj,* de la souveraineté britannique. Le genre d'énergumène qui méritait qu'on lui botte les fesses et qu'on l'expédie à Tokyo en guise de cadeau à Hirohito ou à Subhas Chandras Bose. Auquel cas, il appartenait sans doute à un groupe faisant de l'agitation dans la ville indienne, hors d'atteinte de la police du *cantonment.*

Dans la plupart des états princiers hindous, on retrouvait des nationalistes qui avaient fui les provinces britanniques l'année d'avant, au moment de l'arrestation des principaux membres du Congrès. Meerut n'avait pas échappé à ce phénomène, et, aussi diligente qu'elle fût, la police du nabab ne les avait probablement pas tous repérés et expulsés. D'ailleurs, la police de Meerut ne devait pas échapper à la corruption. Les princes indiens n'étaient loyaux à l'égard de la Couronne que dans la mesure où elle garantissait leurs privilèges et leurs droits. Quant aux sujets des princes, ils craignaient leurs souverains mais étaient de tout cœur avec les nationalistes des provinces britanniques. L'incident de la pierre était peut-être le signe avant-coureur d'une explosion de révolte de la bonne vieille ville de Meerut, explosion qui contraindrait le nabab à faire appel aux autorités anglaises pour rétablir l'ordre. Une bonne occasion pour la police britannique de nettoyer la cité de tous les éléments indésirables qui s'y étaient incrustés.

De tels éléments représentaient un danger permanent pour les troupes indiennes, qu'ils pouvaient à tout moment contaminer. Cela avait toujours été le cauchemar des Anglais. Une armée sans égale dans le monde entier. Mais avec la guerre, le danger de subversion s'était accru : on avait beaucoup recruté et pas toujours en se montrant aussi exigeant et prudent qu'on aurait dû. Pourtant la fierté de servir était plus vive que jamais chez ces hommes d'une autre race, d'une autre couleur.

Les deux MP qui avaient escorté la voiture des mariés de l'église au Club avaient pris l'initiative d'indiquer aux voitures qui arrivaient dans la cour du vieux Gymkhana Club où elles pouvaient le plus aisément se garer. Ils se montraient enjoués, efficaces et décidés. Les invités acceptaient leurs directives courtoises mais fermes, du hochement de tête entendu des gens habitués à donner des ordres et qui trouvent plaisant d'en recevoir pour les besoins de leur sécurité. Après avoir gravi les marches d'entrée recouvertes pour la circonstance d'un tapis rouge, les invités traversaient le hall encombré de bustes et de trophées, où s'affairaient des serviteurs pieds nus, et pénétraient dans le vaste salon ouvrant sur la terrasse d'où l'on dominait une belle pelouse d'un vert émeraude.

Au moment où le capitaine Merrick revenait avec un verre de jus de fruit destiné à Sarah, le secrétaire du Club fendait un groupe d'invités :

– Veuillez m'excuser, Miss Layton, mais pourriez-vous m'indiquer où se trouvent votre mère et votre oncle?

– Non, mais ma mère était là avec moi il y a cinq minutes. Pourquoi?

– Un employé vient de me remettre ce carton d'invitation. Il semblerait que les policiers aient refusé l'entrée du club au nabab.

– Mais pour quelle raison?

– Je suppose qu'ils n'imaginaient pas qu'un Indien pût être invité à la réception. Je vais essayer de réparer cette maladresse, mais votre mère et votre oncle doivent être prévenus sans tarder.

– Qu'est-ce qui se passe? demanda un invité.

– Les policiers viennent de refuser l'entrée du club au nabab et à sa suite.

– Grands dieux! s'exclama l'invité qui partit aussitôt pour répandre la nouvelle.

– Je vais essayer de trouver le commandant Grace, dit Merrick à Sarah. Vous-même, tâchez de prévenir votre mère.

Sarah découvrit Mrs Layton en conversation avec Mrs Hobhouse, à l'autre bout de la terrasse.

– Maman, le nabab vient d'arriver, annonça-t-elle, interrompant un échange de souvenirs sur le tremblement de terre de Quetta en 1935.

– Oh! Ma chère, il n'y a pas une seconde à perdre, s'écria Mrs Hobhouse. Quel honneur! Pensez, il est rentré du Gopalakand pas plus tard qu'hier soir. Autant que je vous accompagne : c'est un homme charmant, mais qui n'est pas de tout repos. Cette idée de tapis rouge ne pouvait pas mieux tomber : il va croire que c'est en son honneur.

– J'en doute, dit Sarah qui débarrassa sa mère du verre qu'elle semblait avoir oublié de poser. On lui a refusé l'entrée du club.

– Refusé l'entrée? répéta Mrs Layton. Voyons, que se passe-t-il?

– Ma chère, que nous dites-vous là? demanda Mrs Hobhouse à Sarah en lui agrippant le coude.

– Les MP l'ont refoulé à l'entrée. Le capitaine Merrick est allé avertir oncle Arthur et le secrétaire nous attend dans le hall d'entrée.

– Mais on avait bien dû les prévenir, poursuivit Mrs Hobhouse en suivant Sarah et sa mère qui se dirigeaient vers l'une des portes-fenêtres donnant sur le hall. Écoutez, dit-elle à Mrs Layton en la retenant par le bras, mieux vaut ne pas vous mêler de cette affaire, ni vous ni votre beau-frère ne devez vous exposer à être dans l'obligation de lui faire des excuses. S'il y a eu un impair de commis, cela relève du club ou des autorités militaires. Restez ici avec Sarah et mon mari, ou plutôt, descendez rejoindre Teddie et Susan sur la pelouse. De notre côté, nous allons aller chercher le nabab et l'amener ici où il se sentira plus à l'aise que dans la foule qui se presse à l'intérieur.

– Je crois que Mrs Hobhouse a raison, convint Sarah. Viens maman, allons retrouver Susan et Teddie.

Sarah descendit avec sa mère les marches conduisant à la pelouse écrasée de soleil. Une brise légère soulevait le voile de Susan qui riait, appuyée au bras de Teddie, au milieu d'un groupe d'officiers. Sarah fit signe au capitaine Merrick qui venait d'apparaître sur la terrasse accompagné d'oncle Arthur.

– Je dois dire, commença oncle Arthur dès qu'il fut à portée de voix, que c'est la pire mésaventure qui me soit jamais arrivée, et ce n'est pas peu dire. Où est Fenny?

– Voulez-vous que j'aille à sa recherche? lui proposa le capitaine Merrick.

– Ma foi, dans cette cohue, c'est plus vite dit que fait. Je parie que la moitié des gens qui se gobergent à nos frais là-dedans n'ont jamais été invités. On aurait dû dresser une tente dehors, qu'on puisse faire le tri. J'ai mis les choses au point avec le type qui s'est occupé du buffet, pour qu'il ne s'avise pas de nous faire débourser un penny de plus que ce qui a été prévu. De toute façon, il y gagne encore largement. Oh! Mildred, secoue-toi!

– Quoi?

– Oui, tu as l'air de dormir debout.

– Il vaudrait peut-être mieux que j'avertisse Susan et Teddie de ce qui s'est passé? confia Mrs Layton à Sarah après avoir dévisagé oncle Arthur d'un air froid.

– Ne devrions-nous pas aller voir comment les choses

se passent à l'entrée? demanda le capitaine Merrick en voyant Mrs Layton s'éloigner.

– Mrs Hobhouse est d'avis que nous attendions pendant qu'elle et le colonel se chargent d'amener le nabab jusqu'ici.

– Excellente idée, approuva le major Grace. Comme ça, nous pouvons feindre d'ignorer cette bévue. Mais, dites-moi, n'est-ce pas lui qui arrive? Comme c'est curieux, on dirait un petit boutiquier.

Les rires et les bavardages n'avaient pas baissé d'un ton, mais avaient brusquement changé de nature. Le colonel Hobhouse traversait lentement la terrasse en compagnie d'un Indien de si petite taille que le sommet de son fez arrivait à peine à hauteur de l'épaulette gauche du commandant de la garnison, qui pourtant se penchait vers le nabab. Il semblait d'ailleurs davantage tendre l'oreille que céder à la déférence. Derrière eux, Mrs Hobhouse semblait toute petite à côté de son compagnon : un homme efflanqué qui portait un bandeau sur l'œil.

– C'est le comte Bronowsky, chuchota Merrick à l'intention de Sarah. Les mauvaises langues prétendent qu'il est devenu borgne à force de regarder par les trous de serrure. En réalité, je crois qu'il a été victime d'un attentat à Saint-Pétersbourg. On dit qu'il a soixante-dix ans, mais franchement, il ne les fait pas.

Le secrétaire du club et le jeune Kassim fermaient la marche.

Arrivé au bord des marches, le nabab s'arrêta, tourna légèrement le buste et fit un signe à Ahmed qui le rejoignit prestement et lui offrit l'appui de son bras droit. Tandis qu'ils descendaient lentement les marches de la terrasse, Sarah surprit sur le visage du comte une expression de satisfaction amusée.

Parvenu sur la pelouse, le nabab libéra Ahmed qui s'effaça pour laisser Mrs Hobhouse et le comte Bronowsky le devancer.

– Mrs Layton, dit le colonel Hobhouse, Son Altesse royale, le nabab sir Ahmed Ali Gaffur Kassim Bahadur.

– Mes respects, Votre Altesse, dit Mrs Layton en

s'inclinant légèrement. Je suis ravie de vous accueillir parmi nous.

Le nabab lui rendit son salut et attendit.

– Nabab sahib, commença le colonel Hobhouse, Mrs Layton et sa famille m'ont prié de vous exprimer toute leur reconnaissance pour l'hospitalité que vous leur avez si généreusement accordée.

– Vraiment, oui, murmura Mrs Layton.

Le nabab balaya les remerciements d'un geste de la main, les yeux à demi fermés, la tête un peu inclinée de côté.

Le colonel Hobhouse hésita, tel un comédien qui a un trou de mémoire. Sarah devinait son embarras. Il avait cru que le nabab ferait allusion à l'incident de la pierre et que des regrets seraient éventuellement exprimés, accompagnés d'éclaircissements. Mais le jet de pierre et l'affront à l'entrée du club s'annulaient mutuellement. Les remerciements exprimés pour l'hospitalité avaient été écartés avec une souveraine indifférence. Le silence qui suivit équivalait à la déclaration d'un match nul. Clignant des yeux sous l'effet de l'intense lumière, Sarah perçut brusquement comme une caresse le contact de sa robe longue plaquée sur ses jambes par le souffle insistant de la brise. Dans le même temps, elle eut de l'assistance l'image fugitive de poupées costumées et jouant une pièce s'orientant mécaniquement vers un paroxysme que, faute de pouvoir l'éluder, elles s'appliquaient à retarder. Mais le vent revint agiter le souple satin rose orangé de sa robe de demoiselle d'honneur, et tout se remit en place. Les rôles et les textes sonnèrent de nouveau juste. Le comte Bronowsky, Premier ministre de Meerut. Ma fille Sarah. Mon beau-frère, le commandant Grace. Et voici ma fille Susan, devenue aujourd'hui Mrs Bingham.

Comme par un glissement imperceptible, ils s'étaient rapprochés du groupe qui entourait Susan, jusqu'au moment où il s'ouvrit pour l'exposer, fragile et vulnérable, offerte et défendue par la blancheur vaporeuse et figée de la robe de brocart et du voile de tulle, à la vue du nabab qui venait de s'arrêter à quelques pas. Un instant, Sarah pensa que sa mère allait mettre un terme aux présentations après avoir offert au nabab l'image du mariage qui lui permettrait de saisir le sens et la portée d'un rite qui lui était étranger. Mrs Layton esquissa un geste auquel Susan sembla répondre en prenant l'initiative charmante, imprévisible, de faire une profonde révérence – silhouette menue s'immergeant gracieusement dans des vagues de blancheur. Sur la terrasse, le brouhaha s'éteignit. Une Anglaise ne fait pas la révérence à un Indien, fût-il prince. Mais la stupeur scandalisée des spectateurs céda presque instantanément à une sorte d'émerveillement, légèrement décalé par rapport à ce qu'avait éprouvé l'entourage immédiat de la jeune femme. Et lorsque l'on vit le nabab s'avancer vers Susan pour lui tendre la main et attendre qu'elle se relève pour y mettre la sienne, le gracieux tableau qu'elle offrait prit valeur de symbole dans la mesure où sa réaction instinctive, si parfaitement improvisée, avait réussi, là où les mots auraient échoué, à restaurer sans perdre la face le sacro-saint *statu quo*.

– Je vous remercie d'être venu à mon mariage, dit Susan.

Sarah n'entendit pas la réponse du nabab à qui Teddie était maintenant présenté sous l'œil satisfait de Mrs Hobhouse. En cherchant pourquoi la petite phrase de Susan l'intriguait, Sarah observa le comte qui tenait d'une main son panama et de l'autre sa canne à pommeau d'or. Elle regrettait de ne pas avoir surpris sa réaction au moment où Susan avait fait sa révérence au nabab. Présentement il écoutait, légèrement penché de côté, ce que Mrs Hobhouse avait à lui dire, tout en semblant fixer de son œil caché par le bandeau le capitaine Merrick qui se tenait seul, à l'écart, les mains dans le dos, comme s'il profitait du répit qui lui était accordé. Tel qu'il se trouvait, tête nue, en pleine lumière, l'officier accusait la différence d'âge qui le séparait de Teddie. Il devait approcher la trentaine. Seul le hasard du logement et la jaunisse du capitaine Bishop expliquaient sa présence au mariage.

Mais n'en était-il pas de même de tous les invités présents? Cette constatation permit à Sarah de comprendre pourquoi la petite phrase adressée par Susan au nabab lui avait paru étrange. C'était l'utilisation du possessif qui détonnait, ce « mon mariage » là où on s'attendait à ce qu'elle parle de « notre mariage ». De même qu'elle n'aurait pas dû faire une révérence, elle n'aurait pas dû arriver à l'église en affichant un tel calme, sans faire la moindre allusion à l'incident qui avait obligé à retarder la cérémonie d'une heure et sans paraître remarquer le pansement barrant la joue de Teddie. Même à la sacristie, elle n'avait été préoccupée que de savoir si dans l'assistance on risquait d'avoir remarqué à quel point elle tremblait et si son nouveau nom de femme mariée lui allait bien.

Mais contrairement aux apparences, elle avait pris en compte toute cette suite d'incidents et de contretemps et le « mon mariage » révélait à Sarah à quel point sa sœur mesurait que personne autour d'elle ne semblait très concerné par « son » mariage. A sa façon, indépendante et volontaire, elle s'était sûrement mystérieusement préparée à aimer et à être aimée de Teddie, mais, quoi qu'il en soit, le mariage était la seule possibilité à sa portée pour faire publiquement la preuve que ce qui lui arrivait était important. C'était de la même veine que lorsqu'elle captait brusquement l'attention des autres par son comportement ou par une déclaration imprévue. Mais le mariage, tel qu'il se déroulait, parmi des étrangers, dans un endroit inconnu, en partie gâché par l'incident de la pierre puis par l'affront fait au nabab, devenait une affaire qui menaçait de la submerger. Aussi luttait-elle contre la menace, et avec d'autant plus de détermination, de tension et de fébrilité qu'elle se sentait seule et décidée à faire prévaloir ses droits à la poursuite de l'illusion qui lui était nécessaire. A cette découverte, Sarah éprouva pour Susan un élan d'admiration et d'amour, consciente qu'elle était de la somme de courage qu'il fallait pour faire fi des éléments destructeurs que la réalité oppose à ceux qui s'acharnent à s'offrir une chance de bonheur.

Si quelque chose nous différencie, pensait Susan, c'est bien cette sorte de courage, et c'est la raison pour laquelle les hommes comme Teddie lui ont toujours accordé la préférence. Elle réussit à créer d'elle-même une image qui donne à ceux qui l'approchent, l'impression qu'elle est le centre d'un monde d'où est définitivement bannie la tristesse et où elle les invite à venir la rejoindre. Elle est restée la petite fille qui sait faire semblant, qui a le don de tout rendre vrai, de toute rendre vraisemblable. Enfant, elle savait utiliser ce don, en secret. Maintenant, il s'est épanoui et on le sent en elle comme quelque chose d'affirmé, d'enraciné et en même temps de délicatement équilibré, nécessitant de continuelles retouches.

Le vieil instint protecteur de Sarah se réveilla et puis se calma aussitôt. Elle prit brusquement le parti de s'éloigner – et se retrouva face à Ahmed. Ils restèrent immobiles, se regardant avec étonnement comme s'ils venaient de deux planètes différentes. Ni l'obligation ni une impulsion personnelle n'étaient en mesure de jeter un pont entre eux, de briser la vitre de part et d'autre de laquelle ils se dévisageaient.

– Le livre lui a fait très plaisir, annonça Ahmed.

– Oh! Oui! Gaffur. J'en suis ravie, dit-elle en détournant légèrement la tête pour échapper à l'odeur agressive de l'ail. Ça a été un pur hasard, dit-elle en pensant à la vieille dame de la maison flottante, à tout ce qu'elle savait – la forme, la substance, la signification cachée d'une foule de détails qui échappent la plupart du temps à tout le monde, ou que refusent les mémoires, comme autant de choses inutiles et incongrues.

– Qu'est-ce qui a été un pur hasard? demanda le capitaine Merrick en arrivant près de Sarah.

– Les poèmes de Gaffur. Quelqu'un que nous avons rencontré au Cachemire nous a appris que Gaffur était lui aussi un Kassim. Cela nous a donné une idée de cadeau pour le nabab.

– Je n'en avais jamais entendu parler. Est-ce quelqu'un de célèbre?

– Il l'était, je veux dire qu'il est mort, précisa-t-elle en se tournant vers Ahmed. Mais c'est un poète classique très réputé, n'est-ce pas?

Ahmed inclina la tête de côté, les yeux mi-clos. Il avait rarement des réactions typiquement indiennes. La plupart du temps, il se tenait et se comportait avec une raideur toute britannique. Auparavant, elle n'y avait jamais prêté attention et ne s'en rendait compte qu'à l'instant, en voyant sa façon tellement indienne d'esquiver le compliment.

– Quelque chose me dit que vous n'êtes pas un grand amateur de poésie, ajouta-t-elle. Qu'est-ce qu'a chanté surtout Gaffur, les déserts et les roses, les jardins au clair de lune? Peut-être les plaisirs du vin?

– Ça, c'est plutôt Omar Khayyam, remarqua Merrick en riant.

– Non, ce sont tous les poètes persans, tous les poètes urdus. Est-ce que Gaffur échappe à la règle?

– Je ne crois pas, admit Ahmed. Autant qu'il m'en souvienne, il y a chez lui beaucoup de roses, de déserts et de clairs de lune.

– Enfant, vous l'avez étudié?

– Non, je me suis contenté de le lire. Je n'ai jamais rien étudié de ce que mes professeurs jugeaient important, avoua-t-il après une hésitation. Pour finir, ils m'ont fichu dehors.

– Je comprends, dit Sarah. Pour ma part, je ne voyais jamais l'utilité de ce qu'on m'apprenait, mais j'aurais aimé qu'on me parle d'une foule d'autres choses qui m'intéressaient. J'étais le genre d'élève qui demande automatiquement « pourquoi » le *serin* est *serein.* Mes institutrices me reprochaient une tendance à disperser ma curiosité sur des choses qui allaient de soi.

– Selon leurs critères, Miss Layton. Ici vous ne pouvez pas tomber mieux, dit Ahmed. En Inde, rien ne va de soi.

Elle le regarda, intriguée. Chacune de ses brèves réponses appelait une autre question. S'il se risquait à formuler un commentaire, ce n'était jamais pour entamer une conversation mais comme s'il voulait couper court à tout développement. Et c'était encore le cas cette fois-ci. Elle se contenta de sourire en espérant que son silence forcé encouragerait le jeune homme à poursuivre, si du moins il était d'humeur à parler. Mais il n'en fit rien. Il ne la regardait même pas. C'était le capitaine Merrick qu'il regardait, le front haut, le menton tendu. Était-il furieux? Ce n'était pas évident, mais tout de même, à lui aussi on avait interdit la porte du club, et contrairement au nabab, il n'avait pas égalisé la marque.

– C'est un point sur lequel il m'est difficile d'être d'accord avec vous, dit le capitaine Merrick. Les mêmes choses sont évidentes dans tous les pays.

Ce disant, il esquissa un sourire qu'Ahmed lui rendit aussitôt. Sarah, qui les observait, se demanda comment elle pourrait les empêcher d'en arriver aux mains. Elle aperçut tante Fenny qui descendait précipitamment les marches de la terrasse et accourait vers eux.

– Qu'est-ce qui s'est passé? leur cria-t-elle de loin.

– Rien, la rassura Sarah lorsqu'elle les eut rejoints. Le nabab est arrivé.

– Je sais bien. On raconte qu'il a failli rester dehors. C'est la journée des incidents, conclut-elle à l'adresse du jeune Kassim dont, jusque-là, elle ne semblait pas avoir remarqué la présence. Je me suis occupée des bagages de Susan, ajouta-t-elle. Impossible de mettre la main sur le carton à chapeaux.

Une pièce de l'annexe du club avait été mise à la disposition de la mariée. Sarah et tante Fenny y avaient entreposé les bagages de Susan.

– Il doit être resté dans la voiture. Je vais aller voir, proposa Sarah.

– Mais non. Le capitaine Merrick se fera un plaisir...

– Certainement. Je sais où est garée la voiture, je vais aller voir. Que dois-je faire du carton à chapeaux?

– Apportez-le moi. Ou faites comme bon vous semble, pourvu qu'on le retrouve. Si on l'a volé, voilà qui va tout arranger. Personne n'a pensé à faire surveiller l'annexe. J'y ai posté le premier extra qui m'est tombé sous la main en le menaçant de mille morts s'il bougeait. Viens, ordonna-t-elle à Sarah, je veux voir le nabab.

Le capitaine Merrick était parti en quête du carton à chapeaux. Ahmed restait seul, libéré d'eux tous mais enfermé dans son monde à lui, qui semblait tellement restreint... Nous autres Britanniques, nous avons beaucoup de chance. Oui, vraiment beaucoup, se Sarah pour bien s'en convaincre.

*
* *

– Personne ne nous avait prévenus qu'une personnalité indienne était invitée à la réception, expliquait le MP à Merrick en l'accompagnant jusqu'à l'endroit où étaient garées les voitures.

– Je le sais. Nous avons commis une négligence.

– Nous ne pouvions pas croire qu'on permettrait l'accès du club à des messieurs indiens, mon capitaine. Le caporal et moi, on a pensé qu'on avait affaire à trois rigolos qui avaient mis la main sur une carte d'invitation et y avaient inscrit un nom bidon.

– Vous avez fait votre devoir, sergent; vous n'êtes pas à blâmer.

– Il n'empêche, nous avons commis une drôle de gaffe, n'est-ce pas, mon capitaine? Surtout après avoir vu qu'un des hommes était un blanc et que l'autre était le nabab. Le capitaine Bates va nous passer un drôle de savon.

– C'est votre supérieur?

– C'est ça, oui, mon capitaine. Et il n'est pas commode. Enfin, la prochaine fois, je le reconnaîtrai, l'Altesse.

Ils étaient arrivés près de la rangée des voitures. Un des hommes se détacha du groupe des chauffeurs rassemblés à l'ombre d'un vieil arbre, mais le sergent l'ignora, ouvrit la portière de la limousine et trouva le carton à chapeaux sous un siège.

– Merci, sergent. Vous devez rester là encore longtemps?

– Nous avons ordre d'attendre et d'escorter les voitures jusqu'à la gare, mon capitaine.

– Dans ce cas, vous et le caporal pouvez aller boire à la santé des mariés et manger quelque chose. Mais l'un après l'autre, n'est-ce pas? Je préviendrai le maître d'hôtel pour qu'il vous fasse servir.

– Merci, mon capitaine.

L'homme se mit au garde-à-vous et salua. Encombré par le carton à chapeaux, Merrick esquissa un vague salut et s'éloigna en direction de l'entrée du club. Mais, au moment de monter les marches, il se ravisa et préféra gagner l'annexe par l'extérieur. Il passa donc sur le côté du bâtiment et prit l'allée bordée d'arbustes qui conduisait à l'annexe. Une fois sa mission accomplie, il choisit de contourner le club en passant entre les courts de tennis et un parterre de fleurs. Un vieil Indien en chemise et *dhoti* surveillait un adolescent en short kaki élimé qui repassait au lait de chaux le marquage des lignes. Merrick s'arrêta à leur hauteur et alluma lentement une cigarette, en observant la façon dont le jeune Indien ravivait une ligne à demi-effacée. Le soleil faisait briller la sueur sur ses épaules. Sentant une présence étrangère, le garçon déborda du tracé, ce qui lui valut une réprimande hargneuse de la part du vieillard. Merrick n'avait pas bougé. Il aspirait de longues bouffées de sa cigarette sans quitter des yeux l'adolescent. Puis, lançant sa cigarette à demi-consumée dans le parterre, il s'éloigna dans l'allée.

La pelouse était déserte. De la terrasse où s'attardaient quelques invités, lui parvinrent la voix et le rire d'une femme. Merrick consulta sa montre : midi moins dix. A l'intérieur, les invités devaient se presser autour du buffet froid. Viendrait ensuite le moment de découper rituellement le gâteau de mariage. Parvenu au bas des marches, il se pencha pour ramasser dans l'herbe un petit mouchoir qui se révéla n'être qu'un morceau de papier blanc roulé en boule. En se relevant, il aperçut le comte Bronowsky qui le regardait du haut des marches.

– Ah! Capitaine Merrick, enfin vous voilà, lui dit le comte lorsqu'il l'eut rejoint. Je parie que vous étiez encore en train de vous acquitter d'une de vos innombrables obligations de garçon d'honneur.

– Juste une petite expédition pour retrouver un carton à chapeaux.

– Vous êtes un homme précieux, capitaine Merrick, un homme de détail. Je ne m'y trompe pas. Par exemple, vous avez comme moi la manie de la propreté, de l'ordre. Qu'est-ce que c'était?

Merrick ouvrit sa main.

– Il paraît que c'est significatif, dit Bronowsky en prenant la boulette de papier dans la paume de Merrick pour la jeter dans un verre abandonné sur la balustrade. Les gens obsédés de propreté sont, dit-on, toujours prêts à donner un coup d'éponge par besoin de s'offrir ce que la vie nous refuse à tous, l'illusion d'un nouveau départ, expliqua-t-il en plaçant le verre sur la table qui se trouvait à portée de sa main. Vous êtes marié? poursuivit-il en posant sa main sur l'épaule de Merrick et en l'entraînant sur la terrasse vers l'endroit où un brouhaha parvenait de l'intérieur.

– Non.

– Moi non plus. Croyez-moi, c'est beaucoup mieux ainsi. Nous aurions rendu nos pauvres femmes complètement folles. Pour en revenir à notre maniaquerie, il paraît que c'est le fait des gens qui aspirent à rester seuls maîtres de leur destin.

Bronowsky s'était arrêté, la main toujours sur l'épaule de Merrick. Les deux hommes étaient de la même taille.

– Je regrette, dit Bronowsky, je regrette pour l'incident de ce matin. Vous n'avez pas été blessé?

– Non. Seul le capitaine Bingham a été atteint.

Le Premier ministre retira sa main de l'épaule de Merrick sans le quitter des yeux.

– Comte Bronowsky, est-ce que vous attendez quelque chose de moi? lui demanda Merrick intrigué.

– Oui. J'aimerais que vous me permettiez de vous poser une question, une question indiscrète.

– Je vous en prie.

– Eh bien, je me demandais si vous aviez envisagé la possibilité que cette pierre vous fût destinée?

– Pourquoi cela?

– Mrs Grace m'a appris que vous aviez été dans la police indienne.

– C'est exact, dit Merrick en sortant son étui à cigarettes qu'il ouvrit et tendit à Bronowsky.

– Non, merci, je ne fume que le soir, dit le comte en attendant que Merrick ait allumé une cigarette. Apparemment, nous ne manquons pas à la fête, aussi laissez-moi vous raconter une petite histoire. Il y a bien des années, lorsque j'avais entrepris de dépoussiérer l'administration de Meerut, je me suis attaché les services d'un homme qui se plaignait à juste titre de n'avoir été nommé juge à la haute cour de Ranpur qu'en fin de carrière. J'en fis le Premier magistrat de l'État de Meerut, un titre ronflant pour un poste qui avait surtout l'avantage d'être bien rétribué. De ce fait, lorsqu'il prit sa retraite il se trouva dans une situation matérielle autrement plus confortable que s'il était resté dans l'administration. Il est mort paisiblement dans son lit. Mais quand il était en fonction, il fut victime de ce que les journaux auraient appelé, au temps de ma jeunesse, une agression crapuleuse. Un soir, deux voyous l'assaillirent sur le chemin qu'il empruntait habituellement quand il rentrait de chez moi. Je l'avais pourtant mis en garde contre le danger auquel il s'exposait à s'aventurer seul sur une route déserte. J'en étais même arrivé à charger deux de mes hommes d'assurer discrètement sa protection. Il a fini par s'en rendre compte et il m'a prié de le délivrer de cette filature si je tenais à son amitié. J'ai accédé à sa prière et ce que je craignais est arrivé. Il n'en a réchappé que de justesse.

Merrick acquiesça d'un hochement de tête en soufflant la fumée de sa cigarette.

– La police eut beau faire, poursuivit Bronowsky, aucune des pistes qu'elle suivit ne lui permit de découvrir les coupables. Quelques jours plus tard, alors que j'étais au chevet de mon malheureux magistrat qui se remettait à peine de ses blessures, il en vint à me confier qu'il avait eu en quelque sorte la prémonition de cette agression, huit jours plus tôt, alors qu'il présidait une audience de son tribunal. C'était un après-midi, il faisait particulièrement chaud et l'assistance était si agitée qu'à un certain moment il s'était dit qu'il allait devoir faire évacuer la salle. C'est à ce moment précis qu'il avait eu la nette impression d'être depuis un certain temps l'objet d'une attention sans relâche, comme si quelqu'un dans le public ne le quittait pas des yeux, ou plutôt, le guettait comme un animal guette sa proie. Il avait promené son regard sur l'assistance et il avait aussitôt remarqué un jeune homme qui contrairement à tous ceux qui l'entouraient, ne bavardait pas avec ses voisins, ne s'éventait pas, mais restait figé, penché en avant, les yeux fixés sur lui. Par la suite, il croisa à plusieurs reprises le regard de ce garçon qui, m'assura-t-il, ne lui rappelait rien. J'ai insisté pour qu'il fouille plus systématiquement sa mémoire. Pouvait-il y avoir, même lointainement, une ressemblance entre ce garçon et un homme que ce juge, au cours de sa longue carrière de magistrat, aurait condamné à la peine capitale ou à la prison à perpétuité? Ce ne fut que plusieurs jours après cette conversation qu'il m'apprit qu'il avait acquis la certitude que ce garçon qui le surveillait était le fils d'un homme qu'il avait condamné à la pendaison. Il avait la même expression que celle de l'homme en entendant la sentence. Je lui ai demandé le nom du condamné, afin de pouvoir vérifier à Ranpur s'il avait un fils ou un proche parent qui aurait pu se trouver à Meerut le soir de l'agression.

– Et vous avez arrêté le coupable, conclut Merrick.

– Oh! Non! Mon magistrat ne voulait même pas en entendre parler. Car il y a une chose que je ne vous ai pas dite. Cette affaire était la seconde, dans toute sa carrière de magistrat, où il n'avait pas été entièrement convaincu de la culpabilité de l'accusé. Il ne l'avait jamais oubliée. J'ai ordonné l'enquête pour mon propre compte: l'homme avait bien un fils qui était effectivement à Meerut lors de l'agression contre le juge. Nous avons identifié son complice: un jeune homme de bonne famille de Meerut, qui n'avait jamais attiré l'attention de la police. On l'a gardé à l'œil, et cette vigilance s'est révelée payante. Mais c'est une autre histoire. Ce n'est pas à vous, un ancien de la police, que j'apprendrai que ce ne sont pas les professionnels du crime ou les agitateurs politiques notoires qui donnent aux policiers le plus de fil à retordre, mais bien les jeunes gens ténébreux que des passions secrètes conduisent sur des chemins de hasard. Prenons l'incident de ce matin, cette pierre jetée sur une voiture du nabab. Si cela s'était produit dans la vieille ville, nul doute que les hindous et les musulmans en auraient pris prétexte pour s'accuser mutuellement, et, de représailles en représailles, on en serait arrivé à un début d'émeute que la police aurait dû réprimer. Beaucoup de tumulte et de violence peut-être simplement parce qu'un des garçons que vous avez trop sévèrement châtiés par le passé a voulu se venger, convaincu qu'il avait été victime d'une injustice.

– Qu'à cela ne tienne, s'exclama Merrick en riant, si cela peut vous aider à désamorcer les passions, disons que c'est moi qu'on visait. Quand j'étais dans la police, j'ai suffisamment reçu de pierres et de gravats pour savoir qu'on ne peut toujours les esquiver.

– Mon cher capitaine Merrick, vous vous méprenez du tout au tout sur les raisons qui m'ont poussé à m'embusquer pour vous attendre.

– Je me doutais que vous n'étiez pas là simplement par hasard.

– Tout à fait juste. Je suis venu pour que vous m'aidiez à définir quelle part de responsabilité vous revient dans ce qui s'est passé ce matin.

– Qu'est-ce que cela veut dire?

– Que dès que Mrs Grace m'a appris que vous aviez été dans la police indienne, un certain nombre de choses apparemment sans rapport entre elles se sont éclaircies mutuellement et m'ont incité à chercher la clé du mystère dans votre carrière récente. Je dois préciser que ce n'est pas vous qui m'intéressez, mais ce qui se passe à Meerut, dont j'ai la charge.

– Rassurez-vous, dit Merrick en haussant les épaules, si c'est moi qui étais visé, dès la semaine prochaine la cible que je suis aura quitté la ville et sera bien loin d'ici.

– Oui, mais je ne puis en dire autant de celui qui a jeté la pierre et des complices qu'il a forcément cherchés et trouvés ici même pour préparer et réussir son coup.

– C'est de toute façon beaucoup de remue-ménage pour intimider un officier de police inconnu, qui n'a pas derrière lui une très longue carrière, et qui d'ailleurs est aujourd'hui dans l'armée.

– Mais vous n'êtes nullement un inconnu, capitaine Merrick, dit Bronowsky. Pour la bonne raison que vous êtes sûrement le Merrick qui était chef de la police à Mayapore il y a un an, au moment des émeutes du mois d'août et du viol de cette jeune fille anglaise, Daphné Manners, dans les jardins du Bibighar.

Merrick ne porta sa cigarette à ses lèvres qu'après une seconde d'hésitation. Il la tint ensuite entre trois doigts, comme s'il s'apprêtait à en écraser le bout incandescent. Bronowsky poussa alors le cendrier qui était sur la table pour le mettre à portée de main de Merrick, qui y éteignit soigneusement le mégot et, du pouce, se frotta le bout des doigts.

– Bien sûr, mais comment avez-vous fait le rapprochement?

– Une simple déduction. Tout le monde se souvient plus ou moins du nom du chef de la police qui s'est distingué à Mayapore l'année dernière. Vous étiez récemment posté, en la même qualité, à Sundernagar. Lorsque Mrs Grace m'a parlé de vous, de vos compétences d'organisateur, de votre passé récent dans la police, tout mon système d'alarme était en place, prêt à fonctionner – ce qui s'est produit. J'ai été beau joueur et je n'ai pas insisté devant la surprise de Mrs Grace en découvrant – un peu à tort d'ailleurs – que non seulement elle ne m'apprenait rien, mais que j'en savais un peu plus qu'elle.

– Tant pis pour moi! Mais démasqué pour démasqué, vous n'avez plus qu'à me décrire votre fameux système d'alarme.

– Votre nom, d'abord. La première fois que Mr Kassim m'a parlé de vous, j'ai su qu'il m'était familier, mais il m'a fallu un peu de temps avant de retrouver pourquoi. Un soir de cette semaine, Mr Kassim a rencontré un certain Pandit Baba qui est de passage à Meerut et qui arrive tout droit de Mayapore où il vit actuellement. Est-ce que son nom vous dit quelque chose, capitaine Merrick?

Merrick resta un moment sans répondre, comme s'il s'attardait à détailler les images qui défilaient devant ses yeux à l'appel de ce nom.

– Oui. C'est un de ces soi-disant vénérables érudits hindous qui passent leur temps à inciter les plus exaltés de leurs jeunes disciples à commettre des actes de violence contre les musulmans ou contre les Anglais, en un mot contre tout ce que le pandit leur désigne comme l'ennemi à abattre. C'est un homme d'une rouerie diabolique, qui ne tient en public que des propos empreints de noblesse et de raison et qui refuse obstinément toute publicité, tout ce qui pourrait le faire apparaître comme une figure spirituelle, mais ce n'est qu'une comédie. J'ai eu l'occasion d'appréhender un de ses élèves qui distribuait des tracts séditieux aux ouvriers de la British-Indian Electrical, et, de fil en aiguille, plusieurs autres. Tous ont reconnu qu'ils ne faisaient que reproduire les propos que leur avait tenus récemment le Pandit Baba. Je l'ai convoqué au poste de police : en moins de dix minutes, il avait retourné tous les inculpés. Ils rampaient, gémissaient, imploraient son pardon pour avoir mal interprété ses paroles. Le seul que nous ayons effectivement arrêté sanglotait qu'il n'avait que ce qu'il méritait pour la stupidité dont il avait fait preuve. Et pour ne pas être en reste, le pandit s'est offert à aller en prison à sa place pour se punir d'être à ce point un si mauvais gourou que ses propos innocents mettaient ses élèves dans de si fâcheuses situations. Le vieux renard savait bien qu'il ne risquait rien. Il n'empêche que, par la suite, il a fait preuve de plus de prudence.

– Parfait. Ici, dès son arrivée, il a demandé à être présenté au fils de M. A. Kassim – homme qu'il prétend admirer, ce dont je doute. Mais selon Mr Kassim, le pandit a passé une bonne partie de la soirée à lui parler de l'affaire des jardins du Bibighar, et plus particulièrement du comportement du chef de la police de Mayapore à cette occasion, sans d'ailleurs le nommer, ce qui aurait conduit Ahmed à faire le rapprochement qui s'imposait. Il savait qu'Ahmed vous avait déjà rencontré, et son omission n'était pas fortuite. Ahmed est mon meilleur agent de renseignement : il écoute, il regarde et il me rapporte tout avec une objectivité parfaite. J'ai hésité avant de découvrir les intentions du Pandit Baba. Cherchait-il à impliquer Ahmed dans quelque chose, à lui soutirer des renseignements? Son père était-il en cause? C'est en apprenant que l'officier de police décrit par le pandit était un des occupants de la limousine sur laquelle on avait jeté une pierre que j'ai commencé à y voir plus clair. L'actuel chef de la police de Mayapore et moi-même partageons votre opinion sur le vénérable voyageur qui, il y a quelques années, nous a évité d'avoir à l'expulser en quittant Meerut de sa propre initiative.

– Et vous pensez qu'il est pour quelque chose dans l'incident de ce matin?

– Mais bien sûr, pas vous?

Merrick se tourna pour s'appuyer des deux mains sur la balustrade de la terrasse et laissa errer son regard sur le jardin éblouissant de soleil. Bronowsky s'approcha à son tour de la balustrade et ajouta :

– Nous sommes loin de pouvoir le prouver, et nous n'allons d'ailleurs même pas essayer. Visiblement, le pandit a décidé de jouer à un petit jeu avec moi : il savait qu'en invitant Ahmed à le rencontrer, tous ses propos me seraient rapportés, et qu'à peine arrivé à Meerut mes espions surveilleraient ses faits et gestes. Il est ici avec une femme que personne n'a vue, qui n'a pas quitté les appartements privés de Mrs Nair, la femme du principal du collège hindou chez qui le Pandit est descendu. Ce matin, de neuf heures quarante-cinq à dix heures quarante-cinq, il devait s'adresser aux étudiants du collège et leur parler de ses travaux sur la *Bhagavad Gita.* Au moment où l'on jetait une pierre sur une voiture du nabab il trônait donc sur une estrade, devant plusieurs centaines de jeunes hindous. Là où mes hommes ont manqué de flair, c'est en omettant de relever les noms de tous les garçons qu'il a rencontrés en privé. Mais peut-être n'a-t-il pas eu une seule entrevue particulière – tout était évidemment organisé avant son arrivée ici. Il est en relations constantes avec des gens répartis dans l'Inde entière.

– Vous n'exagérez pas un peu?

– Pas du tout. La pierre de ce matin serait-elle la première preuve, à votre connaissance, qu'on vous suit à la trace depuis votre départ de Mayapore?

– Continuez, dit Merrick, visiblement à contrecœur.

– Ne se serait-il pas déjà passé quelque chose à Sundernagar? Une lettre anonyme, où, si ma mémoire est bonne, on vous rappelait le sort des innocentes victimes de l'affaire des jardins du Bibighar? Et, dans votre premier casernement, une autre lettre, ou une menace plus précise? Par exemple, une inscription à la craie sur la porte de votre chambre? Où que vous ayez été transféré, ne vous a-t-on pas fait clairement comprendre qu'on ne vous perdrait jamais de vue et que vous ne vous en tireriez pas à si bon compte?

– Vous avez raison, et vous êtes même très en dessous de la réalité. Mais peu importe, d'ici quelque temps je serai à l'abri de leurs persécutions, à moins qu'ils ne soudoient un cipaye pour qu'il me tire une balle dans la tête dès que l'occasion s'en présentera.

– Je ne crois pas qu'ils en veuillent à votre vie, dit Bronowsky en souriant. Je suis cependant surpris qu'ils n'aient pas mis à profit la dernière occasion qui leur était offerte de vous atteindre, avant votre départ pour le front, de façon plus spectaculaire. Le mariage leur offrait des possibilités de mise en scène assez exceptionnelles. Vous ne connaissiez d'ailleurs le marié que depuis peu. En acceptant d'être son garçon d'honneur, avez-vous envisagé la possibilité que cela incite vos persécuteurs à vous affronter à visage découvert?

– Non, pas le moins du monde. Après coup, j'ai au contraire pensé qu'avec moi Teddie ne pouvait pas tomber plus mal. Mais il était trop tard pour me désister. Maintenant, je préférerais oublier toute cette affaire et je regrette que vous m'ayez démasqué.

– Vraiment, mais mon cher ami, pourquoi? Autant que je puisse en juger d'après les réactions de Mrs Grace lorsque je lui ai appris qui vous étiez, vous êtes désormais devenu un objet de curiosité et d'admiration. Personne n'aura oublié qu'à l'époque toute la presse anglaise vous a porté aux nues, et qu'on vous citait en exemple chaque jour ici même, sur cette terrasse. Pensez donc : une jeune fille anglaise, et pas n'importe laquelle – une parente d'un ancien gouverneur de région – violée par une bande d'Indiens dans un jardin public, et ces mêmes Indiens se retrouvant sous les verrous moins de deux heures après avoir commis leur forfait grâce à l'incroyable habileté du chef de police de la ville! Qu'ils soient réellement coupables, j'oserai dire que peu importe, dès l'instant où chaque sujet britannique peut se satisfaire à l'idée que la justice vengeresse est en marche. Dieu sait si on a parlé du viol et des émeutes de Mayapore! Même si les deux choses n'ont que bien peu de rapports entre elles, l'une étant une affaire locale et l'autre une affaire nationale. Mais Mayapore est d'abord une ville de garnison, et lorsque les autorités civiles baissèrent les bras, c'est un général de brigade qui organisa la répression et devint le point de mire de tout le pays.

– Le général Reid.

– C'est cela. Reid. Mais ce qui devint de plus en plus évident pour la plupart des gens, c'est qu'à Mayapore l'armée et la police avaient agi avec une célérité et une fermeté exemplaires qui ne mettaient que plus en relief les tergiversations et même une certaine complaisance des civils face aux fauteurs de trouble indiens – cette nouvelle génération de fonctionnaires trop disposés à tenir compte du point de vue des Indiens. Je me souviens de l'indignation d'un membre du club, ici même, à la lecture d'un article de journal qui mettait l'accent sur le fait que le général Reid, après avoir sauvé la situation, se voyait plus ou moins désavoué – et muté – parce que là où ses méthodes avaient provoqué la mort d'une vingtaine d'Indiens, le gouvernement estimait, après coup, qu'une dizaine aurait dû suffire.

– En réalité, le général Reid s'est vu confier une autre brigade d'un niveau bien supérieur à celle qu'il commandait à Mayapore. Mais peut-être était-il déjà trop vieux : j'ai entendu dire que, depuis, on l'avait mis sur une voie de garage dans un bureau. Au moment des troubles, sa femme était mourante. Nous ne l'avons appris que beaucoup plus tard.

– Oui, la vérité est une chose, les commérages en sont une autre, mais ce sont généralement eux qui emportent l'adhésion générale. Entre les deux, les cœurs balancent pour mieux aller là où tous les préjugés les attendent. Les gens avaient besoin de croire que le chef de la police de Ranpur avait mis la main sur les coupables du viol, et lorsqu'ils ont vu que l'affaire tournait court ils s'en sont pris à l'autorité civile et non au chef de la police. Et pourtant, ils admettaient, tout en étant convaincus qu'on avait arrêté les vrais coupables, que certaines rumeurs, si elles s'avéraient fondées, auraient bien servi la défense des six inculpés.

– Quelles rumeurs?

– Qu'on avait extorqué les aveux des jeunes gens en les fouettant et en les obligeant à manger de la viande de bœuf.

– Je vois. Ces ragots sont donc arrivés jusqu'à Meerut. En réalité, il n'y a à l'origine de tout ça qu'une simple méprise : la nourriture destinée aux gardiens – des musulmans – a été distribuée par erreur aux prisonniers qui étaient tous hindous.

– L'explication est plausible. Et les violences physiques?

– Le juge Menen a lui-même fait justice de cette accusation.

– En questionnant les prévenus ou en les examinant?

– En les questionnant. Ils ont tous reconnus n'avoir pas subi de sévices.

– Vous-même, les avez-vous examinés?

Merrick, qui avait jusque-là répondu à la plupart des questions que lui posait Bronowsky sans le regarder, lui fit face :

– Pourquoi l'aurais-je fait? C'est moi que l'on accusait de les avoir maltraités.

– Personne ne vous accusait. Il s'agissait tout au plus de rumeurs, certes assez insistantes pour semer le doute dans l'esprit du juge de district. Mais vous-même, pourriez-vous répondre de vos subordonnés?

– J'ai procédé personnellement à tous les interrogatoires, tout s'est déroulé en ma présence.

– Vous n'avez pourtant pas été témoin de l'erreur commise à propos de la nourriture des prisonniers?

– Comte Bronowsky, je ne suis pas à la barre des témoins.

– Excusez-moi, capitaine Merrick. C'est mon insatiable curiosité. Pourriez-vous la satisfaire encore sur un point? Les hommes que vous avez arrêtés étaient-ils les auteurs du viol?

Merrick resta un moment silencieux, le regard fixé au loin, comme absorbé dans la contemplation d'une vérité irrécusable.

– Oui, pour ma part, je suis intimement convaincu de leur culpabilité.

– Notre vénérable Pandit Baba, dit Bronowsky, a confié à Mr Kassim qu'il connaissait la tante d'un des garçons appréhendés et le garçon lui-même, pour lui avoir donné quelques cours d'hindi, parce qu'élevé en Angleterre, celui-ci ne connaissait pas sa langue maternelle.

– Hari Kumar, c'est exact. Sa tante est Mrs Gupta Sen. Mais Kumar n'était pas un des suspects, c'était *le* principal suspect. Tout m'a porté à croire, et je le crois toujours, que c'était lui qui avait eu l'idée du viol et qui l'avait organisé. Auparavant, il était sorti pendant plusieurs semaines avec Miss Manners. Cela a beaucoup fait jaser. A la fin, j'ai même cru de mon devoir de la mettre en garde contre ce genre de fréquentation.

– Vous la connaissiez donc personnellement?

Merrick rougit et raffermit sa prise sur la balustrade.

– Oui, je la connaissais très bien. Je me dis parfois que j'aurais dû veiller plus étroitement sur elle – d'autant qu'elle semblait avoir écouté mes conseils de prudence. Pendant un temps, j'ai même eu l'impression qu'elle avait cessé de le voir. On la rencontrait plus souvent au club. Elle était bénévole à l'hôpital et habitait chez une dame indienne, Lady Chatterjee, une vieille amie de sa tante Lady Manners. Kumar n'était qu'un obscur gratte-papier dans un journal local, mais il prenait de grands airs à cause de son éducation dans un collège anglais chic. J'ignore les circonstances dans lesquelles ils ont fait connaissance, mais je l'ai vue aller lui parler au cours d'une fête en plein air clôturant la Semaine de la Guerre. Moi, je savais qui il était, pour l'avoir déjà questionné, un jour où mes hommes et moi recherchions un certain Moti Lal, qui s'était évadé de prison. Nous sommes allés fouiller un endroit appelé le Sanctuaire, où une vieille femme blanche à moitié folle abritait les moribonds qu'elle ramassait dans les rues. Ce Moti était un agitateur qui faisait du prosélytisme parmi les étudiants. Inutile de vous dire qu'il était en rapport avec notre vénérable pandit, tout comme Kumar d'ailleurs. Le jour de notre descente, Kumar était au Sanctuaire. Au cours de la nuit, la vieille femme l'avait trouvé ivre-mort dans la nature, et fait transporter dans son asile. Je ne lui aurais pas prêté attention s'il n'avait refusé de décliner son identité. En Angleterre, il se faisait appeler Harry Coomer. Il trouvait inacceptable d'avoir à répondre aux questions d'un simple chef de police de district. A part cela, je n'avais rien à lui reprocher. Mais par la suite, il s'est avéré qu'il participait activement aux menées subversives des étudiants pris en main par le pandit. Je n'aimais pas l'idée qu'une jeune fille comme Miss Manners fréquente quelqu'un comme ce Mr Kumar. Lorsque je l'ai mise en garde contre ce genre de relation, elle a eu beau me répliquer que je me mêlais de ce qui ne me regardait pas, je crois qu'elle a senti qu'elle faisait fausse route avec ce garçon. Elle a dû essayer de rompre avec lui, mais il ne l'entendait sûrement pas de cette oreille. Par ailleurs, je pense qu'elle en était toujours un peu entichée, ce dont il a profité pour attendre son heure et finalement lui envoyer un mot où il la suppliait de le retrouver à leur lieu de rendez-vous habituel, le Bibighar. En fait, il lui tendait un traquenard avec ses complices. Elle a toujours nié s'être rendue dans ces jardins pour y rejoindre Kumar et soutenu une histoire à dormir debout : qu'en passant près du Bibighar, elle aurait eu envie de voir s'il était vraiment hanté par des fantômes comme le prétendent les Indiens. Elle et Kumar ont juré qu'ils ne s'étaient pas vus depuis des semaines. Elle assurait qu'elle n'avait pu apercevoir les visages de ses agresseurs, qu'ils étaient arrivés par derrière et lui avaient aussitôt couvert la tête. En réalité, je crois qu'elle était encore tellement sous le charme de ce Kumar qu'elle était incapable d'imaginer qu'il ait pu concevoir et participer à un tel guet-apens. Et de ce fait, le crime est resté impuni. Parce que dès qu'elle a su que Kumar était arrêté et soupçonné, elle a refusé d'être confrontée aux autres suspects et de témoigner. Non seulement ça, mais elle a menacé de ridiculiser la police et la justice s'il y avait un procès. Elle est allée jusqu'à prétendre qu'à en juger par la puanteur qu'ils dégageaient, ses agresseurs étaient certainement des villageois descendus en ville à l'annonce des émeutes qui éclataient dans toute la province. Elle savait, bien sûr, que les garçons que nous avions arrêtés étaient tout le contraire de paysans crasseux. Vous imaginez le tableau : six garçons habillés à l'européenne, dont certains avaient poussé assez loin leurs études, et Miss Manners à la barre des témoins décrivant ses agresseurs comme une bande de bouseux puant le fumier. Elle se serait peut-être montrée plus coopérative si elle avait pu les voir comme moi la nuit du délit, à moitié soûls dans la cahute abandonnée où ils arrosaient leur exploit avec du tord-boyaux de fabrication clandestine, et Kumar chez sa tante, en train de se laver le visage pour essayer de faire disparaître les marques qu'elle lui avait faites en se débattant contre son premier agresseur.

– Comment Kumar a-t-il expliqué ces marques?

– Expliqué? Mr Kumar ne condescendait jamais à expliquer quoi que ce soit. Il était au-dessus des explications. Sa tactique était le mutisme insolent. Ce n'est qu'au siège de la police, quand il a su de quoi on l'accusait, qu'il a prétendu ne pas avoir revu Miss Manners depuis le soir où ils étaient allés ensemble visiter un temple, deux ou trois semaines plus tôt. Le plus étonnant, c'est qu'elle nous a répété la même chose, à peu près dans les mêmes termes, comme s'ils récitaient un texte appris par cœur, ou plutôt comme s'il avait réussi à la terroriser, à l'hypnotiser, pour qu'elle lui obéisse au doigt et à l'œil, et jusque devant un tribunal s'il le fallait. Malgré cela, j'ai toujours regretté que l'affaire ne passe pas en justice, où l'on témoigne sous serment. Car il l'avait envoûtée, j'en suis sûr, mais dans un prétoire, elle se serait délivrée de la peur et de la honte qui la ligotaient. Je l'imagine courant seule, à bout de forces, dans les rues mal éclairées, pour rentrer chez elle. Je suppose que vous savez qu'elle est morte en couches neuf mois plus tard?

– Oui, je sais. Sa tante a mis des faire-part dans la presse locale.
– Insensé! Pour le décès, je comprends, mais un enfant métissé, né de père inconnu, dit Merrick en levant les mains au ciel puis en les laissant retomber sur la balustrade.
– Cela vous choque?
– Oui. C'est un défi lancé à tout ce que nous essayons de réaliser de sain et de décent dans ce pays.
– C'était pourtant simple : une vie s'éteignait, une autre commençait. Pourquoi aurait-il fallu le passer sous silence?
– Je regrette, mais c'est un point de vue qui m'échappe totalement.
– Rassurez-vous, la plupart de vos compatriotes sont dans votre cas. C'est dans l'ordre des choses, mais je ne puis m'empêcher de trouver triste que Miss Manners n'inspire que mépris. Vous autres Britanniques, vous la considérez comme traître à votre cause : elle ne voulait pas de vous, d'aucun de vous, elle vous rejetait tous en bloc. Les Indiens ne lui font pas un meilleur sort. Ils la rendent responsable de tout ce qui est arrivé, et particulièrement de l'incarcération des six jeunes Indiens. L'accusation de menées subversives qui a permis de les punir n'a trompé personne. Un ruse d'une telle transparence n'aurait pas été de mise en des temps moins troublés. On a oublié à quel point l'atmosphère avait alors un avant-goût de guerre civile. Ici, au club, certains Anglais parlaient comme s'il venait d'éclater une mutinerie semblable à celle de 1857. Dites-moi, après cette affaire, si on vous avait offert un poste dans la police d'un État indien tel celui de Meerut, auriez-vous été tenté de l'accepter? Ou la fascination exercée par l'armée l'aurait-elle emporté de toute façon?
– Mais vous-même, m'auriez-vous offert une telle charge?
– Je ne sais pas. Peut-être. Lorsque j'estime bon de prendre une décision, de procéder à une nomination, peu m'importe l'accueil que lui réservera le public. D'ailleurs, le moins qu'on puisse dire, c'est que ma propre nomina-

tion au poste de Premier ministre est loin d'avoir fait l'unanimité lorsqu'elle a eu lieu. Le détachement, l'objectivité, l'incorruptibilité, toutes ces soi-disant vertus sont pour moi plus ou moins synonymes de désintérêt et d'incapacité ou de refus de se mettre personnellement en cause. A l'occasion, un homme doit savoir se laisser dévier du droit chemin par ses passions. Être capable de se contrôler n'a de sens que si l'on est également capable de renoncer à ce contrôle. Le détachement ne prend toute sa valeur que si on a le goût, la passion du pouvoir. Voilà. Le mot est lâché. Pour exercer le pouvoir à Meerut, il faut avoir des yeux derrière la tête et une équipe d'hommes capables à tout instant de donner le meilleur d'eux-mêmes et donc de commettre des erreurs. Dieu nous préserve d'un monde où il n'y aurait plus place pour la passion ou pour l'erreur.

– Vous pensez que j'en ai commis une?

– Ce n'est pas impossible. Par exemple, je suis surpris que vous n'ayez pas cru bon de me dire ce qui vous a incité à vous rendre directement dans la cabane où s'étaient réunis les jeunes gens, puis chez Kumar. Serait-ce simplement parce que vous saviez que Kumar était sorti un certain temps avec Miss Manners?

– N'était-ce pas une raison suffisante?

Bronowsky secoua la tête en fixant le bout de ses chaussures.

– Cette cahute où vous avez trouvé les autres garçons à moitié ivres, était-elle proche du Bibighar?

– Oui, dans un terrain vague à proximité.

– Et la maison de Kumar?

– De l'autre côté de la rivière, dans une cité-jardin moderne.

– Et combien de temps après le viol les avez-vous débusqués?

– Environ trois quarts d'heure à une heure.

– Vous êtes ensuite allé avec vos hommes chez Kumar. Il avait donc dû s'écouler encore un bon quart d'heure?

– C'est à peu près ça, oui.

– Et il était encore en train de se laver la figure? Tout est possible, mais décidément, dans cette affaire rien n'est à aucun moment très convaincant, simple, évident. Bien au contraire. J'aimerais pourtant avoir quelques images nettes de ce qui a pu réellement se passer. Des lieux du crime, vous vous précipitez chez Kumar en camionnette ou en jeep, et en route, vous apercevez la cahute. Vous vous arrêtez, attiré, je suppose, par une lumière filtrant d'une cahute *abandonnée.* Quel flair! Et comme le comportement de ces violeurs est étrange! Ils commettent le plus abominable des crimes, le viol d'une jeune fille blanche, et sitôt leur forfait accompli, ils se précipitent tout près de là pour s'enivrer, chahuter et plaisanter bruyamment à la lueur d'une lampe forcément visible de loin sur ce terrain nu. Comment ne pas penser qu'il s'agit effectivement de potaches qui n'ont jamais fait autre chose que ce qu'ils ont dit, à savoir passer la nuit à boire après avoir allumé une lampe lorsque la nuit tombait?

– Vous brossez un tableau qui ne tient aucun compte du contexte, dit Merrick en souriant. Comte Bronowsky, vous oubliez quel jour a eu lieu le viol et tout ce qui s'était passé dans la journée. On était le 9 août. La veille, le Congrès avait voté la résolution *Quit India*, c'est-à-dire « Les Britanniques, à la porte! » Le matin du 9, non seulement nous avions fait arrêter tous les membres du Congrès, mais également ceux des sections locales du Parti dans toute l'Inde. La totalité du pays était en ébullition. Dans l'après-midi, à Tanpur, des policiers avaient été enlevés et la surintendante des écoles de la Mission avait été attaquée, sa voiture incendiée, et l'instituteur indien qui l'accompagnait assassiné. En ville, tout le monde s'était barricadé chez soi, personne ne savait ce qui allait arriver. Le Congrès s'est défendu d'avoir préparé un plan de rébellion, mais j'ai eu personnellement la preuve, par la suite, qu'il y avait bien eu préméditation et coordination des actions de sabotage. Tous les garçons du genre de ceux que nous avons arrêtés n'attendaient que ça, ne vivaient que pour ça, même s'ils n'étaient pas directement embrigadés dans des organisations clandestines. Gandhi avec sa non-violence les faisait ricaner. En ville comme dans les villages, les honnêtes gens rentrent chez eux et ferment portes et volets. Il n'y a plus dehors que les voyous, les anarchistes et les révolutionnaires du genre des garçons que nous avons arrêtés, qui détestent d'autant plus les Anglais qu'ils leur doivent tout, tout ce qu'ils sont, tout ce qu'ils tiennent tellement à paraître : des jeunes gens instruits, capables de vous citer Shakespeare, qui ont décidé d'abattre ce qui risque de les empêcher d'employer leur bagage à satisfaire leurs caprices et leurs petites ambitions. Voyez-vous, s'ils étaient si sûrs d'eux dans la cahute, et si peu méfiants, c'est qu'ils étaient convaincus que le jour tant attendu des règlements de compte était arrivé, qu'ils allaient contraindre le *Raj* à plier bagage, que les longs couteaux étaient sortis. Ils avaient violé une femme blanche. Et alors? Dans un jour ou deux, tous les hommes blancs allaient se traîner à leurs pieds, baiser leurs chaussures et ils auraient autant de femmes blanches à violer ou à assassiner qu'ils le voudraient.

– Et Kumar?

– Kumar? C'était le pire de tous. Avez-vous entendu parler de Chillingborough?

– Bien sûr. Un des fleurons de votre système éducatif.

– Oui, Kumar en sort. Il a fait toutes ses études en Angleterre, et si vous l'aviez entendu parler sans le voir, vous auriez juré qu'il s'agissait d'un jeune Anglais de la bonne société, diplômé d'une grande université. Après la mort de sa mère, il avait à peine deux ans lorsque son père l'a emmené en Angleterre en s'imaginant qu'il pourrait en faire un véritable Anglais. Il était très riche, Kumar a donc été élevé dans du coton. Mais le père, ruiné du jour au lendemain à la suite de je ne sais quel désastre financier, est mort en laissant Kumar sans ressources. C'est sa tante de Mayapore qui lui a envoyé l'argent de son voyage de retour en Inde et qui l'a recueilli chez elle en essayant de l'aider à accepter son nouveau sort et à trouver du travail. Mais Kumar se refusait à assumer ce qu'il était à Mayapore : un Indien occidentalisé.

– Pauvre garçon, ce dut être une dure expérience.

– Bon sang! Avec son instruction, s'il avait eu un peu

de caractère, il aurait affronté la situation en homme et s'en serait sorti haut la main. Décidément, je ne comprends rien à la sympathie qu'il vous inspire. Moi, je connais ce genre d'oiseau, un révolté, qui n'avait qu'une idée : faire payer aux Britanniques le fait qu'en Inde il ne pouvait prétendre être des leurs, comme il l'avait fait en Angleterre. On lui a offert la possibilité de travailler, d'apprendre un métier, tant à la British-Indian Electrical que chez le beau-frère de sa tante, qui est négociant. Mais chaque fois, il a tout gâché par son insolence et son refus de se plier au sort commun. C'est d'ailleurs lorsqu'il était employé chez son oncle qu'il a fait la connaissance de Moti Lal, ce jeune extrémiste que je recherchais au Sanctuaire, à la suite de son évasion de la prison. C'est pourtant clair! s'exclama Merrick. Moti Lal. Pandit Baba. Kumar. Lorsque nous avons fouillé sa chambre, nous y avons trouvé une lettre d'un de ses amis anglais le priant de ne plus lui tenir des propos séditieux dans ses lettres : son père en avait lu certaines et avait été indigné d'y trouver de telles idées alors que son fils se remettait à peine de blessures reçues à Dunkerque. Non seulement ça, mais nous y avons également découvert une photo, une photo de Miss Manners. Pensez donc : un trophée, la preuve qu'il avait tourné la tête à une femme blanche.

Brusquement, Merrick lâcha l'appui de la balustrade et se tourna vers Bronowsky.

– Dès l'instant où Lady Chatterjee m'a appris dans quel état était rentrée Miss Manners, j'ai su que c'était Kumar qui avait fait le coup. J'étais déjà venu aux nouvelles en début de soirée, après être passé à l'hôpital où j'avais dû m'occuper de l'affaire de Miss Crane. Miss Manners n'était plus à l'hôpital et elle n'était pas davantage au club où l'on m'avait pourtant dit que je la trouverais. A MacGregor House, j'avais trouvé Lady Chatterjee très inquiète. Pour moi, cela ne faisait aucun doute, Miss Manners était allée retrouver Kumar. Sachant qu'il lui arrivait de se rendre au Sanctuaire pour aider sœur Ludmila à son dispensaire, j'y ai fait un saut vers neuf heures. Miss Manners était passée mais était repartie à la tombée de la nuit. J'ai donc poursuivi mes recherches en me rendant chez Kumar. Sa tante m'a appris qu'elle ne l'avait pas vu de la soirée. Ils étaient donc bien ensemble, quelque part, dehors. Plus tard, en quittant le poste de police de la porte du Mandir, je n'ai pas résisté au besoin de retourner à MacGregor House. Miss Manners n'y était rentrée que depuis une dizaine de minutes, et dans un état indescriptible. Lady Chatterjee avait envoyé chercher un médecin. Elle se doutait comme moi de ce qui s'était passé. J'ai insisté pour qu'elle remonte interroger Miss Manners. Ce qu'elle m'a dit en revenant était suffisant : la jeune Anglaise avait été violée dans les jardins du Bibighar par cinq ou six hommes. Nous avons aussitôt fait une descente au Bibighar et ramassé les lascars dans une cahute proche avant de foncer chez Kumar. Savez-vous ce qu'il m'a lancé lorsque je l'ai découvert dans sa chambre, torse nu, en train de se baigner le visage? « Merrick, de quel droit faites-vous irruption ainsi dans ma chambre? »

Bronowsky pouffa et Merrick répliqua par un petit rire jaune tout en consultant sa montre.

– Je regrette, dit-il, il faut que j'y aille.

– Moi aussi, dit Bronowsky. Pardonnez-moi de vous avoir retenu si longtemps, et pour ne parler que de cette triste affaire. Si vous revenez à Meerut un jour ou l'autre, j'espère que vous me ferez signe.

– A présent, je suppose que vous boiriez un verre avec plaisir, tout comme moi, lui proposa Merrick.

– Ce n'est pas l'envie qui m'en manque, mais je m'en abstiendrai par égard pour le nabab sahib qui a sûrement en ce moment un verre d'orangeade à la main dans lequel il ne se sera même pas autorisé à tremper les lèvres. A partir de ce soir, il entame une période de prière et de jeûne presque complet, qu'il ne rompt même pas après le coucher du soleil, comme c'est de règle pendant le Ramadan. Il se termine par la fête de l'Id, dans dix jours. Le nabab sahib regrettera que ni vous ni ces dames ne soyez encore là pour être ses hôtes au repas qu'il donnera au palais.

Quittant la terrasse, ils avaient pénétré dans une pièce où s'attardaient quelques invités venus sans doute là pour éviter la foule qu'on apercevait dans le vaste salon où était dressé le buffet.

Bronowsky s'arrêta et retint Merrick par le bras, dans un geste qui aurait pu traduire l'existence entre eux d'une vieille complicité.

– Dites-moi, demanda le comte à voix basse, de telle sorte que Merrick se rapprocha et se pencha vers Bronowsky, qui est ce beau garçon, le jeune officier brun qui parle avec cette jeune fille en bleu, près de la porte?

– Oh! Ça, commença à dire Merrick, ça...

Mais il détacha son regard du couple et le reporta sur le comte d'un air surpris, surpris et stupéfait par la réponse qu'il avait failli faire. Cependant, Bronowsky l'ayant vu pâlir, puis devenir écarlate, lui lâcha le bras et murmura :

– C'est sans importance. Eh bien! Allons-y!

– Il était amoureux d'elle, annonça tante Fenny qui, debout derrière Susan, lui déboutonnait sa robe de mariée tandis que Mrs Layton pliait le voile et que Sarah disposait sur le lit de la petite chambre de l'annexe l'ensemble de voyage que porterait sa sœur. Je le tiens d'une femme qui était à Mayapore l'an dernier. Il paraît qu'il n'avait d'yeux que pour elle et que personne ne comprenait ce qu'il pouvait bien lui trouver. Le fait qu'elle soit de si bonne famille devait bien y être pour quelque chose. J'imagine la tête qu'il a dû faire lorsqu'il s'est aperçu qu'elle s'était entichée d'un de ces horribles jeunes Indiens. Il paraît qu'il était comme fou après le viol de Miss Manners par ces voyous, et que c'était encore pire lorsqu'il a vu qu'il ne pourrait pas les faire condamner pour ce crime. On comprend qu'il ait ensuite tout fait pour quitter la police et tourner la page. Le comte Bronowsky a une phénoménale mémoire des noms. Le capitaine Merrick ne s'en est pas encore remis. Avez-vous vu sa tête lorsqu'il est revenu au salon avec le comte?

– Assez! cria Susan. Assez, tante Fenny! Depuis ce

matin, j'essaie de me dire que c'est mon plus beau jour. De m'en persuader. J'essaie, j'essaie de ne penser qu'à une chose : que j'épouse Teddie. Et voilà ma récompense, hurla-t-elle en tirant sur le devant de sa robe, ce qui fit sauter un des derniers boutons. Elle enleva les manches, fit glisser la robe à ses pieds, et, d'un coup de pied, l'envoya voler.

Rouge de colère, en soutien-gorge, culotte et porte-jarretelles elle ramassa sur le lit la lingerie que lui avait préparée Sarah, sa pochette de toilette, et se dirigea vers la salle de bain.

– Maman, je serai prête dans un quart d'heure, dit-elle avant de disparaître.

– Qu'est-ce que j'ai fait? demanda tante Fenny.

– Il ne s'agit pas de ce que tu as fait, Fenny, expliqua Mrs Layton, mais de tout ce que tu dis. Le moment était mal choisi pour s'étendre sur un tel sujet, non?

– Bien sûr, ma chérie. Pauvre chou! Je regrette. Qu'est-ce que tu cherches, Sarah?

– Un des boutons de la robe qui a sauté.

– Je vais m'en occuper. Change-toi. Millie, range sa robe, dit-elle en s'agenouillant pour regarder sous le lit. J'ai raconté au capitaine Merrick que nous étions les voisines de Lady Manners à Srinagar, mais grâce au Ciel, il ne la connaissait pas. S'il avait été de ses amis, j'aurais dû lui faire comprendre pourquoi nous ne pouvions rendre visite à cette dame. J'ai bien essayé de lui soutirer quelques confidences, mais sans succès, et lorsque je lui ai proposé de venir passer la soirée avec nous, demain à la maison des hôtes, il a été évasif. Il est possible qu'il soit obligé de se rendre à Calcutta avant le retour de Teddie. Sarah, ma chérie, il s'est montré très prévenant avec toi, n'est-ce pas?

– Tante Fenny, décidément, je ne te comprends pas, lui déclara Sarah.

– Ah, le voilà! Mets-le dans ton sac, Millie. Sarah, aide-moi. Qu'est-ce que tu ne comprends pas?

– Que tu ne puisses t'empêcher de parler continuellement de cette affaire.

– Puisque Susan ne peut pas nous entendre.

– Il ne s'agit pas de Susan, mais de toi et de la façon dont tu sembles te réjouir à l'idée d'avoir le capitaine Merrick à ta merci pour obtenir de lui des détails croustillants, sans te soucier le moins du monde de ce qu'il pourra éprouver. Mais lorsque l'occasion de témoigner un peu de sympathie à la tante de cette pauvre fille nous a été offerte, c'est toi qui as trouvé la meilleure excuse pour nous en dispenser : notre visite risquait de la gêner.

– Parfaitement, reconnut tante Fenny. Et si ça n'avait pas été elle, c'est nous qui aurions été dans nos petits souliers. Tout le monde est tombé d'accord pour trouver la conduite de cette femme insensée.

Sarah se contorsionnait pour défaire les boutons de sa robe. Elle bouillait de colère et d'énervement.

– Et quand je pense à cette petite chose révoltante qui n'arrêtait pas de vagir! L'idée qu'une Anglaise pût abriter ça sous son toit avait de quoi vous rendre malade.

– J'y suis allée, annonça Sarah qui, ayant réussi à déboutonner sa robe de satin, la faisait glisser à ses pieds. J'ai passé une bonne heure à bavarder avec l'Anglaise dont les actions te rendent malade et j'ai même vu le bébé, cette chose révoltante. J'ai trouvé Lady Manners assez extraordinaire.

– Tu es allée la voir?

– Oui.

– Pour quoi faire?

– Pour m'excuser de notre conduite et peut-être aussi par simple curiosité. Tu sais ce que c'est, la curiosité, hein, tante Fenny?

– Tu as su qu'elle avait fait cette démarche, Millie?

– Oui, bien sûr.

– Et tu l'as approuvée?

– Il m'est difficile d'approuver ou de désapprouver quelque chose que je ne comprends pas. Ce que je savais, c'est que toi et Arthur seriez encore moins capables de comprendre que moi. C'est moi qui ai demandé à Sarah de ne pas en parler. Maintenant, ne pourrait-on changer de sujet de conversation et ne plus penser qu'à Susan que nous allons mener à la gare?

– Oui, tu as raison. Je n'y comprends rien. Aller s'excuser pour nous? Ma chère petite, parfois tu me navres.

– Je sais, oui. Je me fais parfois le même effet. On pourrait peut-être mettre le voile dans ma valise, il reste plus de place.

Machinalement, tante Fenny lui tendit le voile soigneusement plié : l'élément symbolique le plus important du costume de mariée de Susan, le plus représentatif de sa plus chère illusion allait être relégué dans l'ombre pour y prendre aussitôt figure de souvenir. Sarah se revit en train de brûler toutes ses reliques d'enfant dans la cour de tante Lydia à Bayswater. C'était l'époque où elle avait l'impression qu'elle exceptée, tous les membres de sa famille baignaient dans une clarté intemporelle.

Peut-être ne suis-je plus dans les ténèbres, pensa-t-elle, peut-être ai-je atteint le cercle de lumière. Je ne sais toujours pas de quelle lumière il s'agit, mais si j'en ai reçu ma part, je ne désire qu'une chose : la partager. Elle regarda sa mère et tante Fenny, et referma sa valise d'un coup sec, comme on ferme un livre.

– Mais nous n'allons pas être tristes, pas aujourd'hui, dit-elle. Finalement ce n'est pas seulement le jour de Susan, c'est aussi le nôtre.

Et pour finir, après l'incident de la pierre et l'affront fait au nabab à l'entrée du club, il y eut l'apparition de cette femme en sari blanc, se détachant de la foule qui attendait le départ du train pour Nanoora, sur le quai de la gare de Meerut *(Cantonment),* comme si elle voulait s'approcher du groupe de civils et d'officiers venus accompagner Teddie et Susan.

Mais lorsqu'un premier coup de sifflet retentit à l'extrême bout du quai et que le capitaine Merrick descendit du wagon pour laisser les Layton et les Grace en tête à tête avec les jeunes mariés, les officiers s'écartèrent pour lui faire place et il se retrouva seul, face à la femme qui s'approchait. Plus que la pauvreté, le sari de coton blanc évoquait le veuvage et le deuil. Cette femme à la peau assez claire, au maintien digne, ne pouvait être une mendiante. Tout le monde, y compris Mrs Grace, son mari et Sarah qui redescendaient à ce moment-là sur le quai, crurent que cette femme voulait se plaindre qu'on lui refusât l'accès d'un wagon de première classe.

Elle s'était mise à parler en hindi.

– Aidez-moi, avait-elle supplié, aidez-moi. Seul Votre Honneur peut me venir en aide. Je vous en supplie. Ayez pitié!

– Allez-vous-en, lui avait répondu Merrick dans sa langue. Je ne peux rien pour vous.

Elle était tombée à genoux, pleurait et gémissait – un spectacle qui portait à son comble l'embarras des personnes présentes sur le quai ou attirées aux fenêtres des wagons, qui la virent découvrir ses cheveux gris, s'accrocher aux pieds du pauvre capitaine Merrick, se prosterner le front dans la poussière en exhalant une sorte de mélopée funèbre entrecoupée de gémissements. Un des officiers s'était mis à crier : *« Jao! Jao! »* en pressant son tibia contre l'épaule de la suppliante. Elle lâcha prise mais resta dans la poussière, se couvrant symboliquement la tête de cendres, balançant le buste et geignant.

Un contrôleur indien mit brutalement fin à la scène. Dégringolant d'un wagon, il vint empoigner la femme, la releva et la poussa vers la foule des Indiens qui regardaient, en la menaçant d'appeler la police. Dès qu'il l'eut lâchée, elle se laissa de nouveau tomber à genoux et reprit ses gesticulations et ses lamentations sous l'œil incrédule de ses compatriotes qui se détournèrent un à un et s'éloignèrent, incapables de partager une douleur dont l'objet leur échappait. Finalement, un vieil homme à barbe grise et au nez chaussé de lunettes à monture d'acier s'approcha d'elle, lui dit quelques mots et l'entraîna hors de la gare.

« Une vieille folle! » conclut le contrôleur, ratifiant en quelque sorte l'opinion générale. Elle devait être connue pour ses esclandres : une pauvre créature que la folie poussait à hanter la gare et à s'en prendre aux sahibs.

Un nouveau coup de sifflet avait retenti. Teddie

raccompagna Mrs Layton à la porte du wagon d'où oncle Arthur alla l'aider à descendre. Susan avait rejoint Teddie à la fenêtre de la portière qu'il venait de fermer. Il avait changé le morceau de sparadrap sur sa joue blessée.

« Attrapez-le! » cria Susan en lançant son petit bouquet de mariée en direction de Sarah qui le saisit au vol et le porta instinctivement à ses narines. En relevant les yeux, elle rencontra le regard anxieux de Susan qui semblait attendre en retour un mot ou un geste approprié à la circonstance. Mais Sarah ne trouva qu'à lui mimer des lèvres un : « Merci. »

« Sois heureuse », pensa-t-elle à l'adresse de sa sœur. « Sois heureuse. Ce bonheur, tu l'as tellement désiré! »

IV

En arrivant à la maison des hôtes alors que tombait la nuit, le capitaine Merrick trouva Sarah sur la terrasse. Elle attendait qu'il fît tout à fait noir, lui expliqua-t-elle, pour voir « s'allumer » les lucioles. Les autres membres de la famille étaient encore dans leur chambre.

– Vous n'avez pas eu envie de faire la sieste? lui demanda Merrick en s'apercevant qu'elle portait la robe dans laquelle il l'avait vue à la gare.

– J'y ai pensé, mais les lieux étaient si calmes après l'effervescence de la semaine que ça m'a donné envie d'écrire des lettres. A dire vrai, je n'en ai écrit qu'une – à mon père, pour lui raconter le mariage. Ils vont arriver à Nanoora dans peu de temps, ajouta-t-elle après avoir consulté sa montre. Est-ce que vous sonneriez pour qu'on nous apporte à boire?

– Si vous prenez un verre vous-même, avec plaisir.

– Volontiers.

Merrick alla presser le bouton d'appel près de la porte-fenêtre et revint s'appuyer contre la balustrade. Il avait troqué son costume de cérémonie contre une veste à manches courtes et un pantalon de coton.

– C’est le lac qui retient la lumière le plus longtemps, dit Sarah, mais lorsqu’il fait tout à fait nuit, c’est aussi lui qui est le plus sombre.

– L’eau reflète le ciel, convint platement Merrick.

Il sortit de sa poche son étui à cigarettes et le tendit à Sarah qui secoua la tête.

– Non, merci. Pas maintenant. Mais vous pouvez fumer. L’odeur d’une cigarette fait partie du plaisir attaché à ce moment particulier de la journée.

– Vous êtes très sensible aux atmophères.

– Sûrement pas plus que la plupart des gens. Mais j’y prête peut-être davantage attention.

Abdur Rahman venait d’apparaître sur la terrasse.

– Qu’est-ce que vous prendrez, Ronald? lui demanda-t-elle.

– Un whisky, si vous le permettez.

Sarah dit à Abdur d’apporter un whisky pour le sahib et un jus de fruit pour elle-même. Merrick s’assit de l’autre côté de la table et alluma une cigarette.

– Je pars pour Calcutta plus tôt que prévu : dès demain matin. Je suis venu vous dire au revoir à tous.

– Oh! Si vite?

– J’ai trouvé mon ordre de route en rentrant de la gare. On a dû changer le lieu et les conditions d’entraînement avant le grand départ.

Sarah resta un moment silencieuse. En cédant si rapidement le terrain, la lumière du jour mettait fin à la nécessité d’accorder toute son attention à la personne qui vous faisait face, Ronald Merrick en la circonstance, tout en lui conférant une densité nouvelle qui compensait l’effacement progressif des traits et des mains. Elle chercha ce que devait signifier pour lui ce grand départ. Pour elle, ces choses se passaient si loin.

– Est-ce que vous n’avez jamais trouvé étrange de constater à quel point une guerre se déroule toujours en des endroits précis, des zones limitées, dit-elle, alors que partout ailleurs dans le reste du pays ou sur des continents entiers la vie continue comme avant?

– Comme ici par exemple?

– Oui, comme ici.

– Ce qui est étrange, c'est de vouloir aller à la guerre. Pour ma part, je m'en serais passé. Est-ce que vous m'écrirez de temps en temps? demanda-t-il.

Elle se tourna légèrement vers lui, prête à lui sourire, à prendre à la légère une suggestion vaguement sentimentale. Mais en rencontrant son regard elle sentit que la demande était peut-être aussi sérieuse qu'inattendue.

– Oui, bien sûr.

– Je vous remercie.

Abdur Rahman revenait avec les boissons. Sarah prit le grand verre glacé et attendit que Merrick ai dit *bus* à l'adresse d'Abdur qui ajoutait le soda au whisky pour lui lancer « A votre santé! » Le liquide glacé lui brûlait les lèvres, les engourdissait. Elle en avala une gorgée et poussa un petit soupir de satisfaction vaguement feint, en fermant les yeux et en renversant la tête en arrière.

– J'ai été très heureux de faire votre connaissance, reprit Merrick, la vôtre et celle de votre famille. Je ne suis pas seulement venu vous dire au revoir, mais également vous présenter mes excuses. Vous trouver seule me facilite les choses.

Elle avait ouvert les yeux et tourné la tête vers lui, mais il fixait obstinément le lac.

– La pierre qu'on a jetée ce matin m'était destinée. Aussi puéril et mélodramatique que cela puisse paraître d'en parler, dès mon départ de Mayapore, j'ai été périodiquement en butte à ce genre de persécution. Je n'en ai jamais fait grand cas, mais aujourd'hui cela a plus ou moins gâché le mariage de Susan et de Teddie. Non seulement il y a eu la blessure de Teddie et l'incident à la gare, mais également l'insulte faite au nabab à l'entrée du club. J'aurais dû prévenir les deux MP qu'on attendait des invités indiens et, de toute façon, sans le jet de pierre, on n'aurait pas fait appel à la police. Je suis vraiment désolé. Teddie ne pouvait choisir plus mal son garçon d'honneur.

– Oh non...

– Tout cela est la conséquence de l'affaire de Mayapore. Je suppose que vous connaissez le rôle que j'y ai joué? lui demanda-t-il.

– Oui, je sais.

– Je regrette. Je regrette de ne pas avoir fait clairement savoir qui j'étais réellement au lieu d'attendre qu'on me démasque comme un vulgaire imposteur. En réalité, je n'ai jamais songé à duper qui que ce soit, mais uniquement à oublier, à tourner la page et à éviter d'avoir à répondre sans arrêt à des questions indiscrètes. J'aimerais savoir que votre mère comprend cela, qu'elle ne pense pas que j'ai abusé de sa confiance.

C'était maintenant au tour de Sarah de regarder obstinément le lac. Des clichés tels que « vulgaire imposteur », « abuser de sa confiance », trahissaient ce que tante Fenny appelait la basse extraction de Ronald Merrick. Et son propre instinct de classe réagissait plus subtilement, certes, mais tout aussi automatiquement que celui de tante Fenny. Mais en vertu de quoi mettrais-je sa sincérité en doute ? s'interrogea-t-elle, en s'apercevant que telle était justement sa réaction.

– Nous comprenons tous votre attitude, elle n'a rien que de très naturel. Et justement, à propos de cette femme qui a créé un incident à la gare, était-ce la mère d'un des garçons arrêtés ?

Merrick sourit et s'accorda une gorgée de whisky.

– C'est très simple. Ce n'est pas la mère mais la tante d'un des garçons. Elle lui servait effectivement de mère. La voir dans cet état m'a été très pénible, moi qui l'ai connue digne et respectable. Je n'essaie pas de fuir pour oublier. Mais ce qu'ils veulent, c'est me convaincre que j'ai commis une faute terrible, irréparable, qui ne me laissera jamais la conscience en repos. Faute ou pas, je ne peux plus revenir sur les conséquences de ce qui s'est passé. Ils ont monté la tête à cette pauvre femme. Elle croit que je pourrais faire un miracle pour elle.

Sarah le comprit à demi-mot. Il portait un lourd fardeau et depuis trop longtemps. Il aspirait à s'en décharger un instant, avant de le reprendre pour l'emporter avec lui où qu'il aille. Peut-être espérait-il le retrouver allégé après l'avoir ainsi exposé au regard d'une inconnue.

– Avez-vous remarqué l'homme qui l'a emmenée ? lui

demanda-t-il. On m'avait averti qu'il était à Meerut. C'est lui qui l'a fait venir de Mayapore en lui laissant croire que je ne pourrais pas rester insensible au spectacle de sa douleur. Quelle cruauté! Il ne se soucie pas plus d'elle que du garçon, mais il s'en sert comme d'un instrument dans ses menées tortueuses. Toute l'Inde est là. Ils sont indifférents les uns aux autres. Nous-mêmes sommes devenus si détachés, si lointains, uniquement préoccupés de ne pas perdre de vue les valeurs qui fondent notre civilisation, notre vision du monde, que notre politique n'a plus aucune prise sur la réalité. Nous ne gouvernons plus ce pays depuis déjà pas mal de temps. Nous nous contentons d'y maintenir un semblant d'ordre, conformément aux règles de conduite que nous ont léguées nos prédécesseurs.

– Oui, je crois que vous avez raison, admit Sarah.

Merrick vida son verre.

– Lorsque j'étais encore jeune stagiaire, un jour j'ai demandé à mon chef combien de temps, à son avis, nous allions encore rester en Inde. En décidant d'entrer dans la police indienne, je ne pensais qu'à mon avenir, à ma carrière. Mais une fois arrivé ici, tout m'a paru si irréel, si théâtralement faux que je n'arrivais pas à voir comment je m'y insérerais. Mon chef n'a pas trouvé ma question bizarre. « Ne vous tracassez donc pas, Merrick, m'a-t-il répondu. De toute façon, cela vous dépasse. Nous garderons l'Inde jusqu'au jour où les députés de la majorité à la Chambre des Communes voteront, parmi bien d'autres choses, notre départ de ce pays. Ils ne sauront strictement pas ce que cela signifie, ce sera simplement un élément dans la politique de réforme rêvée par des intellectuels et cautionnée par le vote des ouvriers et des petits fonctionnaires. Et si vous croyez qu'il y a quoi que ce soit de commun entre *leur* Inde et celle à laquelle vous allez avoir affaire, autant que vous repartiez pour l'Angleterre dès aujourd'hui. »

Merrick reposa son verre vide.

– C'est une chose que je n'ai jamais acceptée, dit-il. J'ai accepté l'état de fait mais non la mentalité qui, si souvent, va de pair avec lui. Je ne parle pas de l'armée qui constitue un monde fermé, à part, qui ne trouve finalement sa raison d'être qu'en temps de guerre. Mais pour les hommes de la police, pour les fonctionnaires qui ont la charge du pays, il y a la constante obligation de devoir se battre contre la politique du gouvernement, contre la politique décidée à Whitehall et contre l'idée que s'en fait votre supérieur direct. Et tous ces combats sont aussi vains les uns que les autres. Car chacun finit par appliquer machinalement une politique qu'il juge désastreuse en fermant les yeux sur ses implications humaines. Chacun n'est plus alors qu'un rouage du service administratif, de sa bureaucratie. Mais ne vous méprenez pas, Miss Layton, je n'ai pas été renvoyé de la police. Dès le début de la guerre, j'ai demandé mon transfert dans l'armée et j'ai tout mis en œuvre pour qu'il soit accepté. Cependant il a fallu qu'éclate l'affaire de Mayapore pour qu'on se décide à y donner suite. Je ne puis m'empêcher de penser que si j'avais commis une faute grave, le système l'aurait prise à son compte et m'aurait couvert. C'est ce qu'il y a de monstrueux dans cette prépondérance du corps administratif. Il contrôle tout, aveuglément, sans distinction entre le bien et le mal. Si vous en faites partie, vous pouvez à la limite commettre un meurtre en toute impunité. Il n'y a rien de pire. Chacun devrait être seul responsable de ses actes, être capable de courir le risque de se mettre en cause personnellement et d'être jugé sur son action en tant que personne, en tant qu'être humain faillible.

– Il y a des moments, avoua Sarah, où je ne sais vraiment plus ce qu'est l'être humain. (Des moments, poursuivit-elle intérieurement, où j'interroge, comme tous ceux qui m'entourent, le ciel vide, vide depuis toujours. Une découverte qui ne rend que trop criantes toutes nos supercheries.) Je comprends ce que vous voulez dire. Mais l'attitude dont vous parlez est plutôt propre aux hommes; ils ont toujours besoin de se sentir responsables. Quoique non. C'est une remarque gratuite. C'est difficile pour chacun de nous.

Comment était-elle? lui demanda-t-elle en le regardant. La jeune fille de Mayapore?

– Assez semblable à vous, dit-il sans hésiter, comme s'il avait prévu la question et réfléchi à la réponse qu'il ferait. Pas physiquement. Enfin, elle était plus grande, avec quelque chose de gauche. Elle faisait tout tomber, se cognait partout. Elle en plaisantait. Mais elle était très sensible. Pour ma part, je lui trouvais beaucoup de grâce. Elle était grave, réservée. Belle, à cause de tout cela. Le genre de fille avec qui on peut parler, échanger des choses personnelles. Ou rester sans rien dire. Nous aimions les mêmes choses en musique, en peinture. Nous venions de milieux très différents : le mien est très modeste. Mais c'était le genre de choses dont Daphné ne faisait aucun cas, peu lui importait de quel collège vous sortiez.

– Vous étiez amoureux d'elle? ne put s'empêcher de demander Sarah.

Il resta un moment à observer ses mains, doigts tendus, puis les frotta l'une contre l'autre.

– Je ne sais pas. Peut-être l'ai-je été pendant un certain temps, mais pas tout de suite. Au début, je l'ai trouvée plutôt horripilante, le genre de jeune Anglaise qui arrive ici avec la tête farcie d'idée toutes faites sur la façon révoltante dont nous traitons les Indiens et qu'une année passée à leur contact rend bien pire que nous. Alors, elle ne trouve pas de mots assez forts pour exprimer le mépris qu'ils lui inspirent. Détail très significatif, Daphné habitait chez une riche Indienne, Lady Chatterjee, une de ces aristocrates rajputes qui se piquent de ne plus rien avoir à apprendre des mœurs occidentales. C'était une vieille amie de Lady Manners, la tante de Daphné. Daphné croyait qu'elle approcherait ainsi ce qu'elle appelait l'Inde authentique. Je n'ai jamais eu beaucoup d'atomes crochus avec cette Lady Chatterjee. Elle appartenait au gratin de la société indienne qui s'enorgueillit de fréquenter notre élite. En réalité, le cloisonnement est des plus étanches. S'ils dînent chez le gouverneur ou sont invités aux soirées de bridge chez la femme du commissaire délégué, ils n'ont pas leurs entrées au club. Ils prétendent être au-dessus de ça, mais rien n'est plus faux. Ils sont mortifiés, comme l'était Daphné qui était incapable de comprendre pourquoi il faut dresser une barrière. Et pourtant, c'est indispensable. Même si nous la plaçons neuf fois sur dix au mauvais endroit, nous en avons besoin, nous avons besoin de pouvoir nous dire : « Là est la frontière. D'un côté, c'est nous, de l'autre c'est eux, et c'est bien ainsi ». De cette façon, on sait à quoi s'en tenir, on a un point de référence précis. A partir de là, on peut agir, prendre ses responsabilités, se sentir solidaire de la cause commune. Ce qui n'empêche pas qu'on puisse parfois déplacer la frontière, la rapprocher ou l'éloigner, mais non la supprimer. C'est comme un aveugle qui a besoin de se guider avec sa canne sur le bord du trottoir. Pauvre Daphné, quand je pense qu'elle a cru pouvoir se passer de tout cela. J'ai pourtant essayé de la dissuader de franchir la ligne de démarcation, mais on aurait dit qu'elle bravait le danger sans s'en rendre compte. Finalement, je ne sais pas ce qui l'a poussée, cela dépasse mon entendement. C'est ce qui l'a détruite mais c'est aussi ce qui la rendait si différente des autres jeunes filles britanniques.

Il regarda Sarah en secouant la tête.

– J'ai dit qu'elle vous ressemblait, et je m'aperçois que j'ai surtout insisté sur ce qui vous différencie. J'aurais peut-être du mal à définir ce que vous avez de commun.

– Voulez-vous dire que cela ne vous paraît plus tellement évident? lui demanda-t-elle, consciente de se défendre du regard inquisiteur qu'il posait sur elle en cherchant à le désarçonner.

– En poursuivant, je risque de vous paraître indélicat.

– Non, ne craignez rien, je sais que telle n'est pas votre intention.

– Eh bien, la première fois où je vous ai vue, le matin de votre arrivée à Meerut, au buffet de la gare, quand nous sommes repartis, vous avez voulu vous asseoir à côté du chauffeur indien. J'ai pensé que vous aviez la même vision des choses et que, comme elle, la barrière vous paraissait inutile. Mais j'avais tort et cela ne me regardait pas.

– Pourquoi?

– Parce que je vois bien maintenant que pour vous cette barrière existe et que vous la respectez. Vous souvenez-vous de la façon dont, dans le taxi, je me suis attardé sur la situation particulière du jeune Kassim?

– Je m'en souviens, oui.

– En fait, je cédais à une sorte de réflexe dans la mesure où je l'avais déjà vu et où il m'avait étrangement rappelé Hari Kumar par bien des aspects.

– Qui est Hari Kumar?

– Le suspect numéro un de l'affaire des jardins du Bibighar. L'homme qu'elle s'était mise à fréquenter.

– Oui, je vois.

– Et pourtant, à part l'aspect physique, ils n'ont rien de commun comme Miss Manners n'avait finalement rien de commun avec vous. Mais dans le taxi, mon imagination m'a joué un tour et j'ai eu l'impression que Daphné et Hari allaient de nouveau se rencontrer sous mes yeux. C'est insensé mais c'est ainsi. Vous étiez assise à l'avant, vous aviez mis votre main en écran au-dessus de vos yeux, exactement comme elle le faisait. Elle avait ainsi une façon de rester immobile de longs moments à observer les choses attentivement. Et en arrivant à la maison des hôtes, il s'est trouvé qu'Ahmed était là pour vous accueillir. De l'autre côté de la barrière.

En une fraction de seconde, Sarah revit Ahmed sortant de l'ombre et s'avançant sur le perron de la maison des hôtes au moment où leur taxi entrait dans la cour, après l'éblouissante explosion de lumière sur le lac. Puis cette image se fondit dans celle de sa promenade à cheval, escortée – ou plutôt suivie – du jeune homme.

– Enfin, il y a eu le matin où vous êtes sortie faire du cheval avec lui et où Teddie et moi nous sommes trouvés sous la véranda au moment où vous débouchiez dans la cour de la maison des hôtes. A cet instant je me suis dit : « Et voilà, j'avais raison, tout recommence. » Mais dès que vous avez mis pied à terre, j'ai su qu'il n'en était rien. Les barrières étaient toujours dressées. Rien qu'à voir votre attitude, je pouvais deviner que vous ne saviez pas comment le quitter sans paraître discourtoise. Et vous l'avez invité à prendre le petit déjeuner, n'est-ce pas?

Kumar aurait accepté, lui. Mais Mr Kassim ne perdait pas des yeux la ligne qui vous séparait. Vous avez d'ailleurs été aussi soulagée que lui lorsque, après avoir décliné votre invitation, il est remonté à cheval et s'est éloigné. Ai-je raison?

Pour de mauvais motifs il avait effectivement raison. Avant de lui répondre, Sarah attendit d'être sûre de maîtriser son irritation.

– Je ne peux pas répondre à la place de Mr Kassim.

– Non, mais vous, insista-t-il, vous étiez bien soulagée?

– Non, à aucun moment je n'ai éprouvé la moindre contrainte.

– La barrière est pourtant toujours là. Que nous lui résistions ou que nous fassions semblant d'ignorer sa présence.

– Mais de quoi parlons-nous Ronald? lui demanda-t-elle en l'appelant délibérément par son prénom pour le punir d'avoir feint d'ignorer qu'elle le dispensait de s'en tenir à « Miss Layton ». Parlons-nous de la pression sociale qui garde à bonne distance les maîtres et leurs esclaves, ou de la pression biologique qui fait croire à une jeune fille blanche qu'il lui répugnerait d'être touchée par un Indien?

Impossible d'affirmer s'il avait rougi. Il faisait maintenant tout à fait nuit. Le lac avait drainé et englouti toute la lumière. Merrick passa sa main sur son front comme pour se confirmer qu'il ne lui restait plus qu'à traverser sans encombre le terrain miné où il s'était si imprudemment aventuré.

– Les deux contraintes sont inséparables. Un homme, si ses goûts l'y invitent et qu'il épouse ou vit avec une Indienne, ne se sentira à aucun moment diminué, dégradé, et personne autour de lui ne le pensera. Quelle que soit la couleur de peau de sa partenaire, il a et il garde le rôle dominant. Mais qu'un homme à peau noire touche une femme blanche, et il saura aussitôt qu'il la diminue, qu'il la rabaisse, et elle aussi en aura conscience. Pour les Indiens, un homme, une femme à peau blanche est un être plus beau, plus réussi, en un mot supérieur. Capable de commander, mentalement et physiquement fait pour dominer. Pour eux, les Blancs sont les descendants des Aryens venus du nord, et les hommes à peau noire, les descendants des aborigènes qu'ils ont refoulés vers le sud.

Il s'accorda un moment de répit avant de poursuivre :

– Je me suis exprimé maladroitement, et surtout j'ai violé une des règles sacrées de notre milieu qui prescrit de ne jamais parler de ces choses. D'ailleurs, on ne doit plus parler de rien, de rien d'important.

– Je sais. C'est le seul moyen de garder cachés nos préjugés et de continuer à vivre comme s'ils n'existaient pas. Voulez-vous encore un verre?

– Non, merci. Je dois partir. J'ai encore tous mes bagages à faire. Puis-je vous demander de transmettre mes adieux et mes excuses à votre famille?

En jetant un coup d'œil sur sa gauche, Sarah remarqua que la chambre de tante Fenny et oncle Arthur était éclairée. Une servante avait dû les réveiller. La fenêtre de la chambre de sa mère restait dans l'obscurité.

– Regardez, voici la première luciole, dit Merrick en se levant.

Mais elle ne la vit pas. Elle s'était levée à son tour, et maintenant elle imaginait Teddie et Susan accoudés à la fenêtre de leur chambre, contemplant le paysage que dominait le Nanoora Hills Hotel.

– La fin de votre attente, dit le capitaine Merrick, et pour moi, le signal du départ.

Elle sourit et alla manœuvrer le commutateur pour éclairer la terrasse. Merrick se trouva baigné dans une lumière jaune qui accusait les traits de son visage osseux. Elle sentit avec acuité à quel point il était pétrifié par le désir implacable d'être accepté, approché, touché physiquement. Elle dut faire un effort pour saisir la main qu'il lui tendait lentement, comme s'il comprenait qu'on veuille éviter à tout prix son contact.

– Eh bien, au revoir, dit-elle en serrant sa main chaude et moite.

La lumière avait déjà attiré une petite colonie d'insectes.

– Non, ne vous dérangez pas, la pria-t-il, en voyant qu'elle voulait le raccompagner en bas de la terrasse. La prochaine luciole ne va pas tarder.

Elle le regarda s'éloigner, surprise d'éprouver brusquement un vague sentiment de solitude. Il ne se retourna pas.

Elle descendit les marches, fit quelques pas dans le noir et s'immobilisa. Les lucioles faisaient leur lumineux ballet aérien. L'air nocturne n'était plus qu'une immense caresse qui courait sur toute l'Inde. Après le départ de Ronald Merrick, elle avait pris un bain et s'était changée. Le rituel des soirées en famille était au rendez-vous : une véranda donnant sur un jardin, le bruit feutré des pieds nus d'un domestique suffisaient pour qu'on se sente à la maison. Un sentiment qui relevait avant tout d'une certaine façon d'accueillir les heures qui passent, et ce n'était qu'au hasard du sommeil qu'on s'aventurait parfois dans le pays dangereux de l'exil. Chacun emportait avec soi ses pénates, l'iconographie familiale, dans le secret de son cœur. Pourquoi sommes-nous comme des lucioles? se demanda Sarah, ne nous déplaçant qu'avec toutes nos bougies, une myriade de flammes qui illuminent les fenêtres pour nous préserver de la tentation d'un retour aventureux au pays.

Elle s'était mise à rire en essayant d'attraper un des insectes lumineux, et brusquement elle s'arrêta. Elle venait de penser à son père : « J'espère que tu vas bien, j'espère que tu n'es pas trop malheureux. J'espère que tu seras bientôt de retour parmi nous. » Elle fit demi-tour au moment où tante Fenny et oncle Arthur apparaissaient sur la terrasse et s'arrêtaient pour échanger quelques mots. Elle n'entendait pas leurs propos, mais y avait-il jamais eu aucun intérêt à observer deux Anglais ensemble? Puis Fenny disparut à l'intérieur et dut aller frapper à la porte de sa sœur, une bande de lumière verticale se dilata, dans laquelle se découpait son ombre.

Oncle Arthur s'était installé dans un fauteuil d'osier.

Dès qu'il se sentait seul, il se détendait. Il appela le serviteur, croisa les jambes, en balança une en cadence, caressa son crâne chauve. De la main droite, il se mit à tambouriner sur la table. Il bâilla, desserra son nœud de cravate, se gratta l'entrejambe. En entendant approcher Abdur Rahman, il tendit le cou, releva le menton pour lui adresser la parole. Peut-être lui avait-il demandé où elle était, car Abdur sembla l'inviter du regard à scruter l'obscurité du jardin, au-delà des figures géométriques que la lumière dessinait sur le gravier de la cour et sur le gazon.

La bande de lumière verticale réapparut. Et tante Fenny, accompagnée de Mrs Layton un verre à la main, s'avança sur la terrasse. Aussitôt, oncle Arthur se leva, reprit son rôle, le buste droit, le geste mesuré. Les deux femmes prirent place de part et d'autre d'oncle Arthur, qui se laissa retomber dans son fauteuil et croisa les jambes, mais en imposant l'immobilité à celle qui aimait le mouvement. Sarah perçut la voix aux vibrations nettes et fermes de tante Fenny.

Elle se dirigea vers eux comme si elle revenait d'un long voyage solitaire. Un frisson la parcourut. N'était-il pas imprudent de se promener ainsi seule la nuit? Elle ne voulait pas être seule. Elle se souvint du sentiment d'abandon qu'elle avait éprouvé un peu plus tôt, dans la chambre qu'elle avait partagée avec Susan, à la vue de son lit préparé pour la nuit et drapé de sa moustiquaire.

« Ma famille » se dit-elle en foulant les surfaces géométriques découpées par la lumière sur le gravier. « Ma famille. Ma famille. Ma famille. »

Livre deux

Ordres d'élargissement

PREMIÈRE PARTIE

La situation

Mai 1944.

Sortant de la cour du palais du gouverneur, l'automobile prit ce que son mari et elle avaient autrefois baptisé la Grande Grille. Et avant qu'il entre en fonctions, comment l'appelait-on? Elle ne s'en souvenait plus. Elle céda au besoin habituel de se rassurer en portant une main au plissé de son corsage fermé par une rangée de boutons de nacre.

La voiture roulait en direction de la ville. Parvenu au carrefour de l'Elphinstone Fountain, le chauffeur tourna à droite dans la grande artère traversant le quartier commercial à la circulation intense et bruyante. A l'arrière des imposants immeubles abritant des bureaux et des banques s'étendait le labyrinthe du Koti Bazar, où elle était allée tant de fois se promener et faire des achats accompagnée uniquement de Suleiman, au désespoir des aides de camp d'Henry. Elle jeta un coup d'œil à celui qui était assis à côté d'elle aujourd'hui et fut bien obligée de constater qu'elle avait déjà oublié son nom.

– Vous avez une question à poser, Lady Manners? Quelle perspicacité!

– Je crains d'avoir oublié votre nom.

– Rowan, dit-il sans se formaliser.

– Rowan. La mémoire est une chose curieuse. Mon mari avait une mémoire stupéfiante. La mienne était des plus capricieuses. Je m'en accommodais en me tirant des situations délicates par des pirouettes jusqu'au jour où j'ai compris que je rendais ainsi mes oublis encore plus évidents. Appelle-t-on toujours la porte que nous avons passée la Grande Grille?

– Non, pas à ma connaissance. Son Excellence l'appelle l'Entrée Privée. En fait, son nom officiel est Curzon Gate à cause de la statue qui lui fait face.

– Mais le palais du gouverneur a été bâti antérieurement à la vice-royauté de lord Curzon?

– C'est exact.

– Au fond, l'Entrée Privée sonne bien. Et le prochain gouverneur lui trouvera un autre nom. Ce n'est jamais qu'une façon de se donner l'illusion d'être en fonctions en pays connu. Est-ce que vous allez reprendre du service actif, capitaine Rowan?

Il était en civil mais la veille, lorsqu'il l'avait accueillie dans le bureau privé du gouverneur, il portait l'uniforme et arborait la Military Cross.

– Non, madame. Et c'est une bonne chose, car je n'ai pas l'étoffe d'un commandant de troupe.

– Vous avez été blessé?

– Même pas. J'ai simplement trouvé le moyen d'attraper l'une après l'autre toutes les maladies tropicales qui traînaient.

– Vous comptez sur une nomination à un poste dans l'état-major?

– Non. J'espère retourner dans l'administration civile. Avant le déclenchement des hostilités, j'y avais été détaché pour un stage de formation.

– Vous étiez en Birmanie?

– Oui.

Ils roulaient à présent dans Kandipat Road. Derrière les arbres en bordure, on voyait à droite le parc appelé Sir Ahmed Kassim Memorial Gardens derrière ses grilles et, à gauche, une succession de belles demeures closes de murs, appartenant à des Indiens aisés. La plupart étaient vides, les occupants ayant gagné leur maison d'été dans les collines. En passant devant les grilles du numéro huit qui était resté habité, elle chercha à se rappeler si c'était l'adresse de MAK. Puis elle essaya de retrouver également le nom de la jeune fille qui lui avait envoyé un bouquet de fleurs en quittant la maison flottante – un nom lié à Pankot.

– Est-ce que vous avez la photographie, capitaine Rowan?

– Son Excellence m'a remis une enveloppe à votre intention, dit Rowan en sortant de la serviette de cuir posée sur ses genoux une enveloppe carrée beige.

– Pourriez-vous me la décacheter?

Elle le regarda chercher la partie non collée du rabat, glisser son doigt dessous et le détacher d'un coup sec avant de lui tendre l'enveloppe. Elle avait déjà sorti un étui à lunettes de son sac. Le tirage sur papier mat portait deux photos, l'une de face, l'autre de profil.

Elle commença par éviter le regard vide du cliché pris de face pour examiner le portrait de profil, le dessin ferme de l'oreille, la coupe nette des cheveux noirs et luisants. En raison du jeu de la lumière artificielle sur les peaux noires, l'image semblait résulter d'une superposition du négatif et du positif. Voici donc la tête qu'il a, se dit-elle en passant au portrait de face dont les yeux semblaient injectés de sang. Elle ferma un instant les paupières pour revoir un petit visage, et les rouvrit brusquement. Oui, il pouvait y avoir une ressemblance. Elle glissa la photo dans l'enveloppe et enleva ses lunettes. Ils traversaient maintenant des faubourgs miséreux où régnait une forte odeur d'excréments animaux et humains. Adossé à un mur, son corps nu couvert de cendres, bras croisés et la tête penchée, un *sadhu* les regardait passer. Elle le vit ouvrir la bouche et distingua les muscles du cou qui saillaient, mais les enfants qui les escortaient en réclamant une aumône à grands cris couvrirent sa voix. La voiture roulait presque au pas, coincée derrière la charrette d'un paysan, qu'elle ne pouvait doubler à cause d'une file d'hommes à vélo arrivant en sens inverse. La poussière en suspension dans l'air voilait la lumière du soleil. La chaleur était accablante.

Elle rangea ses lunettes dans son sac à main et tendit l'enveloppe au capitaine Rowan :

– Je n'en aurai plus besoin.

Il consulta sa montre-bracelet et leurs regards se rencontrèrent.

– Nous disposons d'une dizaine de minutes avant d'arriver, Lady Manners. Peut-être pourrions-nous les mettre à profit pour convenir de la manière dont nous allons procéder.

Elle porta de nouveau sa main aux boutons de son corsage, comme pour se protéger. Elle regarda la nuque du chauffeur et celle de l'homme assis à côté de lui, qui étaient séparés d'eux par une épaisse vitre.

– Je ne doute pas que Son Excellence ait tout prévu pour le mieux. Et je suis préparée à ce qui m'attend.

– Avant d'arriver à la prison de Kandipat, je tirerai les rideaux des portières. Le passager à l'avant a tous les papiers nécessaires pour que nous franchissions les portes de la prison sans encombre. Nous allons donc nous arrêter à deux reprises. La deuxième fois, nous serons à l'intérieur. En descendant de voiture, nous pénétrerons directement dans un couloir au bout duquel il y a une porte marquée « O ». C'est celle de la pièce où je vous laisserai seule. Elle n'a que cette porte. L'homme qui est à côté du chauffeur montera en permanence la garde dans le couloir.

– Je resterai seule dans cette pièce? C'est donc de là que je pourrai voir et entendre sans être vue.

– Oui. Quand ce sera terminé, j'irai vous chercher. Vous n'aurez donc affaire à personne d'autre que moi. La voiture nous attendra au même endroit, prête à sortir aussitôt de la prison pour nous conduire directement au palais du gouverneur, dit Rowan en se penchant pour regarder par la vitre. Nous arrivons à Kandipat, dit-il. Je vais tirer les rideaux.

L'arrière de la voiture baignait à présent dans une lumière incertaine d'aquarium. Elle perdit la notion du mouvement du véhicule. Elle leva les mains, tâtonna pour trouver la grosse tête ronde de son épingle à chapeau, la retira et la ficha dans le capitonnage de la voiture à hauteur de son épaule. Ayant rabattu devant son visage un voile épais et long, elle remit l'épingle à chapeau en place.

– Capitaine Rowan, je tiens à vous remercier pour tout ce que vous faites, pour tout ce que vous avez fait pour moi. Puis-je de surcroît compter sur votre discrétion?

– Cela va de soi, Lady Manners.

– J'ai cru comprendre que Son Excellence vous avait choisi pour une raison qu'il estimait ne pas pouvoir m'échapper. S'il s'agissait, comme je le crois, de votre courtoisie et de votre efficacité, j'ai déjà pu en apprécier toute l'étendue. Pardonnez-moi d'avoir cru bon de faire appel à votre discrétion et permettez-moi de vous redire toute ma reconnaissance.

Elle lui sourit et se souvint aussitôt qu'il avait peu de chance de la voir, dissimulée qu'elle était par son voile. Il n'avait pas accueilli les compliments avec gêne. Voilà un homme qui connaît sa valeur, qui aime son devoir et reçoit les éloges avec dignité. J'en rends grâce à Dieu, surtout en un pareil moment.

Elle fut reconnaissante au capitaine Rowan de garder le silence, sans essayer de l'arracher à la contemplation du mystère de l'inhumanité de l'homme envers l'homme dont la prison est une manifestation. Manifestation au cœur de laquelle elle pénétrait sans rien voir : premier arrêt, pause, démarrage et enfin dernier arrêt. Il y avait eu le moment où l'intérieur de la voiture avait été brutalement plongé dans une épaisse obscurité, qui devenait la matérialisation du mystère comme l'était l'odeur glacée suintant des murs telle la sueur froide de l'angoisse. Le capitaine Rowan vint lui ouvrir la portière, et la main qu'il lui tendit était aussi froide que le courant d'air humide qui les accueillait dans cet univers de détresse. Elle monta les marches donnant accès à une porte étroite, en remerciant intérieurement son compagnon de la soutenir discrètement, en feignant de la guider. Le couloir dallé conduisait droit à une porte qu'éclairait une ampoule nue et sur laquelle était peinte en banc la lettre « O ». Le couloir tournait à angle droit et se prolongeait jusqu'au palier d'un escalier de bois que

Rowan, après l'avoir laissée seule, allait vraisemblablement descendre.

Dès le seuil de la pièce, un courant d'air sec et froid lui pinça les narines et lui endolorit les sinus, comme chaque fois qu'elle pénétrait dans un endroit climatisé. Je vais attraper un rhume, pensa-t-elle. Rowan la précéda pour donner de la lumière. Elle songea qu'il avait dû répéter ses gestes en venant repérer les lieux.

Une pièce blanche carrée. Contre le mur du fond, une table, et, à sa gauche une chaise tournant le dos à la porte. Sur la table couverte de feutrine verte, une carafe d'eau portant un verre retourné, un cendrier, un bloc-notes, deux crayons, une lampe basse et un appareil téléphonique :

Le capitaine Rowan avait allumé la lampe qui dessinait une petite flaque de lumière sur le papier blanc.

– Si vous voulez bien prendre place, Lady Manners, j'éteindrai le plafonnier.

Elle s'assit et releva son voile. A hauteur de son regard, il y avait une grille rectangulaire fixée au mur et surmontée par une petite ouverture grillagée. Rowan s'approcha du mur et ouvrit la grille. Derrière, il y avait une vitre, et, de l'autre côté de la vitre, un store de bois ou de métal, dont les lattes obliques permettaient au regard de plonger dans une pièce en contrebas. Elle distingua une table, plusieurs chaises et une porte dans chacun des trois murs qu'elle pouvait apercevoir. Une feutrine verte recouvrait la table sur laquelle étaient disposés un téléphone, deux carafes, des verres, des blocs-notes et des crayons. Au-dessus de la table, pendait une ampoule de forte puissance.

– En fait, je n'ai plus grand-chose à vous expliquer, dit le capitaine Rowan. D'en bas, même si vous laissiez cette lampe allumée, rien ne peut trahir votre présence, surtout pas pour la personne qui occupera la chaise face à vous et qui sera éblouie par la lampe au-dessus de la table. J'ai fait l'essai moi-même. Mais si votre lampe vous gêne, vous pouvez toujours l'éteindre.

– Je crois que je me sentirai moins vulnérable dans le noir.

– Très bien, dit-il. Votre micro est dans l'appareil

téléphonique, et vous entendrez ce qui se dit en bas par le haut-parleur placé au-dessus de la grille. En descendant, je ferai un essai pour m'assurer que vous entendez bien. Il y a un bouton sous le bras de votre fauteuil. Si vous le pressez une lumière verte s'allumera sur notre appareil. Vous pouvez ainsi intervenir à tout moment. Je décroche le combiné et je vous réponds d'une façon plus ou moins détournée. Surtout, n'hésitez pas à le faire si vous le jugez bon. Si vous estimez nécessaire de discuter de certains points avec moi, nous pouvons suspendre les opérations autant de fois que cela s'avérera utile. Êtes-vous assez près de la grille?

– Oui, merci capitaine Rowan. De toute façon, je peux mettre mes lunettes.

– J'éteins la lampe?

– S'il vous plaît.

Aussitôt la pièce en contrebas parut plus éclairée.

– Si tout est à votre convenance, je vais vous laisser, Lady Manners.

– Je vous en prie, capitaine Rowan, faites donc.

Une fois seule, elle ouvrit son sac à main, et y chercha à tâtons ses lunettes, parmi le fouillis familier. Dès qu'elle les eut mises, elle distingua chaque détail de la chaise qu'allait occuper celui qui monopoliserait toute son attention. Au-dessus de la porte, dans le mur du fond de cette pièce, une horloge marquait dix heures vingt.

Elle vit cette porte s'ouvrir, et le capitaine Rowan s'avancer jusqu'à la table, y déposer sa serviette, puis s'asseoir à la place qu'occuperait le prisonnier. Il fixait un point juste en face de lui. Un peu métallique, sa voix parvint à Lady Manners :

– La table étant placée sur une petite estrade, la personne qui occupera la chaise où je suis devra lever un peu la tête pour regarder celui qui lui fera face, de l'autre côté de la table. Vous verrez donc nettement ses expressions et son regard. Nous allons essayer le téléphone.

Elle tendit le bras droit et décrocha le combiné.

– Vous m'entendez bien.

– Oui, parfaitement.

– Nous pouvons commencer?

– Dès que vous voudrez.
– Je vais attendre que vous ayez raccroché.

Il leva son regard et cligna des yeux sous l'effet de la lumière crue qui tombait du plafond. Sa voix retentit dans le haut-parleur.

– Je vous confirme que personne ne peut distinguer votre petite baie. Je vais m'absenter un moment. Entre-temps, un secrétaire chargé d'établir un procès-verbal de la séance va venir s'installer. Lorsque je reparaîtrai, je serai accompagné d'un représentant du département de l'Intérieur. Lui et le secrétaire sont indiens. Si le représentant de l'Intérieur est ici, c'est à la demande de Son Excellence qui ne voulait pas que toute cette affaire soit menée en la seule présence d'un membre de son cabinet personnel.

Tout en parlant, Rowan avait contourné la table et se trouvait le dos tourné à Lady Manners. Il sortit quelques papiers de sa serviette et elle le vit hésiter en mettant la main sur l'enveloppe beige qu'elle lui avait rendue.

– Son Excellence ne m'en a pas parlé, reprit-il, mais je suppose que cette enveloppe contient la photo de l'homme en question. Si tel est bien le cas, je crois devoir vous mettre en garde contre le fait qu'elle date de deux ans, certainement d'août 1942. Il a sûrement beaucoup changé depuis, conclut-il en replaçant l'enveloppe dans sa serviette avant de jeter un regard circulaire sur la pièce qu'il quitta en refermant la porte derrière lui.

La pendule indiquait dix heures vingt-neuf. La porte de gauche s'ouvrit et un Indien entre deux âges fit son apparition. Il était chauve, portait des lunettes à monture dorée et était habillé d'une chemise en coton tissé à la main et du *dhoti.* Il avait les pieds nus dans des chaussures de cuir noir. Il alla s'installer sur la chaise placée à gauche, si loin de la table qu'il sortait presque du champ de vision de Lady Manners. Tous les bruits qu'il faisait lui parvenaient très distinctement. Elle ne voyait plus que ses jambes croisées et le bloc-notes posé sur ses genoux. Il fit quelques marques sur le papier pour essayer l'arrivée d'encre de son stylo. Satisfait, il en revissa le capuchon et il se mit à arranger avec soin les plis de son *dhoti*. Elle eut l'impression de surprendre une femme en train de vérifier la chute gracieuse de sa robe longue. Il toussa, s'éclaircit la voix et se mit à tapoter son bloc-notes avec son stylo. Elle se rendit compte qu'elle-même luttait contre un chatouillement dans la gorge et, se rappelant qu'on ne pouvait l'entendre, à son tour elle toussa un bon coup.

Brusquement le tapotement s'arrêta et la porte sous l'horloge s'ouvrit. Le secrétaire se leva. Rowan était suivi d'un vieil homme filiforme portant un costume gris très clair rayé ton sur ton et une cravate rose. Il tenait un porte-documents noir. En allant s'asseoir de l'autre côté de la table, il lança un bref coup d'œil vers le haut du mur en direction de la grille. Le capitaine Rowan prit également place à la table mais en laissant entre eux une bonne distance, de sorte que la chaise en face d'eux était bien visible d'en haut. On n'entendait plus que le bruit des papiers que les deux hommes manipulaient.

– Pouvons-nous commencer? demanda brusquement Rowan.

– Mais oui. Je suis prêt, si vous l'êtes, dit l'Indien en costume qui avait une voix particulièrement grave et douce.

– Veuillez les prévenir que nous sommes prêts, dit-il au secrétaire.

L'homme en *dhoti* gagna la porte de droite, l'ouvrit, s'adressa à quelqu'un en hindi et retourna s'asseoir.

Pendant un instant, Lady Manners ferma les yeux. Lorsqu'elle les rouvrit, il n'y avait toujours que les trois hommes dans la pièce. Sa main revint palper les boutons et les plis de son corsage, puis s'immobilisa. Pour calmer les battements précipités de son cœur, elle respira plusieurs fois à fond, le plus lentement possible. La porte en face d'elle s'était ouverte sans qu'elle puisse voir qui s'en était chargé. Le battant formait maintenant un angle droit avec le mur.

Il avança d'un pas hésitant, s'arrêta et regarda les deux hommes assis de l'autre côté de la table, puis celui qui le tenait par le bras, un gardien en uniforme kaki, short et chemise, coiffé d'un turban et armé d'un bâton court. Le gardien se mit au garde-à-vous, salua, fit demi-tour et sortit en refermant la porte. L'homme à la peau noire portait un ample pantalon de toile grise et une tunique boutonnée sans col. Il était pieds nus dans des sandales.

– Asseyez-vous, lui dit le capitaine Rowan en lui désignant la chaise.

De face comme de profil, le visage de l'homme était le même que celui des photographies. Et pourtant très différent. Sur les photos, l'homme dressait la tête, il offrait un beau visage noir aux cheveux ondulés dont une mèche retombait souplement sur le front. A présent, il avait les cheveux plus courts et un peu en bataille, les joues creuses, la peau terne et légèrement grise, malgré sa pigmentation brune. Le poids de la tête semblait commander à toute l'attitude du corps, comme si l'homme avait passé de longues heures assis, laissant pendre ses mains jointes entre ses jambes écartées, les yeux rivés au sol. Il s'était arrêté à côté de la chaise.

– *Baitho*, lui répéta en hindi l'envoyé du ministère.

L'homme s'assit et resta le dos rond, les yeux fixés sur la table.

– *Kya, ham Hindi yah Angrézi men bolna karengué?* lui demanda Rowan.

Dans le bref regard que l'homme lança à Rowan, la spectatrice cachée perçut l'éclair d'une attention en alerte. Profondément enfoncés dans les orbites, les yeux semblaient plus grands, plus sombres que sur la photo.

– *Angrézi*, répondit l'homme d'une voix claire.

– Parfait. En anglais, donc, dit Rowan en ouvrant un dossier. Votre nom est Kumar, votre prénom Hari.

– *Hân.*

– Fils du défunt Duleep Kumar, dont la dernière adresse était Didbury, comté du Berkshire, Angleterre.

– *Hân.*

– Au moment de votre arrestation vous étiez domicilié dans la villa numéro douze du Chillianwallah Bagh à Mayapore, chef-lieu de district, chez votre tante, Shalini Gupta Sen, *née* Kumar, veuve de Prakash Gupta Sen.

– *Hân.*

– Vous avez été appréhendé le 9 août 1942, par ordre du chef de la police de Mayapore, et placé en garde à vue pour interrogatoire. Le 24 août, au terme de l'enquête vous avez été décrété d'arrestation en vertu des Ordonnances sur la défense du territoire, et transféré pour mise en détention à la prison de Kandipat, quartier de Kandipat, à Ranpur.

– *Hân.*

– J'avais cru comprendre que vous aviez choisi de parler en anglais, or vous me répondez en hindi. Auriez-vous changé d'avis, et préférez-vous que nous poursuivions cette audition en hindi?

Kumar leva les yeux et regarda Rowan comme il avait dû regarder l'objectif de l'appareil qui avait servi à prendre les photos deux ans plus tôt – un appareil qui ne pouvait pénétrer dans son regard au-delà d'une ligne derrière laquelle il se tenait retranché, où les humiliations ne pouvaient l'atteindre ni entamer le sens qu'il avait de sa dignité personnelle.

– Je vous demande pardon, dit-il (et la femme ferma les yeux pour mieux écouter la voix), c'était involontaire. J'ai rarement l'occasion de parler en anglais, sauf avec moi-même.

– Je comprends, dit Rowan (ces voix se déversant au-dessus de sa tête auraient pu être celles de deux Britanniques appartenant à l'élite et conversant courtoisement). Par décision du gouverneur prise en conseil le 15 mai 1944, nous avons ordre de vous entendre sur tous les faits mentionnés dans votre dossier et ayant justifié votre incarcération en vertu des Ordonnances sur la défense du territoire. Vous êtes libre d'accepter ou de refuser de vous prêter à cette audition qui n'a en aucun cas pour objet d'émettre une recommandation sur votre détention, et ce, quelle que soit votre décision concernant cet interrogatoire. Que décidez-vous?

– J'accepte de me prêter à cette audition, dit le prisonnier au bout d'un instant.

– Nous en prenons acte. Affaire Kumar Hari, dit Rowan à l'intention du secrétaire, fils du défunt Duleep Kumar, incarcéré à la prison de Kandipat, Ranpur, sous mandat d'arrêt daté du 24 août 1942, en vertu de l'article vingt-six des Ordonnances sur la défense du territoire. Conformément à un ordre, daté du 15 mai 1944, du gouverneur en son conseil, palais du gouverneur, Ranpur, le capitaine Nigel Robert Alexander Rowan et Mr Vallabhai Ramaswamy Gopal, procèdent à l'audition du prisonnier. Ses déclarations ne se font pas sous serment. Procès-verbal confidentiel destiné à Son Excellence le Gouverneur et une copie au représentant du département de l'Intérieur dans le Conseil exécutif.

Elle rouvrit les yeux et observa Kumar, toujours voûté, les yeux rivés sur la table, comme indifférent à tout un galimatias qui ne le concernait pas. Le silence qui suivit ne fut troublé que par le bruit que faisait Rowan en consultant ses papiers. Un regard de Kumar à son interlocuteur anglais permit à Lady Manners de surprendre une nouvelle fois la lueur de vigilance qui se cachait dans les yeux du prisonnier, dont toute la personne évoquait une soumission passive.

– Étant bien entendu qu'une détention justifiée par l'application des Ordonnances sur la défense du territoire dispense de traduire l'individu en cause devant un tribunal, commença Rowan, la commission d'examen, ici présente, de l'affaire Kumar, dispose pour mener à bien sa mission des déclarations et des dépositions, ainsi que d'un état des preuves matérielles et des conclusions des autorités civiles du district de Mayapore. Ces pièces ont été soumises au commissaire de division qui a décidé de votre placement en détention, le vôtre et celui des cinq autres accusés. Nous n'examinerons ici que les documents qui vous concernent. Notre commission n'a pas à vous communiquer le contenu de votre dossier, mais nous baserons toutes nos questions sur sa teneur. Je vais commencer par vous lire une liste de noms en vous demandant chaque fois si, au moment de votre arrestation, vous étiez personnellement en relation avec l'homme désigné. Je peux commencer?

– Oui.

– Le premier nom est S.V. Vidyasagar, secrétaire de rédaction au *Mayapore Hindu*, précédemment employé comme journaliste à la *Mayapore Gazette*. Étiez-vous en relation avec cet homme?

– Oui.

– Narayan Lal, commis à la librairie générale de Mayapore.

– Oui.

– Nirmal Bannerjee, chômeur, diplômé d'électrotechnique du Collège technique de Mayapore, fils de B.N. Bannerjee, employé de bureau chez Dewas Chand Lal, commerçant en gros.

– Oui.

– Bapu Ram, stagiaire à la British-Indian Electrical Company, Mayapore.

– Oui.

– Moti Lal, commis au comptoir de Romesh Chand Gupta Sen, commerçant en gros de Mayapore, condamné à six mois de prison en avril 1941 en application de l'article 188 du Code pénal indien. Évadé de prison en février 1942 et toujours en fuite à la date à laquelle a été établi ce document.

– Oui.

– Puranmal Mehta, sténographe, employé à l'Imperial Bank of India, Mayapore.

– Oui.

– Gopi Lal, sans emploi, fils de Shankar Lal, gérant d'hôtel.

– Oui.

– Le Pandit B.N.V. Baba, domicilié B-l, Chillianwallah Bazar Road, Mayapore, enseignant.

– Oui.

– Maintenant, je vais séparer ces noms en deux groupes : dans le premier nous avons deux noms – S.V. Vidyasagar et le Pandit Baba. Les questions que je compte vous poser concerneront le genre de relations que vous entreteniez avec ces deux hommes, et plus particulièrement avec le Pandit Baba, dont rien dans votre dossier ne me permet de comprendre pourquoi, après votre arrestation, on vous a interrogé à son sujet. Je serais peut-être plus fixé si je consultais les dossiers des autres inculpés mais, dans le cadre de cette audition, les renseignements qu'ils contiennent ne sont pas recevables. Ma première question sera donc : pourriez-vous nous dire pourquoi, selon vous, on vous a demandé des précisions sur les relations que vous entreteniez avec le Pandit Baba? Je vous rappelle qu'à cette question, comme d'ailleurs pratiquement à toutes les autres, vous avez répondu que vous n'aviez rien à dire. J'espère que nous n'allons pas nous retrouver ce matin dans une situation identique. Pouvez-vous répondre à ma question?

Un silence s'établit, qui se prolongea un certain temps. Lorsque Kumar prit la parole, sa voix ne trahissait aucune hésitation.

– Je suppose qu'on lui attribuait une grande influence sur les jeunes Indiens cultivés.

– Qui pensait cela?

– Les autorités civiles de Mayapore.

– Y compris la police?

– Oui. La police l'avait déjà convoqué en une occasion afin de le questionner sur un de ses disciples qui avait été arrêté pour menées séditieuses.

– Ses disciples?

– Oui, des jeunes gens qui se rassemblaient pour écouter son enseignement.

– Vous-même, quels rapports entreteniez-vous avec le Pandit Baba?

– Je l'ai connu en 1938, lorsque ma tante l'a engagé pour me donner des cours d'hindi. Son haleine empestait l'ail. Il n'était jamais à l'heure. Ses leçons ne m'ont pour ainsi dire jamais rien appris.

– Vous ne connaissiez aucune langue indienne?

– Aucune.

Il y eut un bruit de papier, et Gopal prit la parole :

– J'aimerais poser quelques questions au détenu sur ses antécédents, dit-il à l'adresse de Rowan qui acquiesça d'un hochement de tête. D'après le document que j'ai sous les yeux, votre père vous aurait emmené en Angleterre lorsque vous aviez deux ans. Vous êtes né en Inde, votre père était propriétaire foncier. Vous a-t-il laissé quelque chose en héritage?

– Non. Avant de partir pour l'Angleterre, mon père a cédé tout ce qu'il possédait à ses frères.

– Votre père n'a jamais essayé de vous apprendre votre langue maternelle?

– Il n'a jamais eu l'occasion de m'apprendre quoi que ce soit.

– Pourquoi?

– Parce qu'il n'avait qu'une ambition : me rendre plus anglais qu'un Anglais. Dans ce but, j'ai d'abord eu une gouvernante anglaise, puis un précepteur, puis je suis allé dans une école privée et, enfin, au collège de Chillingborough. Je voyais très peu mon père.

– Vous a-t-il dit pourquoi il vous donnait une telle éducation?

– Il voulait que j'entre dans l'Indian Civil Service en qualité d'Indien, mais avec tous les atouts d'un véritable Anglais.

– C'est-à-dire?

– Le caractère, les manières, l'attitude, la langue.

– Qu'il jugeait supérieurs aux équivalents indiens?

– Non. Plus adaptés à une administration conçue et organisée selon les principes anglais de gouvernement. Il pensait qu'un Indien, tant qu'il n'a pas assimilé parfaitement tous ces principes au point de les reprendre entièrement à son compte, est en état d'infériorité.

– Est-ce que vous partagiez son point de vue?

– Tout à fait.

– Pourquoi?

– Je n'en connaissais pas d'autre.

– Vous souhaitiez entrer dans l'administration indienne?

– Je ne pense pas qu'on puisse parler de souhait puisque je n'avais aucune possibilité de choix et aucune préférence.

– Je vois, poursuivit Gopal, que votre mère est morte peu après votre naissance. Cependant votre père a attendu deux ans avant de quitter l'Inde pour aller tenter sa chance dans les affaires en Angleterre?

– Oui. Il n'est parti qu'après la mort de sa mère. Il avait promis à son père de veiller sur elle.

– A la mort de votre grand-père?

– Non, au moment où il a quitté son foyer. Il avait décidé de renoncer à tous ses biens et de partir mendier, avec son bâton et son écuelle, et simplement vêtu d'un pagne, pour devenir un *sannyasin,* un renonçant. Ma famille ne l'a jamais revu, mais mon père a tenu sa promesse.

– Était-il déjà allé en Angleterre auparavant?

– Oui. Il y avait fait des études de droit avant la Première Guerre mondiale, mais sans succès. S'il avait un très grand sens des affaires, il n'avait aucune aptitude pour les carrières administratives.

– Quelles étaient ses idées politiques concernant l'Inde?

– Il espérait que l'Inde resterait le plus longtemps possible sous le contrôle direct de l'Angleterre et qu'elle continuerait à se développer sur le modèle anglais.

– Dois-je en conclure qu'il souhaitait vous voir devenir le genre d'Indien auquel les Anglais seraient heureux de déléguer éventuellement l'administration du pays?

– Oui. Les dernières années, tous ses propos allaient bien dans ce sens.

– Et vous, à quoi aspiriez-vous?

– Je n'avais aucun souvenir de l'Inde, aucune idée des différentes sortes d'Indiens qui pouvaient s'y trouver. Je ne connaissais que l'Angleterre et j'étais comme un jeune Anglais que ses parents destinent à faire carrière en Inde.

– Ainsi, lorsque vous êtes arrivé ici, vous n'avez pas éprouvé le sentiment de retrouver votre pays?

– J'ai éprouvé le sentiment exactement inverse.

– Et ce que vous avez découvert vous a choqué?

– Oui.

– Les conditions de vie des gens?

– Non. La situation qui m'était faite.

– Vous n'avez pas éprouvé le besoin de regarder autour de vous et de penser que vous aviez retrouvé vos compatriotes, votre pays, et que vous pouviez travailler à les aider à se libérer du joug de l'occupant étranger?

– Non, je n'avais qu'une idée : retourner chez moi, en Angleterre.
– Les idées, les sentiments qui motivaient les jeunes gens de votre âge ne vous ont pas donné à réfléchir, ne vous ont pas détourné de continuer à vous apitoyer sur votre propre sort?
– Non. Nous n'avions rien en commun. J'étais un cas unique.
– Unique? Simplement parce que vous aviez été élevé en Angleterre?
– Non, parce que la famille de mon père avec laquelle il avait coupé les ponts, comme celle de mon oncle, se composait d'hindous des classes moyennes, respectueux de la tradition, qui méprisaient l'éducation à l'occidentale et pour qui il était impensable de chercher à entrer dans l'administration indienne. Face à eux, oui, j'étais unique.
– Je n'ai pas bien compris en quoi votre nouvelle situation en Inde vous avait choqué, intervint Rowan, puisque vous étiez dans la situation de la plupart des jeunes Britanniques élevés chez eux et destinés à faire carrière ici. Autant que je sache, ceux-là ne sont pas choqués, ils sont au contraire enthousiasmés par tout ce qu'ils découvrent.
De son poste d'observation, elle vit Gopal se tourner vers Rowan, apparemment déconcerté par une telle question. Si elle surprit Kumar, il n'en laissa rien paraître, n'était qu'il prit un certain temps pour répondre.
– L'Inde que je découvrais n'avait rien à voir avec celle que découvrent les jeunes Britanniques. En fait, nos routes s'étaient séparées dès le passage du canal de Suez. Quand nous sommes arrivés dans la mer Rouge, ma peau était devenue franchement noire. Et une fois à Bombay, mes amis blancs ne voyaient plus qu'elle. Enfin, à Mayapore le problème de mes amis blancs ne se posait plus : pour eux, j'étais devenu invisible.
– Invisible?
– Invisible.
– Mrs Shalini Gupta Sen, la sœur de votre père, était le seul membre de votre famille encore en vie?

– C'était la seule avec qui mon père était restée en relation. Lorsqu'elle était petite fille, il lui avait appris à lire et à écrire en anglais. Les autres femmes de la famille étaient toutes illettrées. Ils étaient demeurés très attachés l'un à l'autre. Elle était veuve, sans enfant. Elle s'était toujours beaucoup intéressée à son neveu anglais, comme elle m'appelait dans ses lettres à mon père.

– Les avocats de votre père se sont donc mis en rapport avec elle pour savoir si elle accepterait de se charger de vous?

– Oui. Elle a emprunté l'argent de mon passage à son beau-frère, Romesh Chand Gupta Sen, de Mayapore, le négociant chez qui j'ai travaillé un certain temps par la suite.

– N'y avait-il aucun moyen de vous permettre de terminer vos études en Angleterre et de passer le concours d'entrée de l'Indian Civil Service, comme votre père le souhaitait?

– Pour cela, il aurait fallu que mon oncle consente à payer les études. Il s'y opposait formellement. Pour lui, je devais gagner ma vie sans plus attendre. Son avis était d'autant plus déterminant que ma tante Shalini était sans ressources et ne subsistait que grâce aux mensualités qu'il lui allouait depuis la mort de son mari.

– Et c'est à ce moment-là que vous avez travaillé chez votre oncle?

– Oui. Dans les bureaux de son comptoir du bazar de Chillianwallah. Je me souviens du lépreux, juste à l'entrée.

– Pourquoi?

– En le voyant, j'ai pensé à mon grand-père. Je me suis demandé si lui aussi était devenu lépreux.

– Par ailleurs, je vois qu'au cours de l'été 1939 vous avez failli entrer à la British Indian Electrical de Mayapore. En fait, la note précise que : « Le postulant n'a pas été accepté en raison de son comportement insolent et non coopératif. » Cette appréciation vous paraît-elle fondée?

– Cela dépend de qui elle émane.

– D'après ce que j'ai sous les yeux, il s'agirait d'un des

directeurs chargés de la formation technique des jeunes recrues, d'un Britannique.

– Je n'ai eu affaire à lui qu'après avoir été reçu par un directeur administratif avec lequel tout s'était très bien passé. Ce deuxième rendez-vous n'aurait dû être qu'une formalité, mais l'homme en question a passé son temps à m'interroger sur des détails techniques que je ne pouvais pas connaître et je le lui ai fait remarquer. C'est alors qu'il m'a insulté.

– Comment?

– En laissant entendre que j'étais un sauvage inculte.

– Ce sont les termes qu'il a employés?

– Non. Il m'a dit : « Mais d'où sortez-vous? Vous débarquez de la cambrousse ou quoi? »

– Qu'est-ce que vous lui avez répondu?

– Moi? rien. Mais il a ajouté que dans son boulot il n'avait rien à faire des noirauds moscoutaires. C'est alors que je me suis levé et que j'ai quitté son bureau.

– Oui, je vois, dit Rowan en passant au feuillet suivant du dossier. Vous avez ensuite été engagé comme secrétaire de rédaction dans un journal local publié en anglais et appartenant à un Indien, la *Mayapore Gazette.* Trois ans plus tard, au moment de votre arrestation, vous y étiez toujours employé. Cette fois, tout s'était donc bien passé. Qu'est-ce qui vous a incité à choisir la profession de journaliste?

– Je n'ai jamais eu l'impression d'être un journaliste. Mais au fil des mois, j'avais simplement été mis devant un fait accompli : je ne disposais, pour gagner ma vie, que de mes connaissances en anglais. La *Gazette* appartenait à un Indien et les articles étaient rédigés en anglais par des Indiens, ce qui donnait parfois des résultats très comiques. En réalité, j'y faisais un travail de correcteur. Pour arrondir mon salaire de soixante roupies par mois, il m'arrivait de rédiger un article qu'on me payait à la pige, un anna la ligne.

– Votre tante et votre oncle par alliance étaient-ils satisfaits de vous voir travailler dans ce journal?

– Ma tante était très contente. Elle aimait lire la *Gazette* et elle était heureuse de pouvoir parler de nouveau anglais avec quelqu'un. Elle a toujours été très bonne pour moi, faisant tout son possible pour me faciliter la vie, pour me rendre heureux. Si je ne l'étais pas, ce n'était pas sa faute. En revanche, dès qu'il a su que j'avais trouvé un emploi, son beau-frère a réduit la mensualité qu'il lui versait.

– Pour en revenir aux jeunes Indiens dont je vous ai cité les noms tout à l'heure, c'est à la *Mayapore Gazette* que vous avez fait la connaissance de S.V. Vidyasagar, celui que nous avons mis à part avec le Pandit Baba?

– Oui. C'est lui qui m'a appris tout ce que je devais savoir pour me débrouiller dans mon nouvel emploi.

– C'est-à-dire?

– Il m'a piloté dans le quartier européen. Auparavant, je n'avais jamais eu l'occasion de passer de l'autre côté de la rivière, dans le *cantonment.* Il m'a montré où se trouvait le Palais de Justice, le siège de la police, le *maidan,* il m'a dit à qui je devais m'adresser pour obtenir l'autorisation d'y pénétrer lorsque j'avais à rendre compte dans le journal de ce qui s'y déroulait. C'était tout un environnement nouveau qu'il m'était donné d'observer.

– Vous aviez l'impression de n'être qu'un observateur?

– Je n'étais rien d'autre. Mais ce que je découvrais était très intéressant. Je voyais tout ce que les Britanniques faisaient pour se prouver à eux-mêmes qu'ils étaient toujours et avant tout des Britanniques. Cela m'a fait comprendre à quel point les ambitions de mon père étaient naïves, ridicules même, dans la mesure où ses projets pour mon avenir ne tenaient aucun compte d'un élément capital.

– Quel élément?

– Le fait qu'en Inde les Anglais découvrent une chose dont ils étaient jusque-là inconscients : qu'ils sont des Anglais. Moi aussi, j'ai été inconsciemment un Anglais en Angleterre, mais dès mon arrivée en Inde je suis devenu par la force des choses un Indien, conscient de l'être, mais sans savoir comment je devais faire pour accepter et vivre en accord avec cette fatalité.

Rowan s'était remis à consulter son dossier.

– Peu après votre arrivée à la *Mayapore Gazette*, je vois que Vidyasagar a été engagé, toujours comme secrétaire de rédaction, au *Mayapore Hindu?*

– Oui, le directeur de la *Gazette* l'avait licencié. C'est lui qui m'a appris par la suite qu'on m'avait pris pour pouvoir se débarrasser de lui. Mais il ne m'en gardait pas rancune, il savait que je n'avais rien fait pour lui nuire et que j'étais étranger à cette manœuvre.

– Pourquoi le directeur de la *Gazette* vous préférait-il à Vidyasagar?

– J'écrivais un anglais correct. Vidyasagar, lui, n'était allé qu'à l'École supérieure d'État.

– La tendance politique de la *Gazette* était plutôt pro-britannique, ce qui était loin d'être le cas du *Mayapore Hindu*, lequel a d'ailleurs été interdit quelque temps en août 1942. Est-ce qu'on pourrait en conclure dans un cas comme dans l'autre que vous et Vidyasagar partagiez plus ou moins les orientations politiques des journaux qui vous employaient?

– C'était valable, je crois, pour Vidyasagar qui, comme la plupart des jeunes Indiens instruits de son âge, était un nationaliste convaincu. Moi, je n'avais aucune option politique, et le directeur du journal ne s'est jamais inquiété de savoir si j'en avais. Il se piquait d'ailleurs de faire du journalisme d'information, non d'opinion. Tout ce qu'il me demandait, c'était de réécrire les papiers dans un anglais correct.

– Peut-être vous trouvait-il aussi plus présentable pour assister aux manifestations de la communauté britannique de Mayapore?

– Peut-être.

– Ce qui devait d'ailleurs être également le cas des participants à ces réunions.

– Non. Eux ne voyaient aucune différence entre Vidyasagar et moi : deux Indiens à la peau noire, c'est tout.

– Mais avec le temps vous avez réussi à faire tomber cette barrière assez artificielle? Vous avez fait la connaissance de quelques Britanniques?

– J'ai connu une Anglaise, oui. Miss Manners.

– Au cours des interrogatoires, vous avez refusé de dire dans quelles circonstances vous lui aviez été présenté. La question était pourtant des plus anodines.

– La personne qui m'interrogeait était parfaitement au fait de ces circonstances.

– Il n'en va pas de même de cette commission.

– Fin février ou début mars 1942, j'ai été invité à MacGregor House, chez Lady Chatterjee, où habitait Miss Manners. C'est là que je l'ai vue pour la première fois.

– Autrement dit, peu après que vous aviez été emmené au poste de police pour être interrogé sur votre identité? Il s'agissait bien du *kotwali* du pont de la porte du Mandir?

– Oui. J'ai été arrêté dans un endroit appelé le Sanctuaire...

– Arrêté?

– On m'a jeté dans un fourgon de la police et emmené au poste où on m'a retenu, questionné, puis relâché. S'il ne s'agit pas d'une arrestation...

– Bien. Continuez.

– Un endroit tenu par une Blanche connue sous le nom de sœur Ludmila, où elle recueille les malades et les moribonds qu'elle ramasse dans les rues. Après mon arrestation, elle a téléphoné à mon oncle Romesh Chand qui a envoyé son avocat Me Srinivasan au poste de police pour se renseigner, mais j'avais déjà été relâché. Sœur Ludmila avait également cru bien faire en prévenant la doctoresse Klaus, une Allemande attachée au Purdah Hospital, l'hôpital des femmes, dans la ville indienne. Celle-ci a parlé de moi à Lady Chatterjee, qui a voulu me voir.

– Lady Chatterjee était une personnalité influente de Mayapore?

– C'était la veuve de l'homme qui a fondé le Collège technique. Les Britanniques et les Indiens en vue se retrouvaient à ses soirées. C'était une grande amie de Lady Manners, la veuve de l'ex-gouverneur de la province. La colonie britannique lui manifestait un grand respect.

– Dans quel état d'esprit étiez-vous lorsque vous avez répondu à l'invitation de Lady Chatterjee?

– J'étais surtout mal à l'aise, conscient du fait qu'il avait fallu que je sois arrêté pour que, quatre ans après mon arrivée, une représentante de la bonne société indienne m'ouvre sa porte. Et au fond, surtout parce que j'étais une bête curieuse, un chien perdu dont on pouvait éventuellement s'occuper en faisant jouer son influence, ses relations. Mais il était déjà trop tard pour moi. Et elle a dû regretter son invitation.

– Pouvez-vous nous dire pourquoi?

– Les gens influents aiment qu'on les remercie. Je ne l'ai pas remerciée. Et surtout, elle a vu d'un mauvais œil la façon dont Miss Manners me témoignait dès l'abord un certain intérêt.

– De quoi auriez-vous remercié Lady Chatterjee?

– D'être intervenue auprès du juge Menen pour qu'il demande à Merrick les raisons de mon arrestation. Ce qui n'a pu que l'indisposer à mon égard.

– Vous parlez du chef de la police du district?

– Oui. Merrick.

– Et pour ce qui est de l'amitié que vous témoignait Miss Manners, pourquoi Lady Chatterjee l'aurait-elle trouvée... déplacée?

– Parce qu'elle était responsable de cette jeune fille devant Lady Manners et surtout parce que Miss Manners était blanche. Les marques d'amitié qu'elle me donnait ne pouvaient que choquer tous ceux qui en étaient témoins.

Rowan marqua un temps d'hésitation. De son poste d'observation, Lady Manners vit le capitaine Rowan redresser le buste avec une certaine raideur. Elle-même s'était crispée.

– Je ne suis pas sûr de bien comprendre. Que cherchez-vous à suggérer? Que Miss Manners vous a ouvertement signifié que vous lui plaisiez? demanda-t-il d'un ton sec.

Kumar regarda Rowan bien droit dans les yeux.

– Je cherche à suggérer que même quelqu'un comme Lady Chatterjee était incapable d'accepter d'emblée qu'une jeune fille blanche puisse traiter un Indien en homme à part entière. Moi-même, j'ai eu du mal à l'admettre. D'ailleurs, pendant un certain temps j'ai cru qu'elle se moquait de moi. Elle me parlait avec une telle franchise, apparemment sans arrière-pensée, sans pose. Avec elle, j'avais l'impression d'être de retour en Angleterre. Naturellement, après cela, Lady Chatterjee s'est montrée méfiante à mon égard.

– Pourquoi « naturellement »?

– Parce qu'elle a probablement pensé comme tout le monde qu'un Indien ne peut que chercher à tirer avantage de l'amitié que lui témoigne un Anglais ou une Anglaise.

– J'ai du mal à croire que Lady Chatterjee ait pu penser une telle chose sans raison valable.

Kumar resta un moment silencieux, comme perdu dans ses pensées.

– A l'époque, mon comportement laissait beaucoup à désirer.

– C'est-à-dire?

– J'avais oublié comment on doit se tenir en société. Je ne disais pas un mot, j'étais très mal à l'aise. Plus tard, Miss Manners m'a dit que j'avais passé mon temps debout, sans la quitter des yeux. Je voulais parler, mais je ne trouvais plus mes mots. Je n'étais pas intimidé, mais méfiant et stupéfait d'être traité en égal par une personne blanche. C'était si extraordinaire, comparé à ce que je vivais quotidiennement.

– Justement, revenons-en à l'incident survenu dans ce que vous appelez le Sanctuaire. D'après les déclarations de Mrs Ludmila Smith, comme elle est appelée dans ces documents, la veille, en faisant sa ronde de nuit habituelle, elle vous aurait découvert dans un terrain vague, non pas malade ou blessé, mais ivre mort. Est-ce exact?

– Oui.

– Était-il dans vos habitudes de vous enivrer?

– Non. Je n'avais jamais été ivre avant, et je ne l'ai jamais été depuis.

– Lorsque la police vous a interrogé ce même jour pour connaître votre emploi du temps de la veille, vous avez reconnu avoir passé la soirée à boire avec des camarades de votre âge, dont Vidyasagar et trois ou quatre autres garçons qui seront par la suite arrêtés et accusés d'avoir participé avec vous à l'agression et au viol de Miss Manners. Pour quelles raisons vous étiez-vous retrouvés tous ensemble?

– Pour rien, comme ça.

– Vous les rencontriez régulièrement?

– Non. Ça a été également la première et la dernière fois.

– Mais vous avez déclaré que vous étiez resté l'ami de Vidyasagar?

– J'ai dit qu'il ne m'avait jamais tenu rigueur d'avoir été engagé au journal pour finir par le supplanter, ce qui est vrai. Il s'est toujours montré très amical à mon égard. Notre travail de journaliste nous amenait souvent à nous rencontrer, entre autres au Palais de Justice. Il lui est arrivé une ou deux fois de m'inviter à prendre un café avec lui mais j'ai refusé. Je tenais à préserver ma liberté, et, par-dessus tout, ce que j'avais de typiquement anglais. C'était grotesque mais je ne m'en rendais pas compte. C'est Vidyasagar et ses amis que je trouvais ridicules.

– Pourquoi ridicules? demanda Gopal.

– Parce qu'ils passaient leur temps à se moquer des Anglais, ils prétendaient les détester, mais ils ne cessaient de les singer tant dans leur façon de vivre que de s'habiller ou de parler argot. C'était aussi pour eux une façon de s'amuser.

– Vous les connaissiez bien?

– On ne s'enivre pas avec des hommes sans qu'il en reste quelque chose. Mais très vite, après cette nuit, ma vie a pris une toute autre direction.

– Comment cela?

– J'ai rencontré Miss Manners et nous sommes devenus amis.

– Avant d'aller plus avant, j'aimerais savoir comment vous en êtes arrivé à réviser l'opinion que vous aviez de Vidyasagar et de ses amis au point de passer une soirée à boire en leur compagnie avec toutes les conséquences désagréables qui en ont découlé pour vous.

– Parce que, pour des raisons personnelles, je me suis rendu compte qu'après tout, c'était moi qui étais ridicule.

– Vous pourriez qualifier de « personnel » tous les sujets que nous avons abordés ici. Ce détail ne l'est ni plus ni moins que les autres. Voyons, procédons par étapes : le jour de cette beuverie, où avez-vous rencontré Vidyasagar?

– En quittant le *maidan* où il était venu comme moi pour assister en sa qualité de journaliste à un match de cricket qui opposait les équipes de deux régiments britanniques en garnison dans le *cantonment*. Il m'a invité à l'accompagner chez lui et j'ai accepté.

– Vous avez accepté de guerre lasse, lui demanda Rowan, ou parce qu'il vous était arrivé quelque chose? Quelque chose qui vous avait bouleversé?

– C'était un peu les deux.

– Mais qu'était-il arrivé?

– Il était là. Quelqu'un que je connaissais.

– Que vous aviez connu en Angleterre? Colin?

Kumar acquiesça d'un signe de tête.

– Votre ami de collège? Le garçon dont les parents vous avaient offert l'hospitalité après la mort de votre père? Il avait changé, il s'était montré moins amical? Ou vous n'avez réussi qu'à l'apercevoir de loin?

– Non, il était en face de moi comme vous l'êtes.

– Et il ne vous a pas parlé?

– Non, nous ne nous sommes pas parlé.

– Vous êtes sûr que c'était lui, vous saviez qu'il était en Inde?

– Oui. Il m'avait écrit dès son arrivée en Inde, puis de moins en moins souvent, puis plus du tout. J'ai pensé qu'il était retourné au front. Il s'était déjà battu à Dunkerque. Mais j'ai vu à Mayapore des soldats britanniques qui portaient sur leur patte d'épaule le nom du régiment de Colin, du capitaine Colin Lindsey. J'ai pensé qu'il m'écrirait, faute de pouvoir me rendre visite dans la ville indienne où j'habitais, elle était interdite aux militaires. Et puis, je l'ai vu au *maidan*, où il assistait comme moi à la partie de cricket. Je me suis approché. C'était bien lui, ses traits, son expression. Il s'est retourné, il m'a regardé et a reporté son attention sur les joueurs. Il avait vu un Indien en tous points semblable à n'importe quel autre Indien. Pour lui, j'étais devenu invisible.

– Et c'est pour cette raison que vous avez accepté l'invitation de Vidyasagar?

– Oui. Ils avaient beau se moquer de moi, ils le faisaient gentiment et ils avaient raison, j'étais un Indien né en Inde, vivant désormais en Inde et qui s'obstinait à refuser d'admettre ces évidences simples, ces réalités incontournables. Eux avaient l'habitude de boire un affreux tord-boyaux de distillation clandestine, moi pas. Après qu'on eut brûlé mon casque colonial, je ne me souviens plus de grand-chose. J'ai appris par la suite qu'ils m'avaient ramené au Chillianwallah Bagh, mais, dans mon ivresse, je suis parti errer dans le terrain vague près de la rivière.

– Pourquoi avoir brûlé votre casque colonial?

– Pour eux il n'y avait que les Anglo-Indiens et les lèche-cul du gouvernement qui en portaient.

– Bien, tout ça nous ramène à ce que vous appelez le Sanctuaire et à votre réticence à répondre aux questions que vous posait la police. Apparemment vous n'aviez pas compris pourquoi le chef de la police vous avait demandé de l'accompagner au *kotwali*?

– Non, je n'ai pas compris pourquoi il m'a fait jeter dans le fourgon et m'a emmené au poste de police.

– A-t-il su qu'on vous avait brutalisé?

– Bien sûr, il a toujours été présent.

– Où étiez-vous lorsqu'il vous a remarqué?

– Dans la cour en train de me laver sous la pompe.

– D'après le rapport de la police, vous auriez accueilli les questions qu'on vous posait avec hauteur, insolence et ironie au point que Mrs Ludmila Smith a cru bon d'intervenir et de vous rappeler à plus de modération. De surcroît, vous auriez prétendu ne pas vous appeler Kumar.

– C'est exact. Le chef de la police écorchait mon nom en le prononçant. J'étais encore habitué à m'entendre appeler Coomer, comme en Angleterre. Mais apparemment, le rapport omet de mentionner que le sous-inspecteur qui accompagnait Merrick m'a giflé et aurait sûrement été plus loin dans ses violences si sœur Ludmila ne leur avait déclaré qu'elle ne tolérerait pas un tel comportement chez elle.

– Vous admettez bien cependant que vous n'étiez pas d'humeur, ce matin-là, à répondre calmement aux questions que vous posait la police?

– Merrick n'a pas cessé de s'adresser à moi comme si j'étais le rebut de l'humanité.

– Au poste de police, vous avez pourtant répondu à ses questions.

– Oui. Dès l'instant où il m'a expliqué de quoi il s'agissait. Il était à la recherche d'un prisonnier qui s'était échappé – Moti Lal – que j'ai admis connaître, puisqu'il était un commis au comptoir qu'avait mon oncle Romesh Chand à la gare des marchandises de Mayapore. Ses engagements politiques l'avaient fait renvoyer. Je savais qu'il avait été arrêté et condamné à une peine de prison pour activités subversives, mais j'ignorais qu'il s'était évadé. Tout le monde connaissait son militantisme nationaliste, et il jouissait d'un grand prestige auprès des jeunes Indiens impatients de voir leur pays accéder à l'indépendance.

– Tous les jeunes gens dont nous vous avons cité les noms au début de cette séance étaient des nationalistes convaincus. Après la nuit passée à boire avec certains d'entre eux, avez-vous été amené à découvrir en quoi consistaient leurs activités politiques?

– A parler, parler et boire et avoir ainsi l'impression d'exister, de vivre plus intensément tout le temps qu'ils étaient sous l'effet de l'alcool.

– Saviez-vous que peu après votre arrestation, en août 1942, Vidyasagar avait été appréhendé alors qu'il distribuait des tracts séditieux?

– Oui. Merrick me l'a annoncé. Il m'a dit que Vidyasagar avait reconnu avoir eu des activités révolutionnaires et qu'il m'avait désigné comme l'instigateur du traquenard où était tombée Miss Manners. Je n'en ai rien cru.

– Mais vous avez cru ce qu'il vous a dit de ses activités politiques?

– A l'époque, tous les Indiens de Mayapore qui se respectaient avaient plus ou moins des activités condamnables aux yeux des autorités britanniques.

– Vous persistez à affirmer qu'à aucun moment vous ne vous êtes laissé entraîner à participer à de telles activités?

– Oui, je persiste, et d'ailleurs, après cette nuit de beuverie, moins que jamais. Pour la raison que je vous ai déjà dite. Mon amitié avec Miss Manners occupait toute mon attention.

– Ainsi, de fin février au mois d'août 1942, votre vie sociale s'est plus ou moins ramenée à vos rapports avec Miss Manners?

– C'était la première fois que j'avais un semblant de vie sociale. Je n'ai donc pas eu à faire de choix. Mais le 9 août, le jour de mon arrestation, je n'avais pas revu Miss Manners depuis trois semaines, le soir où nous étions allés ensemble visiter le temple de Tirupati.

– Parlons maintenant du groupe formé par Gopi Lal et ses amis. Quand les avez-vous vus pour la dernière fois?

– La nuit de mon arrestation. Ils avaient été arrêtés comme moi après le viol de Miss Manners. Au siège de la police, on m'a conduit dans la pièce où ils se trouvaient. J'y suis resté moins d'une minute.

– Vous ont-ils parlé?

– L'un d'eux m'a dit « Hello! Hari! »

– Vous n'avez pas répondu?

– Non.

– Pourquoi?

– Ils étaient dans une cage.

– Quel était leur comportement?

– Ils riaient et blaguaient.

– Pas vous?

– Non, pas moi.

– Ensuite, que s'est-il passé?

– J'ai été emmené par deux agents qui m'ont remis à deux autres pour me conduire dans une pièce du sous-sol.

– Aviez-vous reconnu les cinq jeunes gens arrêtés?

– Oui. Mais je me souvenais seulement du nom de deux ou trois d'entre eux.

– Et plus tard, leurs noms vous sont revenus?

– Non. Merrick m'a dit leurs noms. Il m'en a lu la liste.

– Et il vous a demandé si vous les connaissiez?

– Non. Il m'a déclaré: « Ces hommes sont tous tes amis et, comme tu as pu le constater, ils sont sous les verrous. »

– Et qu'avez-vous répondu?

– Rien. Ce n'était pas une question.

– Vous n'êtes donc pas d'accord avec cette déclaration: « Interrogé pour savoir si le prisonnier connaissait les cinq autres hommes incarcérés avec lesquels il a été confronté, le prisonnier refuse de répondre. »

– Non.

– Et sur ce qui suit: « S'agissant des dates et des circonstances où on l'aurait vu en compagnie d'un ou de plusieurs des autres prisonniers, le prisonnier Kumar se contente de déclarer: Je n'ai rien à dire. »

– Oui, je suis d'accord.

– Pourquoi n'aviez-vous rien à dire?

– J'ai refusé de répondre pour la simple raison que je ne savais pas de quoi j'étais accusé.

– Quand avez-vous demandé à connaître les raisons de votre arrestation?

– Dès que j'ai été arrêté, dans ma chambre, au Chillianwallah Bagh, et plus tard au siège de la police, à plusieurs reprises.

– Et quand vous a-t-on répondu pour la première fois?

– Au bout d'une heure environ.

– Pardon, mais reportons-nous soigneusement aux pièces du dossier, intervint Gopal. Je lis: « A vingt-deux heures quarante-cinq, le prisonnier Kumar ayant continuellement refusé de répondre aux questions qui lui étaient posées concernant son emploi du temps de la soirée, demande pourquoi il a été arrêté. Ayant été informé qu'on estimait son témoignage susceptible d'aider la police dans son enquête concernant l'agression dont avait été victime une Anglaise dans les jardins du Bibighar, plus tôt dans la soirée, il répond : " Je n'ai pas vu Miss Manners depuis le soir où nous sommes allés visiter le temple. " Interrogé sur les raisons qui lui ont fait nommer Miss Manners, il refuse de répondre et présente tous les signes d'un profond abattement. »

– Non, dit Kumar, c'est faux.

– Selon vous, en quoi ce rapport est-il inexact? lui demanda Gopal.

– Je n'ai pas attendu vingt-deux heures quarante-cinq pour demander de quoi on m'accusait. Mais c'est probablement vers cette heure que le chef de la police m'a enfin répondu, et pas du tout dans les termes que vous venez de lire. Il m'a dit qu'il enquêtait sur le sort d'une Anglaise qui avait disparu, ses propres mots ont été : « Une Anglaise! Tu te doutes bien de qui il s'agit? » Et il a ajouté une remarque obscène.

– Ce serait cette remarque qui vous aurait fait comprendre qui était cette Anglaise, poursuivit Gopal, et ce qui lui était arrivé? Et c'est ce qui aurait provoqué votre abattement?

– Mon abattement? Je tremblais de tous mes membres. Il était difficile de ne pas le remarquer.

– Vous trembliez?

– L'interrogatoire se déroulait dans une pièce climatisée au sous-sol.

– Ici aussi, la pièce est climatisée. Vous ne tremblez pas.

– Il y avait plus d'une heure que j'étais debout sans vêtements.

– Vous voulez dire que vous étiez nu? s'exclama Gopal. Vous étiez nu, interrogé par un officier de police?

Lady Manners ne quittait pas des yeux le visage aux joues creuses. Un frémissement le parcourut, qui aurait pu être pris pour un semblant de sourire.

– Oui, le chef de la police était en uniforme, déclara Kumar, et moi, j'étais complètement nu.

– C'est bien ce que j'ai dit! s'écria Gopal. Pourquoi étiez-vous nu?

– On m'avait déshabillé. Mes vêtements étaient empilés sur la table.
– Je vous demandais pour quelles raisons on vous avait déshabillé?
– Pour me faire subir une inspection.
– Un examen médical?
– Non, une inspection. Il n'y avait pas de médecin présent.
– Pas de médecin? Qui vous a examiné, dans ce cas?
– Le chef de la police.
– De quel genre d'examen s'agissait-il? demanda Gopal après un instant d'hésitation.
– Il a inspecté mes organes génitaux. Les rapports que vous avez n'en parlent pas? Il cherchait des traces de sang.
– C'est ce qu'il vous a dit?
– Non, mais c'était évident. Lorsqu'il a eu fini, il m'a dit : « C'est ça, tu as été assez malin pour te laver, et d'ailleurs, on a bien failli te prendre sur le fait! » Plus tard, il a ajouté : « Elle n'était plus vierge, et c'est toi, hein, qui lui es passé dessus le premier? » Je ne pouvais pas ne pas comprendre qu'il s'agissait d'une femme qui avait été violée.

Rowan l'interrompit :
– Tout cela est sans rapport direct avec notre enquête. Je préférerais qu'on en revienne au vrai sujet de l'interrogatoire.

Mais Gopal secoua énergiquement la tête :
– C'est capital, au contraire, et directement en rapport avec le fait que le détenu n'a pas été immédiatement informé des raisons de son arrestation, et avec la mention de son abattement soudain. L'examen physique a eu lieu avant vingt-deux heures quarante-cinq, ce qui éclaire d'un jour nouveau tout le rapport officiel signalant qu'à cette heure, le détenu aurait nommé de lui-même Miss Manners, et ensuite montré tous les signes d'une grande détresse.
– Peut-être, commença Rowan, qui s'interrompit en voyant le clignotant vert s'allumer sur son appareil.

– Allô, ici Rowan, dit-il après avoir décroché le combiné.
– J'ai une question à vous poser et une remarque...
– Mais oui!
– Est-ce que Mr Gopal sait que j'assiste à l'interrogatoire? En arrivant, il a lancé un coup d'œil à la grille.
Rowan laissa un certain laps de temps s'écouler avant de répondre.
– La réponse – la réponse officielle – est non. Mais dans le cas présent, je n'affirme rien. Est-ce urgent? Je suis en pleine séance...
– Je tenais à vous demander d'essayer d'oublier ma présence. Menez votre interrogatoire sans chercher à m'éviter d'avoir à entendre des choses désagréables.
– Parfait. Je ferai le nécessaire.
– Autre chose : est-ce que Mr Kumar sait que ma nièce est morte?
– Je n'en suis pas sûr.
– J'aimerais l'être.
– Très bien.
– Merci et au revoir.
Pendant un moment, elle n'entendit plus qu'un léger bruit de papier. Puis la voix retentit de nouveau dans le haut-parleur :
– Puisque nous avons été interrompus, autant en profiter pour faire une pause de cinq minutes, dit Rowan en refermant son dossier. Secrétaire, dites au garde de venir chercher le prisonnier.
Tandis que l'Indien allait prévenir le garde, Kumar se leva, apparemment sans trop savoir ce qui se passait. Il regardait autour de lui d'un air absent.
– Nous vous rappellerons, lui dit Rowan. Dans cinq minutes, nous reprendrons l'examen du dossier.
C'est étonnant, pensa-t-elle. Dès qu'il se lève, on a l'impression qu'il va tituber, qu'il est dans un tel état de délabrement qu'il sera incapable de penser, de s'exprimer clairement.
Tête baissée, Kumar se laissa entraîner par le garde. Le greffier indien sortit à son tour de la pièce, laissant Gopal et Rowan en tête à tête.

– Si vous le voulez bien, employons ces quelques minutes à mettre les choses au clair, proposa Rowan. Tout ce qui se rapporte à l'interrogatoire mené par le chef de la police au sujet du viol nous fait perdre de vue le point capital du dossier qui reste l'appartenance du détenu à un groupe d'individus politiquement engagés et impliqués...

– Je regrette, capitaine Rowan, mais je suis en désaccord avec votre façon de voir. Certes, j'ai disposé de moins de temps que vous pour étudier les éléments de cette affaire curieuse – et d'autant plus curieuse qu'à ma connaissance, jamais encore un détenu n'avait eu à répondre devant une commission spéciale. Cependant, Son Excellence ayant pris elle-même l'initiative de cet examen, je pensais que c'était en considération de certains doutes apparus quant au bien-fondé de l'ordre de détention... Or, il apparaît à la lecture des pièces du dossier que ce jeune homme n'a jamais été arrêté et incarcéré pour autre chose que le viol de cette jeune Anglaise. L'interroger sur d'autres points n'est jamais qu'une façon de continuer à sauver les apparences et je ne pense pas être ici pour cautionner une telle démarche.

– Permettez-moi de vous rappeler que l'homme n'a jamais été accusé de viol bien que ce crime soit à l'origine de son arrestation. D'autre part, la police le connaissait comme un individu à surveiller en raison de ses activités anti-gouvernementales...

– ... qui n'ont jamais été sérieusement prouvées...

– C'est pourtant ce qui doit seul retenir notre attention et faire l'objet de notre examen. A mon avis, au moment de sa mise en détention, les preuves indirectes de son implication dans le viol étaient si convaincantes que ni le commissaire ni le commissaire délégué n'ont songé à le faire relâcher...

– ... Et ils ont pris en compte ces ridicules preuves de connivence avec des éléments subversifs pour le faire incarcérer sans procès.

– Nous ne pouvons considérer cette affaire sans tenir compte de son contexte, des circonstances et du moment où elle a eu lieu. Si l'ordre de détention a été donné à tort, c'est notre rôle de voir clairement en quoi. Mais nous n'avons pas le droit de mettre en doute la bonne foi des autorités qui ont eu la lourde charge de mener à bien cette affaire. Il est hors de question d'offrir à cet homme l'occasion de porter nommément des accusations contre des fonctionnaires en exercice. D'autant qu'ils ne sont pas là pour se défendre et que Kumar ne témoigne pas sous serment. Cela ne pourrait d'ailleurs que gêner Son Excellence au moment où elle devra se faire une opinion. L'homme doit s'estimer heureux de s'en être tiré à si bon compte. Il n'a d'ailleurs jamais adressé de requête contre l'ordre de détention dont il a fait l'objet.

– Mais alors, qui a adressé une requête?

– Personne. A part l'intéressé, nul n'est en droit de le faire.

– Dans ce cas, pourquoi Son Excellence a-t-elle soudain ordonné un tel examen?

– Probablement à la suite d'une supplique privée émanant peut-être d'un parent – par exemple sa tante Shalini Gupta Sen.

– A moins qu'il ne s'agisse de la tante de Miss Manners, Lady Manners? Elle connaît sûrement la vérité? A moins qu'on ait découvert de nouvelles preuves et qu'une nouvelle procédure soit prévue.

– Pas à ma connaissance.

– Les cinq autres prisonniers vont-ils être eux aussi interrogés?

– Je ne sais pas. Leurs cas sont différents. S'ils ont toujours refusé d'endosser la responsabilité du viol, ils n'ont jamais nié leurs activités politiques subversives.

– Contrairement à Kumar...

– Au vu du dossier, il a continuellement opposé la même réponse aux questions qu'on lui posait : « Je n'ai rien à dire. »

– Il en va autrement aujourd'hui, n'est-ce pas?

– Aujourd'hui, il n'est pas accusé de viol. Restons-en aux raisons de sa détention et oublions celles de son arrestation. Elles n'ont pas à entrer en ligne de compte ici : le dossier du viol est clos, la jeune fille est morte. Toute question s'y rapportant est une perte de temps.

– Je ne suis pas d'accord. C'est d'ailleurs d'une simplicité enfantine : s'il n'y avait pas eu de viol, Kumar n'aurait jamais été arrêté. Il a été arrêté parce qu'il fréquentait cette jeune fille. Il a toujours été très clair pour tout le monde, y compris pour la communauté britannique, que Kumar était puni par les autorités de Mayapore pour les rapports privilégiés qu'il entretenait, lui un Indien, avec une jeune fille blanche. Personne n'en a jamais douté.

– Cela ne constitue pas pour autant une preuve. Notre examen ne doit tenir compte que des preuves auxquelles se réfère le dossier.

– Elles n'ont pour la plupart aucune assise, aucune valeur sérieuse. Capitaine Rowan, il suffit de lire le dossier pour voir qu'il tient un peu trop bien debout tout seul, qu'il est un peu trop... comment dites-vous?

– Taillé sur mesure.

– C'est ça. Autrement dit, truqué. La jeune fille le subodorait. Le procès-verbal de son audience privée devant le juge de district et devant le commissaire adjoint montre clairement qu'elle était décidée à témoigner dans des termes qui feraient tourner court toute tentative de traduire en justice les six hommes arrêtés, ne serait-ce qu'en rappelant que ses agresseurs étaient sales et sentaient mauvais, qu'il s'agissait apparemment de paysans descendus de leurs villages à l'annonce des troubles qui éclataient un peu partout dans la province. Elle est allée jusqu'à déclarer qu'il pouvait tout aussi bien s'agir de soldats anglais aux visages noircis comme dans certaines opérations de groupes francs. Dans ce cas, les accusés auraient été libérés, capitaine Rowan. Mais l'ordre d'incarcération a été signé précisément pour parer à cette éventualité. Toute cette affaire sent la mauvaise foi et le coup monté. Et vous le savez aussi bien que moi, comme d'ailleurs Son Excellence. Ce jeune homme ne menaçait pas plus la sécurité de l'Inde que moi. Encore une fois, son seul crime était d'être l'ami d'une jeune fille blanche qui se trouva être violée par une bande de malfaiteurs et d'émeutiers. Tout le reste, tout ce qui a trait à ses soi-disant activités subversives est tout simplement ridicule. Je n'arrive même pas à imaginer comment on peut sérieusement envisager d'interroger le pauvre garçon sur ce sujet. Mais puisque nous sommes ici, nous devons lui donner toutes les chances de nous dire exactement ce qui s'est passé sans nous préoccuper de savoir à l'avance quel air ça aura sur le papier, quelle boue cela risque de remuer et si cela aidera ou non Son Excellence a y voir plus clair. Je n'ai pas demandé à faire partie de cette commission, mais maintenant que je suis ici, j'ai bien l'intention de remplir pleinement mon rôle, sans me laisser impressionner par le contenu d'un dossier qui ne vaut pas le papier qui a servi à l'établir. Notre travail terminé, nous serons impuissants à empêcher qu'il n'ait servi à rien qu'à susciter chez ce pauvre garçon de faux espoirs, mais nous pouvons au moins indiquer la direction à prendre si sa culpabilité nous paraît douteuse. Pardonnez-moi, capitaine Rowan, peut-être me suis-je laissé quelque peu emporter.

Là-dessus, Gopal souleva le verre renversé qui coiffait une des carafes, le remplit d'eau et but délicatement. Puis il se tamponna les lèvres avec son mouchoir et le replaça dans la poche intérieure de son veston. Rowan exposa alors son point de vue :

– Permettez-moi cependant de vous faire remarquer qu'en focalisant toute notre attention sur le viol, non seulement nous risquons de voir notre démarche jugée irrecevable par Son Excellence, mais de mettre en lumière des points de l'enquête qui prêchent pour la culpabilité du détenu. Des points qui n'ont pas vraiment été creusés : à savoir que le viol aurait été une expédition punitive d'inspiration politique mise au point et exécutée par Kumar. N'oubliez pas qu'il a toujours refusé d'indiquer son emploi du temps de la soirée, ni non plus qu'à l'arrivée de la police chez lui, il baignait son visage marqué, égratigné et tuméfié.

– Vous parlez du premier rapport de la police, riposta Gopal, celui signé par le sous-inspecteur, et qui mentionnait aussi qu'on avait retrouvé la bicyclette de la jeune fille dans un fossé à proximité de la maison de Kumar. Ce dernier détail, le second rapport, postérieur d'un ou deux jours et signé par le chef de la police, le présente comme une erreur : la bicyclette a été retrouvée sur les lieux du viol, dans les jardins du Bibighar, et placée dans le fourgon de la police qui s'est ensuite dirigé vers le domicile du jeune homme. Le chef de la police semblerait s'être rendu compte qu'une telle preuve matérielle était plus encombrante que convaincante. Après cela, quelle foi accorder à tout ce qui suit? Les marques que Kumar portait au visage peuvent très bien avoir été le résultat de brutalités policières.

– Que ne l'a-t-il dit au commissaire adjoint ou au magistrat qui ont été désignés par le juge Menen pour l'interroger?

– Qui l'aurait cru? En sa qualité de journaliste de la *Mayapore Gazette* il était un habitué du Palais et il savait en face de qui il se trouvait. C'est un garçon intelligent – un pur produit d'un de vos meilleurs collèges anglais.

– Je sais, j'étais dans le même établissement que lui.

– Oh! Il vous a reconnu?

– Non. J'étais en dernière année lorsqu'il y est entré. Mais je me souviens très bien de lui. Il faisait un peu figure de bête curieuse : c'était le premier Indien admis à Chillingborough. Plus tard, je l'ai vu jouer au cricket dans une équipe du collège. Il était très populaire. Je me souviens plus ou moins de son ami, un certain Colin, dit Rowan en se versant un verre d'eau. C'est une des raisons pour lesquelles Son Excellence m'a choisi pour participer à cette contre-enquête. Jusque-là, j'ignorais que le principal suspect de l'affaire du Bibighar n'était autre que le garçon que j'avais connu sous le nom de Harry Coomer. Moi et d'autres anciens de Chillingborough aurions été prêts à l'aider d'une manière ou d'une autre dans cette épreuve si nous avions su à l'époque ce qui lui était arrivé.

– Croyez-vous, capitaine Rowan? demanda Gopal après un moment de silence. Prêts, peut-être. Capables, certainement pas. C'était un garçon anglais à peau noire. La combinaison est explosive.

– Oui... Vous avez peut-être raison.

II

– Veuillez nous rappeler la teneur de la dernière déclaration.

Le secrétaire récita d'une voix monocorde :

– Lorsqu'il a eu fini, il m'a dit : " C'est ça, tu as été assez malin pour te laver, et d'ailleurs, on a bien failli te prendre sur le fait. " Plus tard il a ajouté : " Apparemment, elle n'était plus vierge. Et c'est toi qui lui es passé dessus le premier ? " Je ne pouvais pas ne pas comprendre qu'il s'agissait d'une femme qui avait été violée.

– Merci. Monsieur Gopal, vous souhaitiez souligner un point...

– Oui. J'aimerais revenir sur le moment et sur l'ordre dans lequel, selon le détenu, certaines choses auraient été dites et faites. Pour commencer, dit Gopal en s'adressant directement à Kumar, selon le rapport de police il était environ vingt et une heures quarante lorsque les forces de police se sont présentées chez vous et vous ont arrêté. Est-ce exact ?

– Je crois, oui.

– Toujours selon le rapport, je vois que trois quarts d'heure à une heure plus tôt, le chef de la police s'était présenté chez votre tante pour vérifier si Miss Manners ne s'y trouvait pas. Votre tante lui a déclaré ne pas avoir revu Miss Manners depuis plusieurs semaines et que vous-même n'étiez toujours pas revenu de votre journal.

– Oui.

– Plus tard, lorsque vous êtes rentré chez vous, elle vous a informé de la visite du chef de la police et de son objet ?

– Oui.

– A quelle heure êtes-vous rentré chez vous ?

– Je n'ai pas regardé l'heure.

– Lui avez-vous demandé depuis combien de temps le chef de la police était passé ?

– Oui, mais elle ne m'a pas répondu, occupée qu'elle était à constater l'état dans lequel je me trouvais.

Elle nota le mouvement de surprise de Gopal. Rowan avait pris la parole :

– Selon le rapport de la police, cet état consistait en : « Une écorchure sur la joue droite et une contusion sur la joue gauche, des taches sur la chemise et le pantalon, suite au contact avec un sol boueux ou une surface sale. » Ce rapport vous paraît exact?

– Oui.

– Est-il également exact que lorsque le chef de la police Merrick et ses subordonnés pénétrèrent dans votre chambre, la chemise et le pantalon que vous portiez en arrivant étaient jetés dans un coin par terre, que vous aviez passé un pantalon propre et que vous vous baigniez le visage dans une cuvette d'eau?

– Oui.

– Vous n'étiez donc de retour chez vous que depuis environ dix minutes, disons depuis vingt et une heures trente, lorsque la police est arrivée?

– Ce doit être à peu près ça.

– Selon le témoignage de Mr Laxminarayan, le rédacteur en chef de la *Mayapore Gazette,* vous avez quitté les locaux du journal, sis dans Victoria Road, sur la rive européenne, vers dix-huit heures quinze?

– Oui.

– Au cours de l'enquête, chaque fois qu'on vous a interrogé sur votre emploi du temps entre dix-huit heures quinze et vingt et une heures quarante, vous vous êtes invariablement retranché derrière la réponse : « Je n'ai rien à déclarer. » Et maintenant, êtes-vous prêt à nous dire où vous étiez avant, pendant ce laps de temps – celui au cours duquel a été perpétré le viol?

Kumar avait les yeux rivés sur la table. Lorsqu'il regarda Rowan, ce fut pour dire :

– Non, je regrette, je ne peux pas.

Rowan se laissa aller contre le dossier de sa chaise. Comme si elle était à ses côtés, Lady Manners sentit à quel point l'espace matérialisé par la largeur de la table qui séparait le prisonnier des deux hommes chargés de le questionner était imprégné d'une suspicion insurmontable.

– Je ne comprends pas votre obstination présente, imprévisible, à revenir à une attitude qui brusquement rouvre la porte à tous les soupçons et contredit la sincérité, la spontanéité avec laquelle, jusqu'ici, vous avez répondu à toutes nos questions. Je me demande si vous mesurez à quel point votre refus de répondre à cette question décisive a toujours été et demeure insensé, à quel point, sans la détermination de Miss Manners à empêcher qu'on vous mette en cause, ce refus vous aurait inéluctablement conduit à être traduit en justice et, toujours si vous refusiez de fournir un alibi, vous aurait désigné comme coupable.

– Je sais. J'aurais refusé de répondre.

– Est-ce par loyauté?

– Non. Je n'aime pas ce mot.

– La question n'est pas là. Si nous examinions à l'égard de qui ou de quoi vous aviez pu vous sentir obligé, par souci de loyauté, de garder le silence, ce serait peut-être un moyen de faire un pas en avant?

– Non, je ne le crois pas. Du moins pas dans cette direction.

Rowan se pencha sur son dossier et prit le relais:

– En perquisitionnant dans votre chambre, la police n'a trouvé qu'une photographie de Miss Manners, qu'elle a reconnu vous avoir donnée, et une lettre, une seule, de votre ami de collège, Colin. Il avait pourtant dû vous en écrire bien d'autres?

– Pendant un certain temps, oui.

– Malheureusement, il s'agissait précisément de celle où il vous annonçait que son père avait ouvert deux de vos lettres précédentes, qu'il les avait lues et trouvées pleines « d'idées radicales » et d'une lecture inacceptable pour un jeune officier qui avait été blessé à Dunkerque. Il vous demandait d'en tenir compte à l'avenir. Pourquoi aviez-vous gardé cette lettre?

– Parce que c'était la seule où il était vraiment lui-même, tel que je l'avais connu au collège, un garçon qui savait apprécier l'atmosphère libérale de Chillingborough.

– Vous considériez Chillingborough comme un établissement libéral?

– C'était plus une pépinière de hauts fonctionnaires que d'officiers.

Lady Manners sourit. Est-ce que Rowan se souvenait de ce qu'il lui avait dit en venant?

– Finalement, en dépit de la distance et des circonstances, Colin était resté votre seul ami, votre confident privilégié?

– Pour moi, oui.

– Avec lui, vous aviez l'impression de garder un interlocuteur qui s'adressait à la part de vous-même restée foncièrement britannique?

– Oui.

– Nous nous retrouvons donc au moment où la police a fait irruption dans votre chambre tandis que vous vous baigniez le visage, avec ce trou dans votre emploi du temps entre dix-huit heures quinze et vingt et une heures trente? Voyons, si vous aviez convenu de vous revoir avec Miss Manners ce soir-là, où auriez-vous pu vous donner rendez-vous?

– Au Sanctuaire. C'était un des rares endroits de Mayapore où nous pouvions être ensemble sans attirer l'attention. L'attention qu'attire toute Blanche en compagnie d'un Indien.

– Et sinon?

– Dans les jardins du Bibighar. C'est un endroit sauvage, très agréable, très calme, où ne s'aventurent que de rares enfants et, de temps en temps, pendant la saison sèche, des familles indiennes qui viennent pique-niquer. Les gens répugnent à s'y rendre parce qu'on le dit hanté par des fantômes : les enfants que nous y avons rencontrés nous prenaient sûrement pour des revenants. Il s'y trouve une sorte de kiosque, constitué par une partie des fondations de l'ancienne demeure qui conservent un pavement de mosaïque protégé par un toit reposant sur des piliers.

– Le chef de la police savait-il que vous retrouviez parfois Miss Manners au Sanctuaire?

– Apparemment, oui. Au cours de l'interrogatoire, il

m'a dit lui-même qu'il y était passé dans la soirée et que sœur Ludmila lui avait appris que Miss Manners en était partie à la tombée de la nuit. C'est alors qu'il s'est rendu chez moi et qu'il a parlé à ma tante.

– Il était donc au courant des rapports que vous entreteniez avec la jeune fille?

– Bien sûr. Il était même devenu de ses amis.

– Devenu?

– Oui. Il me connaissait pour m'avoir arrêté en février au Sanctuaire. Au *maidan,* le jour de la parade couronnant la fin de la Semaine de la Guerre, il a vu Miss Manners quitter ses amis anglais pour venir me rejoindre. C'est de ce jour qu'il s'est intéressé à elle et l'a, entre autres, invitée à dîner chez lui.

– Si vous lui aviez laissé l'impression d'être un homme que la police doit avoir à l'œil, ce que je crois, il était naturel qu'il cherche à mettre Miss Manners en garde contre les dangers qu'elle pouvait courir en vous fréquentant.

– Oui. C'est tout à fait plausible.

– En fait, lui a-t-il parlé de vous?

– Oui. Elle me l'a confié le soir de notre visite au temple de Tirupati. Merrick l'avait mise en garde contre ses « contacts » avec moi. Il lui avait dit qu'elle « misait à tort sur moi », comme si j'étais un cheval de course. Cela a suscité une dispute entre nous. C'est à cette occasion que je me suis rendu compte qu'elle ignorait jusque-là que Merrick était le policier qui m'avait arrêté au Sanctuaire. Elle a soudain compris qu'elle avait été imprudente en sortant à la fois avec Merrick et avec moi, et que je cherchais maintenant à la décourager de me voir. Je me sentais ridicule, je pensais qu'elle perdait son temps. Nous nous sommes séparés sans réussir à effacer les effets de cette première querelle.

– Mais par la suite, vous vous êtes réconciliés?

– Vous oubliez que c'est la dernière fois où j'ai vu Miss Manners. Trois semaines plus tard, j'étais arrêté et accusé de l'avoir violée avec cinq autres hommes.

– Mr Gopal, proposa Rowan, vous aimeriez peut-être revenir sur ce moment de l'enquête?

– Oui merci, dit Gopal en buvant une gorgée d'eau tout en consultant ses papiers. Voyons, pourriez-vous par exemple vous rappeler ce que le chef de la police vous a dit en vous découvrant dans votre chambre en train de vous baigner le visage?

– Au début il ne m'a rien dit, il s'est contenté de me regarder en souriant.

– En souriant?

– Oui, et j'ai remarqué que sa joue droite était agitée d'un tic nerveux.

– Un sourire et un tic nerveux?

– Ensuite, il m'a demandé si les vêtements qui étaient par terre étaient bien ceux que je venais d'enlever, et il me les a fait remettre parce qu'il avait envie d'avoir de nouveau avec moi une petite conversation et qu'il allait m'emmener. Ses subordonnés m'ont fait descendre en me tenant les mains dans le dos et ils m'ont obligé à monter à l'arrière de leur fourgon sans me permettre de revoir ma tante que j'avais entendue m'appeler.

– Les cinq garçons que vous avez retrouvés au siège de la police riaient et blaguaient, nous avez-vous dit. Ils étaient ivres et pensaient avoir été appréhendés pour avoir été surpris à boire de l'alcool de distillation clandestine. Et vous, à quoi imputiez-vous votre arrestation?

– Dans mon esprit, ce ne pouvait être que pour une raison en rapport avec Miss Manners puisque ma tante m'avait dit que Merrick était passé dans la soirée pour voir si elle était chez nous. Par ailleurs, des événements graves s'étaient produits tout au long de la journée à la suite de l'arrestation de Gandhi, des dirigeants du parti du Congrès et de ses représentants locaux, tel Mr Srinivasan, l'avocat. A Tanpur, une femme blanche avait été agressée par des émeutiers et son compagnon de route, un instituteur indien de la Mission, assassiné sous ses yeux. On signalait dans certains cantons des coupures de lignes téléphoniques et des séquestrations de policiers dans leurs propres locaux. Mais, personnellement, je ne voyais pas pourquoi j'aurais été arrêté pour des raisons politiques. Beaucoup plus tard, lorsque Merrick a finalement consenti à me révéler que j'étais accusé du viol de Miss Manners, j'ai déduit de ce qu'il m'avait dit auparavant que les cinq autres jeunes gens gardés dans la cage, au rez-de-chaussée, étaient mes présumés complices dans le viol.

– Bien. Alors, on vous fait descendre dans cette pièce, et ensuite, que se passe-t-il?

– Merrick m'ordonne de me déshabiller.

– A ce moment-là, deux de ses agents sont présents dans la pièce, et comme vous nous l'avez dit ils vous « inspectent ».

– Oui, mais auparavant, tandis que ses hommes me tenaient nu, les bras dans le dos, devant son bureau, il s'y était assis et s'était versé un verre de whisky qu'il a bu en me regardant et en souriant. Ça a bien duré cinq minutes. Après l'inspection, il m'a fait cette remarque sur le fait que j'avais été assez malin pour me laver, et il a ajouté qu'il fallait que je me détende, que nous avions tout notre temps, qu'il avait beaucoup de choses à me dire. Ensuite, il a ordonné à ses hommes de me passer les menottes dans le dos et de quitter la pièce. Et il a commencé à parler.

– Vous voulez dire à vous questionner?

– Non, à parler. A parler de l'histoire des Britanniques en Inde, de l'avenir de l'Angleterre et de l'Inde, de son avenir à lui, du mien, de son histoire personnelle, de ses idées.

– Mais enfin, je ne comprends pas, dit Gopal visiblement déconcerté. J'ai tout d'abord eu l'impression que le chef de la police était impatient de retrouver Miss Manners et de mettre la main sur ses agresseurs, et maintenant, vous nous dites qu'il s'est installé pour boire tranquillement et vous tenir des discours hors de propos.

– Pour lui, ce n'était pas hors de propos. L'important n'était ni de me questionner ni de me parler d'une chose plutôt que d'une autre.

– Mais alors, qu'est-ce qui était important? s'emporta Gopal.

– La situation. Faire durer la situation, tirer de notre face à face tous les avantages possibles.

– Vous voulez dire... vous prétendez que vous aviez en face de vous un rival, un rival jaloux de l'attention que vous avait accordée Miss Manners? Un rival qui avait attendu son heure, son heure de revanche?

– Non. Ce serait une simplification abusive. Et de toute façon la question serait alors de savoir de quelle nature était cette jalousie et de qui il était jaloux.

– Décidément, j'ai toutes les peines du monde à vous suivre, déclara Gopal de plus en plus perplexe. Revenons plutôt, si vous le voulez bien, à votre interrogatoire. Je présume qu'entre deux digressions, le chef de la police vous posait tout de même des questions?

– De temps en temps, à brûle-pourpoint, il me demandait : « Les gars du dessus t'admirent beaucoup? Ils t'ont obéi au doigt et à l'œil? Qui t'a marqué au visage? Qui est Colin? Elle n'était pas vierge? »

– Vous vous doutiez qu'il faisait allusion à Miss Manners, mais vous ne lui avez pas demandé?

– Non, parce que très vite je me suis rendu compte qu'il n'attendait que cela, que cela faisait partie du jeu, de la situation.

– Oublions ce que vous appelez « la situation ».

– C'est impossible. Elle commandait tout. Elle était d'une nature et d'une intensité très particulières.

– Mieux vaut nous en tenir à la forme et à l'ordre des questions posées au prisonnier, intervint Rowan. Si situation il y avait, elle nous apparaîtra d'elle-même, ainsi d'ailleurs que sa nature ou le sens qu'il convient de lui donner.

– C'est ce que j'essayais de faire, dit Gopal. Bon, le chef de la police vous dit qu'il enquête sur la disparition d'une Blanche, il dit : « Tu te doutes bien de qui il s'agit? » et il ajoute une remarque obcène. Quelle remarque?

– A ce moment-là, je savais qu'il s'agissait de Miss Manners et qu'elle avait été violée par plusieurs Indiens.

– Oui, et c'est alors que vous avez déclaré au chef de la police que vous n'aviez pas revu Miss Manners depuis la visite au temple. Vous prétendez avoir mentionné son nom le premier, contrairement à ce que rapporte le procès-verbal des interrogatoires. Vous devez nous faire part de cette remarque pour étayer votre affirmation.

– C'était non seulement obscène mais calomnieux.

– Je ne pense pas qu'il soit absolument nécessaire... commença Rowan.

– Jusqu'à maintenant, je n'ai rien compris à ce que le détenu nous désignait par « la situation », mais puisque j'en tiens une qui me semble parlante, je veux en connaître tous les détails : nous avons un suspect arrêté pour viol, gardé longuement debout, nu, par l'officier de police du district assis à son bureau, buvant du whisky, qui l'interroge, si le prisonnier dit vrai, en se complaisant à lui dénier toute dignité humaine, à l'insulter, l'outrager, et le provoquer à réagir de telle sorte qu'il puisse consigner dans son rapport que l'accusé connaissait des faits qui établissent sa culpabilité. La scène est incroyable. Le détenu nous en a dit trop et pas assez. Il ne lui appartient pas de décider à tout moment, et quand ça l'arrange, s'il doit parler ou se taire.

Une fois de plus, la main de Lady Manners chercha le réconfort du plissé de son corsage, des petits boutons de nacre. La réaction de Gopal pouvait faire croire qu'il mettait en doute les déclarations du détenu, qu'il se refusait à admettre qu'un officier de police pût se conduire de la sorte. Pourtant, il tenait à croire à ce récit. Mais chez le fonctionnaire zélé et impartial resurgissaient la peur et les préventions à l'égard des Britanniques. Gopal n'aimait pas Kumar, il n'aimait pas ce genre de compatriote qui n'avait plus rien d'indien. Mais grâce à lui, il pouvait se justifier à ses propres yeux d'être là, assis à côté d'un officier anglais; grâce à lui, il pouvait faire le procès de l'homme blanc et mettre en pleine lumière de quel comportement outrageant, répugnant, un Indien pouvait être victime aux mains d'un Anglais.

– Je regrette, dit Kumar.

Gopal fit un geste d'impatience.

– Récapitulons, enchaîna Rowan. A vingt-deux heures quarante-cinq environ, vous êtes amené à déclarer au chef de la police que vous n'avez pas revu Miss Manners depuis votre visite du temple. Vous montrez alors des signes d'abattement. Vous tremblez. Et dès lors, vous ne répondez plus aux questions qu'on vous pose que par « Je n'ai rien à dire ». Vous êtes d'accord avec tous ces faits?

– Je suis d'accord.

– Ensuite, votre interrogatoire s'est prolongé pendant combien de temps environ?

– Je ne sais pas. Peut-être une heure ou deux, peut-être plus.

– Tout ce temps, vous étiez toujours seul avec le chef de la police?

– Non, à plusieurs reprises, des agents et d'autres personnes sont entrés et sortis, mais je ne peux pas le dire précisément.

– Vous avez été pris de malaises, de vertiges, vous aviez froid? Vous êtes resté debout très longtemps?

– Je ne suis pas resté debout tout le temps.

– On vous a permis de vous asseoir?

– Non.

– Je ne comprends pas, intervint Gopal, vous n'étiez pas tout le temps debout, mais vous n'étiez pas non plus assis. Comment étiez-vous donc?

– J'étais attaché sur un chevalet. Pour la phase décisive de l'interrogatoire, ajouta-t-il après un moment d'hésitation.

– Vous déclarez qu'on vous a maltraité, torturé? demanda Gopal.

– On m'a infligé des coups de canne.

Rowan feuilletait son dossier.

– Parmi les documents versés à votre dossier, dit-il, se trouve une copie du rapport établi par le juge Iyenagar après vous avoir entendu le 16 août, sur ordre des autorités civiles, suite aux rumeurs circulant en ville sur les brimades qu'auraient subies les prisonniers accusés du viol. A toutes les questions que vous a posées ce magistrat, à savoir, entre autres, si vous aviez à vous plaindre de mauvais traitements, vous avez répondu :« Je n'ai pas de plainte à formuler. » Êtes-vous d'accord avec ce compte rendu de votre audition par ce fonctionnaire?

– Oui, je suis d'accord.
– Donc vous mentiez.
– Non, je disais la vérité.
– Est-ce à dire que vous aviez peur des conséquences dont vous risquiez d'être victime si vous exprimiez des doléances? lui demanda Gopal.
– Non
– Mais alors, quoi?
– C'est difficile à expliquer maintenant.
– Ne serait-ce pas plutôt que vous vous êtes abstenu de parler pour des raisons qui vous paraissent aujourd'hui discutables? lui fit remarquer Rowan d'un ton cinglant. Ici, vous ne témoignez pas sous serment. Les personnes que vous accusez ne sont pas là pour se défendre. N'êtes-vous pas tenté d'en profiter?
– Non, je ne porte aucune accusation.
– Je vois : vous vous contentez de rapporter des faits. C'est peut-être un peu tard, non?
Pas de réponse.
– Sur quelle partie du corps vous a-t-on donné des coups de canne?
– Sur les fesses.
Une nouvelle fois Rowan consulta les pièces de son dossier.
– Je vois que six jours après votre arrestation, à votre arrivée à la prison de Kandipat, vous avez, comme c'est de règle, passé une visite médicale et été classé parfaitement sain de corps. Le médecin n'a noté qu'une seule chose : les restes d'éraflures et d'ecchymoses encore visibles sur votre visage. Ces coups de canne n'étaient peut-être pas tels qu'ils aient laissé des traces. Six jours, c'est peu de temps. Si vous aviez été battu au sang, ça aurait encore été visible.
– C'était visible.
– Toujours est-il qu'il ne mentionne rien à ce sujet dans son rapport. Avant la visite médicale, vous avez également dû prendre un bain sous la surveillance d'un gardien?
– Oui, mais les Indiens des classes inférieures gardent toujours un caleçon pour se baigner, parce qu'ils ne se

baignent jamais autrement qu'en public. C'est ce qui s'est passé, on m'a dit de garder le mien.

– C'est ce que j'allais vous faire remarquer, dit Gopal. Je vois d'après les notes que j'ai sous les yeux que le médecin était indien. Il n'a dû demander au détenu de baisser son caleçon que pour examiner la région pubienne.

– Non. Il a procédé également à un examen anal.

– Autrement dit, intervint Rowan, le médecin était ou incompétent ou de mauvaise foi lorsqu'il a rédigé son rapport. Avez-vous été battu au point de saigner?

– Je crois que oui. Car dès le début, il m'ont couvert d'un linge humide qu'ils ont enlevé ensuite.

– Qui ça, ils? demanda Gopal.

– J'étais attaché sur le chevalet, je ne voyais rien. Dans cette position, on ne pense qu'à retrouver son souffle. Merrick donnait l'ordre de me frapper à ses subordonnés, je suppose; il leur ordonnait de s'arrêter pour pouvoir me parler, et ensuite, ça recommençait comme ça, interminablement.

– Mais qu'est-ce qu'il vous disait? s'emporta presque Gopal. Il ne vous parlait tout de même plus de l'histoire des Anglais en Inde?

– Non. Il disait que Miss Manners m'avait accusé de l'avoir contrainte à s'arrêter près du Bibighar et qu'avec mes complices nous l'avions entraînée à l'intérieur des jardins où nous l'avions violée, d'abord moi, puis les cinq autres. Excusez-moi, je me trompe. Ça, il me l'a dit avant de me faire attacher sur le chevalet. Ensuite, il a annoncé que la vérité était toute autre, qu'il allait la raconter, et que je n'aurais qu'à acquiescer pour qu'on arrête de me battre.

– Quelle version vous a-t-il donc proposée?

– Il prétendait qu'il était évident qu'elle nous avait elle-même fixé rendez-vous, qu'elle nous avait aguichés, mais que nous lui en avions donné plus qu'elle n'espérait, et qu'elle cherchait maintenant à nous punir d'avoir tous abusé d'elle. Puis il a quitté la pièce pendant un bon moment. A son retour, il était accompagné d'un homme qu'il m'a dit être un de mes amis gardés au rez-de-chaussée. Il l'amenait pour qu'il entende ma confession, a-t-il dit. L'homme en question m'a fait comprendre qu'il ne savait rien et n'avait rien dit. Ils ont recommencé à me battre. Après, j'ai eu l'impression que Merrick renvoyait tout le monde. Nous étions seuls. Il a eu des mots et des gestes obscènes.

– Le terme « obscènes » ouvre la porte à toutes les interprétations. C'est la deuxième fois que vous accusez un officier de la police indienne d'obscénité, portant de ce fait atteinte à sa réputation. Vous avez le devoir de nous donner des exemples de ce que vous avancez, afin que ceux qui liront le compte rendu de cette audition puissent se faire une opinion sur le bien-fondé de vos accusations.

Kumar avait maintenant les yeux fixés sur Rowan.

– Il m'a demandé si j'aimais ça. « Ça ne t'excite pas? a-t-il dit. Allons, c'est tout ce que tu peux faire? »

– C'est tout?

– Il a recommencé : « Ça ne t'excite pas? Les garçons bâtis comme toi en redemandent. Ils remettent ça aussi sec. » En même temps, il avait la main sur mon sexe.

Gopal semblait changé en pierre. Rowan se mit à aboyer :

– Effacez ça. Rayez tout à partir de : « Nous étions seuls. » Et sortez. Laissez vos papiers ici. Attendez dehors, on vous rappellera.

Lorsque le secrétaire eut refermé la porte derrière lui, Gopal sembla se réveiller et s'apprêter à protester. Mais Rowan le devança en lançant à Kumar :

– Pourquoi faites-vous de telles déclarations?

– Je réponds à vos questions.

– Vous répondez par des mensonges.

– Je ne mens pas.

– Et moi, je prétends que vous mentez, que vous nous débitez tout un chapelet d'inventions soigneusement mis au point pour une occasion comme celle-ci, ou pour le jour où vous seriez libéré. Si on vous avait fait subir de telles choses, vous en auriez avisé le magistrat qui vous a interrogé. Je prétends que vous ne lui avez rien déclaré parce qu'il n'y avait rien à déclarer. Je prétends que vous avez nourri votre histoire de ragots dont on a prouvé à l'époque qu'ils étaient inventés de toutes pièces. Je prétends qu'en montant cette fable vous avez cherché à prendre les devants, en raison de la peine encourue si on s'avisait de vous juger pour le viol dont vous êtes toujours accusé. Je prétends que tout votre témoignage aujourd'hui est fabriqué, prémédité, et que votre emprisonnement est pour le moins hautement mérité. Il est encore temps pour vous de vous rétracter. Réfléchissez soigneusement avant de décider de votre conduite.

– Je n'ai rien à retirer de tout ce que j'ai dit, mais j'ai l'impression d'avoir mal compris.

– Qu'est-ce que vous voulez dire? Mal compris les questions?

– Non. La raison que vous aviez de me les poser.

– Dès le début, elle vous a été clairement exposée.

– Non, vous m'avez parlé de la forme qu'elles prendraient, pas de la raison qui vous amenait à me les poser. Vous m'avez laissé libre de la trouver seul. Je me suis trompé. Il lui est arrivé quelque chose, n'est-ce pas?

– Vous parlez de Miss Manners?

– Oui.

– Pourquoi me demandez-vous ça?

– Parce que j'avais cru que finalement elle avait réussi à faire admettre mon innocence. Or, la façon dont vous conduisez votre interrogatoire indique au contraire que vous êtes dans l'incertitude mais que vous ne voulez pas prendre le risque de ce qu'on appellerait une erreur judiciaire, si j'étais traduit devant un tribunal. Vous avez commencé à me questionner de bonne foi, et moi je vous ai répondu sincèrement, alors pourquoi m'accuser de mentir à présent? Et d'abord, puisque Miss Manners n'est nullement intervenue en ma faveur, ou du moins pour inciter votre commission à m'entendre, c'est peut-être parce qu'il lui est arrivé quelque chose. Elle est morte n'est-ce pas? Si c'est le cas, vous deviez me le dire dès le début.

– Nous pensions que vous le saviez. Vous n'êtes pas totalement coupé du monde extérieur. Vous correspondez avec votre tante. On vous permet sûrement de lire les journaux. Vous êtes en contact avec d'autres prisonniers, avec de nouveaux arrivants?

– Les lettres de ma tante sont sévèrement censurées. De toute façon, elle ne me parlerait en aucun cas de Miss Manners, qu'elle rend responsable de tout ce qui m'est arrivé. Elle ne lui a pas pardonné. Ici, je suis en régime sévère. On ne me permet que la lecture de certains livres, pas de la presse. Une fois par semaine, on fait circuler une feuille de papier sur laquelle est consigné un résumé des nouvelles de la guerre, autrement dit une énumération de victoires et de pieuses platitudes. Quand est-elle morte, et comment?

– Elle est morte d'une péritonite l'année dernière.

– Un an? Une appendicite foudroyante?

– Les suites d'une césarienne.

– Oui. Je vois. Elle s'était mariée?

– Non, non, pas du tout.

– Elle était...

– N'avez-vous toujours rien à rétracter de vos déclarations?

– Non, rien. Absolument rien.

Kumar resta ensuite un long moment sans parler, immobile, les yeux fixés sur Rowan. Elle ne le remarqua pas aussitôt – rien ne le trahissait, ni le moindre bruit, ni le moindre changement perceptible dans son corps – c'étaient juste deux traînées presque phosphorescentes sous la lumière électrique, qui partaient des yeux profondément enfoncés dans les orbites et suivaient la pente des joues creuses. Elle ferma les yeux. Elle aurait aimé pouvoir le toucher, là, tout de suite. Personne d'autre qu'elle n'avait pleuré pour Daphné. Mais l'épaisse vitre était une barrière infranchissable. C'était comme si Hari Kumar était enterré vivant dans une tombe d'où elle le contemplait d'en haut.

Elle rouvrit les yeux, pour l'apercevoir une seconde avant que son image se brouille. Elle pleurait elle aussi, elle pleurait pour elle, elle pleurait pour lui, elle pleurait pour des amants qui n'avaient eu, pour se guider dans une nuit sans étoiles, qu'une foi aveugle l'un dans l'autre, aveugle et muette, car la vérité était alors encore trop dangereuse à dire.

– Est-ce que vous voulez qu'on vous laisse le temps de vous ressaisir? lui demanda Rowan.

– Non, j'ai tout mon sang-froid. Mais vous auriez dû me le dire. Que je sache exactement ce qu'il en était. J'ai accepté de répondre à vos questions parce que j'ai cru ainsi obéir à sa volonté. Si j'avais su qu'il ne s'agissait que d'aider des gens à soulager leur mauvaise conscience, je ne me serais pas prêté à cet interrogatoire.

– Il y a une question à laquelle vous n'avez pas répondu.

– Je n'y répondrai pas.

– Avez-vous été conscient à l'époque qu'en refusant de répondre vous vous condamniez à la prison mais en y condamnant du même coup les cinq autres suspects?

– Oui, j'y ai pensé. Je l'ai accepté et j'en ai pris la responsabilité comme une conséquence inévitable de la situation. Je sais qu'ils sont innocents, comme je le suis. Sont-ils toujours en prison?

– Oui.

– Et vont-ils, eux aussi, être interrogés sur leur dossier?

– Cela dépendra beaucoup des résultats de votre propre audition.

– Non, vous ne pouvez pas vous décharger aussi facilement de vos responsabilités. Cela fait aussi partie de la situation.

Gopal semblait intéressé par le problème de ces cinq hommes, n'ayant bénéficié d'aucun des avantages offerts à Kumar, lequel semblait avoir tenu et tenir encore leur sort entre ses mains.

– Vous vous servez très habilement de cette notion de situation pour vous dérober chaque fois que l'interrogatoire prend pour vous une tournure gênante. Au lieu de continuer à essayer de nous intriguer, j'aimerais que vous nous disiez clairement en quoi consistait cette fameuse situation.

Au creux de ses joues, les traces de larmes étaient toujours visibles. Il n'y prêtait aucune attention. Elles ressemblaient maintenant à deux coulées de cire durcie, fragiles, que Rowan aurait pu détacher du visage de Kumar, et qui seraient tombées en tournoyant comme des ailes d'insectes.

– C'était une situation d'identification. Selon Merrick, les situations sont en général le produit d'un ensemble d'actions et le prélude à un autre faisceau d'actions, en elles-mêmes négatives.

– Si le chef de la police est parvenu à vous faire saisir le sens de ses idées, auriez-vous la bonté de les rendre aussi claires que possible à cette commission? lui suggéra Gopal.

– C'est d'une certaine manière impossible. Les idées perdent leur signification si elles ne trouvent pas à s'incarner. Merrick disait que si les gens réussissaient à s'impliquer physiquement dans une situation, ils en comprenaient aussitôt tout le sens. Il disait que l'histoire était faite d'un enchaînement de situations dont on ne parvenait à déchiffrer le sens que longtemps après, parce que les gens avaient eu peur de les vivre pleinement, de s'y impliquer sans réserve. Ils n'avaient pas eu la force d'assumer leur responsabilité d'acteurs à part entière, d'être partie prenante de ce qu'ils vivaient. Ils préféraient considérer la situation dans laquelle ils étaient plongés comme un épisode d'une longue suite d'événements sur lesquels ils n'avaient aucune prise. Merrick n'allait pas jusqu'à penser qu'on pouvait infléchir le cours des choses en passant de l'état de spectateur à celui d'acteur, mais qu'on était alors en mesure de mieux les comprendre et donc de prendre des initiatives pour s'opposer à ce qu'elles aillent dans le mauvais sens ou dans une direction contraire à la réalité.

– C'est une théorie intéressante, dit Rowan, mais quel rapport avec les faits dont vous nous avez parlé?

– Mieux vaut se demander en quoi la spécificité de la situation illustrait la théorie de Merrick. Le viol, l'interrogatoire, n'étaient que des prétextes. Le vrai sujet était la nature des rapports qui s'étaient établis entre nous.

– Qu'est-ce que vous voulez dire? demanda Rowan.

– Merrick prétendait que nos rapports n'avaient été jusque-là que symboliques et qu'ils devaient devenir réels.

– Symboliques?

– Oui. Pour lui nous n'étions encore que des symboles,

et si nous en restions là, nous n'arriverions jamais à nous comprendre. Nous ne devions pas nous contenter d'admettre qu'il était lui un Anglais, et moi un Indien, lui le maître et moi sa chose. Nous ne devions pas reprendre à notre compte l'idée qu'une relation idéale pourrait s'établir entre nous – ce qu'il appelait une sorte de camaraderie. Non, nous devions plutôt nous obliger à mettre à nu le mépris qu'il éprouvait pour moi et la peur qu'il m'inspirait. Les deux sentiments à la base de nos rapports. Ce qui ne nous empêcherait pas de voir ensuite si une certaine camaraderie était possible entre nous. L'essentiel pour lui était de bien mettre en lumière tout ce que la situation comportait, de ne jamais l'oublier ou chercher à faire semblant d'y voir ce qu'elle ne comportait pas.

» Il m'avait expliqué que le processus de dégradation auquel il me soumettait comportait trois phases, la première ayant consisté à me laisser debout, nu face à lui, la seconde à m'avoir attaché sur le chevalet, et la troisième à me manifester sa compassion. Il m'a offert de l'eau, il a lavé mes blessures. J'ai accepté l'eau avec reconnaissance. J'étais soulagé de le voir me traiter avec gentillesse. J'aurais aimé gagner sa confiance au point de lui dire toute la vérité. J'ai failli céder à ce besoin. Ce qu'il voulait, c'était que je reconnaisse que j'étais à sa merci, que je lui étais foncièrement inférieur. Il disait que la vraie déchéance des Anglais, c'était de prétendre qu'ils n'éprouvaient aucun mépris pour nous, et que notre vraie dégradation c'était notre prétention à être traités en égaux par les Blancs. Il m'a dit de ne plus songer à la jeune fille. Que ce qui lui était arrivé était accessoire, à condition que je comprenne à quel point j'en étais responsable : « Voilà ce qu'il faut que tu admettes, me répétait-il, que si cette fille s'est fait tringler, c'est ta faute. Ce serait ta faute même si tu avais été à des centaines de kilomètres d'ici. »

» Ce qui s'était passé dans les jardins du Bibighar était pour lui symbolique et symptomatique de ce qu'il appelait la « corruption libérale », à la fois des gens de son espèce et de la mienne. Sous une admiration pour l'« Indien fidèle », se cachait le mépris d'un peuple qui est venu faire profiter un autre peuple de son savoir. Et l'intellectuel libéral anglais était aussi méprisant à l'égard de l'Indien instruit et occidentalisé que le réactionnaire anglais arrogant des classes privilégiées à l'égard du pékin qui lui lèche les bottes et mendie son approbation.

Kumar s'interrompit quelques instants puis reprit :

– Il disait qu'il était personnellement bien placé pour juger toute cette comédie car il était issu d'un milieu modeste. Sans son intelligence, il n'aurait pu devenir tout au plus qu'un petit employé. En venant en Inde, il s'était créé une situation beaucoup plus brillante que toutes celles auxquelles il aurait pu prétendre en Grande-Bretagne, et il était devenu automatiquement un sahib. Il frayait avec toute une catégorie de gens qui l'auraient dédaigné en Angleterre et qui le savaient. Lorsqu'il passait en revue tout ce qui lui permettait d'être accepté comme un des leurs en Inde – la solidarité coloniale, l'égalité des positions, l'uniforme, le service pour le roi et pour la patrie, – il en voyait bien le caractère artificiel. Personne, d'ailleurs, n'était dupe. Mais tout le monde faisait semblant. Ce qu'il avait en commun avec ces gens-là, c'était le mépris pour la race qui habitait le pays où ils exerçaient leurs prérogatives. Il disait que sans le mépris et sans l'envie que les gens éprouvent naturellement les uns pour les autres, les lois n'auraient aucune raison d'être.

» A un moment, il a passé sa main sur mes fesses ensanglantées et il me l'a montrée tachée de rouge : « Tu vois, il a la même couleur que le mien. Mais ne t'y trompe pas, le sang d'un imbécile, celui d'un chien, ont la même couleur. » Ensuite, il s'est essuyé la main sur mes organes génitaux et il m'a détaché du chevalet pour me faire passer dans une petite cellule contiguë à la pièce, où il y avait un lit de cordes garni d'une paillasse. J'avais les poignets et les chevilles attachés aux pieds du lit par des menottes. Il est sorti. Je les ai entendus battre un des suspects arrêtés. Il est revenu avec une jatte d'eau et une serviette. La troisième phase a commencé. J'étais toujours nu. Il a passé la serviette mouillée sur mes fesses lacérées. Après avoir versé un peu d'eau dans un quart, il m'a redressé la tête par les cheveux et versé de l'eau dans la bouche. J'ai bu, et il m'a dit que je devais le remercier, qu'il savait que je lui étais reconnaissant de m'avoir donné à boire. Que même si c'était difficile, je devais ravaler ma fierté. Qu'il me redonnerait à boire. Il m'a reposé la tête en arrière et j'ai senti l'eau couler dans ma bouche. Je me suis entendu déglutir. Après avoir posé le quart par terre, il m'a pris le visage entre ses mains et il a rapproché sa tête tout près de la mienne. Nous nous regardions dans les yeux. Je me suis entendu lui dire merci.

» C'est une des raisons pour lesquelles, lorsqu'on m'a demandé si j'avais une plainte à formuler, j'ai dit non. Ensuite, il m'a caressé les cheveux. Il a dit que maintenant nous connaissions la vraie place des choses. Que je pouvais dormir. Que je me confesserais le lendemain, que j'en éprouverais le besoin. Que ça montrerait que la fille avait menti, qu'elle avait accepté le rendez-vous et qu'elle y tenait. Il m'aiderait si j'acceptais de dire la vérité. Il était ma seule chance de salut. Il a placé la serviette mouillée sur mes fesses et m'a recouvert d'une couverture. Lorsque je me suis réveillé, j'étais dans le noir. Je n'avais plus les poignets et les chevilles attachés. J'ai eu l'impression de tomber dans le vide, et j'ai appelé. *J'ai appelé Merrick.*

» Et puis, j'ai compris que je ne devais pas rester là, allongé passivement dans le noir. J'ai réussi à me lever et à avancer en tâtonnant le long du mur jusqu'au moment où j'ai trouvé le commutateur. J'ai vu qu'il avait laissé le quart près du lit, avec un peu d'eau dedans. J'ai fixé la serviette autour de mes reins, et je me suis mis à marcher de long en large pour lutter contre l'ankylose des jambes et des bras. Il n'y avait pas de fenêtre, juste un ventilateur au plafond. La pièce devait être étouffante, mais je frissonnais. L'eau était chaude. Le quart à la main, j'ai continué à marcher. Je cherchais, et finalement j'ai trouvé : le pagne et la sébile. J'étais une réplique de mon grand-père partant mendier sur les routes. A ma façon, j'étais devenu un bon Indien. Avant, lorsque je pensais à l'histoire de ce vieil homme abandonnant toutes ses responsabilités, je ne pouvais pas croire que j'étais issu d'une famille où pouvaient se produire de telles choses. Mais là, en marchant, j'ai compris ce que son idée et la mienne avaient de semblable : personne n'avait aucun droit sur moi et je n'avais de compte à rendre qu'à moi-même. J'ai découvert que la situation n'existait que dans l'esprit de Merrick, même si nous y étions tous les deux impliqués, et qu'il suffisait que je m'en dégage pour qu'elle perde toute réalité. Si je décidais de garder le silence, rien ne pourrait me contraindre à répondre à ses questions, sinon l'emploi de la force, et dans ce cas, seule ma faiblesse serait en cause. J'en suis donc arrivé à prendre la décision de ne plus répondre à aucune question. C'était le seul moyen dont je disposais pour me prouver que j'existais, moi, Hari Kumar, et que je m'acceptais tel que j'étais.

Elle ouvrit les yeux et en le découvrant assis en bas, face à elle, elle éprouva la même stupéfaction que précédemment à constater le divorce qui existait entre l'apparence soumise, brisée, qu'avait le corps de l'homme, et l'indomptable combativité de son intelligence.

– Lorsque Merrick est revenu, il m'a trouvé en train de marcher dans la cellule, le quart à la main. Il avait dû aller chez lui prendre un bain et se changer, mais il était tout blanc, avec la tête de quelqu'un qui n'a pas fermé l'œil de la nuit. Je lui ai demandé l'heure. Sa réponse a été automatique. Il m'a dit qu'il était six heures, et aussitôt il a compris que nos rapports avaient changé. J'ai continué à marcher, et chaque fois que je lui faisais face, je pouvais lire sur son visage son étonnement et son embarras croissants. Mon Dieu, me suis-je dit, fallait-il qu'il soit convaincu de ma culpabilité pour avoir pris de tels risques. Et il persistait à me croire coupable, même s'il savait qu'il avait perdu la partie. Un instant, il a excité mon admiration. Ce que je pouvais faire ou dire pour lui attirer des ennuis le laissait indifférent. Les agents m'ont apporté à manger, ainsi que des vêtements propres qu'on était allé chercher chez moi. Ensuite on m'a conduit dans une autre cellule. Après ça, chaque jour, et deux ou trois fois par jour, Merrick m'interrogeait dans la pièce où était le chevalet, mais on ne m'a plus infligé de mauvais traitements. Merrick était toujours aussi convaincu de ma culpabilité, mais j'avais l'impression qu'obtenir mes aveux ne l'intéressait plus. Le lendemain du jour où Iyenagar est venu m'interroger, Merrick m'a dit qu'il comprenait quelle était ma nouvelle ligne de conduite : j'avais décidé de faire comme si rien n'était arrivé. Mais je me trompais, m'affirma-t-il, car non seulement il s'était passé quelque chose mais cela arriverait de nouveau, et pendant longtemps encore. Il me méprisait plus que jamais, d'autant que je n'avais pas eu le courage de me plaindre de ses tortures. Désormais il ne perdrait plus de temps à m'interroger. Il a admis qu'il avait menti : non, Miss Manners ne m'accusait pas. Elle avait inventé au contraire une histoire à dormir debout pour expliquer sa présence après la tombée de la nuit dans les jardins du Bibighar. Elle voulait vérifier s'il y apparaissait vraiment des fantômes comme les hindous le prétendaient. Il a ajouté : « Mais ce n'est pas vrai. Vous étiez ensemble dans les jardins. Et je sais que tu l'as sautée. Elle ment parce qu'elle a honte, et toi tu mens parce que tu as peur. Tu as tellement la trouille que tu essaies de te convaincre que tu as rêvé, comme les fakirs hindous qui prétendent que le monde est une illusion. A quoi te sert ton Chillingborough, maintenant? » Il s'est levé et s'est approché tout près de moi et il m'a rappelé une à une toutes les choses qu'il m'avait fait subir. Il m'a demandé de le frapper. Je crois qu'il voulait vraiment que je le frappe.

Kumar baissa lentement les yeux, comme pour signifier qu'il avait fini.

– Je peux rappeler le secrétaire, si vous voulez que votre déposition soit enregistrée.

Il secoua la tête et finit par sourire. Un vrai sourire.

– Non. J'ai fini. J'ai tout dit. Le secrétaire n'était pas là, mais cela aussi fait partie de la situation, n'est-ce pas?

Une onde de paix d'une qualité extraordinaire parcourut Lady Manners. Elle eut la tentation de s'y abandonner, comme un nageur épuisé se laisse couler. Ça va finir en désastre complet, impardonnable, se dit-elle – *c'est ça la situation.* Ce qu'elle pouvait encore apercevoir de son poste d'observation, le tableau que constituaient Rowan, Gopal et Kumar, maintenant rejoints par le secrétaire indien, lui donnait un avant-goût de ce que seraient les jours à venir. Un avenir dominé par les accents martiaux d'une marche militaire. Ce qu'elle voyait se réaliserait très bientôt. Elle vivrait encore suffisamment pour assister à l'exploit qui deviendrait la justification de toute une race. Mais dans son cœur, l'exploit avait déjà eu lieu. La paix qu'elle ressentait était la paix annonciatrice de la mort. Pour elle, la course d'obstacles avait pris fin dans cette pièce donnant secrètement sur l'autre monde. Désormais, elle savait qu'elle assisterait à ce qu'elle pressentait. Un monument venait d'être dressé à la gloire des Britanniques. « Mais ce n'est pas du meilleur, dont nous devons nous souvenir, dit-elle en sursautant de s'entendre parler toute seule. Nous devons nous souvenir du pire, car c'est bien le pire qui mène nos vies. Le meilleur ne sert qu'à écrire notre histoire et, entre les deux, il y a cette immensité ténébreuse où les bergers patients et extasiés conduisent leurs troupeaux invisibles dans l'attente du pardon divin. »

La lumière crue éclairait toujours la chaise vide, la pièce vide. Une main lui touchait l'épaule.

– Tout va bien Lady Manners? lui répéta Rowan.

– Oui, dit-elle en le laissant l'aider à quitter son fauteuil.

Elle prit son sac à main sur la table, et y replaça ses lunettes. En sortant de la pièce, l'air chaud et stagnant du couloir faillit lui faire perdre connaissance. Ses jambes tremblaient, engourdies par la longue station assise. En montant dans la voiture, elle eut l'impression de pénétrer dans une fournaise. Elle ferma les yeux et sentit le siège capitonné se creuser sous le poids du capitaine Rowan qui s'installait dans le coin opposé. La voiture démarra et franchit sans s'arrêter la zone d'ombre qui précédait la porte de la prison. Des poissons-lunes semblaient passer et repasser devant ses paupières closes. Lorsque la voiture déboucha dans l'odeur et le plein soleil du quartier de Kandipat, elle rouvrit les yeux et se trouva aussitôt éblouie par un trait de lumière qui transperçait les rideaux.

– Il a dit la vérité, annonça-t-elle brusquement.

– Je suis heureux que vous le pensiez, lui dit Rowan en lui lançant un regard perçant. C'était évident – et terriblement éprouvant – lorsqu'on se trouvait assis juste en face de lui.

– Je suppose que vous savez maintenant pourquoi Son Excellence vous a choisi pour conduire cet interrogatoire?

– Je pensais que c'était parce que vous le lui aviez demandé.

– Oui, et cela doit vous surprendre, comme vous devez être surpris de constater que j'ai attendu une année avant de me décider. Maintenant, nous sommes en sûreté.

– En sûreté?

– Pour ouvrir les rideaux. J'ai l'impression de rouler vers ma tombe.

Mais c'est bien ça, tu roules vers ta tombe, lui répondit une voix. La voix connue. Les vieilles gens se parlent à elles-mêmes. La voix prend un ton détaché, ironique. La passion témoigne de cette volonté de survivre à sa fragile prison de chair et d'os. Tout en préparant sa survie, elle s'éloigne comme un enfant qui a grandi, impatiente de se sentir totalement libre pour entreprendre le long voyage tâtonnant à la découverte de ses mystères intimes. Oui, c'est le grand départ, dit la voix, la séparation définitive, une libération pour toi et pour moi. L'oubli, la vie éternelle, ce qui pour nous revient au même. Notre tête-à-tête s'achève. Tu auras juste le temps de faire preuve une dernière fois d'intelligence et de sang-froid.

– L'enfant, dit-elle. Comment en être vraiment sûr? Elle, oui, elle en était sûre. Si vous l'aviez vue vers la fin, c'était stupéfiant, ce mélange de gaucherie ordinaire et de parfait état de grâce. Tout est toujours approximatif.

Mensonges et approximations. Tout se déforme sans cesse. C'est ce que vous avez voulu dire en parlant de lui, de sa vérité. Lorsque le bébé pleure, ses besoins sont si simples, il pleure pour ainsi dire sans s'en rendre compte. Qui lira le rapport?

– Son Excellence.

– Et le représentant du département de l'Intérieur?

– C'est un Anglais.

– Pourquoi me dites-vous ça?

– Ça a son importance. Mais Kumar sera relaxé.

– Pour aller où? Mais je ne tiens nullement à le savoir. J'ai eu ma part de divertissements.

– De divertissements?

– N'était-ce pas une pièce en plusieurs actes? Mais c'est fini. Chacun a regagné son coin et essaie de trouver la solution. Hari Kumar devra trouver la sienne. Et Mr Merrick. Lui ne court aucun risque, n'est-ce pas? Ce n'est que le témoignage invérifiable d'un détenu. Lui, rien ne l'atteindra. Ça fait partie du jeu, ça aussi.

– On peut ouvrir les rideaux maintenant, dit Rowan en les tirant l'un après l'autre.

DEUXIÈME PARTIE

Un baptême

I

Mars-juin 1944

L'année avait commencé dans le calme, mais la mort de Mrs Gandhi en captivité, la maladie de son mari et sa libération pour des motifs humanitaires, apparaissaient, rétrospectivement, comme des signes de sinistre augure.

Dans les tout premiers jours de mars, le jeune Morland, un représentant cantonal du commissaire délégué du district de Pankot, rapporta d'une tournée une curieuse histoire colportée par les villageois des collines : une femme abandonnée par son mari avait mis au monde un enfant bicéphale. Une heure plus tard elle mourait, et l'enfant (un garçon) n'avait même pas survécu une journée. Soupçonnant qu'on pouvait avoir concouru à la mort d'un nouveau-né difforme (le détail des deux têtes étant assez douteux), Morland avait perdu deux semaines à rechercher l'origine de la rumeur. Tout le monde était au courant de la chose, mais nul ne savait où elle s'était passée exactement. Les gens lui indiquaient tel ou tel village et, quand il s'y présentait, on lui disait que ça n'était pas arrivé là mais dans un autre, généralement celui dont il venait. Plus il menait l'enquête et moins l'événement semblait localisable. La seule chose claire, c'était que les villageois y voyaient un présage. Mais un présage de quoi? En hochant la tête ils répondaient : « Qui peut le dire? » Sur le chemin du retour, Morland avait remarqué que les petits sanctuaires champêtres aux anciens dieux tribaux étaient tous fraîchement fleuris.

Une fois rentré, et se détendant au club après un bain nécessaire et bien mérité, le jeune Morland – teint de brique et cheveux de lin – avoua tout en maniant gravement sa courte pipe de bruyère que l'inquiétude de ces villageois superstitieux n'avait pas été sans déteindre quelque peu sur lui. Ainsi ce rêve qu'il faisait et dont, au matin, il se souvenait qu'il avait trait à sa noyade. « Et moi qui nage comme un poisson », dit-il.

Une semaine plus tard, Morland était muté au Secrétariat à Ranpur, et son histoire de sinistres présages sortait déjà des mémoires lorsque, le 18 mars, on apprit à Pankot que, la veille, des forces ennemies considérables avaient traversé le Chindwin. Cinq jours plus tard les Japonais franchissaient la frontière birmane et pénétraient dans la province de l'Assam. A présent qu'ils avaient pris pied en Inde, il était évident qu'ils allaient marcher sur Delhi.

A la fin du mois, les Japonais avaient entièrement coupé l'accès aux villes d'Imphal et de Kohima, et ils bloquaient la totalité des forces britanniques dans l'État de Manipur. On disait qu'Imphal était tombée – ce que démentit formellement, devant l'Assemblée à Delhi, le général Claude Auchinleck, commandant en chef de l'armée des Indes et membre du Conseil exécutif du vice-roi, qui affirma que, selon les informations que lui avait fait transmettre Mountbatten, le commandant suprême interallié pour l'Asie du Sud-Est, la ville résistait à tous les assauts. A Pankot, un plaisantin dit en plein club que cette histoire de bicéphalité rapportée par Morland avait probablement été suggérée aux indigènes par le fait que le Grand Quartier Général se trouvait à Delhi, et ses responsabilités, au front; que la modernisation et la rationalisation des forces combattantes n'était que de la poudre aux yeux; et que jamais les Japonais n'auraient envahi l'Inde si l'armée n'avait pas été placée dans une situation où sa main droite ignorait ce que faisait sa main gauche. Il ne fit rire personne – non qu'il eût tort, mais personne n'avait le cœur à rire. A l'état-major de la région militaire, on avait entendu le général Rankin dire devant la carte des opérations déployée au mur, où se dessinait l'encerclement des Britanniques en Assam : « Cette fois, nous sommes cuits. »

Et le rêve de Morland n'était pas le seul à être colporté. A Rose Cottage par exemple, Miss Batchelor, l'ancienne institutrice missionnaire qui habitait chez la vieille Mabel Layton, en avait fait un qu'elle racontait en détail à qui voulait l'entendre. Elle avait rêvé qu'à son réveil elle avait trouvé Pankot vide. En descendant de Rose Cottage, elle n'avait pas vu âme qui vive. Mais, devant le club, un tonga stationnait, auquel était attelé un cheval boiteux. En s'approchant, elle avait vu que l'animal était en réalité un âne... A partir de là, sa narration devenait aussi confuse que le rêve lui-même. Le cocher du tonga était Mr Maybrick, l'ancien planteur de thé, qui tenait l'orgue à l'église, mais il était indien. Il entraînait Miss Batchelor dans une course folle car les Japonais encerclaient Pankot et la population devait se regrouper au golf. Elle s'apercevait qu'elle tenait les rênes et, en criant « Alleluia! Alleluia! » elle retenait ses bêtes, devenues en chemin des chevaux noirs, devant les links envahis de Japonais s'abritant sous des ombrelles de papier. Pourtant, en y regardant bien, ce n'étaient pas des Japonais mais les enfants entrant à l'école. Comme elle les suivait, elle s'était retrouvée dans l'église St. John où Mr Maybrick, cette fois habillé en clergyman, l'accueillait. S'étant assise sur un banc, elle avait éprouvé un extraordinaire sentiment de paix... Et elle terminait le récit de son rêve en disant : « En fait, mon rêve tournait autour d'Edwina Crane. C'est moi qui lui ai succédé à Muzzafirabad, il y a bien longtemps de cela – en 1914. Elle a vraiment protégé l'école de la Mission contre les émeutiers. Elle s'est plantée sur le seuil et leur a enjoint de passer leur chemin. Et ils ont obtempéré. Les enfants me le racontaient souvent, en me montrant l'endroit exact où elle s'était campée. Si j'ai eu ce rêve, c'est parce qu'Edwina a enfin trouvé la paix, même si elle s'est fait brûler vive en 1942. »

***

Et après la mort de Teddie, Sarah aussi fit un rêve – toujours le même. Il commençait par les adieux de Teddie. Tout le monde, lui compris, savait qu'il ne reviendrait pas. Son expression le prouvait, et cela conférait une grande beauté à son visage. Et l'assistance restait abasourdie, car en fait il était déjà mort. Sarah et Teddie devaient se frayer un chemin dans la foule des amis, en évitant au passage une forme prostrée de femme en sari blanc. Et Sarah se retrouvait seule, courant dans une rue déserte. Son père l'attendait à la maison. « Tu as fait de ton mieux », lui disait-il. Il parlait mais ses lèvres ne bougeaient pas. Et tout au long du rêve elle se trouvait de temps en temps en train de faire l'amour avec un homme qui ne lui disait pas un mot. « Qui est-ce? », lui demandait-on. « Je l'ignore », répondait-elle.

Ce rêve s'était imposé à elle après l'annonce de la mort de Teddie. Le caporal télégraphiste qui capta le message, transmis de Comilla via Calcutta, aimait bien le caporal Sarah Layton parce qu'elle ne prenait pas de grands airs avec la troupe. Au lieu de faire porter réglementairement la dépêche à la famille, il en référa d'abord à un supérieur. Et c'est ainsi qu'un matin d'avril, à 10 h 45, le général Rankin apprit à Sarah la triste nouvelle, afin qu'elle et sa mère se concertent pour l'annoncer avec ménagement à la jeune veuve et future mère. Elle se souvenait précisément de l'heure, car la pendule était derrière le bureau où le général Rankin s'était assis. Il l'avait invitée à prendre un siège dès son arrivée, et, l'ayant informée de la mort de Teddie, il ne s'était lui-même assis qu'une fois assuré qu'elle supportait bien le choc. A droite de la pendule, il y avait la carte murale avec ses concentrations révélatrices de petits drapeaux plantés autour d'Imphal et de Kohima. Elle songea que Teddie était maintenant définitivement épinglé sur cette carte.

– Votre mère est-elle auprès de votre sœur?

– Oui, elles sont toutes les deux à Rose Cottage. Je crois qu'il y a un bridge.

Pour Susan, la période romantique de la grossesse était terminée. Elle avait déjà la taille déformée, elle se trouvait énorme. Le bungalow de fonction des Layton était situé en face du dépôt des Pankot Rifles. Depuis des semaines, elle se plaignait de cette proximité en disant qu'elle avait l'impression de vivre dans les casernements. Aussi aimait-elle aller chez tante Mabel. Elle s'installait sous la véranda arrière avec son ouvrage de tricot ou de crochet, se reposait en contemplant le jardin plein de fleurs et le vaste paysage des hauteurs de Pankot. A l'intérieur, sa mère jouait au bridge avec Miss Batchelor et les partenaires qu'elle avait pu persuader d'abandonner le club, avec son bar bien garni et son animation, lorsque les hommes l'envahissaient en force.

Le général Rankin hocha la tête. Son épouse avait bridgé à deux reprises à Rose Cottage, et depuis ce temps il ne se passait pas une semaine sans qu'on fasse discrètement allusion, devant Sarah, à une petite dette de jeu que sa mère négligeait d'acquitter.

– Le mieux est que vous alliez immédiatement à Rose Cottage, et votre mère avisera. Je vais faire mettre une voiture à votre disposition et je préviendrai moi-même votre chef de section des raisons de votre absence. Je suppose que votre mère aura besoin de votre présence auprès d'elle et de Mrs Bingham pendant un jour ou deux. Quelle épreuve, c'est terrible!

Tirant d'un coffret à liqueurs une bouteille d'alcool, il en versa un petit verre à Sarah. Elle l'avala d'un trait. Elle détestait l'alcool. Son odeur lui rappelait l'hôpital.

– A présent, je vais rentrer, dit-elle. Mais je préfère prendre un tonga, parce que si j'arrive dans un véhicule militaire, Susan comprendra qu'il s'est passé quelque chose avant que nous ayons le temps de la préparer.

– Voulez-vous que ma femme vous accompagne? Elle est au club. Je puis la prévenir par téléphone et vous la prendriez au passage.

– Je vous remercie, dit-elle en songeant que sa mère devait dix roupies à Mrs Rankin. Mais ce ne sera pas nécessaire. Je veux dire, ce n'est pas comme si maman et Susan étaient seules chez nous.

Le général Rankin la raccompagna jusqu'à la porte de son bureau. Dans l'antichambre, l'aide de camp qui remplaçait le capitaine Bishop lui ouvrit l'autre porte. Il l'escorta jusqu'au bout de la longue véranda. Côte à côte, ils traversèrent la cour semée de gravier. Au portail, les factionnaires leur présentèrent les armes. Il héla un des tongas stationnant sur la route. Malgré le grand soleil, l'air était frais – ce fameux air vivifiant de Pankot, et qui, en hiver, était si froid qu'il fallait faire du feu dès quatre heures de l'après-midi. Le quartier général de la région militaire se trouvait à mi-pente entre le bazar et la résidence du gouverneur, un peu plus haut que le golf et le club. Le cheval montait la côte au pas, en encensant sous l'effort, ce qui faisait sonner ses grelots. Sarah, assise le dos au cocher, regardait la route se dérouler à ses pieds. De temps en temps lui arrivaient par bouffées des odeurs de crottin frais mêlées à celle de la robe du cheval en sueur. C'était l'odeur de Pankot, dont le panorama s'élargissait et se creusait au fur et à mesure que le véhicule montait. En pente raide dans sa première partie, la route progressait ensuite en lacets au flanc de la colline. Rose Cottage se trouvait sur l'autre versant, commandant une vue superbe sur les collines et les vallées du district que son grand-père parcourait à cheval, et son père, à pied. Une échappée lui permit de découvrir, à gauche, les links du golf et, pendant un bref instant, le bungalow où son père et tante Mabel avaient habité après la Grande Guerre. Plus loin encore se découpaient les toits des casernements de brique des Pankot Rifles et celui du bungalow de fonction de sa famille. Le tonga passa devant le talus fleuri puis l'entrée des terrains du club – colonnade blanche se profilant sur le vert des pelouses. Encore un dernier tournant et ils arrivèrent devant le portail fermant la longue allée sinueuse qui conduisait à la résidence du gouverneur, déserte en cette saison. Continuant à monter de plus en plus lentement, le tonga dépassa les allées conduisant aux villas dont les noms étaient tous familiers à Sarah : Millfoy, Rhoda, Burleigh House, Sandy Lodge. Et le dernier : Rose Cottage.

Thairo! dit-elle au cocher, mais il avait déjà fait stopper sa bête. Elle descendit du tonga, donna deux roupies à l'homme pour éviter une discussion et s'engagea dans la petite allée raide, bordée de rocailles des deux côtés. Panier au bras et sécateur en main, tante Mabel cueillait des roses. Elle était vêtue d'une jupe de tweed vert informe, chaussée de bas de laine et de gros brodequins. Seule concession au soleil : elle était coiffée d'une grande capeline rose et portait un caraco orange sans manches. Hâlés et tavelés, ses bras et son cou révélaient son âge. Il fallait faire attention de ne pas la surprendre. Peut-être, comme le pensait la mère de Sarah, avait-elle longtemps feint d'être dure d'oreille pour se couper de son entourage, mais à présent elle n'entendait presque plus. Pourtant, tante Mabel se retourna bruquement alors que Sarah était encore à plusieurs mètres. Posant son sécateur dans le panier et le panier dans l'herbe, elle vint au-devant d'elle, lui saisit le bras gauche et, la tête penchée, attendit que Sarah lui explique sa présence à une heure aussi insolite.

– Il ne faut pas que Susan me voie pour l'instant. Peux-tu m'amener maman discrètement?

– Qu'est-ce qu'il y a?

– Teddie a été tué.

Mabel ne changea pas d'expression. Elle lâcha le bras de Sarah, lui tapota la main pour la réconforter, puis alla ramasser son panier et rentra dans la maison. Sarah la suivit. La véranda de devant était étroite et encombrée d'arbustes fleuris en pot. Au bout du jardin en pente, fermé par une clôture en fil de fer, le versant devenait très abrupt. Le cottage était un des plus anciens de Pankot. Construit avant la vogue des bungalows du type « campagne anglaise », il était tout blanc, avec des vérandas à colonnes carrées et, à l'intérieur, des pièces hautes de plafond et un grand hall carré lambrissé de bois ciré, où des vases et des coupes de cuivre faisaient des taches lumineuses. Les fleurs qui les ornaient répandaient une odeur capiteuse. Sur le seuil, Sarah ferma à demi les yeux et songea au bourdonnement des abeilles, les jours d'été, dans la campagne anglaise. Aucun bruit de voix ne lui parvenait. Elle se retourna vers la véranda. Comme les fleurs paraissaient lumineuses au grand soleil! Deux papillons se poursuivaient, insoucieux de la mort de Teddie. Sa mère allait la rejoindre. A cette heure de la journée, elle n'aurait bu que quelques verres, elle n'aurait pas l'esprit embrumé.

Elle entendit les pas de sa mère.

Mrs Layton fronçait le sourcil, agacée d'être dérangée mais étonnée de l'arrivée inopinée de Sarah. Tante Mabel ne lui en avait donc pas appris la raison. Ce qui était à prévoir. Sarah ouvrit la bouche pour dire qu'elle avait reçu une terrible nouvelle. Mais maman allait aussitôt croire qu'il s'agissait de papa. Abattu pendant une tentative d'évasion. Mort d'une maladie aggravée par la sous-alimentation. Ou de découragement, de désespoir.

– Teddie a été tué, dit-elle en lui tendant le papier du décodage radio.

Sa mère rentra dans le hall, se laissa tomber dans un fauteuil et lut le message. Mabel sortit de la salle de séjour, suivie par Barbie Batchelor, Mrs Fosdick et Mrs Paynton. Elles entourèrent Mrs Layton. Elle leva les yeux et dit :

– Teddie a été tué.

Sarah passa dans la salle de séjour. Il flottait encore de la fumée de cigarette au-dessus de la table de jeu. La pièce, meublée de profonds fauteuils et d'un canapé tendu de cretonne à fleurs, était elle aussi égayée de vases et de coupes de fleurs. Tout au bout, les portes-fenêtres donnant sur la véranda étaient ouvertes. Sarah aperçut la chaise longue de rotin capitonnée et les pieds nus de Susan, croisés dans une attitude évocatrice d'une heureuse somnolence. Il était donc exclu de la réveiller. Mais au moins Sarah était-elle sûre que l'agitation dans le hall n'avait pas troublé cette quiétude, dérangé cette délicate contemplation d'un monde serein.

Elle retourna dans le hall. Elles discutaient à voix basse. Sa mère n'avait pas bougé du fauteuil. Elle s'appuyait sur un coude et, du bout des doigts, elle se tenait le front. Penchée sur elle, Miss Batchelor lui soutenait le dos – soutien inutile, car ce dos-là ne ployait pas. Sarah rencontra le regard de sa mère et elle comprit que ce serait à elle d'annoncer la nouvelle à Susan. Elle s'y prendrait probablement avec maladresse – une maladresse que Susan pardonnerait mais n'oublierait pas.

– Je vais aller essayer de parler à Susan, dit-elle à tante Mabel. Pendant ce temps, il faudrait que quelqu'un appelle le Dr Travers. Qui sait comment elle va réagir?

Pour se faire entendre de tante Mabel, elle avait parlé assez haut et distinctement. Les autres se retournèrent. Elle agissait de façon autoritaire mais responsable. Cette combinaison-là, on la comprenait. Si ni elle ni sa mère n'avaient pu s'en montrer capable, une des autres dames présentes aurait assumé cette tâche, et de semblable façon. Sans attendre la réponse de tante Mabel, Sarah retourna dans la salle de séjour, et sortit sous la véranda dallée. Susan dormait. Quelques gouttes de sueur mouillaient sa lèvre supérieure. Son ventre rond tendait son ample robe de cotonnade qui découvrait ses genoux nus. Tout le reste de sa personne paraissait trop fragile pour supporter d'avoir un corps à ce point déformé, et pourtant, elle souriait dans son sommeil.

Sarah ne put se résoudre à la réveiller, à ravager un tel bonheur. Elle s'installa dans un fauteuil et guetta le moindre signe indiquant que sa sœur allait se réveiller. Elle eut un moment l'idée ridicule que sa sœur continuerait pour toujours à dormir en souriant, et elle à rester là, dans ce fauteuil : dans son uniforme ridicule, manches relevées comme celles des soldats (mais sans masquer ses galons de caporal), et chaussée de gros souliers de marche (fabriqués pour l'armée). Les odeurs des fleurs du jardin se mêlaient à celle des résineux couvrant les collines – vagues aromatiques qu'apportait la brise. A Pankot, il y avait toujours de la brise, même quand l'air paraissait tout à fait immobile. Son père lui avait dit que, depuis la véranda de Rose Cottage, et à vol d'oiseau, le même niveau, sur le versant opposé, se situait à huit kilomètres. Il l'avait calculé sur une carte, à la boussole et au compas, exactement de l'endroit où elle se tenait. A ce moment-là, il lui apprenait ce qu'est la topographie, comment on s'oriente, et toutes ces choses qu'il n'avait jamais enseignées à Susan. Mais aujourd'hui je suis une femme, se dit-elle, et non une adolescente montée en graine que son père forme faute d'avoir eu un fils. Une lettre qu'avait adressée le colonel Layton de son oflag, au moment de Noël, disait de Teddie, dont elles lui avaient envoyé la photo : « Mon gendre me semble un garçon très bien. Évidemment, une photo ne remplace pas une rencontre face à face, mais, si Dieu le veut, cela viendra. En attendant, j'envoie toutes mes affections au jeune couple, ainsi qu'à toi, Millie, et, bien sûr, à Sarah. » *Bien sûr* : cela se passait de commentaires. Sous le livre que Susan avait posé par terre, il y avait un bloc de papier à lettres, d'où dépassait le coin d'une enveloppe. Sarah songea que c'était la dernière lettre de Teddie, du moins la dernière qu'eût reçue Susan. Elle y aurait répondu dans l'après-midi et, après le thé, le vieux domestique de Mabel, Aziz, serait allé l'expédier.

Un léger bruit lui fit tourner la tête. C'était tante Mabel, debout derrière elle et qui, elle aussi, contemplait Susan. Avec la surdité qui s'accentuait, tante Mabel devenait plus fermée que jamais. Son visage vieilli mais lisse n'affichait même plus cette curiosité muette qui la faisait naguère scruter les expressions comme pour déchiffrer les pensées et les raisons des pensées. La mère de Sarah avait dit un jour que Mabel n'avait pas de rides parce qu'elle ne s'intéressait ni aux choses ni aux gens, et même pas à sa propre personne.

La sonnerie du téléphone retentit dans le hall. Mabel ne l'entendit pas. S'approchant de la balustrade, elle se mit à soigner les plantes poussant dans des pots et des paniers suspendus. « Ne te réveille pas », dit-elle intérieurement à Susan. C'était sûrement Mrs Rankin qui appelait. Cela la tranquilliserait de savoir Mildred Layton entourée de Mrs Paynton et Mrs Fosdick, deux dames sur qui on pouvait compter. Sarah n'ignorait pas qu'on l'estimait, elle aussi, tout à fait responsable. Presque malgré elle, elle était devenue un des jeunes piliers de la communauté. Une fois revenue à Pankot, après le mariage de Susan, elle avait traversé une période d'incertitude. Vis-à-vis de Susan, son rôle de grande sœur lui était désormais dénié. Une femme mariée avait la préséance sur une vieille fille.

Alors, elle s'était dit qu'elle devait participer vraiment à la guerre, ce qui, pour une femme, signifiait être versée dans les services sanitaires au lieu de rester dans un bureau à l'arrière. Informée de ce projet, sa mère n'avait pas fait de commentaire. Mais, la prenant à part, Mrs Rankin lui avait dit : « Ma chère petite, il faut y renoncer. Je sais que c'est dur, et injuste, parce que, avec l'ardeur de la jeunesse, vous voulez consacrer toutes vos forces à aider les combattants. Mais votre devoir est ici. Avez-vous songé que vous seriez indispensable à votre mère si Susan attendait un enfant ? » Et, une semaine plus tard, Susan annonçait qu'elle était enceinte. Ni Sarah ni sa mère n'en avaient jamais parlé, mais de nouveaux silences s'étaient installés entre elles, des silences lourds de reproches muets : elle avait voulu échapper à ses responsabilités, pris ombrage de sa sœur, négligé sa mère et oublié son père dont une des rares consolations était de se les représenter toutes trois unies, faisant front ensemble. Mais au fond, ces reproches-là, elle se les faisait parfois elle-même.

Elle se laissa aller au fond du fauteuil, contemplant le sommeil souriant de Susan et l'activité de tante Mabel qui débarrassait une azalée de ses fleurs fanées, pour donner plus de vigueur aux fleurs encore en boutons. Mais cela ne marchait qu'avec les plantes. Le bourgeon du ventre de Susan ne deviendrait pas plus vigoureux parce que Teddie avait été fauché. Était-ce sûr? Cette image était ridicule mais elle s'imposait à Sarah.

« Ne te réveille pas », dit-elle encore une fois intérieurement à sa sœur, et elle ferma les yeux pour contribuer aux arguments persuasifs de la chaleur, des senteurs et des murmures envoûtants de l'air. Brusquement elle les ouvrit, car Susan bougeait, décroisant ses jambes et tournant la tête vers Sarah. Puis la dormeuse se protégea le visage de son bras replié. Au bout d'un moment, peut-être gênée par le poids de ce bras, elle le leva au-dessus de sa tête et s'éveilla progressivement. Son sourire la désertait. Les yeux mi-clos, elle observait Sarah qui s'était détournée.

– C'est déjà l'heure du déjeuner? marmonna-t-elle en refermant les yeux.

– Non. Je suis rentrée plus tôt.

Au bout de la véranda, Mabel paraissait en alerte. Sarah lui en fut reconnaissante. Dans un cas grave, on pouvait compter sur elle, même si le reste du temps elle se murait en elle-même. On ne pouvait pas la serrer dans ses bras mais on pouvait s'appuyer sur elle, et peut-être découvrir alors qu'elle était un refuge, quelque chose qui est planté solidement et qui vous protège.

– Pourquoi es-tu rentrée plus tôt? demanda Susan au bout d'un si long moment que Sarah la croyait rendormie. Et d'ailleurs, quelle heure est-il?

Depuis qu'elle avait lu que les futures mères ne doivent pas tenir compte des divisions artificielles du temps, Susan ne portait plus sa montre. Sarah consulta la sienne, et vit avec étonnement qu'il ne s'était pas écoulé plus de trente-cinq minutes.

– Il est onze heures trente.

Susan rouvrit les yeux. Elle avait l'air vaguement grognon.

– Tu as dû rentrer parce que tu perdais trop, ou quoi?

Sarah secoua négativement la tête. Depuis qu'elle n'avait plus ses règles, Susan feignait de ne pas savoir que Sarah avait les siennes ou alors elle en parlait comme si elles menaçaient le cours de sa vie de femme enceinte. Du moins était-ce là l'interprétation de Sarah. Peut-être attribuait-elle à Susan des pensées qui étaient les siennes : son sang menstruel était celui d'une vierge, un suintement aigre comme Barbie Batchelor en avait probablement connu pendant la bonne trentaine d'années de sa vie stérile.

D'une certaine façon, Susan lui tendait la perche. Mais Sarah n'eut pas le courage d'en profiter.

– Non, ce n'est pas ça, dit-elle. Si nous aidions tante Mabel à nettoyer ses plantes?

Il lui semblait que Susan devait être debout pour entendre la nouvelle, qu'il lui serait préjudiciable de la recevoir allongée. Elle se leva.

– Pourquoi donc? demanda Susan en coulant un regard dans la direction de tante Mabel qui, plantée devant la balustrade, feignait de s'absorber dans ses fleurs.

– Parce que l'exercice te fera du bien. Si tu restes allongée toute la journée, tu vas devenir grosse comme une tour.

– Je suis déjà grosse comme une tour. Et de l'exercice, j'en ai fait ce matin.

– De toute façon, je relève ton dossier. Tu es étendue trop à plat.

– Sarah, qu'est-ce que tu fabriques?

Les mains tremblantes, Sarah fixa le support du dossier. Après quoi, elle revint devant sa sœur et s'agenouilla pour rabattre le pied de la chaise longue tout en disant :

– Je t'installe mieux. Maintenant que tu es redressée, si tu gardais les jambes étendues, tu serais mal.

Il ne déplaisait pas à Susan d'être ainsi dorlotée, mais la soudaineté de ces attentions la laissait perplexe. Elle se cramponnait aux accoudoirs, les jambes un peu écartées, la robe relevée sur les cuisses. Se penchant vers Sarah, elle demanda :

– Ils te donnent un jour de congé?

– Plus ou moins.

– En quel honneur?

– Il est arrivé quelque chose. C'est moi qui dois te l'apprendre, dit-elle en saisissant une main de Susan. Je ne sais comment te le dire. C'est à propos de Teddie. Le caporal télégraphiste a reçu un message et il me l'a donné directement. Le message annonçait... la mort de Teddie au combat. Nous ne pouvons même pas nous raccrocher à un doute. C'est vrai. Oh, Susan, je suis triste, tellement triste...

– Non, dit Susan en regardant Sarah droit dans les yeux. Non! Non! Non! répéta-t-elle en se tournant de tous côtés pour ne pas être touchée par sa mère et les autres dames, qui étaient entrées et l'entouraient avec sollicitude.

Elle lança un coup de pied comme pour se débarrasser de Sarah, qui se releva et sortit du cercle. Le cercle se referma autour de Susan. « Non! » cria-t-elle d'une voix étouffée, comme si elle se cachait le visage dans ses mains.

Sarah descendit les marches de la véranda et traversa le jardin. Au bout, il y avait une pergola couverte d'églantines et un sapin donnant une ombre protectrice contre la dure lumière jaune du soleil. Un cri la cloua sur place, un long hurlement désespéré. Elle reprit sa marche, atteignit la pergola, se refugia sous le sapin, y resta d'abord debout, bras croisés, puis s'assit par terre. Le cri de Susan avait-il traversé la vallée jusqu'au lointain versant opposé? Elle éclata en sanglots, mais cela ne dura que quelques secondes. Elle sécha ses larmes et repartit vers la maison, sous le soleil qui lui cuisait le crâne. Tante Mabel était assise dans la véranda, son panier de fleurs mortes sur les genoux.

– Veux-tu que je t'en débarrasse? demanda Sarah en se penchant au-dessus d'elle.

– Non, répondit Mabel. Dis à ta mère que si elle préfère dormir ici cette nuit, elle et Susan pourront s'installer dans ma chambre, et moi je coucherai dans celle de Barbie. Aziz nous dressera des lits supplémentaires. Et pour toi, il y a la petite chambre d'amis.

– Je te remercie, mais je vais essayer de les ramener chez nous.

Mabel leva la tête et fit signe qu'elle avait entendu. Sarah passa dans la salle de séjour. Mrs Paynton et Mrs Fosdick s'y tenaient. Toute la maison paraissait muette.

– Elles sont dans la chambre de Barbie, annonça Mrs Paynton à voix basse. Vous savez, Sarah, elle ne voulait pas vous faire de mal.

– Non, le coup de pied ne vous était pas destiné.

– Je sais, dit Sarah.

Le Dr Travers était prévenu, il allait arriver. Isobel Rankin avait téléphoné. Elle proposait d'héberger Mrs Layton et Susan à Flagstaff House pour s'occuper d'elles.

Comment Susan allait-elle réagir? Elle n'avait pas encore versé une larme. Mais elle avait lancé ce cri. Sarah comprit qu'elles en restaient secouées. On n'attendait pas pareille chose d'une Layton. Les domestiques l'avaient entendue. Sarah s'aperçut qu'elle était la seule à ne pas avoir été choquée par le hurlement de sa sœur. Ces dames ne manquaient pas de compassion, mais il y avait quelque chose de sauvage, d'anormal, dans ce cri et dans cette absence de larmes.

Elles se tenaient toutes les trois debout dans cette pièce que Barbie Batchelor avait égayée de chintz et de cretonne. Et justement, Miss Batchelor revenait les trouver. Sarah trouva soudain ridicule cette vieille fille au grand corps décharné, au visage d'un jaune malsain et tout sillonné de rides sous sa courte toison grisonnante. L'Inde missionnaire l'avait tarie.

– Elle ne veut pas s'allonger, dit Miss Batchelor. Elle reste assise sans nous répondre. Si seulement elle se détendait. Je ne la reconnais pas, non, je ne la reconnais pas. La pauvre Mildred s'évertue en vain à lui parler. Mon Dieu, comme on se sent inutile, tellement inutile!

Eclatant en sanglots, Miss Batchelor se laissa tomber dans un des fauteuils tendus de cretonne fleurie. A Pankot, nul n'avait jamais vu Barbie Batchelor verser une larme. Elle y résidait depuis quelques années. Institutrice missionnaire à la retraite, elle avait répondu à l'annonce passée par la vieille Mabel Layton dans les journaux de Ranpur pour proposer à une femme seule de partager son bungalow. A Pankot, elle n'avait eu qu'un très court moment de célébrité, en août 1942, quand étaient arrivées les nouvelles des émeutes dans les villes des plaines. « Je la connais! » s'était-elle écriée en apprenant que la surintendante des écoles missionnaires de Mayapore, Edwina Crane, avait été brutalement agressée près de Dibrapur, et le maître d'école indien qui l'accompagnait, assassiné.

Barbie Batchelor lui avait aussitôt écrit, mais sans obtenir de réponse. Peu de temps après, on apprenait que Miss Crane, très secouée mentalement par cette abominable épreuve, s'était immolée par le feu. « Pauvre, pauvre Miss Crane! » s'était exclamée Barbie Batchelor, mais elle n'avait pas pleuré. Elle s'était simplement mise à geindre qu'elle avait été inutile toute sa vie, incapable d'amener ces petits enfants indiens à Jésus, de faire quelque chose pour eux. On l'avait réconfortée en l'assurant qu'ils devaient être des centaines à se souvenir d'elle avec reconnaissance.

Et la voilà qui recommençait avec son inutilité! Sarah eut l'impression d'être enfermée et d'étouffer. Elle aurait voulu abattre les murs, s'enfuir, retrouver l'air et la lumière.

Cette claustrophobie fut à l'origine du rêve qui allait longtemps la poursuivre, et dans lequel, après les adieux à Teddie, elle se retrouvait en train de courir, et elle faisait l'amour avec un homme dont elle ne voyait pas le visage. Tantôt il était là et tantôt il n'y était plus. Il avait d'elle un immense, un insatiable désir, mais il ne l'en rendait pas prisonnière. C'était un homme heureux, et avec lui elle était heureuse, sans éprouver de jalousie possessive. Il existait à l'extérieur de la claustrophobie, il y pénétrait ou en sortait fortuitement. Il venait à Sarah parce qu'elle ne pouvait aller à lui. Ils n'atteignaient jamais la jouissance, mais cela ne gâchait pas leur plaisir. Bien que chaque fois interrompue, leur étreinte était plénitude. L'espoir de la jouissance demeurait.

Le jeune Dr Travers sortit de la chambre. En fait, il n'était pas spécialement jeune, mais on l'appelait ainsi à cause du directeur des services sanitaires de la station, le Dr Beames, qui était nettement son aîné.

– Elle veut rentrer, dit-il, et je crois que cela vaut mieux. Je vais donc vous ramener toutes les trois dans ma voiture.

Susan avait refusé de prendre un calmant. Elle ne s'était pas allongée. Elle était restée pratiquement muette, et elle le demeura dans l'automobile. Dans leur bungalow, elle alla tout droit à sa chambre et s'étendit sur son lit. Sarah et sa mère tirèrent les rideaux. Elle leur dit qu'elle n'avait pas besoin de quoi que ce soit. Qu'elles déjeunent sans s'occuper d'elle. Elle irait mieux dans un moment.

Précédé d'une cour fermée par un muret, le bungalow des Layton donnait sur les quartiers des Pankot Rifles, dont il n'était séparé que par la route. De la salle à manger et de la grande chambre à coucher, on n'avait pour toute vue que l'arrière du mess, un morne bâtiment en équerre partiellement masqué par des arbres. Les deux autres chambres et le salon se trouvaient dans la partie antérieure du bungalow, suivie par un semblant de jardin, c'est-à-dire un carré de gazon bordé par le mur du quartier des domestiques. Assez petites, ces deux chambres, qui étaient celles de Sarah et de Susan, communiquaient et possédaient en commun une salle de bain où l'on pénétrait par la véranda. Panther, le labrador noir du colonel Layton, qui n'était encore qu'un chiot lorsque les jeunes filles étaient revenues en 1939, s'était à présent attaché à Susan et il campait pratiquement à demeure dans la véranda. Comme la bête gémissait devant la porte de Susan, Sarah dit à Mahmud de l'emmener aux cuisines et d'essayer de l'y garder. Elle apprit la mort de Teddie au serviteur – un homme qui était depuis dix ans au service des Layton. Il emmena Panther qui se faisait traîner. L'affliction allait se répandre aussi chez les domestiques et le silence du deuil envelopperait toute la maison. Panther lui-même se tairait.

Sarah alla retrouver sa mère. Mrs Layton arpentait sa chambre, un verre à la main. Par un réflexe insolite chez elle, elle tenta de le dissimuler en le couvrant de sa paume. La sonnerie du téléphone retentit dans le hall. Lorsque Sarah, qui était allée répondre, revint dans la chambre, sa mère avait fini son verre et s'en était débarrassée.

– C'était la femme du révérend, dit Sarah. Elle se proposait de venir tout de suite. Je lui ai dit que ce serait mieux dans la soirée.

Assise tout au bord d'une chaise, le dos bien droit, Mrs Layton massait son coude nu.

– Tu sais, je n'ai jamais tellement tenu à ce Teddie, dit-elle, alors je ne vais pas faire des simagrées. Et je ne crois pas que Susan en ait vraiment été éprise. Elle est demeurée très discrète sur sa lune de miel. Du moins avec moi. T'en a-t-elle parlé?

– Non, dit Sarah, gênée que sa mère s'exprime d'une façon aussi directe.

– Je pense que Teddie manquait... d'expérience. Non que ce soit terriblement important, mais il ne faut pas que ça se double d'un manque d'égards, et tel était le cas de Teddie. J'escomptais toujours que ce garçon des Guides de Muzzafirabad, Tony Bishop, le supplanterait. Mais il n'a seulement jamais essayé.

– Nous devrions déjeuner, dit Sarah.

– Il y a du poulet froid et de la salade. Fais-lui porter un plateau par Mahmud. Elle ne peut pas rester sans manger.

Mais Susan ne mangea pas.

Pendant tout le déjeuner les appels téléphoniques se succédèrent, et ensuite commencèrent à arriver les messages de sympathie. Comme les visiteurs allaient être nombreux, Mahmud fut envoyé chez Jalal-ud-din, le grand commerçant du bazar, pour faire provision (à crédit) de gin de fabrication locale, de jus de citron et de limette ainsi que de noix de cajou. Ils arrivèrent à partir de cinq heures : Isobel Rankin, Maisie Trehearne, la femme du colonel Trehearne qui commandait les quartiers des Pankot Rifles, le vieux capitaine Coley, dont la femme avait péri dans le tremblement de terre de Quetta et qui, depuis lors, ne recherchait plus les promotions; Lucy Smalley, Mrs Beames, Carol et Christine Beames, qui étaient collègues de Sarah au quartier général de la région militaire; Dicky Beauvais, le plus représentatif de ces jeunes officiers qui, après le mariage de Susan, venaient en principe voir Sarah – le « cœur à prendre » – mais s'empressaient autour de sa sœur.

Les derniers arrivants furent le Dr Travers, le révérend Arthur Peplow et sa femme Clarissa, qu'il avait pris au passage dans sa voiture. Seuls le médecin et le chapelain devaient être admis auprès de Susan. Le Dr Travers pénétra d'abord seul dans la chambre et revint prévenir le révérend Peplow que la jeune veuve était en état de le recevoir et qu'elle voulait s'entretenir avec lui.

– Elle souhaite un service à la mémoire du défunt, dit le révérend Peplow dix minutes plus tard, en acceptant un gin-fizz. Je serai heureux de le célébrer.

– Pas « heureux », chéri, le corrigea Mrs Peplow.

– Mais oui, bien entendu. Je serai heureux de lui être utile en ces douloureuses circonstances. Je pense à samedi en huit, ce qui me permettra de l'annoncer à l'office dominical et aux vêpres. Si vous en êtes d'accord, Mrs Layton.

– C'est à Susan d'en décider.

Susan se déclara d'accord. Elle n'en reparla qu'une seule fois, le lendemain, pour demander à sa mère d'envoyer chercher le *durzi* en lui disant d'apporter les pièces de soie et de voile gris qu'il avait en magasin.

– C'est pour le service, expliqua-t-elle. Je ne veux pas me mettre en noir. Et puis, le gris ne se démode pas.

Elle dessina elle-même le modèle de la robe qu'elle voulait : quelque chose de flou, qui dissimulait presque entièrement sa grossesse. Son visage serait caché par une voilette grise retenue, au sommet de la tête, par un diadème de velours bleu. Sa seule autre dépense fut pour les accessoires : sac à main, gants et chaussures de daim assortis à la robe, et qui, eux non plus, ne se démoderaient pas.

Et elle fit impression, oui, franchement impression, en avançant dans la nef de cette église où elle avait été baptisée, côte à côte avec sa mère mais sans s'appuyer sur elle, et Sarah venant derrière, en uniforme. La station tout entière semblait être là. Autour de Susan voilée, Pankot se retrouvait en tant que communauté soudée, et une communauté en guerre. Les voix s'élevèrent pour chanter bien haut l'hymne : « Seigneur, tandis que là-bas combattent nos frères, Ton Église unie T'adresse sa prière » ; le chant se fit plus doux et plus fervent pour la troisième strophe :

> Pour ces épouses et ces mères en pleurs
> Pour tous ceux dont l'absence avive la détresse,
> Pour ces foyers en deuil de l'être le meilleur,
> Pour ces cœurs à présent plongés dans la tristesse,
> Entends notre prière, Dieu de consolation
> Et dans ces heures noires, reste notre rempart.

A la fin du service, l'assistance s'agenouilla pour la bénédiction et se releva aux doux accents de l'orgue que tenait Mr Maybrick, l'ancien planteur de thé. Mr Peplow sortit avec la famille Layton. Les fidèles attendirent quelques instants avant de quitter leur place. Les visages étaient empreints d'une digne gravité. Par une sorte d'observation tacite des préséances, ce furent les Rankin qui sortirent les premiers. Sous le porche, Mr Peplow tenait la main de Susan. Il la lâcha pour qu'Isobel Rankin puisse embrasser la jeune veuve. En pressant sa joue contre la joue voilée, elle murmura « Ce fut une belle cérémonie, n'est-ce pas? » Susan lui répondit très bas et tendit la main au général Rankin en lui disant, d'une voix sourde mais ferme :

– Je vous remercie de tout ce que vous avez fait.

Le général s'inclina, touché qu'en un tel moment Susan songe à le remercier. Les amis défilèrent en présentant leurs condoléances. Dicky Beauvais tapota l'épaule de Sarah, en lui disant qu'il lui téléphonerait. Où serait-elle? A Rose Cottage, répondit-elle. Elles y allaient pour le déjeuner. Il ne restait plus qu'à récupérer Barbie Batchelor, et elles partiraient toutes ensemble dans le véhicule que le général Rankin mettait à leur disposition. Juste au moment où il la quittait en faisant le salut militaire, Miss Batchelor la rejoignit. Elle s'efforçait de sourire mais n'arrêtait pas de se moucher. Elles descendirent les marches de l'église, accompagnées de Mr Peplow qui les escorta dans l'allée de gravier, à travers le cimetière et jusqu'à la route en contrebas – car l'église se dressait sur une butte, au milieu de pins et de cyprès.

A Rose Cottage, Susan s'enferma avec Barbie dans la chambre de la vieille institutrice pour se changer. Dans la matinée, Mahmud avait déposé son ample robe de coton imprimé et ses sandales. Barbie ressortit en annonçant que Susan souhaitait déjeuner seule dans la véranda.

– Le service a été tellement éprouvant pour elle, expliqua-t-elle. Elle n'a pas envie de parler. Je vais dire à Aziz de lui porter un plateau.

Après le repas, alors que Mabel, Barbie et Mrs Layton s'étaient retirées pour la sieste, Sarah passa dans la véranda. Après son déjeuner solitaire, Susan s'était allongée sur la chaise longue. Elle avait exactement la même attitude que dix jours plus tôt, quand Sarah était venue lui annoncer la mort de Teddie. Mais elle ne dormait pas.

– Qu'est-ce que t'a dit Dicky Bauvais? demanda-t-elle.

– Simplement qu'il me téléphonerait.

– Alors, tu attends.

Sarah tourna la tête, regarda au loin le versant opposé.

– Non, Susan. Je n'attends rien.

– Tu as de la chance, reprit Susan après un court silence.

– Pourquoi?

– De ne rien attendre.

Susan avait parlé les yeux fermés. Elle enfouit son visage dans ses mains, comme si elle voulait dormir.

Au bout d'un moment, Sarah remarqua que sa sœur ne respirait plus de façon régulière, comme si elle ne retrouvait son souffle que par intervalles. Elle s'approcha d'elle, esquissa le geste de lui caresser la tête, mais se retint. Susan souffrait et ne voulait pas le montrer. Sarah admira son courage. Elle s'assit par terre tout près d'elle. Au bout d'un moment, et sans cesser de respirer comme si elle suffoquait, Susan laissa tomber une main sur l'épaule de Sarah et se mit à la broyer, tandis que sa tête roulait de droite à gauche.

– Il n'y a que nous deux, dit Sarah, laisse-toi aller.

– Je ne peux pas, répondit Susan d'une voix méconnaissable, une sorte de gémissement rauque. Je ne peux pas. Il faut que je résiste.

Sarah appuya sa joue contre la main de sa sœur, mais Susan se dégagea vivement.

– Pendant le service, j'ai prié pour que l'enfant meure, dit-elle. Je veux qu'il meure parce que je ne peux pas affronter ça toute seule. Moi, je ne voulais pas de cet enfant, seulement, Teddie en était si heureux. Il n'arrêtait pas d'en parler dans ses lettres. Cela me soutenait. Mais toute seule, je n'y arriverai pas.

– Tu n'es pas seule, Susan...

– Si, je suis toute seule, dit-elle en se relevant d'un brusque coup de reins.

Puis elle croisa ses bras sur sa poitrine et, se pliant en deux, elle se mit à se balancer.

– Seule comme je l'étais avant, comme je l'ai toujours été. Pourtant, j'avais fait tant d'efforts, oui, tant d'efforts!

– Que veux-tu dire?

– Tu ne comprendrais pas. Tu n'es pas comme moi, toi. N'importe où, n'importe quand, tu es toujours toi-même. Mais qu'est-ce que je suis, moi, hein, qu'est-ce que je suis? Je ne suis rien, rien du tout!

Sarah restait immobile, comme hypnotisée par ce balancement et par la révélation de ce que masquait le jeu de Susan, ce jeu qui avait pris fin : Susan jouant Susan. « Tu es toujours toi-même », venait-elle de dire. Et c'était vrai. Sarah était elle-même, toujours consciente de sa personnalité, de son individualité, résistant à la tentation de l'aliéner en échange du confort moral que donne l'appartenance à un monde qui ne doute pas, qui s'estime capable de trouver la solution juste de tout problème, un monde où tout était défini une fois pour toutes, un monde qui croyait savoir ce que sont les humains.

Mais qui ne savait pas ce qu'était Susan. Non pas la Susan jeune mariée jetant son bouquet par la vitre du wagon de chemin de fer, ou la Susan tout de gris vêtue, à genoux dans l'église, mais cette Susan en robe de grossesse imprimée et se balançant d'avant en arrière en criant qu'elle n'était rien. Ce monde-là ne pouvait lui donner de réponse.

Et Sarah ne le pouvait pas non plus. Bouleversée, elle regardait sa sœur. Ainsi quand Susan jouait de sa beauté et de son charme, c'était pour éloigner les terreurs de la nuit, pour se protéger comme derrière une armure. Et les autres s'y trompaient. Ce talent qu'elle semblait avoir pour se créer un cercle, un monde, pour rechercher le bonheur, dissimulait l'incertitude, le vacillement. Loin d'avoir un jardin secret, Susan croyait que les autres habitaient en un jardin secret où elle voulait à toute force pénétrer, afin d'échapper aux limbes de ses étranges et mélancoliques désirs.

Se redressant sur ses genoux, Sarah prit sa sœur dans ses bras.

– Si, tu es quelque chose, dit-elle, et je t'assure que tu n'es pas seule.

Susan se nicha contre elle, avec le gémissement d'un être qui, exténué, accède à un refuge.

II

Il était arrivé beaucoup de lettres, et d'un peu partout en Inde, d'amis ou de relations de Teddie qui avaient lu la notice nécrologique dans le *Times of India* ou appris sa mort par un entrefilet dans leur journal local. La plupart étaient adressées à Mrs Layton, qui se mit en devoir d'y répondre avec diligence. Sarah eut l'impression que sa mère trouvait un dérivatif dans l'exécution de ce courrier, et qu'elle en tirait aussi quelque vanité. Tous les matins Mrs Layton s'installait à son secrétaire dans la salle de séjour et écrivait des pages et des pages. L'inspiration ne semblait jamais la déserter. En même temps, elle se montrait plus communicative. Elle parlait des lettres avec Sarah. Elle buvait moins.

Il fallait aussi prévenir la famille : tante Lydia, à Bayswater; le colonel Layton dans son oflag d'Allemagne; cet oncle qu'avait Teddie dans le Shropshire. Il avait promis qu'il enverrait un cadeau de mariage quand la guerre serait terminée; à présent, il était douteux que Susan reçût jamais quelque chose – cet homme ne paraissait pas d'un naturel très généreux.

Il y eut également les lettres à tante Fenny, la première pour lui apprendre le deuil, et la seconde pour la dissuader de venir comme elle en avait l'intention – d'autant qu'elle et oncle Arthur n'étaient plus à Delhi mais à Calcutta, où il occupait un poste qui lui avait valu de l'avancement puisqu'il était passé lieutenant-colonel.

Parmi les lettres reçues, certaines étaient attendues, telle celle de Tony Bishop, que la jaunisse avait empêché d'être le garçon d'honneur de Teddie, et qui se trouvait à présent à Bombay. D'autres l'étaient moins. Ainsi le nabab de Meerut avait-il adressé ses condoléances à Susan, tandis que le comte Bronowsky envoyait une lettre moins officielle à Mrs Layton. Il disait le nabab très ému par la mort au combat de l'époux de cette charmante jeune femme qui, avec sa famille, lui avait fait naguère l'honneur d'accepter son hospitalité. Il tenait à les assurer qu'elles seraient toujours les bienvenues, si elles souhaitaient résider au palais de Meerut ou au palais d'été de Nanoora. « C'est tout à fait aimable, avait commenté Mrs Layton, mais totalement hors de question. » Elle avait écrit pour remercier le nabab et son ministre en expliquant que Susan attendait un bébé.

Susan se désintéressait de la correspondance. Elle avait demandé à sa mère et à Sarah d'ouvrir les lettres et d'y répondre en son nom. Il n'y en avait qu'une dont elle voulait prendre connaissance, et celle-là, elles la guettaient toutes. Elle arriva huit jours après le service à la mémoire de Teddie, un dimanche matin. Mrs Layton remarqua l'enveloppe parmi les autres car elle portait un cachet de la franchise postale et celui de la censure militaire.

– Je crois que c'est ça, dit-elle en la tendant à Sarah qui l'aidait dans le dépouillement du courrier.

Susan était dans la véranda de derrière, en train de jouer avec Panther. Elle lui jetait sa balle dans le jardin et il la rapportait. Elles entendaient le chien qui se précipitait d'un bond au bas des marches, galopait, revenait en trombe et déposait la balle aux pieds de Susan avec de grands halètements, fou de joie que sa maîtresse recommence à s'occuper de lui.

Sarah rendit l'enveloppe à sa mère et tourna la tête, alertée par l'arrêt soudain du jeu, dont le chien se plaignait en poussant de petits gémissements. Debout devant la porte-fenêtre, Susan les regardait.

– Ça y est, elle est arrivée? demanda-t-elle.
– Oui, nous le pensons. Tiens, ma chérie, la voilà.
Susan vint prendre la lettre et retourna sous la véranda. Elles entendirent Panther gronder, puis Susan dire : « Bon, juste encore une fois. », et enfin la course précipitée du chien. Mrs Layton décacheta une autre lettre.
– C'est d'Agnès Ritchie, à Lahore, dit-elle, note-la dans la liste B.
Susan devait avoir jeté la balle dans les massifs de bougainvillées, car le chien fut long à revenir. La balle dans la gueule, il entra dans la salle de séjour, chercha Susan du regard et ressortit. Elles l'entendirent gratter à la porte de la chambre de Susan, au bout de la véranda. Puis ce fut le silence. Sarah alla voir. Panther était couché devant la porte, la balle coincée entre ses pattes antérieures. Il leva la tête, regarda Sarah.
– Viens, Panther, dit-elle, je vais te la lancer.
Mais le chien reposa sa tête sur ses pattes et reprit sa faction.

Mrs Rankin appela Mrs Layton pour lui parler de la réunion du comité d'assistance de la Croix-Rouge. Un serviteur apporta un message de Mrs Trehearne au sujet du comité des Distractions pour les hommes de troupe. Dicky Beauvais passa proposer à Sarah une partie de tennis à cinq heures, après quoi il l'invitait à dîner et il l'emmènerait au cinéma. Mahmud vint se plaindre que le *dhobi* ne soit pas venu prendre le linge à laver; il demandait l'autorisation d'aller le chercher, même si, pour ça, il devait descendre jusqu'au bazar. Au loin, les cloches de St. John annonçaient l'office du matin. Des quartiers des Pankot Rifles, où la fanfare répétait, arrivaient des bouffées de musique militaire. Dans le ciel, les corbeaux tournoyaient en croassant. C'était un dimanche matin classique. Mais une heure après s'être enfermée dans sa chambre avec la lettre, Susan n'était toujours pas ressortie.
– J'en ai assez fait pour aujourd'hui, dit Mrs Layton. A présent, je vais me laver la tête.

Elle confia la pile d'enveloppes cachetées à Sarah et passa dans sa chambre en appelant Minnie, une nièce de Mahmud qui, restée veuve, l'aidait en se chargeant des besognes domestiques intimes de cette maisonnée de femmes. Ses appels réveillèrent le chien qui vint en trottant jusqu'à la porte-fenêtre pour voir si cette agitation pouvait l'intéresser. Ayant timbré les lettres, Sarah alla les déposer sur le plateau de cuivre du hall. Au retour de son enquête sur le *dhobi* disparu, Mahmud irait les jeter dans la boîte aux lettres. Puis elle entra dans sa chambre. Minnie avait fait le lit et préparé le baluchon de linge sale en y épinglant la liste établie par Sarah. La porte de communication avec la chambre de Susan était fermée. Elle frappa et entra chez sa sœur.

Assise sur le lit, Susan tenait sur ses genoux l'album contenant les photos du mariage et les articles de presse qui lui avaient été consacrés. La lettre était sur la table de chevet, coincée entre la lampe et le cadre contenant un portrait de Teddie.

– Maman se lave la tête, et je vais en faire autant. Ça ne te fait rien si je monopolise la salle de bain pendant dix minutes?

Susan fit un signe de tête négatif.

– Cette lettre concerne Teddie?

Susan prit l'enveloppe grisâtre – le papier à lettres de l'armée – et la tendit à sa sœur.

Sarah regarda aussitôt la signature : « Lieutenant-colonel Selby-Smith ». Elle lut :

> Chère Mrs Bingham,
>
> Votre mari ayant été mon plus proche collaborateur, je me fais un triste devoir de vous exprimer, au nom du commandant de son unité et de ses camarades officiers, notre tristesse de la perte qui vous frappe, et dont vous avez été informée par les canaux officiels. Il a été mortellement atteint alors qu'en service commandé il s'était rendu auprès du commandant d'une formation affrontant directement l'ennemi. Il était accompagné du capitaine Merrick, dont vous avez fait la connaissance à Meerut. Bien

que blessé lui-même, et au péril de sa vie, le capitaine Merrick a pris soin de votre mari et est resté à ses côtés jusqu'à l'arrivée des premiers secours. Le capitaine Merrick a dit au médecin militaire que votre mari n'avait pas repris conscience, et ainsi aurez-vous la consolation de savoir qu'il n'a pas souffert. Le capitaine a été évacué sur un hôpital de l'arrière, et le commandant de son unité l'a proposé pour une médaille. Teddie, comme nous l'appelions pratiquement tous, toujours gai et zélé, est profondément regretté ici. Ceux d'entre nous qui ont eu l'honneur de vous rencontrer, vous, votre mère et votre sœur, à Meerut, à l'occasion de votre mariage, vous adressent leur plus vive sympathie.

Croyez à mes sentiments dévoués,

Lieutenant-colonel
Patrick Selby-Smith

Sarah replaça la lettre contre le portrait de Teddie. Susan s'était remise à feuilleter l'album.

– Je ne l'avais pas remarqué, dit-elle, mais il n'y a qu'une seule photo de lui.

– Du colonel Selby-Smith?

– Non, du capitaine Merrick. Tu vois, il est sur celle-ci, et encore, à moitié caché.

Sarah s'assit à côté de sa sœur pour examiner la photo. Elle avait été prise au sortir du Gymkhana Club de Meerut, au moment où les mariés allaient être conduits à la gare. Teddie, sa joue pansée tournée vers l'objectif, regardait Susan, toute menue dans son tailleur de toile, avec son tout petit chapeau et tenant son bouquet devant elle. Sur les marches derrière eux, et partiellement dans l'ombre à cause de la colonnade, se tenaient tante Fenny, Mrs Layton, oncle Arthur, le colonel Hobhouse et sa femme. Et, au troisième rang, se groupaient des officiers parmi lesquels Sarah ne reconnut que Ronald Merrick qui, au lieu de regarder l'objectif, fixait la nuque de l'oncle Arthur. Il était le seul à ne pas sourire, à garder une expression fermée. Elle trouva qu'il faisait plus jeune que dans la réalité, quand il était en plein soleil avec sa peau tannée. Il avait dû être un adolescent à la peau délicate, comme tant de blonds aux yeux bleus, un adolescent en qui ses proches plaçaient leurs espoirs. Sans doute avait-il eu beaucoup d'ambition et de ténacité pour parvenir à se faire une carrière alors qu'il venait d'un milieu apparemment assez humble. Sarah l'avait compris lorsque, le soir, il lui avait dit que Miss Manners ne tenait pas compte des origines des gens ni du degré d'éducation qu'ils avaient reçu. Elle n'avait jamais écrit au capitaine Merrick, mais d'un autre côté, lui non plus ne s'était pas manifesté. Une ou deux fois, Teddie s'était chargé de transmettre ses amitiés à toute la famille. Au fond, en lui demandant si elle lui écrirait de temps à autre, il voulait peut-être faire figure d'homme solitaire, à cause de sa carrière et de son expérience, mais en fait pleinement apte à assumer cette solitude. Elle revoyait nettement la scène, ce soir-là : ils étaient assis sur la terrasse que l'obscurité envahissait progressivement. Ils attendaient l'apparition des lucioles. Et, curieusement, au lieu de se fondre dans le noir le corps du capitaine Merrick semblait se carrer, s'épaissir. Pendant un court instant, elle avait eu l'impression que si elle le touchait du bout des doigts il l'entraînerait vers des zones dangereuses, hors de ce confort qui la protégeait et la retenait.

– Oui, dit-elle, c'est bien lui. Mais tu es sûre qu'il ne figure dans aucune autre?

Elle feuilletait l'album. Que le garçon d'honneur de Teddie ne figure que sur une seule photo, et à moitié caché, c'était un comble! Et personne ne s'en était aperçu, ni pendant les prises de vue, ni au moment du choix des clichés à faire reproduire? Elle se souvint brusquement qu'il était parti à la recherche du carton à chapeaux de Susan qui semblait introuvable juste au moment où il avait fallu se hâter de poser pour le photographe tant que le nabab était encore là. Mais tout de même...

– Il ne voulait peut-être pas être photographié, dit-elle.

– Allons donc, tout le monde aime être pris en photo.

– Oui, mais si le cliché paraissait dans la presse, par

exemple dans le magazine *Onlooker,* il risquait d'être reconnu comme le policier de l'affaire des jardins du Bibighar.

– Teddie lui en a voulu terriblement, à cause de la pierre. Je crois qu'il ne le lui pardonnait pas. Mais moi, je dois lui pardonner. Et lui exprimer ma gratitude d'avoir pris soin de Teddie. D'autant plus qu'il n'est pas des nôtres, comme le formulerait tante Fenny. Mais tu sais, Sarah, je l'envie justement de ne pas être des nôtres. Parce qu'à dire vrai, je ne sais pas ce que nous sommes. Le sais-tu, toi, Sarah? demanda-t-elle en refermant brusquement l'album. La lettre ne dit pas s'il est grièvement blessé, mais c'est vraisemblable, puisqu'on l'a évacué sur un hôpital de l'arrière. Si j'adresse au colonel Selby-Smith une lettre à son intention, il la transmettra, n'est-ce pas?

– Oui, tu as raison.

– Et il faut que je lui écrive, hein?

– Oui. Ce serait gentil.

– Mais, moi, je ne sais pas ce qui est gentil ou non. Il faut m'aider. Toi, tu sais ces choses.

– Quelles choses?

– Ce qui est bien ou mal. Tiens, montre la lettre à maman.

– Pourquoi ne le fais-tu pas toi-même?

– Je préfère que ce soit toi, dit Susan en lissant un pli invisible de la courtepointe. Maman n'aimait pas Teddie. Elle ne souhaitait pas que je l'épouse. Elle ne me l'a jamais dit ouvertement, mais c'était évident. En fait, elle ne voulait pas que je me marie avant le retour de papa. Pour elle, tout doit se passer selon les règles, particulièrement pour les choses entre hommes et femmes. Tu sais qu'elle ne m'a absolument rien dit?

– Comment ça?

– C'est tante Fenny qui a dû s'en charger. Ou peut-être s'est-elle proposée, et maman l'a laissée faire. Ce n'était pas normal, non?

– Il y avait des choses que tu ignorais? demanda Sarah après un court silence.

– La question n'est pas là. Mais en déléguant ses

responsabilités à tante Fenny, elle prouvait qu'elle ne tenait pas assez à moi pour m'apprendre ce que je devrais supporter de Teddie.

Sarah resta un moment silencieuse.

– C'était tout ce que tu envisageais? finit-elle par dire. Pour toi, faire l'amour c'était supporter Teddie?

– Je ne sais pas, dit Susan en s'arrêtant de lisser la courtepointe. Je n'y pensais pas tellement. Tout ça, c'était de l'autre côté.

– Quel autre côté? L'autre côté de quoi?

Susan avait rougi. Elle porta ses mains à ses joues.

– Je n'ai plus la manière, dit-elle.

– La manière de quoi?

– De cacher ce que j'éprouve vraiment. C'est comme si j'étais brusquement exposée. Tu sais, quand on soulève une pierre, et dessous, il y a un insecte qui tourne en cercle. J'ai pensé si longtemps qu'on pouvait me gommer, dit Susan en enfouissant son visage dans ses mains.

– Écoute, c'est idiot.

– Non, ce n'est pas idiot, riposta Susan en découvrant son visage. Je le sentais déjà quand nous étions toutes petites, à Ranpur, et je l'ai senti ici, à Pankot. C'était peut-être parce que tout le monde, et surtout papa et maman, parlait du « pays ». *Aller au pays, rentrer au pays.* Et quand nous y sommes allées, ce n'était pas mieux mais pire. Toi, tu n'avais pas l'air de quelqu'un qu'on peut gommer, mais moi, si. Tu te souviens de cet affreux été? Celui où ils sont tous revenus au pays et où grand-père est mort? Tu ne peux pas savoir comme j'avais peur.

– Je ne m'en suis jamais rendu compte.

– Je ne sais pas vraiment de quoi j'avais peur, mais j'essayais tout le temps de passer de l'autre côté, celui où toi et tout le reste des gens se trouvaient, et n'éprouvaient pas de peur. Je voulais passer le mur. Comme celui-là, dit-elle en faisant un signe de tête en direction du jardin.

– Le mur du quartier des domestiques?

– J'avais peur d'eux, et comme personne n'était dans mon cas, j'en avais honte. Alors je me disais que je serais

comme tout le monde si j'arrivais à franchir le mur.
– Tu voulais être comme tout le monde?
– Bien sûr. Les enfants sont très conformistes. Et quand nous sommes revenues ici, cette peur-là m'avait quittée, mais il me semblait que j'étais la seule à ne pas être sûre de moi. Les autres savaient ce qu'ils voulaient, ils organisaient leur vie, ils lui donnaient un sens. J'ai pensé que si j'en faisais autant, personne ne pourrait plus me gommer. Mon mariage avec Teddie a fait partie de mes efforts. C'en fut la plus belle partie, même si je n'éprouvais pas vraiment d'amour pour lui.
– Je me demandais si tu l'aimais.
– Tout le monde se le demandait. Eh bien, maintenant, tu le sais. J'avais été amoureuse des tas de fois, mais je sentais que ce n'était pas de l'amour, quelque chose de très profond, quelque chose d'unique. Et sans me l'avouer clairement, j'ai fini par me dire que j'attendais vainement, que ça ne m'arriverait jamais. Il devait me manquer une fibre. Alors, autant épouser celui qui se présenterait et faire semblant de l'aimer. Personne ne saurait la vérité. Et Teddie s'est déclaré. Je l'ai épousé parce qu'il m'inspirait une certaine affection, et aussi parce qu'il me suis trompée. Il avait de la personnalité. Il y a même eu des moments où, grâce à lui, j'ai cru que j'en avais peut-être aussi. Mais il a passé une lamentable nuit de noces. Lamentable.
Susan se tourna vers Sarah et la regarda franchement.
– Ce n'était pas parce que je redoutais ce moment. Et lui, il s'est conduit avec délicatesse. Mais je n'avais rien à lui donner. C'est pour ça qu'il a été tellement heureux quand je lui ai écrit que j'attendais un bébé. Et moi, j'avais l'impression que j'allais me racheter vis-à-vis de lui en lui donnant un enfant. Et aussi qu'en devenant mère, je deviendrais quelque chose.
– Mais tu es quelqu'un, Susan, pas quelque chose.
– Non. Les gens comme nous ne sont plus rien. Mais nous feignons de l'ignorer, et nous persistons dans la même voie, comme si cela comptait. Pourquoi, pourquoi?

– Peu importent les raisons. Toi, tu comptes, moi, je compte.

Susan scrutait sa sœur. Elle semblait faire un effort pour comprendre. Et peut-être aussi l'enviait-elle un peu.

– Tu es tellement sûre de toi!

Aussitôt, une scène revint à l'esprit de Sarah : un après-midi d'été à Srinagar, sur une maison flottante. Elle avait regardé cette vieille dame et dit : « Vous savez tant de choses! » Savait-elle tant de choses, cette dame au maintien d'un autre temps, à l'élégance surannée, avec son corsage crème fermé très haut sous le cou par de petits boutons de nacre? Peut-être pas, si ce n'est que l'époque de la foi était révolue et qu'on entrait dans l'ère du doute.

– Mais non, je ne suis pas sûre de moi. Simplement convaincue qu'une chose compte : ton enfant.

Elle voulait dire que Susan avait un devoir envers lui, mais elle se retint de prononcer ce mot. On ne parlait que trop de devoir, et jamais assez d'amour.

– Oui, je sais, répondit Susan. Nous devrons tout faire pour lui, et de notre mieux. Il y a justement une chose que je voulais te demander. Maman dit que si ça vient de toi, tante Mabel acceptera.

– Qu'est-ce qui viendrait de moi?

– Si c'est toi qui le lui demandes. Pour la robe de baptême. Si elle accepte de la prêter.

– Qu'est-ce que c'est que cette robe de baptême?

– La tienne. La mienne a disparu ou elle est tombée en lambeaux. Mais tante Mabel a conservé la tienne. Je le sais par Barbie. Elle l'a vue un jour où Aziz aérait le linge d'une de ses armoires. Comme elle demandait ce que c'était, tante Mabel lui a dit que c'était ta robe. J'en ai parlé à maman. Elle m'a expliqué que tante Mabel la conservait parce qu'elle était faite dans des dentelles qui avaient appartenu à la mère de son premier mari. Comme elle-même n'avait pas eu d'enfant, elle avait voulu qu'elles servent pour ta robe de baptême. C'est drôle que tu ne le saches pas. Elle ne te l'a jamais montrée? Moi, je croyais que c'était un secret entre vous.

– Non, j'en ignorais l'existence. Et il n'y a jamais eu de secrets entre tante Mabel et moi. Mais pourquoi cette robe n'a-t-elle pas servi pour ton baptême?

– Maman avait voulu quelque chose de plus moderne. Et cette robe-là a disparu ou n'a pas résisté au temps. La dentelle ancienne est autrement solide. J'aimerais que mon enfant soit baptisé dans la robe qui a servi pour toi.

– Je la demanderai à tante Mabel. Mais elle doit avoir jauni et sentir le renfermé.

– Non. Barbie dit qu'elle est impeccable. Que tante Mabel l'a conservée très soigneusement. Et il y a autre chose que je voulais te demander. Acceptes-tu d'être marraine? Maman dit que tante Fenny s'attend à ce que je le lui propose, mais moi, je n'y tiens pas.

– Je crains de ne pas être apte à tenir ce rôle, dit Sarah d'un ton hésitant. Ce sont des choses auxquelles je ne crois plus.

– Je le sais, mais s'il m'arrivait quelque chose, tu veillerais sur le bébé, n'est-ce pas?

– Il ne t'arrivera rien.

– On ne sait jamais.

– Les bons orphelinats ne manquent pas.

– Sarah, même pour rire, ce sont des choses qu'on ne dit pas.

– Alors, arrête toi-même de me poser des questions ridicules. Il est évident que je veillerais sur l'enfant. Mais à moi aussi il pourrait m'arriver quelque chose.

Susan avait tourné la tête; elle regardait la photo de Teddie.

– Oui, il pourrait t'arriver quelque chose, finit-elle par dire. Tu te marieras, voilà ce qui t'arrivera. Tu voudras des enfants à toi, pas le nôtre, à Teddie et à moi.

– Et toi tu te remarieras.

– Non. Parce que ce serait uniquement pour donner un père à l'enfant. Je ne sais pas aimer.

– Tu aimeras ton enfant.

– Le crois-tu? dit Susan en se retournant pour la regarder bien en face.

– Tu verras, quand il sera là, tout s'arrangera, l'assura

Sarah. Et quelqu'un comme Dicky Beauvais demandera ta main.

– Non, pas quelqu'un comme lui.

La façon dont Susan avait parlé signifiait qu'une phase de sa vie avait pris fin.

– Bon, c'est entendu. Mais quelqu'un...

Susan reporta son regard sur la photo de son mari. Dans ce visage auréolé par la mort, y avait-il de la compassion pour ceux qu'il avait abandonnés, bien que ce ne fût pas de sa propre volonté?

– Finalement, dit-elle, il vaut mieux que ce soit toi qui écrives au capitaine Merrick de ma part. Tu sauras mieux lui exprimer notre profonde gratitude, lui faire comprendre combien la famille Layton lui est *redevable* de ce qu'il a fait pour Teddie. Peu importe ce que c'était, peu importe...

Susan fronça les sourcils, n'arrivant apparemment pas à déchiffrer dans le portrait autre chose que le fait de la mort brutale de Teddie. Sa mimique, et la façon dont elle avait répété *« Peu importe ce que c'était... »* firent entrevoir à Sarah que sa sœur doutait vaguement des circonstances de cette mort.

– Si tu préfères que ce soit moi, dit-elle.

« Que lui dirai-je »? pensait-elle. Quelque chose en elle résistait à l'idée d'envoyer une lettre au capitaine Merrick, comme si c'était en quelque sorte une défaite, la preuve qu'il avait finalement réussi à lui faire faire le premier pas.

– Explique-lui que je suis encore trop éprouvée. Et que j'attends un bébé. Mais il doit le savoir, car Teddie le leur a certainement annoncé sur tous les tons. Avec toutes les plaisanteries que ça pouvait susciter, parce que les hommes entre eux ne sont pas toujours très fins, alors, la virilité de Teddie, etc. En tout cas, c'est aussi un argument pour que tu lui écrives à ma place. Ce que je veux, c'est qu'il sache que je lui suis redevable.

Ce mot paraissait la fasciner. Comme si le fait de le prononcer créait un cercle de paix, un refuge contre la sauvagerie et la douleur du monde. Il n'apaisait pas le doute mais il le rendait moins aigu. Redevable, redevable. C'était un mot permettant de s'oublier, de pardonner, de se dépasser. Et cela, le visage de Susan le reflétait.

– Qui sait, dit-elle, là-bas, dans son lit d'hôpital, il se torture peut-être en pensant qu'il a porté malheur à Teddie. La première fois, ce n'était qu'une pierre, la seconde, ce fut un obus ou une balle, mais ils étaient de nouveau ensemble. Il faut que je le sache. C'est une dette que j'ai envers Teddie. Si je n'apprends pas comment ça s'est passé, ce sera comme s'il était mort tout seul. Le capitaine Merrick peut me le dire. Et alors, Teddie saura que je sais. Crois-tu que...

L'émotion l'empêcha de continuer.

– Que quoi?

– ... ce serait bien de lui demander d'être le parrain?

– Non, je ne le pense pas.

– Pourquoi.

– Je ne sais pas. Mais l'idée ne me paraît pas bonne.

– Tu veux dire que lui non plus ne croit pas en ces choses. Mais il s'est conduit comme un chrétien, non? L'important, c'est ça, et non de fréquenter l'église avec ostentation. La lettre le dit clairement : « Bien que blessé lui-même, et au péril de sa vie, le capitaine Merrick a pris soin de votre mari et est resté à ses côtés jusqu'à l'arrivée des premiers secours. » Il tentait de lui sauver la vie. Pas seulement pour Teddie lui-même mais probablement aussi pour le bébé et pour moi. Voilà pourquoi j'estime que nous devrions lui demander d'être parrain, sans nous arrêter à ce que peuvent en penser des gens comme tante Fenny.

– Que peuvent-ils en penser?

– Qu'il n'est pas des nôtres.

Se remémorant la nuit des lucioles, Sarah pensait : « Mais si, il est des nôtres; lui, c'est le versant des ténèbres, du mystère. » Et la question qu'elle s'était alors posée lui revint : « En vertu de quoi mettrais-je sa sincérité en doute? » Sa résistance fléchit.

– Ne pensons donc pas à ce que pourra dire tante Fenny.

A peine avait-elle prononcé ces paroles que les souvenirs et les idées se télescopèrent dans sa tête : le jet de la pierre, les « confidences » qu'il lui avait faites la nuit des lucioles, sa place dans leur histoire, lui qui était le versant des ténèbres. Et son image devenait indissociable de celle de l'Indienne en blanc : quelqu'un qui l'implorait d'adoucir des souffrances qu'il avait causées (peut-être involontairement).

– Cela peut se faire par délégation, n'est-ce pas? demanda Susan. Je veux dire, s'il accepte. Il peut être représenté au baptême par un délégué. Et qui sait si l'idée que nous l'avons choisi ne l'aidera pas à guérir plus vite? Teddie disait qu'il ne recevait pratiquement jamais de courrier. Je crois que c'est surtout à cause de ça qu'il lui a proposé d'être son garçon d'honneur, et pas parce qu'ils étaient camarades de chambre. L'histoire de la pierre avait terriblement mécontenté Teddie, mais c'était quelqu'un qui écoutait son cœur.

– Toi aussi.

– Oh, non, dit Susan en baissant les yeux. Moi, je n'ai pas de cœur. Alors, tu veux bien écrire pour moi, Sarah? demanda-t-elle en relevant la tête. T'informer de l'hôpital où il se trouve?

– Oui, je m'en charge.

Mais Sarah n'eut pas de démarches à faire, car le lendemain arriva justement une lettre du capitaine Merrick, adressée à Sarah, qui la communiqua à sa sœur. Lorsque Susan en eut pris connaissance, elle se mit à pleurer. Elle avait lu entre les lignes que le capitaine Merrick avait perdu l'usage de ses membres ainsi que la vue.

Hôpital militaire
britannique n° 143

Secteur postal 12 — Le 17 mai 1944

Chère Miss Layton,

La mort de Teddie, il y a trois semaines jour pour jour, vous a certainement été notifiée. Cependant, dans l'éventualité d'une erreur ou d'un retard, je préfère vous adresser cette lettre à vous et non à

Susan. De toute façon, c'est certainement à vous que j'aurais écrit, car je m'exprime mal par lettre, et j'aurais donc mal formulé les condoléances que je vous prie de lui transmettre. Veuillez lui dire que je prends part à son immense chagrin. Comme vous le voyez, je suis hospitalisé, et hors de combat, puisqu'une infirmière a la bonté d'écrire cette lettre pour moi. Mais les médecins estiment que mon état s'améliore – et c'est aussi ce que je sens. Je présume qu'un de nos chefs a informé Susan des circonstances de la mort de Teddie, mais je veux qu'elle sache que j'étais avec lui. Que, de nous deux, ce soit moi qui en aie réchappé – cela me paraît suprêmement illogique. Il avait toutes les raisons de conserver la vie, ce qui n'est pas mon cas. En somme, les choses auraient dû se produire à l'inverse.

Je dois passer de nouveau sur la table d'opération. Pas ici, mais à Calcutta. Et ensuite, j'aurai une longue convalescence. Je vous serais reconnaissant de me dire comment va votre sœur – si vous trouvez le temps de m'écrire. Si vous adressez votre lettre ici, elle me sera réexpédiée, car on me transfère dans un ou deux jours. Tout cela est relativement pénible. Des tas d'idées me traversent la tête. J'aimerais vous en faire part directement. A défaut, je vous prie d'accepter, Susan et vous, toute ma sympathie – sans oublier votre mère. J'espère que vous avez reçu de bonnes nouvelles de votre père.

Sincères amitiés,

Pour le capitaine Ronald Merrick ...

– Il faut que tu ailles le voir, dit Susan. Puisque tante Fenny est à présent à Calcutta, tu descendras chez elle.

– Elle peut très bien aller le voir elle-même.

– Mais non. Il ne l'aimait pas. Et il ne m'aimait pas non plus. Mais avec toi, il s'entendait. Et c'est à toi qu'il a écrit. C'est donc qu'il veut te parler.

Après ça, Susan se renferma dans le silence. Elle passa pratiquement le reste de la journée dans la véranda, l'œil fixé sur le mur de brique rouge. Étendu à ses pieds,

Panther la gardait de ces démons invisibles dont les bêtes sentent la présence dans la tristesse et l'apathie des créatures humaines.

***

Longtemps avant qu'on commence à murmurer dans Pankot que Susan Layton se repliait dangereusement sur elle-même (ce qui poussait certains à évoquer l'histoire de la fille de Poppy Browning), les domestiques cantonnés derrière le mur avaient observé ce processus. Ils se remémoraient le sinistre présage de la naissance d'un enfant bicéphale là-bas, dans les collines. Autour du jardin du bungalow, ils disposaient dans des endroits secrets des offrandes de lait pour étancher la soif des esprits, bons et mauvais, et des fleurs, pour les rendre propices par de suaves odeurs.

A l'entrée de Flagstaff House se dressait une guérite assez semblable à celle du factionnaire posté au portail. Cette guérite-là n'abritait pas un homme mais un registre ouvert sur un pupitre auquel le retenait une chaîne, ainsi qu'une petite boîte de bois munie d'une fente. Tous les soirs un serviteur rentrait ces deux objets dans le hall et il les réinstallait le matin. Les gens de passage à Pankot ou les nouveaux arrivants se signalaient à l'attention du commandant de la région militaire en portant leur nom dans le registre (il y avait un crayon, lui aussi retenu par une chaîne) ou en déposant leur carte de visite dans la boîte. Cette façon de notifier sa présence à Pankot remplaçait la visite estimée autrefois obligatoire. Il était de bon ton de se conformer à cet usage qui, pour Flagstaff House, avait encore son importance.

Ce fut dans le registre que, vers la fin mai, Lady Manners annonça sa présence à Pankot – Lady Manners, ou son fantôme, ou un plaisantin, car le nom n'était pas suivi d'une adresse mais seulement de l'indication « de Rawalpindi ». A Pankot, personne ne l'avait vue, et on ignorait où elle aurait pu résider. Isobel Rankin fit vainement questionner par le majordome les factionnaires qui avaient monté la garde entre 9 h du matin et

5 h de l'après-midi; parmi les descriptions qu'ils fournirent des dames qui, venues à pied ou en tonga, avaient écrit quelque chose dans le registre, aucune ne pouvait correspondre à une personne du rang de cette malheureuse Lady Manners.

Interrogés, les domestiques ne furent pas plus utiles (alors qu'ils savaient généralement tout des faits et gestes des Européens). Alors, où résidait Lady Manners? Ce n'était manifestement pas dans le seul Pankot qui comptât, celui des chalets et des bungalows, du club et du golf, de ce quartier résidentiel auquel on accédait en prenant à droite après le bazar, et que couronnait la résidence d'été du gouverneur sur laquelle Lady Manners avait autrefois régné – une époque trop reculée pour que quiconque en ait mémoire dans la station, et même pas la vieille Mabel Layton, car lorsqu'elle avait acquis Rose Cottage dans les années trente, Lord Henry Manners était déjà à la retraite depuis un an. Il fallait donc qu'elle se soit installée de l'autre côté, là où les Britanniques ne mettaient jamais les pieds. Il y avait plusieurs officiers indiens à Pankot et certains étaient mariés. On pouvait donc interroger les épouses (des créatures menues et timides qu'Isobel Rankin s'efforçait d'apprivoiser). Mais il se révéla qu'elles non plus ne savaient rien. Il y avait là un mystère. Si c'était vraiment elle qui avait signé le registre (et non un mauvais plaisant), pourquoi avoir fait ce geste? Était-elle venue seule ou entourée? Où était l'enfant? Lady Manners s'était-elle ainsi manifestée pour ne pas déchoir dans l'opinion de sa communauté? Ou, au contraire, pour la braver?

Une chose curieuse, ou, en tout cas, non dépourvue d'intérêt, notait-on à Pankot, c'était que deux personnages secondaires de cette histoire des jardins du Bibighar fissent parler les gens : Lady Manners, qui avait laissé sa nièce enfanter, et recueilli le fruit conçu dans des circonstances révoltantes, et le capitaine Merrick, qui avait accompli son devoir sans qu'on lui en vouât la moindre gratitude et qui, à ce qu'on disait, souffrait de blessures reçues alors qu'il tentait de porter secours (on ignorait dans quelles circonstances) au mari de cette pauvre Susan Bingham, qui était mort au combat.

L'histoire de la pierre, connue à Pankot grâce à Mrs Layton (l'évoquant négligemment, comme si on jetait des pierres à tous les mariages); la joue pansée du marié; le garçon d'honneur se révélant être ce chef de la police de Mayapore, Ronald Merrick; la révélation qu'il avait été « mis au placard » (pour n'avoir pas fourni à la justice un dossier assez solide pour justifier l'inculpation des suspects dans l'affaire du Bibighar) puis autorisé à s'engager dans une unité combattante – tous ces faits étaient évoqués parce qu'un intérêt chaleureux s'attachait à un homme qui avait pris soin de son compagnon d'armes mourant, à tel point que la pierre devint le symbole d'un martyre que tous comprenaient car tous estimaient le subir. S'imposant ainsi aux esprits, Merrick appartint momentanément (tant que l'intérêt se soutint) à Pankot. Dans les pensées, il était « un des nôtres ». Peut-être pas par droit naturel mais par sa vaillance.

Par une interprétation des faits non dénuée d'une certaine pénétration, Barbie contribua à son portrait. « Il était amoureux d'elle, c'est certain », dit-elle. Mais cette Daphné Manners lui avait préféré un Indien. S'il n'y avait pas eu de procès, c'était forcément parce qu'elle avait refusé d'incriminer les suspects. Car quand une victime parle, la justice l'écoute... C'était donc à cause d'elle que Mr Merrick, qui avait fait son devoir en policier d'élite, avait finalement été relégué à Sundernagar. On ne doit pas parler mal des morts, mais on pouvait souhaiter que Daphné Manners ait eu le temps de regretter ses erreurs. « En tant que chrétienne, disait-elle, je ne puis m'associer à certains sentiments extrêmes au sujet de l'enfant. Mais il n'empêche qu'elle n'est pas élevée dans le Seigneur. » Le vieux zèle missionnaire illuminait sa peau parcheminée, et on imaginait volontiers Barbie dévalant la route pour aller dire sa pensée à Lady Manners et lui inspirer une telle crainte de Dieu qu'elle irait, l'enfant dans les bras, se présenter devant le révérend Peplow. A partir de là, les supputations commençaient, car que ferait-il devant une fillette sans père, portant de plus un nom païen, Parvati (celui de la compagne de Shiva!) et, paraît-il, de teint si foncé qu'elle proclamait le péché de sa conception.

Barbie voulait savoir si, rencontrant Lady Manners, Sarah la reconnaîtrait.

– Non, pas du tout, dit Sarah.

– Mais, l'année dernière, vos bateaux étaient amarrés à peu de distance. Je le sais par votre mère.

– Tout de même à une bonne trentaine de mètres.

– Vous ne faisiez que l'apercevoir?

– Oui, c'est ça.

C'était le soir. Elles se promenaient parmi les roses du jardin de tante Mabel, attendant son retour d'une de ces randonnées qui la menaient dans les collines, grimpant les pentes les pieds chaussés de gros brodequins, dans ce qui lui paraissait le silence, en raison de sa surdité.

– Qui est Gillian Waller? demanda soudain Barbie.

– Je l'ignore. Pourquoi cette question?

– Je pensais que c'était quelqu'un de votre famille. Mabel en parle.

– Alors, elle peut vous apprendre de qui il s'agit.

– Je veux dire, elle en parle dans son sommeil, avoua Barbie d'un air gêné. Vous comprenez, je vais voir. Pour m'assurer qu'elle a éteint la lumière et posé ses lunettes. Imaginez qu'elle casse un verre et se blesse l'œil. Et par les nuits froides, je vérifie si elle est assez couverte.

– En somme, vous la bordez.

– Elle ne le sait pas. J'ai une telle dette à son égard! Et d'ailleurs, j'ai le sommeil très léger. Le moindre bruit me réveille. Il fallait être vigilant, autrefois, au fin fond de l'Inde, et j'en ai gardé l'habitude. Et je tiens à *veiller sur elle.* Vous savez, je m'imaginais toujours seule quand je pensais à la retraite. Nous autres missionnaires, c'est le sort qui nous attend presque toutes. Elle le savait. On vieillit en essayant de ne pas devenir morose, mais tout de même... Depuis peu, je la trouve agitée. Et elle parle. Ou plutôt, elle marmonne ce nom : Gillian Waller. Comme si cela la tracassait. Je n'ose pas lui demander qui c'est. Je ne veux pas paraître indiscrète. Elle est si peu communicative. Au début, elle me terrifiait. Et je suis si bavarde. « Dieu vous écoute », disait Mr Cleghorn quand je le surprenais à ne prêter qu'une oreille distraite à mes propos. Cela, c'était à Muzzafirabad. Il dirigeait l'école missionnaire où j'ai succédé à Edwina Crane. Je me faisais un tel souci, parce que les enfants l'adoraient, et puis, j'étais plus vieille qu'elle. Alors, je parlais, je parlais. Et en arrivant ici, je me suis dit qu'elle ne le supporterait pas. Une femme avec une telle personnalité! Mais je me suis aperçue que cela ne la dérangeait pas. Elle se plaît à me regarder parler, à présent qu'elle n'entend presque plus. Elle est comme un rocher. Contre elle, les vagues se brisent. Est-ce que Susan est un peu plus sereine?

– Non, mais elle se cramponne.

– A quoi? A quoi? répéta Barbie en prenant le bras de Sarah. Et qui est Poppy Browning? demanda-t-elle avant que Sarah ait eu le temps de lui répondre.

– Je l'ignore. Tante Mabel parle aussi d'un Poppy Browning?

– Non. J'ai entendu des gens citer ce nom. Trouvez-vous que Susan se replie dangereusement sur elle-même?

Sarah s'arrêta, contempla une rose rouge, se pencha pour la sentir, vaguement saisie d'une prémonition et, pendant une fraction de seconde, suspendue entre un avenir incertain et un passé flou – un état lié à ce geste de se pencher pour sentir une fleur.

– Nous résistons, dit-elle à Barbie. Nous sommes taillées pour ça. (Mais était-ce vrai pour Susan?) Vous avez entendu des gens en parler, dire qu'elle se repliait?

– Dangereusement. Elles se sont tues quand je suis arrivée à leur hauteur. Mrs Fosdick, Mrs Paynton, Lucy Smalley. Lucy Smalley était en train de dire : « Oui, la dernière fois que je l'ai vue, je n'ai pu m'empêcher de songer à la fille de Poppy Browning. » Et puis elles ont changé de sujet.

– De simples bavardages, Barbie. Mais elles ne s'inquiétaient pas vraiment, elles s'en seraient ouvertes à vous. Faisant pratiquement partie de la famille, vous seriez l'interlocutrice rêvée pour quelqu'un qui se soucie à propos de Susan.

– J'aimerais tellement pouvoir! s'écria Barbie en serrant impulsivement le bras de Sarah. Mais c'est impossible. Je veux dire, aller avec vous à Calcutta. Revoir le siège de la Mission!

***

Barbie s'était effacée pour laisser ensemble Sarah et Mabel qui faisaient le tour de la véranda de derrière. Mabel, son panier au bras, recommençait une de ses moissons de fleurs fanées. Le jour tombait. De l'intérieur, Barbie alluma les globes électriques de la véranda.

– Quand pars-tu? demanda tante Mabel en nettoyant une azalée.

– Demain.

– Où descendras-tu?

– Chez tante Fenny. Je l'ai prévenue par téléphone.

– Je croyais qu'ils habitaient Delhi.

– Non, depuis janvier ils sont à Calcutta. Écoute, je veux te demander quelque chose. C'est à propos de la robe de baptême.

Les vieilles mains habiles continuaient à voleter autour des plantes. Sarah songea qu'elle-même entreprenait une opération semblable, en voulant prendre une relique à tante Mabel. Et brusquement elle se retrouva seule. Tournant les talons, tante Mabel avait disparu à l'intérieur. Peu après, Barbie apparaissait à la porte-fenêtre.

– Elle est dans sa chambre. Elle vous appelle.

Tante Mabel dépliait un long paquet de papier de soie blanc posé sur son lit. La dentelle paraissait jaunie et Sarah la crut fragile. Mais, en glissant la main entre la robe et sa doublure de linon, elle vit que le réseau était intact et paraissait revivre sur le rose de sa peau.

– C'est de la dentelle française, dit tante Mabel.

– Je ne l'avais jamais vue. Quel travail exquis!

La robe exhalait une senteur de lavande et de bois de santal. Le bas de sa doublure était garni d'une bande de petites perles large d'un doigt.

– La mère de mon premier mari était française, dit tante Mabel. Après notre mariage, il m'a emmenée voir la famille de sa mère, en France. Nous avons réembarqué pour l'Inde à Marseille. Je ne les ai jamais revus.

– Et ils t'ont donné la dentelle.

– Non, sa mère m'en avait fait cadeau à Londres. Elle non plus, je ne l'ai jamais revue. Une belle femme. Physiquement, il tenait d'elle, et aussi pour le courage. A ce moment-là, elle se mourait mais elle nous l'a caché. Pour ne pas gâcher notre bonheur.

Sarah promenait sa main sous le fin réseau. Elle eut la surprise de découvrir un motif de papillons. Ils semblaient voleter.

– C'était un très vieux château.

– Celui où habitait sa famille?

– Oui. Avec une tour. Elle n'en sortait pratiquement pas. Une vieille aveugle. Toute sa vie elle avait fait de la dentelle. Je crois que c'était une parente pauvre ou une ancienne domestique. En me donnant la pièce de dentelle, la mère de mon mari m'avait dit que ce serait pour une robe de baptême. Comme je la leur montrais, ils m'ont dit : « C'est l'œuvre de Claudine. Venez la voir. » Nous sommes montés dans la tour. Elle vivait tout en haut. Elle a passé sa main sur la dentelle et elle a dit : « *Ah, oui, pauvre papillon! C'est un de mes prisonniers.* » La suite, je ne l'ai pas comprise, mais ils me l'ont expliquée : elle s'attristait de ce que les papillons, captifs, ne pussent jamais voler et s'aimer dans le soleil. Elle sentait sur ses mains le soleil, mais elle tissait une prison pour les plus délicates créatures de Dieu. Alors, je leur ai demandé de lui dire que les vrais papillons voletaient dans le soleil mais qu'ils n'avaient qu'une brève existence. C'était assez niaisement sentimental, mais elle a souri en hochant la tête, et a pris la chose comme un compliment inspiré par l'ignorance de la jeunesse.

Sarah retira doucement sa main. Les papillons s'immobilisèrent. Elle songea au baptême, et se vit, peut-être aux côtés de Ronald Merrick, prononçant les promesses au nom d'un bébé enfoui dans cette dentelle. En elle, quelque chose résistait à cette idée.

– Prends-la, dit tante Mabel. De toute façon, je voulais qu'elle te revienne.

Sarah replia la dentelle dans le papier de soie.

– Je te remercie infiniment. Mais je crois qu'elle doit rester ici.

– Non, dit Mabel. Tu vas la prendre. Dans mon testament, je te la léguais. Moi, je ne m'en sers pas. Il n'est pas bon de garder sous clé des choses qui peuvent servir. Tu es jeune, mais il me semble que tu comprends mieux les choses que moi quand j'avais ton âge.

***

Le cocher du tonga qui était resté à l'attendre allumait ses lanternes. Elle lui dit de la conduire au bazar, au magasin de Jalal-ud-din. En plus de la robe de baptême, tante Mabel lui avait donné deux cents roupies. « C'est ma contribution aux frais de ton voyage, avait-elle dit. » Et comme Sarah protestait qu'elle n'en avait pas besoin, car l'armée lui délivrait une feuille de route et même un ordre de mission, pour donner à son voyage une apparence officielle (comme tous les gens qui pensaient sainement à Pankot, le général Rankin approuvait les raisons de son déplacement), tante Mabel avait remarqué : « Eh bien, tu pourras régler des factures. Ta mère a sûrement quelques dettes. »

Entre Rose Cottage et le club, ils ne rencontrèrent pas un seul véhicule. En ce début du mois de juin, peu avant l'arrivée des pluies, la chaleur du jour persistait longtemps après la tombée de la nuit. Sarah attendait impatiemment les pluies. La naissance du bébé de Susan coïnciderait plus ou moins avec les premières semaines vraiment mouillées. Les matinées seraient brumeuses, et pendant les intervalles entre les averses, les collines se découperaient en vert vif dans le paysage. Bercée par le mouvement du tonga qui descendait sans hâte, Sarah, le dos tourné à la pente, tenait sur ses genoux la robe de baptême empaquetée. Elle sentait sous ses mains d'imperceptibles pulsations – des battements d'ailes de papillons. La chaussée était si déserte qu'elle songea au rêve de Barbie la dévalant en direction de St. John, et à son propre rêve, dans lequel Teddie savait où il allait, ce qui rendait tout le monde muet.

Mais à l'entrée de l'allée du club il y avait des tongas, et, à partir de là, sur toute la descente vers le bazar, avec le golf à droite et, à gauche, les bungalows cernant le bas de « la colline » que dominaient les clochers de St. John et St. Edward, le tonga croisa d'autres tongas, un camion militaire, et deux taxis. Et il arriva à l'entrée du bazar, violemment éclairée.

Elle descendit à la station des tongas, et dit au cocher de l'attendre afin de la ramener. Certaines boutiques avaient un éclairage si cru qu'on ne voyait plus les lampadaires de la rue. En cette heure tardive, on n'y rencontrait plus guère de civils. Les groupes de soldats britanniques parcourant le bazar regardaient Sarah mais ils ne se seraient pas permis de l'aborder. Il suffisait de voir ses galons de caporal. Les jeunes filles blanches de cette catégorie étaient filles d'officiers ou fiancées à des officiers. Un *chokra* se mit à l'escorter, lui offrant ses services d'enfant portefaix. Il attendit devant la pharmacie, tandis qu'elle achetait du dentifrice, une brosse à dents pour le voyage à Calcutta et, finalement, une bouteille d'eau de toilette, pour adoucir le voyage. Elle paya également la note de sa mère, en se demandant ce qui séparait le nécessaire du superflu. En sortant, elle confia ses trois petits paquets au chokra, mais pas le paquet de la robe de baptême, qu'elle préférait tenir elle-même.

« Jalal-ud-din », lui indiqua-t-elle en partant dans la direction du magasin. Ils remontèrent la rue en arcades, bordée de boutiques de type européen. Et c'est alors qu'elle la vit. Ou crut la voir : une Européenne âgée, à demi masquée par une Indienne d'âge mûr – une femme distinguée – qui se courbait pour monter dans la voiture dont le chauffeur indien lui tenait la portière ouverte. Instinctivement, Sarah s'immobilisa, se détourna – peut-être pour se racheter d'avoir un jour imposé sa présence à la dame de la maison flottante. En même temps, s'apercevant que son geste pouvait être interprété comme l'approbation d'un certain ostracisme, elle en éprouva de la honte. Mais à présent, il lui fallait aller jusqu'au bout de la comédie : elle fit mine de retourner dans la pharmacie, comme si elle y avait oublié quelque chose. Alarmé, le chokra lui montra les trois paquets qu'il tenait et, du doigt, désigna celui qu'elle portait, pour qu'elle comprenne qu'il ne lui manquait rien.

Les joues en feu, elle le remercia d'un sourire et se retourna dans la direction du magasin de Jalal-ud-din. L'automobile avait disparu. Alors Sarah repartit vers son tonga, s'y installa et donna une piecette au chokra.

III

– A présent, me diras-tu l'objet réel de ton voyage? demanda tante Fenny.

L'appartement était climatisé. Longtemps confiné dans des tâches obscures, l'oncle Arthur semblait avoir enfin gravi un échelon et être bien mieux pourvu matériellement. Jamais lui et tante Fenny n'avaient eu un cadre de vie comparable à cet appartement dominant de haut les toits des anciennes demeures aristocratiques. Et oncle Arthur semblait avoir décroché une sinécure : il était chargé d'expliquer à de jeunes officiers les rouages de l'administration civile et militaire en Inde. Cette initiation était dictée par le souci de leur faire appréhender les réalités de la présence britannique dans ce pays où, sans la guerre, ils ne seraient pas venus. Son objectif non avoué : encourager certains à y demeurer. « Nous leur montrons ce qu'était réellement l'Inde avant la guerre, lui avait expliqué le colonel Grace, pour extirper l'image qu'ils se faisaient de vieilles badernes et de ronds-de-cuir se prélassant sous un *panka* en faisant valser les indigènes. »

Sarah avait hoché la tête d'un air entendu. Les jeunes gens en question – du moins trois d'entre eux qui se trouvaient là – avaient souri. Selon tante Fenny, ce jour-là les « garçons » d'oncle Arthur n'étaient pas nombreux. Il estimait de son devoir de les ramener chez lui après son cours ou de les inviter à sa table. Là, dans un véritable intérieur anglo-indien, autour du *tiffin* de midi, ou à dîner, ils en apprenaient beaucoup plus que pendant les cours, et surtout ils s'imprégnaient de la vie en Inde.

Depuis le début de la guerre, il n'y avait pas eu d'admissions dans l'Indian Civil Service. Or, parmi tous ces jeunes officiers réservistes venant d'horizons divers, qui n'avaient jamais songé à faire carrière dans l'armée, et encore moins envisagé un poste en Inde, il y en avait sûrement quelques-uns chez qui s'éveillerait la vocation de servir l'empire, de partager les dures réalités d'une armée qu'ils voyaient à l'œuvre.

– Ils sont pour la plupart en suspens, expliqua tante Fenny en la conduisant dans la chambre d'amis – une petite pièce toute blanche, aussi froide qu'une glacière.

Par la fenêtre hermétiquement close, Sarah découvrait le ciel de la mousson au Bengale, d'un gris envahissant. Pendant son voyage nocturne depuis Ranpur, elle était entrée dans les pluies de juin, alors qu'il faisait encore sec à Pankot. Elle avait l'impression d'aborder dans un autre monde. Comme l'Inde était multiple!

– Comment ça, en suspens?

– Eh bien, ils attendent un transfert, ou ils sont en convalescence d'une jaunisse, ou encore ils sont cloués dans des centres de regroupement ou d'instruction et ils demandent à suivre des cours parce que l'inaction leur tape sur le système. Nous n'en avons pas beaucoup qui sont des tire-au-flanc nés. Et ceux-là, Arthur ne les invite jamais ici. D'ailleurs, ce ne sont pas des gens de notre monde (Sarah hocha gravement la tête), mais au fond, nous sommes une espèce en voie de disparition mon chou, non? Dans l'ensemble, ce sont tous des garçons pleins de vie. Certains sont de bonne extraction, et ce sont généralement ceux-là qui songent sérieusement à rester ici quand la guerre sera finie. Ils aiment beaucoup Arthur, sans doute parce qu'il prend sa tâche tellement à cœur. Il tient à ce qu'ils comprennent bien ce qu'est l'Inde, et la portée qu'elle a dans leur niveau de vie au pays.

– Je suis sûre que toi aussi, ils t'aiment beaucoup.

– Mais oui! Et sais-tu pourquoi? Parce que je suis une femme heureuse. Oh, cette fraîcheur! dit-elle en faisant un geste circulaire.

Il avait été un temps où tante Fenny rejetait les éléments modernes de la vie anglo-indienne comme de fâcheux signes de décadence. Sarah sourit. Pour sa part, elle aurait préféré un peu moins de fraîcheur, mais il était agréable de voir tante Fenny savourer quelque chose. Les coins de sa bouche se relevaient, effaçant sa moue habituelle. Mais juste au moment où Sarah se faisait cette réflexion, sa tante reprit son expression de toujours, mi-méfiante mi-curieuse.

– A présent, me diras-tu l'objet réel de ton voyage? demanda-t-elle.

Sarah le lui expliqua.

– Pourquoi ne pas m'en avoir chargée? Cela t'aurait épargné les frais et la fatigue du voyage.

– J'ai bénéficié d'une feuille de route, dit Sarah en remarquant que tante Fenny semblait avoir d'autres récriminations en réserve. Susan s'imagine qu'il a perdu la vue et l'usage de ses membres. Et elle craignait que, par lettre, on ne lui dise pas la vérité pour la ménager.

– J'aurais pu aller à Pankot lui donner des nouvelles de vive voix.

– Dans ce cas-là, c'est toi qui aurais eu les frais et la fatigue du voyage. Et tu aurais pu encore lui cacher la vérité pour la ménager. Je crois qu'elle a tenu à ce que je vienne parce que si moi je lui dissimule quelque chose, elle s'en apercevra.

– Mettons que ce soit ça et autre chose aussi, hein? A Meerut, il m'avait semblé que tu n'étais pas indifférente à ce garçon. Est-ce réciproque?

Sarah détourna la tête. Tante Fenny ne se laissait pas facilement tenir à l'écart de tout ce qui concernait la famille.

– Mais non. En tout cas, je n'ai rien remarqué. Et je me serais volontiers abstenue de cette démarche, seulement, Susan insistait. En fait, je souhaite m'en débarrasser le plus vite possible. Si j'y vais à présent, crois-tu que l'hôpital me permettra de le voir?

– Il n'en est pas question. Tu vas t'allonger et te reposer pendant le reste de la matinée. Tu n'as pas assez dormi. Je vais téléphoner à l'hôpital, pour obtenir que tu le voies vers la fin de l'après-midi. Comme ça, bien détendue, tu rends visite au capitaine Merrick vers les cinq heures et tu rentres juste à temps pour l'apéritif.

Quelques-uns des garçons viennent dîner. Est-ce que tu dois vraiment repartir dès demain?

– Oui. J'ai retenu une couchette pour le trajet Ranpur-Pankot demain soir.

– Le train de minuit, n'est-ce pas? Il faudra donc que tu quittes Calcutta vers midi pour être sûre d'avoir la correspondance. Mais tu n'as pas de place louée. Comment feras-tu?

– Je trouverai toujours une place. Quelqu'un avec une couchette pour Delhi et qui me laissera m'asseoir. On entre en gare de Ranpur vers vingt et une heures. Les couchettes ne seront pas encore faites.

– Je demanderai tout de même à ton oncle de jouer de son grade. Il adore ça. Si tu le voyais quand il dit : « Le colonel Grace à l'appareil! » Mais pour l'instant, tu te reposes, mon chou. Rien qu'à voir ta mine, je sais que tu n'as pas dormi. Un voyage affreux!

– Non. A dire vrai, très amusant. J'ai veillé toute la nuit avec des infirmières en route pour Shillong, et je les ai enviées, parce qu'elles vont au front, alors que moi je dois rester à l'arrière. Nous avons joué aux cartes et bu pas mal de gin. J'ai écouté ce qu'elles avaient à dire sur les hommes en général et, en particulier, sur les deux officiers qui avaient tenté leur chance avec les deux plus jolies d'entre elles et qu'il avait fallu éjecter par la force de leur wagon à Benarès. Je me suis endormie peu avant d'arriver à Dhanbad. J'ai encore dans la bouche le goût de ce voyage.

Cédant à l'épuisement, elle s'assit sur le lit. Elle sentit que tante Fenny lui délaçait ses chaussures. Toute protestation était inutile. Elle leva ses jambes, les allongea sur le lit. Elle entendit qu'on tirait les doubles rideaux. Elle s'endormit.

Le taxi n'avait pas encore atteint le bâtiment des officiers de l'hôpital militaire que la pluie s'arrêta. Sarah arriva en plein soleil. Tout en montant les marches de l'entrée à colonnade, elle se débarrassa du lourd imperméable de tante Fenny. Elle avait troqué son uniforme contre une tenue civile : une simple robe de cotonnade, agréable dans une humidité à laquelle elle ne s'attendait pas. Elle expliqua l'objet de sa visite au caporal de la réception, puis s'assit et alluma une cigarette. Trop humide, évidemment. Elle la jeta dans un crachoir. Le caporal, ayant parlé au téléphone, donna des instructions à un autre soldat – un deuxième classe. L'homme s'approcha de Sarah :

– Miss Layton? Pour voir le capitaine Merrick?

Elle le suivit. L'odeur d'éther lui barbouillait l'estomac. Le soldat la mena jusqu'aux ascenseurs, donna ses instructions au liftier indien et dit : « Vous serez accueillie par la surveillante Prior. » En le remerciant, Sarah remarqua qu'il avait des dartres aux joues et au menton – et s'apitoya sur lui. C'était sans doute pour ça qu'il ne l'avait pas regardée en face. En plus, il sentait la brillantine. Le liftier tira la grille. La cabine monta poussivement.

A l'étage, Sarah sortit de l'ascenseur en remerciant le liftier. Ici, l'odeur d'éther était encore plus envahissante. Elle entra dans une pièce qui semblait être une salle d'attente. Par la fenêtre, on voyait des arbres. Il y avait des fauteuils, et un vase de fleurs sur la table. Sarah se dit qu'elle était l'unique visiteuse, ou que le liftier indien s'était trompé d'étage, car la surveillante se faisait attendre. S'approchant de la fenêtre, elle contempla les arbres au-delà desquels s'étendait un vaste *maidan*. Des pas résonnèrent dans le couloir. Elle se retourna, attendit. Une femme entra. Ou plutôt une jeune fille, à peu près du même âge qu'elle. Une brune, aux cheveux relevés sous le calot blanc.

– Miss Layton? Je suis la surveillante Prior, dit-elle en tendant la main à Sarah et en la dévisageant d'un œil froid.

Sarah se demanda si la surveillante Prior était du genre à s'éprendre d'un patient? Merrick, par exemple. Et, pour cette raison, à se montrer possessive?

La surveillante lui lâcha la main d'un geste sec.

– Je ne viens peut-être pas aux heures de visite? demanda Sarah.

– Non. Tout est organisé. Nous avons reçu ce message de votre... oncle, c'est ça? Le colonel...

– Le colonel Grace.

– Oui. Il a dit que vous arriviez de loin.

Mais la surveillante Prior ne bougeait pas. Les deux femmes se mesuraient du regard. Sarah se dit qu'elles avaient à peu près la même taille et le même âge.

– Vous venez en qualité de parente.

– Non.

– Ah, bon! Je trouvais ça bizarre, parce qu'il me semblait qu'il n'avait plus personne. Mais l'infirmière-chef avait cru comprendre que le colonnel Grace parlait de famille...

– Il devait faire allusion à ma sœur. Le capitaine Merrick a été garçon d'honneur à son mariage. En fait, c'est elle qui m'envoie ici, dit-elle en s'apercevant qu'elle donnait plus de détails qu'elle ne le souhaitait. Nous avons reçu une lettre de lui, expédiée de Comilla, avant son transfert dans votre hôpital.

– Oui, je comprends. Je ne l'ai pas prévenu de votre visite, pour lui éviter une déception au cas où vous vous seriez ravisée. Je vais la lui annoncer maintenant. Si je dis « Miss Layton », cela suffira?

– Oui, mais il va être surpris, car j'habite Pankot.

– Où est-ce?

– Une station dans les collines du nord, plus haut que Ranpur.

– Eh bien, vous avez fait un grand voyage! Votre sœur est avec vous à Calcutta?

– Non. Elle attend un bébé. Dans trois semaines.

– Ah, bon! Si je pose toutes ces questions, c'est parce qu'ici nous veillons particulièrement sur Ronald. Il se montre extrêmement courageux, mais il nous paraît terriblement seul. D'après son dossier, il n'a plus qu'un cousin éloigné. Ses parents sont morts avant la guerre. Je crois qu'ils s'étaient mariés tardivement, en tout cas il n'a ni frère ni sœur. Et nous en venions à penser qu'il n'avait pas d'amis non plus, car il ne reçoit que du courrier administratif. Comme il ne m'a pas demandé d'écrire pour lui à qui que ce soit, je me demandais comment vous aviez appris son hospitalisation ici.

– Il nous a écrit de Comilla en disant qu'on le transférait à Calcutta. Par l'intermédiaire de l'état-major du général Rankin, commandant de la région militaire de Pankot, nous avons pu savoir qu'il était dans votre hôpital. Ma sœur est très préoccupée de son sort. Il a été blessé à côté de son mari qui, lui, a été tué.

– Quelle tristesse! dit la surveillante Prior qui n'avait pas cessé de regarder Sarah droit dans les yeux. Il va être heureux de vous voir. Je comprends pourquoi vous êtes venue de si loin, mais j'espère que vous ne lui poserez pas trop de questions. Nous essayons qu'ils pensent le moins possible à ce qui les a conduits ici.

– Je ne suis pas venue pour l'interroger, mais surtout pour lui exprimer la gratitude de ma sœur, pour avoir porté secours à son mari alors qu'il était lui-même blessé. Nous ignorons les circonstances exactes de son action, mais le commandant de sa division l'a recommandé pour une médaille.

– Ah, oui? En est-il informé?

– Probablement pas.

– J'espère que vous ne le lui direz pas. Je suppose que les décorations servent un but quelconque. Encore que j'envisage mal lequel. Quand on voit de quel prix elles sont payées! Je dis toujours qu'un bon gros chèque viendrait mieux à point. Parce qu'une médaille, on se la fixe sur la poitrine ou on la laisse dormir dans un tiroir, mais c'est tout. Je dois vous choquer, n'est-ce pas? Quand on a un oncle colonel.

– Mon père aussi est colonel, dit Sarah qui allait ajouter : « Et vous ne me choquez pas », mais se ravisa. Je vais attendre ici, tandis que vous m'annoncerez au capitaine Merrick.

La surveillante Prior fit un signe de tête affirmatif. Un sourire plana fugitivement sur sa jolie bouche. Devant cette ironie voilée, Sarah se détourna; cette fille la forçait à se retrancher derrière les barrières de sa classe et de ses traditions. Tandis que la surveillante Prior s'éloignait, elle se rendit compte qu'elle n'avait plus le temps de se préparer à la rencontre avec Ronald Merrick. Comment allait-elle le trouver? Cette femme ne lui avait rien dit, peut-être pour se ménager le plaisir de voir comment elle réagirait devant un grand blessé. Elle alluma une cigarette (oh, ce tabac humide!) et se mit en devoir de réunir tout ce dont elle s'était chargée, outre l'imperméable de tante Fenny : une boîte renfermant des fruits frais et une cartouche de deux cents cigarettes Three Castles enfermées dans des boîtes cylindriques étanches de cinquante. Mais les minutes passèrent et la surveillante Prior ne revenait pas. Il était près de cinq heures. De temps en temps elle entendait des pas dans les couloirs, des bruits de porte qu'on ouvrait et fermait. A un moment s'élevèrent des voix. Il y eut aussi la montée poussive de l'ascenseur. A cinq heures précises, une infirmière anglo-indienne au teint cuivré arriva du couloir par lequel était partie la surveillante Prior.

– Miss Layton? Le capitaine Merrick vous attend.

Sarah suivit la jeune fille jusqu'à la chambre portant le numéro 27. Sous le judas circulaire de la porte, il y avait un cadre de métal renfermant une carte portant l'indication écrite à l'encre noire : « Capitaine R. Merrick ». L'infirmière frappa et ouvrit en disant : « Miss Layton pour le capitaine Merrick » et s'effaça pour laisser entrer la visiteuse. Sarah resta clouée sur place en le voyant s'avancer vers elle, appuyé sur une canne et traînant une jambe dans le plâtre – et puis elle s'aperçut que ce n'était pas Merrick mais un grand gaillard qui lui dit en souriant : « Il est à vous. Ne vous occupez pas de moi. Je lui faisais une petite visite. » Elle lui sourit mécaniquement et porta aussitôt son regard vers le lit placé près de la fenêtre. Une forme y gisait, soutenue par des oreillers, et la tête complètement emmaillotée de bandages couvrant jusqu'aux sourcils et une partie des joues. Au-dessus du corps, un cerceau surélevait le drap. Tout ce qu'elle voyait de Ronald Merrick, c'était une petite portion du visage et le haut d'une veste de pyjama bleue. Ses bras étaient cachés par le drap. La tête légèrement tournée, il regardait Sarah. Tandis qu'elle s'avançait vers le lit, elle entendit se refermer la porte.

– Bonjour Ronald, dit-elle.

Le mouvement de l'air brassé par le ventilateur du

plafond plaquait le drap sur le cerceau. Un instant, Sarah eut l'idée horrible qu'il n'y avait rien dessous, que ce qu'elle voyait de Ronald était tout ce qu'il en restait – tout en sachant bien que c'était impossible. Gênée, elle reporta son regard sur le visage. Un visage plus jeune que dans son souvenir, comme si la souffrance en avait adouci les traits, le nimbant d'innocence. Les pansements de gaze masquaient le menton, mais le haut des joues et la lèvre supérieure étaient rasés. Sarah se demanda stupidement comment il y parvenait, puis songea que cela faisait partie des soins dispensés par les infirmières.

– Je vous ai apporté des fruits et des cigarettes. Je me suis souvenue que vous étiez fumeur, dit-elle en déposant les boîtes sur la table de chevet qui ne contenait qu'une théière à long bec – sans doute employée pour faire boire le blessé, pensa-t-elle.

Remarquant chez lui un mouvement de déglutition, elle pensa qu'il avait peut-être des difficultés à parler. Tandis qu'elle faisait le tour du lit pour venir s'asseoir sur la chaise à son chevet, Ronald Merrick ouvrit les yeux. Oui, il avait bien les yeux bleus. Un bleu extraordinaire. Il déglutit encore une fois.

– Excusez-moi, dit-il. Je croyais que la surveillante me faisait une farce ou que j'avais les idées à l'envers, parce qu'elle n'est certes pas du genre farceur. Donnez-moi des nouvelles de Susan.

– Elle va bien. Elle vous envoie ses amitiés. Et maman aussi, bien entendu. De même que tante Fenny et oncle Arthur. Ils habitent Calcutta, à présent. Elle viendra vous voir d'ici un jour ou deux. Elle me charge de vous demander si vous avez besoin de quoi que ce soit.

– C'est très aimable à elle. Et très aimable à vous de me rendre visite. Vous restez longtemps à Calcutta?

– Non, je repars demain pour Pankot.

– Si vous voulez fumer, ne vous gênez pas. Il y a des cigarettes dans le tiroir.

– Voulez-vous que je vous en allume une?

– Vous allez malheureusement devoir m'aider à la fumer. Je ne puis encore rien tenir.

Elle prit une cigarette dans son propre étui, l'alluma et, surmontant sa gêne et un léger dégoût, elle la porta aux lèvres du blessé. Il tira une bouffée et rejeta la fumée lentement en renfonçant sa tête dans l'oreiller. Elle eut un instant d'hésitation, puis tira une bouffée à son tour. Ce partage d'une cigarette créait entre eux une intimité inattendue. Pendant un moment, ils restèrent à fumer à tour de rôle, en silence.

– Vos mains sentent si bon, à côté de celles de la surveillante Prior, dit-il enfin. Cette femme est un vrai dragon.

– Pour un dragon, elle est très jolie.

– Vous trouvez?

– Ce n'est pas votre avis?

– Quand on est à l'hôpital, toutes les infirmières vous paraissent jolies, mais ce qu'on voit surtout d'elles ce sont les mains, le cou et les coudes. La surveillante Prior a des mains glacées et des coudes rouges. Et je me demande si elle n'est pas goitreuse. Pour tout dire, elle me déprime. A Comilla, la surveillante était autrement avenante. C'est elle qui a écrit la lettre. Je commençais à me demander si elle vous était parvenue. Mais votre visite dépasse de très loin mes espérances. De très, très loin. Soyez-en remerciée. Vous savez, on s'habitue à prendre les jours comme ils viennent, et à ne rien attendre qui sorte de la routine. Après votre départ, j'aurai parmi mes souvenirs quelque chose d'unique et d'inespéré.

Sarah porta la cigarette aux lèvres de Merrick, mais il ferma un instant les yeux et la remercia, en disant que c'était suffisant pour lui. Il ne pouvait pas se passer de fumer, mais cela l'étourdissait. La surveillante Prior essayait de le déshabituer progressivement du tabac.

– A quelle heure repartez-vous demain? demanda-t-il.

– A midi.

– Je ne vous reverrai donc pas.

– Je peux revenir dans la matinée.

– Vous ne serez pas admise. Ils ont prévu pour moi un autre emploi du temps. C'est une chance que vous soyez arrivée aujourd'hui, dit-il en refermant les paupières.

Elle attendit vainement qu'il s'explique sur cet emploi du temps.

– Dans votre lettre, vous évoquiez une nouvelle opération. C'est ça?

– Ils auraient dû y procéder plus tôt, dit-il en ouvrant les yeux mais sans regarder Sarah. Seulement, je n'ai pas voyagé aussi bien qu'ils l'espéraient. Habituellement, ce genre de formule s'emploie pour le vin.

– Vous avez été transporté par avion?

– Oui. Auparavant, je n'avais jamais volé. Mais ils m'ont évacué par avion d'Imphal à Comilla, puis amené de la même façon de Comilla à Calcutta. C'était plaisant. Une sensation curieuse, parce que, dans les airs, allongé sur le dos, j'avais l'impression d'être absolument invulnérable. Évidemment, il y a les atterrissages qui vous secouent pas mal. Le garçon que vous avez vu en arrivant a bousillé son appareil près d'ici, sur le terrain de la base de Dum-Dum, au retour d'Agartala. Extraordinaire! L'appareil était en miettes, mais il s'en est tiré simplement avec une jambe cassée.

Sarah resta un instant silencieuse, puis elle demanda :

– Voulez-vous me dire ce qu'on vous fera, demain?

Le blessé tourna la tête vers elle, comme pour vérifier si la question procédait d'un intérêt sincère.

– Ils vont explorer le terrain. Et vous savez, j'ai l'air complètement à plat, mais j'ai encore sacrément du ressort. Sans ça, ils ne s'y risqueraient pas aussi vite.

– Si je téléphone à la fin de la matinée, on me dira sûrement comment ça s'est passé.

– Oui, sûrement. Je vous remercie. Teddie m'avait dit que Susan attendait un enfant, reprit-il après une pause. Il en était très fier.

– Il viendra au monde le mois prochain. Dans trois semaines.

– J'espère que ce sera un garçon, dit-il en refermant les yeux. Susan est une personne foncièrement heureuse. Et Teddie l'était aussi. Ils semblaient faits l'un pour l'autre. Cela indique une capacité de récupération. Quand le chagrin s'émoussera, elle retrouvera son sourire. Encore que...

– Que quoi?

– Qu'elle m'ait paru heureuse à la façon dont l'est une petite fille. Mais c'est peut-être une façon de se protéger. Vous êtes si différentes pour deux sœurs, cela m'intéressait.

Il se tut brusquement. Sarah sentit qu'il n'en dirait pas plus sur ce sujet. Ils restèrent silencieux. Elle pensa qu'il s'était assoupi, épuisé par leur conversation, ou peut-être déjà sous sédatif, en prévision de l'opération. Une curiosité morbide s'éveilla en elle, qui lui soufflait de rabattre le drap pour voir dans quel état était le reste de son corps, s'il avait ses deux jambes et ses deux bras.

– Je suppose que vous voulez toutes les deux apprendre certaines choses, reprit-il soudain. Avez-vous montré ma lettre à Susan?

– Oui. La veille, elle en avait reçu une du colonel Selby-Smith. Elle savait donc que vous étiez avec Teddie quand c'est arrivé. Et que vous lui avez porté secours. C'est une des raisons qui m'ont fait venir. Pour vous exprimer sa gratitude, la gratitude de toute notre famille. Et une autre raison, c'était pour être rassurée sur votre état – savoir au moins que vous alliez vous rétablir. Une phrase de la lettre du colonel Selby-Smith nous laissait penser qu'en portant secours à Teddie vous n'aviez peut-être pas été vous-même secouru à temps. Et ce qui ajoutait à notre inquiétude, c'était que vous aviez dû dicter votre lettre.

– Oui, je comprends.

Sarah attendait une explication ou un commentaire : quelque chose qu'elle pourrait rapporter à Susan pour la rassurer sur le sort de Ronald Merrick. Et comme rien ne venait, ce ne fut pas la sollicitude à l'égard de cet homme qui l'emporta en elle mais un regain de son refus vis-à-vis de lui. Le plus important avec lui, c'était qu'il manquait de naturel. Non qu'il soit fermé. Mais il attend que ce soit moi qui pénètre jusqu'à lui, qui le questionne sur ses bras et ses jambes, que dissimule le drap bombé sur le cerceau, comme sur ce que dissimule la blanche cagoule de bandages. Or, je n'en ferai rien. Il est effroyable, et c'est tout. C'est peut-être inhumain de ma part, et au fond, pas vraiment, parce que je suis un membre du cercle de l'espèce humaine – et qui paie ses cotisations.

Ronald Merrick avait tourné la tête dans l'autre sens. Apparemment, il se refusait à croiser le regard de Sarah.

– Il faut que je m'en débarrasse. C'est une sorte de confession que je dois vous faire, pour m'en débarrasser. Au fond, qui n'en est pas là? Pour tout vous dire, j'avoue et me reconnais une responsabilité dans la mort de Teddie. Il se peut qu'il y ait en moi quelque chose qui attire les calamités. Non pour moi, mais pour les autres. Vous croyez que c'est possible, quelqu'un qui porte malheur?

– Je ne sais pas.

– Teddie n'aurait pas pu trouver pire garçon d'honneur. Je l'ai dit, vous vous en souvenez? J'étais venu prendre congé de vous. Il faisait nuit, et vous guettiez l'apparition des lucioles. Vous m'avez démenti mais je ne m'y suis pas trompé. Et Teddie non plus ne s'y est pas trompé. Lorsque nous nous sommes retrouvés, il m'a tenu à distance. Il a été... ma victime. Bien sûr, je ne l'ai pas choisi. Mais il me pèse sur la conscience. Teddie me pèse. Pardonnez-moi. Au lieu de dissiper vos inquiétudes, je les renforce.

– C'est Susan qui s'inquiète. Étant vous-même blessé, vous êtes resté auprès de Teddie, et elle veut savoir si cela n'a pas aggravé votre état.

– Je suis resté, oui, mais il n'y avait pas d'autre solution. Nous étions ensemble dans la même galère. Pourquoi? Ça, c'est une autre affaire.

De nouveau les paupières de Merrick se fermèrent. Sarah ne put se défendre de penser que c'était en quelque sorte un jeu de scène. Car sa voix ferme ne trahissait pas cette fatigue qu'il feignait.

– La question que je n'arrête pas de me poser c'est: quelle que soit sa responsabilité, aurait-il commis la même erreur si je n'avais pas été avec lui? Et la réponse est: non. C'était l'incident de la pierre qui se répétait. Même si, cette fois, c'était lui qui était réellement visé.

– Vous vous faites des idées. Vous devriez oublier ces choses et songer uniquement à vous rétablir.

Il resta un moment silencieux, les yeux clos.

– Non, dit-il si brusquement que Sarah sursauta. Ce n'est pas en refusant de voir les choses en face que j'irai mieux. Et puis, j'éprouvais de l'affection pour Teddie. Peut-être aussi de l'envie. Parce qu'il avait tout ce qu'il faut pour jouer le jeu, et pour y croire. Mais évidemment, ce n'était pas un jeu, et il en est mort. Sans moi, ce ne serait pas arrivé. Je vous dis cela à vous, poursuivit-il en ouvrant les yeux et en tournant lentement la tête vers Sarah, mais si je devais parler à Susan, moi aussi je jouerais le jeu. Tandis qu'avec vous, il n'est pas nécessaire de feindre.

– Non, ce n'est pas nécessaire.

– Et d'ailleurs, vous me perceriez à jour. Moi, je n'ai pas tout pour moi, mais je sens que cela vous importe peu. Au contraire, cela importait pour Teddie. Que les choses entrent dans un cadre et qu'on respecte les règles. Il ne m'a jamais entièrement pardonné d'avoir accepté d'être son garçon d'honneur sans l'informer du personnage que j'étais. Ce genre de situation n'aurait jamais pu se produire si, par exemple, j'avais été dans les Muzzafirabad Guides. Parce que, dans ce corps, la carrière d'un officier est un livre ouvert. Certes, il ne me reprochait rien. Il avait compris que je ne pouvais annoncer : « Je suis l'officier de police qui s'est occupé de l'affaire Manners, je reçois des lettres anonymes menaçantes ; il se pourrait qu'un jour on me lance une pierre, ce qui entraînerait, pour ceux qui m'accompagnent, une publicité gênante. » Il n'empêche qu'il lui déplaisait d'avoir été impliqué dans un incident qu'il jugeait vulgaire et qui marquait la différence entre son monde et le mien. Nous en avons parlé lorsque, après sa lune de miel à Nanoora, il a rejoint son poste auprès du commandant en chef, au centre d'entraînement des détachements de reconnaissance. Notre entretien fut bref, et Teddie s'est montré très correct, en disant que je n'avais ni à m'expliquer ni à m'excuser. Mais il n'a plus jamais évoqué Meerut devant moi. Et quand je dis qu'il m'a appris que Susan attendait un bébé, ce n'est pas tout à fait exact. Il l'a confié à un autre et la nouvelle a circulé au mess. Tout le monde l'a félicité et nous avons fêté le futur père.

Vous connaissez les militaires... l'événement a donc été largement arrosé. Et c'est ce soir-là que j'ai vraiment compris qu'il ne souhaitait pas se lier avec un camarade qui ne venait pas des Guides de Muzzafirabad ou d'un régiment équivalent. Les autres prenaient la chose à la plaisanterie, et il riait avec eux. Mais quand moi je l'ai félicité en lui demandant de me rappeler au bon souvenir de Susan et de vous-même, il s'est renfermé dans une politesse glacée.

– Vous exagérez, Teddie n'était pas comme ça! protesta Sarah tout en se doutant qu'au contraire Teddie était justement comme ça. Et d'ailleurs, il nous a transmis vos amitiés.

– Mais bien entendu. Il m'avait dit qu'il le ferait, et il l'a fait. S'il s'est montré si froid, c'était parce qu'il se demandait s'il allait accepter ou au contraire me répondre : « Si ça ne vous fait rien, Merrick, je préfère m'en abstenir. »

– A vous entendre, il n'était absolument pas moderne.

– Exactement. Il croyait à des vertus qui n'ont plus cours. La guerre mêle des officiers de tous bords, mais qui se divisent en amateurs et en professionnels. Et le paradoxe, c'est que les professionnels sont invariablement les réservistes comme moi. Les amateurs, ce sont les officiers de carrière comme Teddie, pour qui la guerre est un jeu. Et même parmi eux Teddie était anachronique, non parce qu'il croyait à des valeurs désuètes – il n'était pas le seul – mais parce qu'il avait le courage qui est supposé aller de pair avec une telle conviction. Et c'est ce courage qui l'a tué. C'est en amateur qu'il est mort.

– Que voulez-vous dire?

– En fait, cela ne manquait pas de panache, poursuivit-il en fermant de nouveau les yeux. Vous avez entendu parler des Jiffs?

– Non.

– Nous appelons « Jiffs » les soldats indiens qui, capturés par les Japonais en Malaisie et en Birmanie, sont passés dans leur camp. Ils ont constitué des unités et combattent à leurs côtés. Les Jiffs ont participé notablement à la percée ennemie qui a amené les Japonais autour d'Imphal dans l'Etat de Manipur.

– Ah oui, j'ai entendu parler de ces troupes.

– Les officiers comme Teddie n'arrivaient pas à accepter l'idée que des soldats indiens, fiers de servir de père en fils dans l'armée, puissent tourner casaque de la sorte, collaborer avec les Japonais, se battre contre leurs compatriotes et contre les officiers britanniques qui les avaient formés, qui s'étaient attiré leur respect. Toujours cette mystique militaire. Ce que Teddie redoutait le plus, c'était que, parmi les prisonniers que nous faisions, il y ait des éléments de son régiment des Guides de Muzzafirabad. Et malheureusement, il y en avait. Beaucoup de ces pauvres diables ont été exécutés sommairement. Nos soldats les vomissaient. En fait, il faisaient de piteux adversaires. Ils étaient mal équipés, mal encadrés, et malgré la propagande qui s'efforçait de les convaincre qu'ils menaient un combat patriotique pour l'indépendance de l'Inde, ils devaient éprouver de la honte. En plus, les Japonais les méprisaient, les traitaient tout au plus comme une force d'appoint et, souvent, les abandonnaient.

» Mais nous nous efforcions justement d'empêcher nos troupes d'exécuter ces « traîtres » parce qu'il était capital pour nous d'interroger les prisonniers, pour apprendre comment s'opérait leur recrutement en Malaisie et en Birmanie, et en tirer le maximum de renseignements, notamment sur leur encadrement, afin de savoir s'il se trouvait chez les Jiffs des officiers par brevet du roi. Teddie, lui, raisonnait à l'inverse. On pouvait bien exécuter sommairement ces officiers, ils n'avaient que ce qu'ils méritaient. Ces hommes étaient instruits, et tout Indien instruit entretenait des idées politiques. Tandis que toute sa compassion allait aux cipayes, aux gradés et aux officiers par brevet du vice-roi, à cause de leur tradition de service. Il disait parfois que s'ils s'étaient laissés enrôler dans l'Armée nationale indienne, c'était pour revenir dans leur pays, et qu'ensuite ils se retourneraient contre les Japonais. Cette histoire des Jiffs l'obsédait. Et avec moi, c'était son unique sujet de conversation, d'autant plus que, comme j'étais chargé du renseignement, il me revenait de les questionner. Et, d'une certaine façon, il en profitait pour me faire sentir subtilement ce qui le distinguait, car nos vues sur les Jiffs divergeaient. Savez-vous ce qui distingue un amateur?

– Non, dit Sarah.

– Son affection pour sa tâche, pour sa finalité, ses moyens et quiconque y est impliqué. Les militaires de carrière sont des amateurs : ils aiment leurs hommes, leur matériel, leur unité et même, d'une certaine façon, l'ennemi qu'ils combattent. On observe d'ailleurs la même chose dans d'autres domaines. On s'éprend des moyens autant que de la finalité de son activité.

– Vous estimez que c'est une erreur?

– Oui. C'est une confusion qui empêche de voir clairement l'objectif.

– Et vous, Ronald, vous voyez toujours l'objectif clairement?

– Non. Mais je m'efforce d'agir sans faire intervenir mes sentiments.

– Pourtant, vous me paraissez quelqu'un de très sensible. Mais intérieurement. Et cela doit vous causer parfois des ennuis.

Il la regardait. Son visage ne trahissait rien, sinon une sorte de curieuse sérénité.

– Vous avez raison, dit-il. Et il est vrai que j'ai eu ma part d'ennuis. C'est une chose d'essayer d'agir avec la tête froide, et c'est une autre d'y parvenir. Tout acte suppose une décision préalable à laquelle les sentiments ont part, surtout si c'est une décision importante. Ce fut le cas lorsque j'ai quitté la police pour l'armée, et ce fut déjà le cas lorsque, jeune homme, j'ai voulu entrer dans les forces de police en Inde. Cependant, je ne crois pas avoir jamais été un amateur. Hier dans la police, aujourd'hui dans l'armée, j'ai exécuté ma tâche sans l'aimer, mais je me suis efforcé de l'exécuter correctement. C'était peut-être cela la plus grande différence entre Teddie et moi, et non le fait que, comparé à lui, j'aie pu étudier grâce à une bourse, m'élever au-dessus de la condition de mes parents, avoir honte d'eux et encore plus honte de mes grands-parents. Mais toute différence qu'il remarquait entre nous, il l'attribuait au fait que nous n'étions pas de la même classe. Je ne suis pas en train de médire d'un mort. Telles étaient vraiment ses idées, et s'il a été tué, c'est parce qu'il voulait me montrer comment il faut faire les choses, parce qu'il pensait que je m'y prendrais mal. Dans ce sens-là, c'était sa faute – mais si je n'avais pas figuré dans le tableau, ce ne serait pas arrivé.

– Quel tableau?

Ronald Merrick ferma les yeux et détourna la tête.

– Oh, une affaire simple. Au départ, il y a eu un dénommé Mohammed Baksh. Un Jiff. Capturé par une patrouille britannique. Il y avait un bataillon britannique dans la brigade, et elle tentait une pénétration sur notre flanc droit. Dans la matinée, elle s'était retrouvée en plan parce que le bataillon indien, sur le flanc gauche, n'avait pas suffisamment progressé, et elle risquait d'être coupée de ses arrières ou prise à revers. La brigade était déployée de part et d'autre d'une route en terrain boisé et trop accidenté pour qu'on puisse estimer les forces de l'ennemi et déceler le point d'où viendrait le gros de l'attaque. En plus, alors que le général commandant cette brigade voulait préserver son bataillon britannique en ordonnant le repli, le général commandant de la division avait l'idée d'une autre tactique : mettre un bataillon en action entre les deux autres, au voisinage immédiat de la route, pour opérer un mouvement d'encerclement si l'ennemi venait au contact ou simplement se terrait dans les parages. Mais il ne voulait pas en lancer l'ordre sans conférer avec le général de brigade et voir par lui-même où en était la situation sur le terrain. Il emmenait Teddie et puis, au dernier moment, il a décidé de m'emmener aussi, pour vérifier si l'officier du renseignement de la brigade se faisait un tableau clair de la situation. Nous sommes partis dans deux jeeps : Teddie, le général et un chauffeur indien dans la première, moi et un chauffeur indien dans la seconde. Teddie a pris le volant. Il adorait conduire, surtout les jeeps. Le chauffeur s'est perché à l'arrière du véhicule, mitraillette Sten en main. C'était une belle matinée. Lumineuse et fraîche. Ensuite, les journées devenaient très chaudes. Vous connaissez le Manipur?

– Non.

– Imphal lui-même est dans une plaine environnée de montagnes ou de collines. Nous étions au sud d'Imphal, dans une région accidentée. La route était mauvaise et, serpentant au flanc de hauteurs boisées, elle circulait généralement entre une pente et un à-pic – tout cela très vert. Nous ne retrouvions le plat que dans la traversée des nombreux villages. Nous sommes arrivés au PC de la brigade vers huit heures et demie. Je n'ai pas assisté à l'entretien entre le général commandant en chef de la division et le général commandant la brigade. Je m'étais rendu auprès de l'officier du renseignement. Il venait d'apprendre qu'une patrouille du bataillon britannique avait ramené un prisonnier. Un Jiff qui disait s'appeler Mohammed Baksh. Ils n'en avaient encore rien tiré. Le message indiquait que l'homme devait avoir déserté depuis plusieurs jours car il semblait mourir de faim. Ce n'aurait pas été mon interprétation. Les Jiffs capturés paraissent toujours à bout de forces, parce que ces gens-là n'ont pas la vigueur des Japonais. Pensez que toute une armée japonaise avait traversé la jungle birmane. Un milieu où ils savent manœuvrer. On fait la percée, et on s'occupe ensuite des communications et du ravitaillement. C'est leur technique. En Malaisie et en Birmanie, ça avait marché. Seulement, cette fois, nous les attendions. Et c'était pour ça que le commandant de la division voulait engager un autre bataillon. Il pensait que le bataillon indien du flanc gauche interprétait mal la défense qui lui avait été opposée le soir précédent. Je me suis dit alors qu'il fallait absolument interroger ce Jiff. Si le bataillon britannique n'avait en face de lui qu'une unité de Jiffs, alors le plan du général pour contenir l'avancée ennemie était valide.

– Le bataillon anglais ne connaissait pas l'importance des forces s'opposant à lui?

– Non. Ayant atteint leur objectif ils avaient stoppé en découvrant que le bataillon indien restait sur place à près de trois kilomètres en arrière, apparemment immobilisé par une unité japonaise assez importante. D'où le raisonnement du général : l'immobilité jouait dans les deux sens – les Indiens n'avançaient plus, mais les Japonais pas davantage. Le reste de la brigade pouvait donc exécuter un mouvement tournant. Mais à condition de savoir quelles étaient les forces ennemies. Parce que, dans un pareil terrain, on ne voit rien. On n'apprécie la force de l'ennemi qu'en entrant au contact. Mais puisqu'ils tenaient un Jiff, en l'interrogeant nous pourrions en savoir plus. Seulement, le bataillon britannique ne pouvait distraire ni un véhicule ni un homme pour nous amener ce Jiff. D'ailleurs, ont-ils dit, on ne peut rien en tirer. Et j'ai pensé qu'ils n'en tiraient rien parce que ce Jiff ne parlait pas anglais et que l'officier du renseignement de la brigade ne parlait pas l'urdu – ou, du moins, très peu.

» Veuillez me pardonner, mais j'ai soif. Pouvez-vous m'aider à boire? Vous voyez la théière, sur la table de chevet?

Sarah se leva, fit le tour du lit et l'aida à boire.

– Voulez-vous une cigarette? demanda-t-elle, tandis qu'il la remerciait.

– Non. Mais je vous en prie, fumez. L'odeur m'est agréable.

En allumant sa cigarette, Sarah se souvint avoir dit quelque chose de semblable le soir des lucioles.

– Et juste à ce moment-là, reprit le blessé, les deux chefs sont sortis de leur conciliabule. J'ai vu qu'il devait y avoir eu des éclats de voix. En raison de son âge – il avait bien dix ans de plus que son interlocuteur –, le général commandant la brigade tenait à une statégie d'attente, pour ne pas risquer la vie de ses soldats qu'il aimait. Au contraire, le général commandant la division était entièrement acquis aux idées modernes : attaque surprise, percée en force, offensive et contre-offensive, emploi maximum des équipements et des hommes. Mais l'un et l'autre étaient des amateurs. Ils jetaient feu et flammes devant une situation problématique. Or, elle n'était problématique que parce que ses données nous échappaient.

» J'en ai été d'autant plus frappé qu'à ce moment-là pas un bruit ne laissait penser que l'ennemi fût à proximité. Tout paraissait paisible dans la forêt environnante où le soleil jouait à travers les feuilles. La nature se moque bien des problèmes des hommes. Le chef de la brigade avait installé son PC dans une vieille *resthouse,* un de ces bungalows où logeaient les fonctionnaires en tournée. Il y avait un village non loin de là, mais les habitants s'en étaient enfuis. Le matériel roulant était rangé dans une clairière. On aurait dit un poste de commandement au cours de manœuvres. J'ai vu les deux chefs se diriger vers le camion du commandement. Ils étaient très rouges. Teddie les suivait d'un air gêné. Moi, je me trouvais avec l'officier du renseignement. Je lui ai dit que si le général m'y autorisait, j'irais chercher moi-même ce Jiff et je le cuisinerais. Il s'est déclaré entièrement d'accord, apparemment soulagé d'être débarrassé d'une corvée. Comme j'allais trouver le général, j'ai vu qu'il avait soudain repris sa bonne humeur : le chef du bataillon indien venait de signaler par message radio qu'ils s'apercevaient finalement qu'ils bouclaient les Japonais dans une poche. D'après leur estimation, cette force ennemie ne devait pas dépasser une compagnie. Ils pouvaient donc l'écraser puis continuer à progresser et faire leur jonction avec le bataillon britannique. Comme le général me demandait si, de mon côté, j'avais appris quelque chose, je lui ai dit que je voulais aller interroger ce Jiff capturé par le bataillon britannique et, de toute façon, le ramener. « C'est ça, m'a-t-il répondu, et en même temps assurez-vous qu'ils ont bien compris le plan opérationnel. »

Ronald Merrick ferma de nouveau les yeux et se tut, comme s'il revoyait la scène de ce matin-là. Instinctivement, Sarah se douta de la suite : Teddie était entré de lui-même dans l'engrenage fatal.

– Teddie a pris la parole. « J'y veillerai, mon général, je vais l'accompagner. » Et le général, qui avait retrouvé sa belle humeur, l'a laissé faire. Il est vrai que le plan opérationnel relevait de sa compétence, mais il était absurde de se mettre à deux officiers d'état-major pour aller chercher un malheureux Jiff et confirmer au chef d'une unité ce qui lui avait déjà été transmis par radio. Mais le général s'abandonnait à l'euphorie, et Teddie cédait à son obsession : un homme comme moi ne saurait pas prendre comme il le fallait un soldat indien passé à l'ennemi. Je n'avais pas la manière, ni le sens des traditions qui étaient en jeu. Teddie estimait les avoir. S'il m'a accompagné, ce fut avant tout à cause du Jiff.

» Et puis, cinq minutes avant notre départ, alors que nous contrôlions avec l'officier du renseignement de la brigade notre direction exacte et la route à suivre, une nouvelle est arrivée qui justifiait encore plus que Teddie m'accompagne. Le général nous a rappelés. J'ai cru qu'il avait changé d'avis, mais ce n'était pas du tout ça. Les informations qu'il venait de recevoir de son état-major modifiaient toute la situation : alors que nos forces se dirigeaient sud-ouest, il apparaissait à présent que la poussée ennemie se situait au sud et au sud-est. En terrain moins accidenté, il aurait suffi de réorienter la marche, mais le bataillon indien à la traîne et le bataillon anglais en position avancée étaient déployés sur des versants raides et boisés où il est difficile d'opérer ce genre de mouvement. Le général commandant la brigade était déjà en train d'ordonner par radio au chef du bataillon britannique de renvoyer une compagnie pour soutenir le bataillon indien pendant qu'il nettoyait la poche de Japonais. Mais il voulait être sûr qu'il n'y avait pas en face des unités de Jiffs tenant la route que ces renforts devraient traverser. Il le prévenait que nous arrivions à deux, l'un pour prendre livraison du Jiff prisonnier et l'autre pour préciser la situation telle que la voyait à présent le général.

» Nous sommes donc partis, Teddie, moi et le chauffeur. Nous devions parcourir cinq kilomètres. En route, nous avons vu la compagnie venant en renfort qui descendait des camions et s'égaillait dans la colline à notre gauche. Le PC du bataillon était installé au sortir d'un village, au-dessus de la route et d'une piste montant de la vallée et qui s'y embranchait à droite. Les Britanniques avaient déployé une compagnie à droite, dans le triangle limité par la route et la piste, et une autre dans la jungle à gauche. Tout cela paraissait sérieusement pensé et organisé – à ceci près que l'ennemi ne se trouvait certainement pas dans le coin. Le chef de la compagnie était un de ces types guillerets à grosse moustache et foulard noué autour du cou : le sien était bleu marine à pois blancs. Quand nous sommes arrivés, il buvait du café assis sur une canne-siège. A peine nous avait-il aperçus qu'il sortait deux quarts et nous faisait servir du café par son ordonnance. L'hôte parfait. L'homme que rien ne démonte.

» J'ai laissé Teddie parler le premier. L'officier a fait deux marques sur sa carte. « Il aurait suffi de me le demander pour que je les rassure, a-t-il dit. Il n'y a pas de formations de Jiffs sur la route. Peut-être un ou deux égarés. Et s'ils sont tous comme celui que nous tenons, il n'y a pas à s'en faire. » Il a fait chercher l'officier du renseignement et lui a ordonné de me conduire jusqu'au prisonnier, qui était gardé près des piquets d'attache des mules. Comme Teddie faisait mine de nous suivre, il l'a retenu. L'officier du renseignement était un garçon sympathique. Il parlait français et allemand, connaissait un peu de japonais, mais il m'a avoué que son urdu se limitait au minimum nécessaire à un soldat pour tirer quelque chose des serviteurs indiens à la caserne et des marchand du bazar. Tout ce qu'il avait réussi à savoir c'était le nom du Jiff : Mohammed Baksh. Il ne pouvait même pas dire si c'était un soldat capturé par les Japonais ou un civil indien vivant en Malaisie ou en Birmanie.

» Mais j'ai vu immédiatement que c'était un militaire. Gardé par un jeune soldat, il était accroupi sous un arbre. A peine m'a-t-il aperçu qu'il était debout, au garde-à-vous, le regard fixe et ne rencontrant le vôtre que si vous lui parliez. Une telle attitude ne s'apprend pas dans le civil. Mais il était dans un état lamentable : malpropre, les joues hérissées de barbe, la peau sur les os. Son uniforme n'en pouvait plus. J'ai commencé par lui lancer toute une volée de questions sans attendre les réponses : nom, âge, village natal, année d'enrôlement, régiment, avait-il des parents dans l'armée, son père et sa mère vivaient-ils encore, quel était le métier de son père? Je voulais qu'il pense à sa maison et à sa famille. Rentré sur le sol indien après deux ou trois ans d'exil, il devait avoir le mal du pays. Puis j'ai recommencé les mêmes questions mais en lui laissant le temps de répondre. Quand il a dû dire qu'il ignorait si son père vivait toujours, j'ai vu qu'il mollissait. Mais c'est exactement le moment que Teddie a choisi pour arriver. Et Baksh s'est aussitôt refermé alors que j'étais sur le point de le faire craquer.

» J'ai donc préféré laisser momentanément de côté les questions personnelles et l'interroger sur les jours qui avaient précédé sa capture. Teddie connaissait médiocrement l'urdu, et il n'arrêtait pas de me demander ce que j'avais dit et de glisser ses questions à lui : si Baksh avait servi dans l'armée des Indes, le nom de son ancien régiment, le nom de l'officier qui le commandait. L'homme se troublait, s'agitait. Il répondait à Teddie sans le regarder mais en le regardant tout de même. Et finalement, j'ai compris : ce qu'il fixait, c'était l'insigne du régiment de Teddie, les Muzzafirabad Guides. Alors j'ai dit : « C'est ton ancien régiment, hein ? » L'homme s'est effondré. Comme Teddie n'y comprenait rien, j'ai dû lui traduire. Comme il ne voulait pas y croire, il m'a dit de demander à ce Mohammed Baksh le nom de son chef. « Hostein Sahib », a fini par avouer le prisonnier. Teddie m'a regardé comme si c'était *moi* qui révélais quelque chose de sinistre.

» Il m'a fait questionner l'homme. Savait-il le sort du colonel Hostein Sahib ? « Hostein » sonnait comme un nom indien, mais c'était « Hastings » prononcé à l'indienne. Mohammed Baksh a tout déballé : ils avaient été capturés au sud de Kuala Lumpur. D'après ce qu'on disait, Hostein Sahib avait été exécuté par les Japonais avec les autres officiers anglais, ou peut-être envoyé dans un camp à la frontière du Siam. Un sikh du nom de Ranjit Singh était venu expliquer aux hommes de troupe que les officiers britanniques avaient abandonné tous les militaires indiens, gradés et soldats. Et qu'ils devaient donc combattre dans les rangs de l'Armée nationale indienne, pour obtenir l'indépendance de leur pays.

D'ailleurs, un gouvernement de l'Inde libre s'était formé. Tout Indien devait participer à la libération de l'Inde, à la marche sur Delhi. Une fois qu'on aurait chassé les Britanniques, abattu le *Raj,* les Indiens seraient maîtres chez eux. Mohammed Baksh s'était enrôlé – et d'autant plus facilement que ceux qui résistaient étaient torturés.

» C'était exactement le genre d'information que je voulais recueillir : comment se grossissaient les rangs de cette Armée nationale indienne, les procédés abominables pour forcer les pauvres diables de prisonniers à s'y enrôler. Cette armée, c'était Subhas Chandra Bose qui l'avait levée, et on pourrait toujours le pendre, parce que son pèlerinage à Berlin et sa soumission aux Japonais étaient trop connus. Mais il fallait savoir comment cette Armée nationale indienne s'était constituée pour pouvoir, une fois la victoire acquise, séparer le bon grain de l'ivraie, les Mohammed Baksh des recruteurs-bourreaux.

» Le prisonnier ne semblait rien cacher. Il racontait, il citait des noms de lieux et de personnes. Ensuite, j'ai voulu savoir – et c'était essentiel – pourquoi il s'était trouvé en position d'être capturé par nos forces. Son récit a été long, circonstancié – et un peu ridicule. Les Japonais les avaient placés, lui et deux de ses camarades, eux aussi du régiment des Guides de Muzzafirabad, à des postes d'écoute sur la piste. Leur unité se trouvait à cinq bons kilomètres de l'embranchement de la route et de la piste. Des patrouilles passaient toutes les deux heures pour recueillir ce qu'ils avaient entendu mais aussi observé, parce que, de leur position, ils surveillaient un grand tronçon de la piste. Ils appréciaient d'ailleurs peu leur mission – mais les Japonais les employaient à leur guise, et dans les besognes les moins intéressantes. Ils étaient donc restés postés là toute la journée, à guetter et à surveiller, en se contentant de leurs rations d'urgence et d'eau. La dernière patrouille avait dit qu'elle ferait le nécessaire pour qu'on leur apporte l'ordinaire. Ils avaient envie de manger chaud. Mais rien n'arrivait, et ils ont passé la nuit le ventre creux, en montant la garde à tour de rôle.

» A l'aube, ils étaient abrutis et irritables. Ils ont encore patienté deux heures, puis ils ont tiré à la courte paille pour désigner celui qui irait aux nouvelles. C'était Baksh, et il tremblait à l'idée de ce que lui ferait le lieutenant Karim. Mais il a trouvé le village désert, le PC vide. Il est revenu en informer ses camarades. A partir de là, ils ont fait des va-et-vient insensés. Ils sont repartis ensemble au village où ils ont déniché quelques boîtes de conserve oubliées par la troupe et ont pu remplir leur gourde au ruisseau. Affolés à l'idée d'être portés déserteurs ou capturés par leurs frères de l'autre camp, ils ont décidé de rejoindre leur unité à tout prix. Mais ils n'avaient aucune idée de la direction dans laquelle elle était partie. Ils ont d'abord écouté Baksh et ont suivi la route par laquelle ils étaient arrivés au village. Au bout de trois kilomètres, ils y ont renoncé et ont rebroussé chemin. Ils sont allés se réinstaller au poste d'écoute. L'un voulait aller explorer les collines, en pensant que leur unité s'était déployée sous le couvert boisé. L'autre insistait pour qu'ils descendent dans la vallée. Finalement ils n'ont pas bougé. Ils ont mangé des conserves, bu un peu d'eau et sommeillé, en montant la garde à tour de rôle. « Nous n'avions plus de forces, Sahib, a dit Baksh, et plus de courage. Nous étions devenus des déserteurs sans l'avoir voulu, et nous n'agissions déjà plus comme des soldats. » Ils avaient convenu que si rien ne se passait, au crépuscule ils gagneraient le village. C'est Baksh qui a dormi le dernier et quand il s'est réveillé, il a vu que les autres l'avaient abandonné. Il est allé au village où il a passé la nuit dans une cahute. Quand il a ouvert les yeux à l'aube, deux soldats britanniques lui poussaient le canon de leur fusil dans les côtes.

» A ce moment de son récit, il a craqué. Il avait trahi l'uniforme que son père et son grand-père avant lui avaient porté. Il méritait la mort. Il sanglotait en suppliant Teddie de l'abattre sur place. Le jeune officier du renseignement était terriblement gêné, mais Teddie paraissait curieusement à l'aise. Secouant ce Mohammed Baksh par l'épaule il lui a dit : « Tu es toujours un soldat, conduis-toi en soldat. Tu as fait une grosse faute, mais je suis toujours ton père et ta mère. » *Man-bap,* la vieille formule. Et Teddie était fidèle à son devoir qui lui commandait de traiter cet homme avec correction. Et il éprouvait sans doute aussi de la compassion.

– Et vous, Ronald, n'éprouviez-vous pas aussi de la pitié ?

– Non. Pour moi, l'homme n'était qu'une source d'information. Il avait choisi son camp. Il était perdant. Il devait payer. C'est la loi générale : on choisit, on agit, on paie ou on est payé. Vous n'êtes pas d'accord ?

– Je suis bien obligée d'en convenir. Et si on a fait une faute, on doit éprouver un soulagement à la payer. Mais encore faudrait-il s'entendre sur ce qu'est une *faute.*

– En général, on préfère être payé. Tout le monde aspire à des récompenses. Et Teddie recevait la sienne. La scène était ridicule : l'homme s'agenouillant aux pieds de Teddie, le front sur ses bottes. Et Teddie qui le relève, le réconforte. Baksh qui se remet au garde-à-vous... « Je suis le capitaine Bingham lui a dit Teddie. N'oublie pas mon nom. » Ce qui signifiait que l'officier britannique veillerait à ce que le traître fût traité correctement. Même s'il passait en cour martiale, même s'il finissait devant le peloton d'exécution, ce soldat indien redevenait un élément d'un système. Les gens tiennent extraordinairement à ne pas être exclus.

Ronald avait dit cela en tournant la tête pour regarder Sarah.

– Et juste à ce moment-là, poursuivit-il, nous avons entendu des tirs d'armes automatiques dans les collines. C'était le bataillon indien renforcé par une compagnie britannique qui nettoyait la poche de Japonais. L'officier du renseignement m'a demandé d'interroger Baksh sur les effectifs et l'armement de son unité de Jiffs. La même idée nous était venue à tous : si les Jiffs étaient postés dans la vallée, ils pouvaient harceler le bataillon britannique déployé autour de l'embranchement. Ces coups de feu étaient peut-être le signal de l'attaque. Mais, selon Baksh, l'unité Jiff atteignait à peine la moitié d'une compagnie, et ne possédait qu'un mortier, deux mitrailleuses et des fusils. Donc, ils ne pouvaient rien tenter, à moins qu'ils aient fait mouvement pour rejoindre des Japonais déjà terrés en bas. J'ai dit à Baksh que je le soupçonnais de mentir sur la puissance de feu et les effectifs des Jiffs. Il a regardé Teddie. « Laissez donc ce pauvre diable tranquille », a dit Teddie. Mais il lui a encore posé une question : comment s'appelaient ses deux camarades du poste d'écoute, et étaient-ils, eux aussi, d'anciens Guides de Muzzafirabad. « Oui, comme moi, a répondu Baksh. Ils s'appellent Aziz Khan et Fariqua Khan. » Je crois que je n'oublierai jamais ces noms, dit Ronald Merrick : Aziz Khan et Fariqua Khan.

» Je l'ai laissé avec le prisonnier et l'officier du renseignement pour aller rendre compte au chef du bataillon de ce que j'avais appris par Mohammed Baksh. Ensuite, nous partirions avec le prisonnier. L'officier était toujours posté à l'embranchement, mais, de part et d'autre de la route, ses hommes sortaient de la jungle. Il avait reçu l'ordre de se replier à environ deux kilomètres, me dit-il, en laissant simplement un barrage à l'embranchement, qui serait relevé par une compagnie du bataillon tenu en réserve. Selon ses ordres, il devait ensuite se déployer dans les collines en direction sud-est. Comme je l'interrogeais sur la possibilité qu'il y ait des détachements de Jiffs ou même de Japonais dans la vallée, il me dit qu'elle était faible, et que, étant placé en hauteur par rapport à la vallée, le barrage suffirait, s'il y avait lieu, à les contenir. Il ajouta que nous ferions mieux de nous bouger. Ce qui était normal. Un bataillon qui décroche brusquement a bien d'autres soucis que de s'occuper d'un prisonnier et de deux officiers d'état-major en visite.

» Je suis retourné vers les piquets des mules. Les hommes bâtaient les bêtes et les emmenaient. Teddie, l'officier du renseignement et le prisonnier avaient disparu. Ils étaient partis par le raccourci, me dit un des hommes que j'interrogeai. Je me suis rendu à l'endroit où nous avions garé la jeep. Le véhicule n'y était plus. J'ai mis deux bonnes minutes à retrouver l'officier du renseignement. Il a paru surpris de me voir. Il croyait que j'étais parti avec le capitaine Bingham et le Jiff, me dit-il, pour chercher les deux autres Jiffs cachés dans les parages. Teddie lui avait expliqué qu'il prenait le raccourci pour aller récupérer la jeep et qu'il me ramasserait au passage sur la route. Peut-être était-ce son intention. Mais sur le moment j'ai pensé qu'il était devenu dingue. L'officier m'a demandé si je craignais que le prisonnier médite de faire un mauvais coup à Teddie. J'ai dit que je n'en savais rien, mais que *moi,* je n'avais pas l'intention de laisser filer ce Jiff.

» Je me dis souvent que je ne serais pas dans ce lit si ce jeune officier avait été moins accommodant. Mais il a proposé de me mener à leur recherche. Ayant fait prévenir le chef du bataillon que quelque chose semblait se passer dans la vallée, qu'il allait voir et qu'il vérifierait en même temps si la compagnie postée entre la route et la piste se repliait en bon ordre, il m'a fait monter dans une jeep et s'est mis au volant. Nous nous sommes engagés sur la piste. Les hommes sortant de la jungle la remontaient en colonne par un. Au débouché du premier tournant, nous avons aperçu loin dans la descente la jeep conduite par Teddie, avec Baksh à l'arrière et le chauffeur. A cette distance, on ne voyait pas si le chauffeur surveillait le Jiff ni même s'il avait bien sa Sten en main. Nous longions sur la droite un ravin peu profond bordé de l'autre côté par une butte. Mais à l'endroit qu'avait déjà atteint Teddie, le ravin paraissait fermé par une sorte de ressaut couvert de feuillage, qui permettait d'atteindre facilement la butte. Au-delà, la déclivité paraissait très forte.

» L'officier du renseignement a dit : « Il ne les trouvera pas par là. Nous avons suffisamment patrouillé dans le coin. » Au même moment Teddie stoppait la jeep et nous l'avons entendu nettement *appeler :* « Aziz Khan, Fariqua Khan!... Aziz Khan, Fariqua Khan! » Un coup de fusil a claqué. Un seul. Puis une déflagration a secoué la forêt à gauche, il y a eu une explosion sur la piste, derrière la jeep de Teddie, puis une succession ininterrompue d'explosions dans la forêt. Du haut de la butte, l'ennemi pilonnait au mortier la position dont la compagnie décrochait section par section. Et il y avait plus d'un mortier. Donc Baksh avait menti, ou alors il y avait aussi des Japonais par là.

» Le jeune officier avait un fameux cran. Au lieu de quitter la jeep et de plonger à couvert, il a lancé un juron et il a manœuvré pour rebrousser chemin. Il a dû s'y prendre à trois fois parce que la piste était étroite et les roues frôlaient le bord du ravin. « Qu'est-ce que vous faites? ai-je crié. Vous n'avez donc pas vu? » Je crois qu'effectivement il n'avait rien vu. Il m'a hurlé de me cramponner, mais j'ai sauté au sol en disant que je devais y aller. Sur le moment, il a dû penser que j'avais peur de remonter la piste sous la pluie d'obus et que je voulais me terrer dans la forêt. Ou peut-être n'a-t-il rien pensé du tout, mais seulement fait instinctivement les gestes pour rejoindre son unité, qu'il n'aurait pas dû quitter et où l'on avait besoin de lui. Les hommes qui remontaient la piste s'étaient dispersés. Deux d'entre eux restaient affalés en se tenant le visage. Je voyais le chaos mais sans avoir l'impression de me trouver au milieu. Je ne pensais qu'à une chose : l'autre jeep, et à ce que j'avais aperçu pendant la fraction de seconde séparant le coup de feu et le premier obus de mortier de la seconde explosion derrière le véhicule : le chauffeur qui avait basculé par-dessus Teddie, et Baksh, sauté à terre pour filer vers le ressaut. Et puis la deuxième explosion avait tout masqué.

» J'ai dû courir mais je ne m'en souviens pas. En arrivant au trou creusé dans la piste par l'obus, l'instinct m'a fait me jeter sous les arbres et j'ai fait le reste du chemin à couvert. En route, j'ai dû tomber, me relever, continuer à courir. Quand je suis arrivé à la jeep, elle flambait. Le chauffeur était par terre sur le sol, et Teddie couché en travers du siège. Je me suis jeté sur Teddie en essayant de l'accrocher par un bras ou par son ceinturon. Les flammes me léchaient le visage. Je ne sais pas si c'est à ce moment-là que j'ai reçu une balle ou bien après, quand, après l'avoir tiré sous les arbres, je suis retourné chercher le chauffeur que j'ai traîné près de lui. Évidemment, Baksh avait disparu. On a retrouvé ensuite son corps. Il avait été abattu. Par les Jiffs ou par les Japonais.

Sarah pensait : un tel courage, je ne le comprends pas, je n'en comprends pas le but, mais il ne peut pas avoir été inutile. C'est de la folie mais une folie sublime. Ronald voulait diminuer Teddie, et aussi se diminuer lui-même. Mais il n'a pas réussi. Tous deux m'apparaissent plus grands. Teddie, pour être allé chercher ces hommes. Ronald, pour être allé lui porter secours.

– J'ai d'abord cru que Teddie était mort, reprit le blessé en avalant sa salive avec difficulté. Mais non, et le chauffeur aussi respirait encore. Teddie était abominablement brûlé.

– Mais il était inconscient, non?

– Pas tout le temps.

– D'après la lettre du colonel Selby-Smith, vous avez dit qu'il n'avait pas repris connaissance et qu'il n'avait pas souffert.

– Il vaut mieux que Susan le croie. J'ai recommencé à les traîner pour les écarter au maximum de la piste. Si nous étions attaqués directement, je n'avais que mon pistolet et celui de Teddie, bien que le danger vienne plus sûrement d'un obus. C'est ce qui m'a fait m'apercevoir que je n'avais plus de sensibilité dans le bras gauche. Pourtant je n'avais pas de sang sur ma manche. Je ne voyais pas non plus où Teddie avait été touché. Je l'avais allongé sur le dos, et je n'osais pas le retourner. Je voyais que le chauffeur était salement touché, mais je croyais que Teddie s'en sortirait. Tout en souhaitant le contraire, parce qu'il serait resté défiguré. Le feu, c'est quelque chose de terrible.

– Ronald, dit Sarah après un court silence, ne vous forcez pas à me raconter ces choses. Je préfère d'ailleurs que vous les taisiez, parce que si je les sais, Susan s'apercevra que je les lui cache, et ce sera encore pire pour elle. Et vous ne m'avez pas dit quelles sont vos blessures, poursuivit-elle non sans hésitation. Que va-t-on vous faire?

– On va me réparer. Je m'en suis tiré avec des brûlures et une balle dans le corps. Mais la carcasse est solide. Dans quelques semaines, je serai sur pied. L'un dans l'autre, je dois m'estimer heureux.

Sarah se remémorait un passage de la lettre de Ronald Merrick :
Que, de nous deux, ce soit moi qui en aie réchappé – cela me paraît suprêmement illogique. Il avait toutes les raisons de conserver la vie, ce qui n'est pas mon cas. Elle demanda :

– Avez-vous attendu longtemps les secours?

– Cela m'a paru long. Peut-être une heure ou un peu plus. J'ai fini par me rassurer en songeant que les Jiffs ne descendraient jamais jusque-là, parce que sur la piste ils s'exposeraient directement à notre feu.

– Est-ce que le chauffeur a survécu? demanda Sarah.

Ronald Merrick hocha affirmativement la tête.

– Et Teddie... Est-ce qu'il s'est rendu compte que vous vous étiez porté à son secours?

– Je l'ignore, mais je ne le crois pas. Il paraissait stupéfié. Il n'a pas émis un seul son. Il bougeait les yeux. A un moment, j'ai cru que c'était fini mais son cœur battait encore. Pardonnez-moi, je ne devrais pas vous raconter cela. Les brûlures sont quelque chose d'atroce. Quand ils m'ont dit ensuite que la balle s'était logée dans la colonne vertébrale, j'en ai été soulagé. Quand la moelle épinière est touchée on perd toute sensibilité. Mais sur le moment, j'ai cru qu'il mourait de ses brûlures. Et cela m'a fait repenser à un des derniers incidents survenus à Mayapore quand j'y étais encore chef de la police du district. La surintendante des églises de la Mission s'est immolée par le feu.

– Miss Crane, c'est ça?

– Vous la connaissiez?

– Pas directement. Mais la personne qui partage le bungalow de tante Mabel est une ancienne institutrice missionnaire et elle parle souvent d'Edwina Crane.

– C'est ça, Edwina Crane. Une très curieuse vieille fille. En Inde depuis des années, et sans une seule amitié dans la communauté britannique. Si elle fréquentait des gens, ce n'étaient que des Indiens ou des sangs mêlés. Et pourtant, ce fut la première personne à être agressée lorsque les troubles ont éclaté dans le district, en août 42. Cette institutrice dont vous parlez a dû vous le raconter? Et si j'ai pensé à elle, alors que j'étais assis à côté du corps de Teddie, c'était à la fois parce qu'elle avait enseigné à Muzzafirabad et parce qu'elle est morte par le feu. Je sais qu'elle avait été là-bas car au cours de l'enquête qui a suivi son suicide j'ai trouvé chez elle une plaque de cuivre qui avait dû être apposée sur un objet et qui portait l'inscription : *A Miss Edwina Crane. Les enfants et les maîtres de la Mission de Muzzafirabad.* Et Teddie appartenait au régiment des Guides de Muzzafirabad...

Il se tut et referma les yeux. Le mot « enfant » avait rappelé à Sarah qu'elle était chargée d'une mission.

– Il ne faut pas que j'oublie, dit-elle. Susan m'a priée de vous demander si vous accepteriez d'être parrain...

Elle n'arrivait pas à mettre de la chaleur dans la requête et elle se le reprochait.

– Quelle intention délicate, répondit-il en tournant la tête, comme s'il soupesait mentalement cette idée. Mais tout bien considéré, je ne serais pas la personne souhaitable.

Sarah se sentit dégagée d'un grand poids, et n'en éprouva que peu de remords, mais une grande perplexité. Qu'y avait-il dans cet homme qui pût la glacer à ce point?

– Et vous serez la marraine?

Elle le lui confirma d'un hochement de tête. Il esquissa un petit sourire. Sarah remarqua alors pour la première fois que si la couleur de ses yeux paraissait si particulière, c'était parce qu'ils lui rappelaient les yeux des poupées et aussi leur absence d'expression, ou plutôt leur fixité qui force l'attention et ne donne rien en échange.

– Ce sont des choses auxquelles vous ne croyez pas non plus, n'est-ce pas? Mais remerciez-la. Dites-lui toute ma gratitude pour sa proposition qui m'a touché.

– Je regrette, Miss Layton, dit la surveillante Prior en faisant brusquement irruption dans la chambre, votre oncle vous attend en bas. Je ne puis le laisser monter. Et d'ailleurs, je vais devoir vous prier de laisser le capitaine Merrick. Alors, comment allons-nous? demanda-t-elle au blessé.

Sarah contemplait cette jeune femme. Impeccable, efficace, jolie – mais sans rien de sexuellement attirant.

– Nous allons bien, répondit Ronald Merrick.

– Vous êtes sûre que c'est mon oncle? Il n'était pas convenu qu'il passerait me prendre.

– Tout à fait sûre. Ou alors, c'est qu'il y aurait deux colonels Grace.

– Non, c'est forcément lui. Ronald, tante Fenny vous rendra prochainement visite. Désirez-vous quelque chose de particulier? Elle vous l'apporterait.

– On n'en trouve pas en vente.

– Comment?

– Rien. Une petite plaisanterie personnelle. Et merci, merci d'être venue me voir.

– Je vous téléphonerai demain avant de quitter Calcutta.

– Demain n'est pas exactement un jour approprié pour nous téléphoner, s'interposa la surveillante Prior, n'est-ce pas, capitaine Merrick?

– Non, pas exactement approprié.

– Si vous voulez des nouvelles, demandez à votre oncle de téléphoner dans deux jours, trancha la surveillante Prior. Et maintenant, excusez-moi de vous bousculer, mais nous avons à faire nos petits soins.

Sarah se mit à rire. Devant le patient, la surveillante Prior devenait une autre femme. Sarah ne l'appréciait ni dans ce rôle ni dans celui de la surveillante-dragon. Mais elle préférait encore son aigreur initiale à cette attitude bêtifiante.

– Je vous écrirai de Pankot, dit-elle à Ronald Merrick.

– Vous le ferez?

Voulait-il lui rappeler sa promesse antérieure de lui écrire? Une promesse qu'elle n'avait pas tenue. Mais non, il devait simplement être heureux à l'idée qu'elle resterait en contact avec lui.

– Absolument, Ronald, répondit-elle en appuyant sur le prénom pour lui faire remarquer subtilement que pas une seule fois il ne l'avait appelée Sarah. Et maintenant, au revoir.

– Au revoir, dit-il d'une voix un peu étranglée.

Et il ferma les yeux, comme s'il estimait qu'on avait assez joué avec lui.

***

– Il est formidable, n'est-ce pas? dit la surveillante Prior une fois qu'elles furent dans le couloir. On ne se douterait pas qu'il souffre tout le temps. Il refuse les calmants. Nous devons recourir à des subterfuges pour lui en administrer. Mais l'étrange, c'est que comme il ignore que nous lui en donnons, il est dans l'état où il serait sans en prendre. Dans certaines sectes, on prône qu'il faut supporter la souffrance. Savez-vous s'il est croyant?

– Non, je ne le pense pas.

La surveillante Prior appela l'ascenseur. Derrière la fenêtre de la salle d'attente, le ciel si particulier du Bengale était tout gris de nuages de pluie et des ombres du crépuscule.

– Dans un sens, confia la surveillante Prior en revêtant son troisième masque (la personne avisée et communicative, qui espère que vous vous le tiendrez pour dit), il est finalement heureux qu'il ne puisse compter que sur lui-même. Il ne s'en tirera que mieux demain.

L'ascenseur arrivait à l'étage. Le liftier ouvrit la grille. Sarah entra dans la cabine mais retint la grille pour l'empêcher de se refermer, parce que le tableau n'était pas encore complet.

– Veuillez m'excuser, dit-elle, nous ne sommes pas au courant, et lui-même ne m'a rien annoncé.

– Je l'ai bien compris. Et il faut tout de même que vous le sachiez, on l'ampute de l'avant-bras gauche. A Comilla, ils ont déjà dû sacrifier sa main. Brûlures au troisième degré, une balle dans le bras et une balle dans l'avant-bras. Le bras droit n'est pas beau à voir non plus, mais nous le sauverons. Évidemment, il gardera au visage les cicatrices d'un grand brûlé, mais ses cheveux repousseront. S'il n'était pas enveloppé dans tous ces bandages, il aurait même figure humaine.

Comme sous l'effet d'une piqûre de guêpe, Sarah retira

sa main. La surveillante Prior en profita pour refermer la grille. L'ascenseur tressauta puis se mit à descendre.

Intérieurement, Sarah hurla : « Garce, triple garce ! » Et se demanda, alors que la cabine s'immobilisait au rez-de-chaussée et qu'elle arborait automatiquement un sourire à l'adresse du rondouillard oncle Arthur qui l'attendait tout souriant, si c'était à la surveillante Prior qu'elle s'adressait ou à elle-même.

***

– Nous avons pris pied, claironna l'oncle Arthur. Ce matin. Nous avons débarqué et établi une tête de pont. Tu vas voir l'effet que ça aura sur ta mère! Je te parie que ton père fêtera Noël avec vous! Nous allons célébrer cela.

Dans le hall, il lui présenta un de ses « élèves » qui l'accompagnait. Encore un de ceux, pensa Sarah, qui va apprécier le dîner ou le subir, et qui, de toute façon, ne comprend rien à cette histoire de nièce qu'il fallait récupérer à l'hôpital militaire.

– Je te présente le major Clark. Pour une raison qui me dépasse totalement, il s'est acquis le sobriquet de « Tête pensante ». Il y a deux mois, quand il a dû subir mes cours interminables, il n'était encore que capitaine. Et ce brave garçon revient nous voir. Ma nièce, Sarah Layton. Mon vieux, soyez assez bon pour siffler mon chauffeur.

Le major Clark se dirigea vers la porte d'entrée. Sarah ne vit qu'une silhouette carrée, un corps plein et intact. Pas de brûlures, pas de blessures.

– Comment va ce jeune... j'ai oublié son nom?

– Considérant son état, il va bien.

– Tant mieux. A cause des nouvelles, j'avais joint ta tante. C'est elle qui m'a dit d'aller te prendre. Elle se demandait si nous devrions téléphoner à ta mère.

– Pourquoi?

– Pour lui apprendre la formidable nouvelle du débarquement. Mais elle la connaît sûrement déjà. Dis donc, tu vas bien?

– Oui, merci, dit Sarah en souriant non sans difficulté, parce qu'elle avait l'impression que son visage était en caoutchouc dur.

– C'est toujours comme ça dans ces endroits. L'odeur vous retourne l'estomac. Viens, ma voiture nous attend.

Le major Clark les installa à l'arrière et s'assit à côté du chauffeur. Juste au moment où l'auto virait pour sortir, la pluie se mit à tomber. Au loin, les éclairs zébraient l'horizon.

– Vous repartez quand? cria l'oncle Arthur au major Clark pour se faire entendre malgré le brutal martèlement de la pluie et les roulements du tonnerre.

– Dès demain matin.

Le bras passé sur le dossier du siège avant, le major Clark se retournait vers eux. Sarah enregistrait vaguement ses intonations, sa façon de s'exprimer, son aisance apparente, et le regard dont il l'enveloppait. Elle regardait par la vitre, sans suivre leur conversation. Ils arrivaient à Chowringhee, avec ses enseignes lumineuses, ses tramways, et son flot d'Indiens à vélo. Sarah nettoya de la paume la vitre qui commençait à s'embuer.

– Alors, que penses-tu de la deuxième ville de l'empire? demanda oncle Arthur, en expliquant au major Clark que sa nièce n'était encore jamais venue à Calcutta.

Le colonel Grace n'attendait jamais les réponses à ses questions. Sarah y voyait un trait particulier à l'espèce avunculaire. Et un trait qu'elle appréciait, car son manque de curiosité rendait l'oncle Arthur facile à vivre. Son affection n'avait rien d'expansif mais elle était solide. Si Sarah s'était mise à pleurer (et, pendant un instant, elle crut qu'elle allait céder aux larmes), il paraîtrait suprêmement gêné et pourtant il la consolerait à sa façon, en restant simplement là, sans rien dire.

– C'est dommage que tu viennes deux mois trop tard. Parce que le major Clark t'aurait montré toutes les facettes de la ville. N'est-ce pas, major?

– Comment ça, mon colonel?

– Sapristi, Clark, vous ne vous êtes pas ennuyé! Jamais couché avant l'aube, j'en suis sûr. Mais toujours frais comme un gardon!

Sarah se tourna vers l'oncle Arthur. Il avait déjà fêté ce lointain débarquement, ou alors fait un déjeuner fortement arrosé. Suprenant le regard du major Clark, elle vit qu'elle ne se trompait pas. Cet homme qui n'était pas beau arborait une sorte d'air satisfait et un peu ironique qui lui déplaisait. Elle eut l'impression qu'il l'étiquetait. Elle tourna la tête vers la vitre, agacée que cet homme se permette de juger silencieusement l'oncle Arthur qui lui témoignait de la sympathie, le recevait chez lui et le présentait à sa nièce. Cet homme qui se carrait là dans la voiture alors que son père à elle végétait dans un lointain oflag, attendant que finisse la longue nuit de la captivité.

Elle ne s'était pas rendu compte qu'ils arrivaient, et elle fut surprise de se retrouver dans la voiture à l'arrêt devant l'immeuble. Encadrée par l'oncle Arthur et le major Clark (les narines de Sarah captaient l'odeur balsamique de son eau de toilette, réchauffée par sa peau nue sous la mince chemise kaki à manches courtes), elle pénétra dans l'ascenseur avec l'impression d'évoluer dans un monde totalement inconnu. La cabine eut une secousse puis s'immobilisa.

– Je préfère boire d'abord un verre, et puis je prendrai mon bain, dit-elle à tante Fenny.

Celle-ci vaquait aux préparatifs de la soirée en peignoir et pantoufles, les cheveux cachés par un turban de mousseline, sans se soucier de présenter un visage aussi domestique au major Clark. Sarah se dit que tante Fenny était entrée dans une nouvelle ère : celle où le retour aux anciennes valeurs des foyers coloniaux devenait le seul recours pour lutter contre l'extinction. Parce que, désormais, leur survie était une survie d'exilés.

Tout en buvant son cocktail à petites gorgées et en fumant une cigarette, elle songeait que l'erreur de sa race avait été, trompée par l'immensité de l'Inde, de se croire grande alors qu'elle n'était qu'une nation de pygmées insulaires. Il suffisait pour s'en convaincre de contempler, par la fenêtre de cette monstruosité de béton, les toitures de tôle des immeubles qui, vus d'en bas, dressaient comme un décor leurs façades néo-classiques. Je n'ai jamais été heureuse en ce pays, se dit-elle, et je ne pourrai jamais l'être. Il est temps que nous partions. Que nous vidions tous les lieux. Les bons et les mauvais, les sages et les imbéciles, ceux qui aiment ce pays et ceux qui le détestent. Tous jusqu'au dernier.

Le bruit de l'arrivée des « garçons » de l'oncle Arthur lui fit abandonner la contemplation des toits. Pour retarder le premier contact, elle laissa sur place le major Clark qui, debout, semblait avoir quelque chose à lui dire, et, interrompant tante Fenny qui donnait ses instructions au serviteur tout de blanc vêtu, elle la prévint qu'elle finirait son cocktail en prenant son bain.

– J'irai te trouver quand tu t'habilleras, dit tante Fenny. Je veux que tu me racontes ta visite. Moi, je n'ai plus qu'à enfiler ma robe. As-tu une toilette un peu jolie? J'attends plus ou moins notre voisine du dessous, Iris Braithwaite, et peut-être aussi Dora Pedley. Elles sont toujours d'un tel chic! Mais la petite réception est en ton honneur, mon chou. Je suppose qu'ensuite les garçons t'emmèneront danser ou au cinéma, alors... tâche de te surpasser.

Tante Fenny avait ouvert la porte de la chambre de Sarah et elle avait dit les derniers mots d'un ton confidentiel en s'effaçant pour la laisser entrer.

– Je n'arrête pas de me surpasser, tante Fenny.

– Ma chérie, j'avais oublié! Tu as l'air épuisée. C'était dur?

– On va l'amputer de l'avant-bras.

– Mon Dieu! C'est terrible!

Le serviteur avait fait couler le bain. Elle le sonna et lui donna son verre en lui disant de lui apporter un deuxième cocktail. La climatisation rendait la chambre glaciale. Elle préféra se déshabiller dans la salle de bain humide et étouffante – une atmosphère inconfortable mais familière.

Ayant enfilé son peignoir de bain, doux et comme velouté sur sa peau nue, elle s'en voulut de tenir autant à ce vieux vêtement. Retournant s'asseoir dans la glacière, elle fuma une cigarette et but son deuxième cocktail en brossant ses cheveux rebelles et en se démaquillant. Ce visage que lui renvoyait le miroir, comme elle le trouvait laid! Un désir sensuel la parcourut – le désir de gestes d'amour sur ce pauvre visage, sur tout son corps vierge. Elle se leva, passa dans la salle de bain, s'allongea dans la baignoire en plaçant le verre sur le rebord, à sa portée.

Bien qu'elle voulût chasser de son esprit le récit de Ronald Merrick, elle ne cessait d'y revenir. Elle imaginait même Aziz Khan et Fariqua Khan dans la mort, les yeux écarquillés, la bouche grande ouverte (comme indignés de l'injustice d'un châtiment pourtant mérité), et elle retournait encore et encore les mêmes questions : quelle était la véritable raison qui avait poussé Teddie à accompagner Ronald Merrick. Pourquoi tenait-il tellement à être présent tandis qu'il interrogerait le prisonnier indien? Était-ce parce qu'il l'avait déjà vu à l'œuvre? Ou simplement, comme le disait Merrick, parce que, à son sens, l'ancien policier n'avait pas la manière?

Quand l'eau du bain eut trop refroidi pour qu'il fût encore agréable de s'y prélasser, Sarah sortit de la baignoire et se sécha avec une serviette de bain de la nouvelle ère de tante Fenny – vaste comme une tente, aussi douce que du duvet, une serviette ne pouvant convenir qu'à une femme amoureuse. Elle se sécha vivement et s'en enveloppa en attendant de réendosser le peignoir miteux de ce miteux Pankot – dont elle avait choisi le tissu-éponge sur les conseils éclairés de Barbie Batchelor.

Après la chaleur de la salle de bain, l'atmosphère glaciale de la chambre lui fit songer à un laboratoire où elle serait un sujet d'expérience – une expérience dont tante Fenny, qui justement entrait, avait déjà émergé triomphalement et qu'elle pouvait donc faire subir à d'autres.

– Je n'ai rien de vraiment habillé, dit Sarah en voyant tante Fenny en robe longue vert émeraude.

– Ça ne fait rien. Mrs Braithwaite vient de téléphoner qu'Iris se sentait patraque, et comme elle appelait de chez les Pedley, cela signifie que Dora ne viendra pas non plus. Ainsi, tu vas être la seule et l'unique, mon chou. Et maintenant, dis-moi tout sur ce pauvre Mr Merrick.

Sarah s'exécuta, mais sans en raconter plus que ce qu'elle estimait bon pour les oreilles de tante Fenny. Lorsqu'elle eut terminé, celle-ci lui demanda :

– Pourquoi ne resterais-tu pas un ou deux jours de plus? Je veux dire, si tu peux supporter de le revoir. Cela lui ferait certainement plaisir. Il ne tient sûrement pas à ma visite. D'ailleurs, je ne sais jamais de quoi parler aux gens qui sont tellement éprouvés. La maladie me terrifie. Arthur dit que s'il a seulement un malheureux rhume je me conduis comme si je ne l'aimais plus. Je ne sais pas pourquoi, mais les ennuis physiques des autres me lient la langue. Si tu restes pour aller le voir quand le pire sera passé, je te promets qu'ensuite je me mettrai en frais pour lui. Pour ragaillardir les gens, je suis très forte.

Sarah s'appliquait du fond de teint. Elle s'interrompit brusquement.

– Mais pourquoi donc? s'exclama-t-elle. Pourquoi se mettre en frais? Nous n'avons pas à le fréquenter!

Derrière son visage, elle voyait dans le miroir celui de tante Fenny. Celle-ci paraissait décontenancée.

– Ce n'est pas à moi qu'il faut le demander, ma belle. C'est toi qui as fait tout ce voyage pour le voir.

– A la demande de Susan.

– Tu es sûre que c'est la seule raison?

– Mais bien entendu. Pourquoi cette question?

– A Meerut, il s'intéressait beaucoup à toi. Je pensais qu'il ne t'était pas indifférent.

– Allons donc! Il n'est pas de notre classe.

– Non, convint tante Fenny sans percevoir l'ironie de la réponse, mais il a réussi. Et puis, ces choses ne comptent plus autant. Je veux dire, à présent ce qui compte c'est la valeur personnelle d'un homme. Et moi, je suis d'accord.

– Suis-je vraiment si laide, tante Fenny? Un homme issu du primaire, intelligent, certes, mais sans réelle éducation. Et manchot. Ne puis-je espérer trouver mieux?

– Sarah, ma chérie, dit tante Fenny en s'empourprant, je ne pensais qu'à ton bonheur. Je croyais que cet homme te plaisait et que tu le dissimulais en craignant nos objections. Rien de ce que tu lui reproches ne compterait pour moi si tu l'aimais. Je te soutiendrais jusqu'au bout. Alors, tu peux bien me dire la vérité.

– La vérité, c'est qu'il me fait peur, dit Sarah qui, ayant terminé son maquillage, se regardait avec découragement dans le miroir qui lui renvoyait le visage navré de la pauvre tante Fenny. Et ne va pas t'imaginer non plus qu'il aimait Teddie, tu sais!

– Je ne te demanderai pas pour quelle raison tu me dis une chose pareille. Je te crois. Mais laisse-moi te demander quelque chose qui me turlupine depuis longtemps: étais-tu amoureuse de Teddie? As-tu souffert qu'il t'abandonne pour Susan?

– Non, je ne l'aimais pas, dit Sarah en se levant.

Elle ouvrit le placard mural blanc, décrocha la robe qu'elle avait apportée. Sa plus jolie. Le genre jeune fille bien élevée. Un genre de jeune fille – et un genre de robe – exaspérant et attristant. Elle dépouilla son peignoir et, pendant le bref instant ou elle se tint en combinaison, elle vit avec gêne que tante Fenny détaillait ses formes d'un air approbateur. Elle se dépêcha d'enfiler la robe – ce déguisement nécessaire mais qui ne trompait personne. Elle boutonna vivement le corsage, attacha les agrafes (de grosses agrafes, parce qu'elle n'était pas du genre patient et qu'elle devait généralement s'habiller seule).

– Tante Fenny, je sais que tu te soucies pour moi et je t'en remercie. Franchement, ne te donne pas ce mal. J'ai déjà rencontré des garçons qui me plaisaient, et j'ai plu à certains. Mais l'amour, non, ça ne m'est jamais arrivé. Ou alors je ne m'en suis pas aperçue, et c'est donc très surfait.

– Pas du tout. Ça t'arrivera, et une chose est sûre: tu t'en apercevras.

– Tu t'en es aperçue, toi, tante Fenny?

– Je me suis crue plusieurs fois amoureuse. Mais quand je l'ai vraiment été, je l'ai su.

– Tu as eu de la chance.

– Non, mon chou. Ce n'était pas d'Arthur.

– Pardonne-moi.

– Ne t'excuse pas. On s'adapte, on s'accommode, c'est

la vie. J'ai connu un certain type de bonheur. Il ne m'est jamais rien arrivé de merveilleux ni non plus d'horrible. J'ai fait autant de bien que je l'ai pu et je crois que personne ne peut dire que je lui ai fait du mal. Si je croyais avoir atteint l'âge des bilans, je dirais que j'ai mené une bonne existence. Tiens, souris-moi et je te confierai mon secret.

Sarah alla s'asseoir sur le lit à côté de tante Fenny, qui lui posa sur le bras sa main chaude et grassouillette.

– Quel secret?

– Ta mère le connaît. J'ai adoré ton père. Et lui n'a jamais eu d'yeux que pour Mildred. Il me trouvait évaporée. Il ne m'a jamais prise au sérieux. S'il était là aujourd'hui et si je lui avouais que j'ai été folle de lui, il croirait que je plaisante. Il n'a jamais rien remarqué, ni dans notre jeunesse ni depuis. Millie était la seule à s'en être rendu compte. Et si je te disais, chérie, que si je le revoyais, après toutes ces années, pendant une fraction de seconde mon cœur sauterait dans ma poitrine. Et puis il se calmerait et je reprendrais pied dans le réel. Évidemment, il n'y a jamais rien eu entre nous. Parce que s'il avait éprouvé pour moi ce que j'éprouvais pour lui, et même alors qu'il aurait épousé Millie, je pourrais dire qu'il m'est arrivé quelque chose de merveilleux. Mais ce n'est pas le cas. Seulement, j'ai éprouvé cette chose que tu dis ignorer ou ne pas avoir reconnue, et ce n'était pas seulement une attirance physique. Aussi, crois-moi, si cela t'arrive, tu t'en apercevras.

Sarah, qui était restée le regard rivé sur ses mains nouées, leva la tête. Sa tante méritait certainement d'être prise au sérieux, mais elle avait du mal à le faire. Comme son père et sa mère, tante Fenny appartenait à une génération – sans doute la dernière – qui avait grandi dans un climat de responsabilités assumées, de certitudes morales, conservatrices ou radicales (comme dans le cas de tante Lydia), mais lumineuses. Ces gens-là perpétuaient une illusion. Et cet amour dont tante Fenny disait qu'il n'était pas seulement une attirance physique, n'était-il pas aussi une illusion? Le désir sexuel, Sarah le comprenait. Elle pouvait même comprendre la grande passion, tout à la fois sensuelle, jalouse et possessive. Mais cet amour dont parlait tante Fenny (et Sarah s'apercevait qu'on leur en avait également inculqué l'idée, à Susan et à elle), n'était-il pas simplement une norme arbitraire au sein d'un monde de certitudes morales? Voilà pourquoi Susan avait voulu pénétrer dans le jardin protégé par de hauts murs – celui des bonnes épouses.

– Allons, chérie, dit tante Fenny, finis de te pomponner et viens éblouir les invités. Après tout, la réception est en ton honneur. Et songe à ma proposition. Je veux dire, rester un peu plus longtemps et voir de nouveaux visages. Je suis sûre que ton général Rankin fermera les yeux sur une permission prolongée. Quant à ta mère, elle peut se débrouiller sans toi. Pour une fois que tu as une occasion. Parce que quand le bébé sera là, tu ne pourras plus rien prévoir. Alors, ma belle, profites-en tant qu'il est encore temps. Tu sais, ajouta-t-elle non sans hésitation, autrefois le retour en Inde était une joie, un tourbillon. Mais toi, tu es arrivée pour y trouver la guerre. Quand ton père reviendra, il sera fier de toi, pour avoir aidé ta mère et Susan, mais profondément désolé que tu te sois aussi peu amusée.

Au même moment, elles entendirent les hommes qui riaient dans le salon. Tante Fenny fit la grimace.

– Et voilà, reprit-elle, si on les laisse trop longtemps entre eux ils se racontent des horreurs. On ne peut pas se fier aux hommes, ils prennent tout à la blague. Il faut que j'aille y mettre bon ordre. Il est vraiment malheureux que Jimmy Clark ne reste que jusqu'à demain. De tous les garçons d'Arthur, c'est celui qui promettait le plus. D'ailleurs, il sort du collège de ton père. En ce moment, il est à Ceylan. Une mission apparemment très confidentielle. Voilà un homme qui n'a que trente ans mais, d'après Arthur, si la guerre dure encore un an il finira lieutenant-colonel. Il était réserviste. Arthur pense qu'il est d'une trempe à rester dans l'armée, soit ici, soit au pays. Sais-tu qu'il m'a questionnée sur toi?

Tante Fenny se leva, tapota l'épaule de Sarah qui tourna vers elle un visage souriant pour lui signifier qu'elle allait venir affronter ces garçons, oublier ses idées noires, faire bonne figure. Au fond, il était assez facile de jouer les personnages conventionnels. Ce serait même reposant...

***

– Non, dit tante Fenny, les dames ne se retireront pas. Ou pas plus de quelques minutes. D'abord parce que nous ne sommes que deux, et ensuite, Arthur, parce que les cloisons sont si minces que, de toute façon, nous saurons ce que vous vous racontez quand vous êtes entre hommes.

Les « garçons », remontés par les cocktails, les deux bouteilles de vin blanc sud-africain qui avaient arrosé le curry de mouton, et la perspective des digestifs, saluèrent la plaisanterie de tante Fenny par des rires. Avec Jimmy Clark, qui était assis à la droite de Sarah, ils étaient six. Elle avait à sa gauche l'oncle Arthur, trônant au bout de la table. Il était visiblement un peu parti. En face d'elle, à la gauche d'oncle Arthur, le jeune officier au visage très pâle surmonté d'une mèche en bataille, et qui, au début du dîner, jouait plus ou moins les intellectuels, avait l'œil vitreux et s'acheminait rapidement vers ce que les hommes appellent une « bonne cuite ».

– Nous allons donc passer au salon, et vous nous rejoindrez dans quelques minutes pour le café et les liqueurs. Jeunes gens, avez-vous fait des projets pour votre soirée? Il y a ce film avec Ingrid Bergman et Gary Cooper au New Empire.

– *Pour qui sonne le glas*, oui. Eh bien, il sonne pour les spectateurs, dit l'officier blafard. Ça ne vaut rien du tout.

– Et de toute façon, il ne faut pas compter entrer si on n'a pas loué.

– Arthur et moi sommes invités ches les Purvis. Nous pensions que vous sortiriez tous ensemble. Je suis désolée de la défection d'Iris et de Dora, parce que vous auriez pu rester ici et danser. Il y a des tas de disques. D'ailleurs, si vous préférez terminer la soirée ici, vous êtes les bienvenus. Le bar est à votre disposition et il reste de quoi improviser un petit buffet froid.

Les deux femmes sortirent et passèrent dans la salle de bain pour rectifier leur maquillage.

– A mon avis, ils choisiront le Grand Hôtel. Il a été transformé en cercle des officiers. Ils y trouveront sûrement des cavalières. Ne sois pas choquée si tu te retrouves dans un groupe comprenant des *chichis,* des Anglo-Indiennes. Nos garçons se moquent un peu d'elles mais ils les plaignent, parce qu'ils trouvent que nous les traitons mal. Et ils n'ont peut-être pas tort. Et les jeunes filles anglaises les méprisent, évidemment. Mais pas toi, n'est-ce pas, ma chérie? En tout cas, tu ne t'ennuieras pas, parce qu'ils se bousculeront pour faire danser une Anglaise. Et tu ne risques rien, puisqu'ils seront en nombre. D'ailleurs, Jimmy Clark veillera sur toi. Si je l'ai placé à côté de toi à table, c'est pour qu'il soit ton chevalier servant.

– Qui sont les Purvis?

– Des relations qu'Arthur doit cultiver. Des civils d'un morne! Ce soir, ils donnaient un dîner mixte – non pas mixte parce qu'il y a les deux sexes mais les deux races. Et ils ont besoin de renfort pour l'après-dîner, quand les gens se battent les flancs afin de trouver des sujets de conversation autres que les banalités déjà rabâchées depuis le début de la soirée.

– Je n'ai jamais assisté à une réception mixte.

– Tu n'as rien perdu! C'est la rançon des affectations dans les grandes villes. Allons, il faut que j'aille leur servir le café. Certains en ont sérieusement besoin. Au fond, dit-elle non sans componction, je ne devrais peut-être pas te laisser sortir avec eux. Je suis tout de même responsable de toi.

– Ce ne sera pas la première fois que je sors avec des hommes qui ont trop forcé sur la boisson.

– Eh oui, convint tante Fenny en rougissant. N'en sommes-nous pas toutes là? Allons, va aux toilettes, et ensuite, nous monterons à l'attaque.

La réception des Purvis étant une manifestation officielle, oncle Arthur et tante Fenny s'y rendaient dans le véhicule de fonction du colonel. Au passage, ils déposèrent le major Clark et Sarah devant l'entrée du Grand Hôtel. Ils attendirent l'arrivée des cinq jeunes officiers qui s'étaient empilés dans un taxi. Tout en chassant les mendiants – des gamins ou des vieillards courbés jusqu'à terre –, le major Clark dit à Sarah :

– Dès que vous en aurez assez, faites-moi signe. L'endroit est très bruyant et le milieu ne peut guère correspondre à vos goûts.

– Qu'en savez-vous?

– Il ne correspond déjà guère aux miens.

– Oncle Arthur semblait penser le contraire.

Le taxi des autres arrivait. Elle sentit peser sur elle le regard du major Clark, mais pas de très haut, car, comme elle portait des talons, ils avaient presque la même taille.

– Ce ne serait pas la première fois qu'il se trompe, dit-il. Entrons donc. Ils nous rattraperont.

Le hall, très long, était bordé d'arcades abritant des boutiques de luxe. Le grand salon se trouvait tout au bout. Il s'en échappait des bribes de musique dominées par le martèlement sourd des percussions. Sarah aimait la musique de danse mais elle se rendit compte, en l'entendant, qu'elle était exténuée. La veille, à la même heure, elle changeait de train à Ranpur. Elle sourit aux cinq jeunes gens qui arrivaient et, entourée de ses six cavaliers, elle pénétra dans le vaste salon meublé de tables et de fauteuils de rotin, pratiquement tous occupés, et en majeure partie par des hommes en uniforme. Ils passèrent sur la terrasse, protégée par un toit amovible car on était en pleine mousson. En saison sèche, on y dansait sous les étoiles. C'était là que se trouvait l'orchestre, qui jouait devant la piste de danse presque vide. Des serviteurs rapprochèrent des tables et disposèrent des fauteuils autour. Juste au moment où elle allait s'asseoir, Sarah sentit qu'on la retenait.

– Je ne danse que quand il y a beaucoup de place, dit le major Clark, vous allez donc en profiter.

Il la conduisit sur la piste. L'orchestre jouait un quick-step. Sarah reconnut un air qui était alors très en vogue. Elle s'aperçut avec plaisir que son cavalier dansait bien et qu'elle le suivait avec aisance. Mais au bout de deux tours de piste, elle se rendit compte qu'elle était restée muette parce qu'elle avait toujours du mal à parler en dansant.

– Tante Fenny m'a dit que vous sortiez de Chillingborough, lança-t-elle en saisissant la première idée qui lui passait par la tête.

Il hocha affirmativement la tête. Il ne la serrait pas contre lui, mais il ne la quittait pas du regard, ce qui la gênait autant que s'il l'avait collée contre lui, dans une étreinte dont certains danseurs profitaient sans qu'on puisse résister.

– C'était le collège de mon père, dit-elle.

– Je le sais. Et je lui souhaite d'y avoir survécu comme moi.

Nouveau tour de piste.

– Vous êtes en Inde depuis longtemps?

– Six mois.

Elle se demanda s'il trouvait cela long ou court.

– Tante Fenny dit que vous venez du désert.

– Un euphémisme pour désigner le Caire. Mais j'ai aussi été au désert. Et maintenant, si je posais les questions pour vous donner un répit?

Elle le regarda. Ses lèvres esquissaient un vague sourire. Vue de près, sa peau paraissait épaisse et rugueuse. Curieusement, Sarah s'aperçut que cela ne lui déplaisait pas.

– Comment allait votre petit ami? demanda Jimmy Clark.

– Mon petit ami?

– Le type à qui vous avez porté des douceurs.

Juste à ce moment, l'orchestre s'arrêta dans un grand fracas de cymbales, ce qui épargna à Sarah la peine de répondre.

Jimmy Clark la ramena à leur table, où un serveur était en train de déposer des bouteilles et des verres. Deux des jeunes officiers avaient disparu.

– N'est-il pas un peu tôt pour plier bagage? dit Jimmy Clark.

– Personne n'a plié bagage, riposta le moustachu blond dont Sarah crut se souvenir qu'il s'appelait Freddie.

Les deux autres firent chorus. Ils ne l'aiment pas, songea Sarah. Et comme ils ne le connaissent pas, ils s'imaginent peut-être qu'il a des droits sur moi. Ne devrais-je pas mettre les choses au point?

– Est-ce qu'on vous jette dehors, ici, si on demande un café? répondit-elle à Freddie (ou Tony, elle hésitait entre les deux prénoms) qui lui demandait ce qu'elle voulait boire.

Il dit qu'on allait bien voir et tint à lui commander en plus une crème de menthe. Et comme l'orchestre attaquait une valse, il se leva et s'inclina devant Sarah qui n'eut d'autre ressource que de s'exécuter. Ce garçon transpirait, il avait les mains moites. Si Susan avait été là, elle en aurait déduit que c'était un grand buveur de bière.

Tout en dansant, il s'efforçait de lui faire la conversation. Sarah le trouva sympathique, car il ne semblait pas plus doué qu'elle pour conjuguer les deux exercices. Et finalement elle s'était trompée : il s'appelait Leonard. Il était du Shropshire, fils de fermier. Il confia à Sarah qu'il envisageait sérieusement de rester en Inde quand la guerre serait terminée. Au Panjab, il avait visité une exploitation agricole expérimentale. L'agronomie l'intéressait, et il avait l'impression d'avoir une énorme expérience à côté de ces gens qui cultivaient encore comme au Moyen Age. D'autant que d'après le colonel Grace, il faudrait encore bien des années avant que les Indiens puissent se passer totalement des Britanniques. La seule ombre au tableau, c'était qu'il fallait envoyer ses enfants faire leurs études au pays.

– C'est une façon de prendre possession de notre héritage. Les parents doivent consentir un sacrifice.

– C'est égal, moi, je ne pourrais pas. Même si je savais qu'au retour ma fille serait aussi réussie que vous.

Elle le regarda. C'était un brave garçon. La jeune fille qui choisirait de faire sa vie avec lui se préparerait une existence heureuse. Cet homme tiendrait à son foyer.

– Mais pour tout dire, reprit-il, vous n'êtes pas comme

les autres. D'habitude, les jeunes memsahibs m'impressionnent.

Sur ce naïf compliment, il la ramena à leur table. Elle vit qu'on lui avait servi une fine champagne.

– Je me suis permis de changer votre commande, dit le major Clark. Il m'a semblé que la crème de menthe n'était pas votre style.

Les fauteuils avaient été déplacés. Elle et le major Clark se retrouvaient un peu à l'écart des autres. Justement, les deux absents revenaient : l'officier au teint pâle qui paraissait livide, et un brun dont, cette fois, le prénom lui revint. C'était Tony.

– Venez danser, murmura le major Clark à Sarah. Je vous expliquerai pourquoi.

C'était un fox-trot. Elle détestait les fox-trot. Elle avait tellement envie de rester tranquillement assise, de boire son café. Mais elle céda, et se dirigea vers la piste.

– Ce garçon est dans un état lamentable, dit-il en l'enlaçant. Ils devraient l'emmener. A la fin du repas, il n'était déjà pas très brillant, et l'air l'a achevé.

Sarah tourna la tête dans la direction de leur table. Le garçon en question s'y appuyait, la tête dans les mains. Deux de ses camarades se penchaient sur lui. Tony lui tapotait le dos. Ils essayaient apparemment de le raisonner pour qu'il s'en aille avant que la jeune fille revienne. Les bras croisés, Leonard se dissociait de leur groupe.

– Ecoutez-moi, dit le major Clark, à la fin de la danse, allez aux toilettes. Je vous montrerai où elles sont. J'irai vous y chercher dans dix minutes. D'une seconde à l'autre il va se mettre à pleurer, et ensuite tout évoluera très vite. Allons, faites ce que je vous demande. Accordez-moi cela comme une grâce, dit-il en l'encourageant d'un sourire.

Inexplicablement, elle sentit passer entre eux une sorte de chaude sympathie. Lorsque l'orchestre s'arrêta, elle se laissa guider. Ils franchirent une porte, suivirent un couloir. Elle avait conscience du corps de cet homme et de son corps à elle, enveloppé dans sa protection.

– Dix minutes, lui dit-il en la laissant près de la porte des toilettes. Et si je ne suis pas là quand vous sortirez, retournez-y et donnez-moi cinq minutes de plus. Ne restez pas dans ce couloir, vous y seriez importunée.

***

Elle stationna pendant un quart d'heure dans les toilettes. A un moment, deux jeunes Anglo-Indiennes y pénétrèrent. Sarah vit qu'elles étaient gênées par sa présence. Elles parlaient à mi-voix mais elle saisit ce chantonnement qui, pouvu qu'elles aient la peau assez claire, permettait à ce genre de jeunes filles de se prétendre originaires de Cardiff ou de Swansea. Elle se demanda ce qu'elle trouverait à leur dire si les garçons de son groupe les invitaient à leur table. Elle resta plantée devant une glace jusqu'à ce qu'elles s'en aillent, puis elle sortit à son tour. Jimmy Clark l'attendait.

– Je pensais qu'il vous faudrait un quart d'heure, dit-elle.

– Rien que dix minutes, et c'était déjà dix minutes de trop, dit-il en lui prenant le bras et en la conduisant vers la sortie. De sorte que nous devons changer nos batteries. Patientez, je vais vous expliquer.

Il chassa les mendiants et attendit qu'elle fût montée dans le taxi dont un serveur de l'hôtel lui ouvrait la portière. Ainsi, songea-t-elle, il tenait le véhicule prêt. Et, d'après le *« Salaam Sahib »* de l'homme, il avait préparé un pourboire généreux. Elle ne saisit pas l'adresse qu'il indiquait au chauffeur. Peut-être la ramenait-il chez tante Fenny. Enfin il monta, s'assit à côté d'elle, et le véhicule démarra.

– Pourquoi avez-vous dit « dix minutes de trop »?

– Il faisait poids mort. Et les autres se montraient peu coopératifs. J'ai donc pris l'initiative de vous soustraire à cette atmosphère. D'ailleurs, l'endroit est sinistre, dit-il en lui offrant une cigarette, qu'elle prit bien qu'elle n'eût pas envie de fumer. Évidemment, ils n'ont guère le choix. J'ai l'intention de vous montrer quelque chose de beaucoup mieux. A moins que vous vouliez rentrer. Mais il n'est encore que dix heures et demie.

Elle alluma sa cigarette au briquet qu'il lui tendait, puis regarda par la vitre. A l'extérieur, tout était noir.

– Nous longeons le quartier de Chowringhee, expliqua

le major Clark, mais du côté du *maidan*. Vous voyez ces lumières en face? C'est là que je vous ai vue pour la première fois.

– Vous voulez dire l'hôpital militaire britannique? C'est peut-être vrai, mais pas le reste.

– Quel reste?

– La raison qui vous a poussé à laisser les autres.

– Miss Layton, j'ai promis à votre tante de veiller sur vous.

– Mon prénom est Sarah, dit-elle en se tournant à nouveau vers les lumières déformées par la vitre.

Et voilà, pensait-elle. Il va se montrer entreprenant. Mais non. Il la regardait sans faire un geste.

– Où allons-nous? demanda-t-elle.

– Nous allons franchir ce qu'on appelle le pont.

– C'est-à-dire?

– Vous allez le voir.

Ce qu'elle voyait, c'était qu'il l'enlevait – même s'il y mettait des formes. Il n'avait jamais eu l'intention de la partager avec les « garçons » de l'oncle Arthur. Si l'officier blafard n'avait pas été incommodé par la boisson, il aurait trouvé un autre moyen. C'était flatteur et en même temps énervant. De toute façon, elle était trop fatiguée pour se rebeller.

Comme s'il avait suivi ses réflexions, le major Clark lui dit :

– Si vous préférez rentrer, je vous ramène.

Cependant, il avait posé sur ses mains une main qui se voulait rassurante. Et cette main se retirait, laissant Sarah privée d'une réaction physique, même discrète.

– Simplement, si votre tante vous trouve chez elle à son retour, elle saura que la soirée s'est mal passée. Et même si ce type ne présente aucun intérêt, il n'y a pas de raison de le désigner à sa vindicte. Vous et moi, nous quittons Calcutta demain, tandis qu'ils en ont encore pour toute une semaine à suivre les cours de votre oncle.

– Je ne dis pas le contraire.

– Que nous soyons partis tous les deux de notre côté, je n'ai pas l'intention de le cacher à votre oncle ou à votre tante. Mais est-il bien nécessaire de leur en dire la raison? Ici, nous sommes dans le vrai Calcutta. L'année dernière à pareille époque, les lieux étaient jonchés de cadavres de gens qui avaient essayé de fuir la famine. Du moins, est-ce ce qu'on m'a raconté. Il faut espérer que le chauffeur ne klaxonnera pas. Parce que la faune de ce quartier ne se gênerait pas pour nous trancher la gorge et jeter nos corps dans les eaux de l'Hoogly.

Le taxi avait accéléré pour traverser ce quartier de taudis à peine éclairé. Sous les arcades ou sous des abris de fortune accolés aux murs se pelotonnaient des formes complètement enveloppées dans un pan d'étoffe. Puis le véhicule tourna à gauche et franchit un pont en dos d'âne. Il n'y avait plus d'autres lumières que les pinceaux des phares.

– Ça y est, dit le major Clark, nous avons passé la zone dangereuse.

A présent, la chaussée était simplement empierrée. Au passage on apercevait tantôt des arbres, tantôt des espaces vides; çà et là, il y avait des groupes de maisons.

– Autrefois, reprit-il, les gros négociants indiens avaient volontiers leur propriété par ici. A présent, c'est fini. Mais ne vous inquiétez pas, nous ne sommes pas venus visiter les miséreux.

Dix minutes plus tard, le taxi atteignit un carrefour bordé d'échoppes et de cahutes, puis traversa un second pont en dos d'âne, où le chauffeur dut freiner sec pour éviter un buffle errant.

– Ça, c'est toute l'Inde, commenta Jimmy Clark. Le moteur à combustion interne confronté à une créature sortie du limon originel.

Ils atteignirent une propriété fermée de murs assez bas. Le taxi vira, franchit le portail. Sarah entrevit une demeure haute et plutôt étroite, aux fenêtres illuminées. Le taxi stoppa devant l'entrée grande ouverte. Lorsque le moteur cessa de tourner, Sarah entendit des instruments indiens, sitar, tablas et tamboura. Le major Clark ouvrit la portière, aida Sarah à descendre et lui dit :

– Accordez-moi quelques instants. Je dois user de persuasion.

Elle attendit en haut des marches d'entrée où flottait une odeur d'encens, sans pénétrer dans l'étroit vestibule où elle entrevit des embrasures fermées par des portières et gardées par un Bouddha et des divinités indiennes. Tandis que Clark s'évertuait à obtenir du chauffeur qu'il reste sur place ou qu'il revienne les prendre à une heure précise, Sarah s'aperçut qu'elle frissonnait et qu'en même temps elle éprouvait un grand calme. Enfin le major grimpa les marches en lui adressant un large sourire. « C'est arrangé », annonça-t-il et, lui prenant le bras, il la conduisit dans le vestibule. Un serviteur indien était apparu. Il lui demanda de veiller à ce que le chauffeur ne décampe pas, en lui recommandant de ne rien lui donner de plus fort que de la bière. Puis, soulevant une portière, il fit pénétrer Sarah dans une pièce agencée en bar. C'était de la salle voisine que s'échappait la musique.

Passant derrière le comptoir en demi-lune, il annonça à Sarah :

– Ici, les visiteurs se servent. Que prendrez-vous? Je vous conseille une fine à l'eau. Vous n'avez pas bu celle que je vous avais commandée là-bas, mais en voici une qui est de qualité supérieure.

Il dosa l'alcool dans deux verres, l'étendit largement de soda puis il en tendit un à Sarah.

– Cette maison appartient à une Indienne qui s'appelle Mira. Comme les musiciens jouent, nous allons entrer et nous installer sans bruit.

Il prit Sarah par le bras et, de son autre main souleva une portière. La salle surprit Sarah par sa longueur. Au plafond, des ventilateurs tournaient paresseusement, brassant des parfums inconnus. A l'autre extrémité, un lampadaire éclairait une estrade couverte d'un tapis où les musiciens jouaient assis en tailleur. Tout le reste était dans la pénombre, mais Sarah distingua un fouillis de divans et de coussins dont les occupants, des hommes et des femmes, tournaient la tête vers la lumière. Clark la mena à pas feutrés vers un canapé inoccupé. Une Indienne installée sur des coussins tourna la tête, esquissa un sourire puis se laissa de nouveau absorber par la musique.

Sarah prit place sur le canapé. Se penchant vers elle, Clark lui murmura : « Au sitar, c'est Pyari. » Elle fit un signe de tête entendu. Ce nom ne lui disait pas grand-chose, mais il devait s'agir d'un artiste célèbre. Elle n'avait jamais réussi à savoir si elle aimait la musique indienne ou si, au contraire, elle partageait l'opinion générale selon laquelle c'était une cacophonie témoignant suprêmement qu'il était vain de vouloir comprendre un peuple qui appelait ça de la musique. Mais elle sut d'instinct que Pyari était un virtuose. Il était inimaginable qu'un humain ordinaire puisse, rien qu'avec ses dix doigts, faire naître une telle multitude de sons. Grassouillet et chauve – son crâne cuivré luisait –, un petit homme martelait les tablas avec agilité. Au fond de l'estrade, une grande et belle femme tirait du tamboura un accompagnement aigre et sonore.

Sarah buvait à petites gorgées. Qu'un homme comme Clark la menât à une soirée culturelle indienne, c'était absolument inattendu. Et bien que cette musique eût peu d'écho en elle, elle souhaitait qu'elle dure longtemps, parce qu'ensuite elle ne saurait quelle contenance tenir en un pareil lieu. Que trouverait-elle à dire par exemple à cette femme qui trônait avec tant d'élégance au milieu de ses coussins? Ces Indiens-là devaient certainement se moquer des Anglaises dans son genre. Se penchant de nouveau vers elle, Clark murmura :

– Cette femme en sari lamé, sur le canapé de gauche, c'est une maharani; mais elle est en train de demander le divorce. L'Anglais âgé à côté d'elle a eu un poste important dans l'Indian Civil Service. A présent, il fait office de conseiller juridique auprès d'elle et il lui sert de cavalier quand elle vient à Calcutta, mais ça ne va certainement pas plus loin. Ou je me trompe fort, ou ce jeune homme en civil dont il caresse la tête est un matelot de la marine de Sa Majesté.

Sarah regarda la maharani puis l'homme âgé, d'abord fascinée puis choquée par le mouvement de sa main qui tortillait une mèche de cheveux, la lâchait, la reprenait.

– Pour ces garçons-là, reprit Clark, c'est un moyen d'échouer ailleurs que dans des boîtes à matelots quand ils descendent à terre, et de réembarquer avec un porte-cigarettes en or comme en ont leurs officiers.

La maharani se tourna vers le vieux monsieur, lui dit quelques mots en lui tapotant sa main libre, sans paraître voir le manège de son autre main ni le jeune homme lui-même. Sarah reporta son attention sur les musiciens et but un peu d'alcool, gênée qu'au milieu d'Indiens, deux Britanniques pussent se conduire de la sorte. Mais au fond, ce n'était qu'une pose, car elle était moins gênée que curieuse de la scène. Seulement, elle devinait que Clark voulait en quelque sorte l'éprouver. Elle se tourna vers lui. Comme elle s'y attendait, il regardait Pyari. Il étendait son bras sur le dossier du canapé. Sa main n'était qu'à quelques centimètres de l'épaule de Sarah.

La musique sembla atteindre un paroxysme et puis cessa brusquement. Bien que l'assistance fût peu nombreuse, des applaudissements nourris saluèrent les artistes. Laissant leurs instruments sur place, ils saluèrent en joignant les mains. Des lampes s'allumèrent en plusieurs points de la salle et des serviteurs entrèrent, chargés de plateaux.

La femme assise sur les coussins se retourna.

– Jimmy, dit-elle, on a téléphoné pour vous de la direction des mouvements. L'avion pour Colombo décolle avec une demi-heure d'avance sur ce qui vous avait été indiqué.

– Je vous remercie, Mira. Vous voyez, j'ai amené quelqu'un pour entendre Pyari. Elle s'appelle Sarah.

La femme répondit au salut de Sarah par un léger signe de tête et s'adressa de nouveau au major Clark.

– Pyari est en grande forme, n'est-ce pas? Saviez-vous qu'il avait été convié au Palais du gouvernement?

– Non. A-t-il accepté?

– A quoi pensez-vous? Il voulait y envoyer un de ses élèves de troisième année, parce que ces gens-là ne sont pas capables d'apprécier la différence. Les élèves s'y sont refusés, même histoire de s'amuser, à moins qu'il les laisse cacher une bombe dans le sitar. Mais il leur a dit : « Pourquoi irions-nous gâcher un bon instrument? » Et les choses en sont restées là.

Le major Clark rit, sans être gêné par le fait que la plaisanterie était partiellement aux dépens de Sarah. Un serviteur s'approcha et offrit du *pan* à Sarah. Elle refusa d'un signe de tête.

– Vous avez tort, remarqua Jimmy Clark, le *pan* purifie le sang. Au moins, vous savez ce que c'est? Du bétel. Vous n'en avez jamais mâché?

– Si, quand j'étais petite.

– Si vous préférez, je vais vous faire préparer un autre verre.

Sarah s'aperçut qu'elle avait bu le premier nerveusement, sans s'en rendre compte. Mira, qui s'était mise gracieusement debout, se dirigea vers l'autre bout de la pièce où elle entra en conversation avec un couple enlacé sur un canapé.

– Elle est sensationnelle, n'est-ce pas? dit Jimmy Clark.

– Oui. Je la trouve très belle.

– Elle paie les factures de spiritueux de son mari, ses dettes de jeu, ses notes d'hôtel, les toilettes et les bijoux de sa maîtresse.

– C'est inouï! Et pourquoi ça?

– Pourquoi pas? Elle est si riche qu'elle ne connaît même pas l'état de sa fortune. Et d'ailleurs, elles ont été amantes. Mais il y a eu brouille, et la maîtresse s'est rabattue sur le mari. Ça ne sort pas de la famille. Je ne suis arrivé que ce matin, mais pour autant que je sache, cette petite fête dure depuis deux jours. Mira doit bien payer Pyari mille roupies pour qu'il se produise ici. Alors, on comprend qu'il refuse l'invitation au Palais du Gouvernement où il devrait jouer gratis. Et d'ailleurs, il est contre ces gens parce qu'ils n'ont jamais encouragé les arts. S'il fait de temps en temps un geste public, c'est parce que ses élèves sont assez politisés, et il ne veut pas paraître un mauvais *guru* en se désolidarisant d'eux. En fait, il se moque totalement de la politique. Et c'est le cas de tous les gens présents ici. Ils laissent la politique aux classes moyennes et inférieures. Ils ont pratiquement tous des fortunes placées dans des banques suisses et à Lisbonne. L'existence de ces petits pays prospères et neutres témoigne de ce qui est le véritable enjeu dans une guerre mondiale, ne trouvez-vous pas? Vous devez vous demander comment il se fait que je puisse être un familier de Mira, poursuivit-il tandis qu'un serviteur leur présentait son plateau portant leurs deux verres de nouveau remplis. Eh bien, nous avons des amis communs au Caire. Et ils l'ont prévenue quand j'ai été transféré en Inde. Lorsque je viens à Calcutta, sa maison est mon point de chute non officiel, ce qui explique que votre oncle me croie noctambule. On a dû lui signaler que, dans « ma » chambre, le lit n'était jamais défait. Je vous parle de cette espèce de petite cellule blanche où il m'a logé quand j'ai suivi ses cours. Mais comme j'étais son meilleur élève, il fermait les yeux.

– Vous partez pour Ceylan. Mira a-t-elle aussi des amis là-bas?

– Oui, et moi aussi.

– Vous n'allez donc pas vous ennuyer.

– Mais bien entendu. C'est un de mes buts dans l'existence. N'est-ce pas aussi l'un des vôtres?

– Je crois que je n'y ai jamais beaucoup réfléchi.

– Je m'en doutais. Et vous êtes d'une sincérité rafraîchissante. Je ne me trompais pas sur votre compte. Votre côté « pilier de l'empire » est tout à fait superficiel.

Oui, pensa-t-elle, tout à fait superficiel. Mais je n'ai pas d'autre extérieur. Je n'ai qu'une peau. Elle sentit la main de Clark se poser sur la sienne et ne se dégagea pas.

– Laissez-moi vous raconter quelque chose. A Noël, je suis allé à Pindi, invité chez un couple ami d'un de mes amis d'Angleterre. Des gens qui sont là depuis dix ans. Ils ont deux enfants, des petits bonshommes qui regardent déjà de haut tous ceux qui n'appartiennent pas à leur milieu étroit et fermé. Je me suis retrouvé devant des gens de ma classe, des Blancs comme moi, et pourtant j'avais l'impression de leur être aussi étranger que si j'étais noir. Tout en étant parfaitement courtois, nous n'avions à proprement parler rien à nous dire.

– Que faites-vous dans le civil? demanda Sarah en dégageant sa main.

– La même chose que sous l'uniforme, je vis.
– Mais vous ne vivez pas de l'air du temps?
– Non, je gagne de l'argent.
– Comment?
– Quelle importance? Quiconque exerce une activité le fait pour gagner de l'argent. Et ne me dites pas que l'activité de certains est de diriger « parce qu'il en faut bien ». A la fin du compte, quand on dirige c'est pour que ça rapporte. Pour moi, le vice-roi et la secrétaire qui tape le rapport annuel d'une société à l'intention des actionnaires sont aussi importants. Et la société, ici, a été gérée en dépit du bon sens. Ce pays est une mine d'or, mais il est plein de diplômés chômeurs et de gens qui meurent de faim sur les trottoirs. L'espérance de vie pour les Indiens des villes est toujours de trente-cinq ans. Écoutez bien ce que je vous dis. La guerre en Europe en a sûrement encore pour un an. Et le Japon résistera sûrement une année de plus. Disons que les hostilités cesseront vraiment à l'été 1946. Il y aura forcément des élections générales en Grande-Bretagne, et les socialistes les gagneront, grâce à l'homme de troupe et à l'ouvrier. L'abandon de l'Inde a toujours fait partie du credo des socialistes, mais quand ils verront qu'elle ne rapporte absolument rien au pays, ils l'abandonneront à toute vitesse. Pourquoi se charger de millions d'Indiens faméliques alors que nous serons confrontés à nos problèmes de l'après-guerre?
– Comment pouvez-vous être aussi sûr que les socialistes prendront les rênes du gouvernement? La réputation que s'est acquise Mr Churchill pèsera lourd, tout de même!
Il rit et éluda la question.
– Il n'y a que les femmes pour l'appeler « Mister ». On dirait que vous parlez d'un vicaire invité à goûter les confitures maison. Bien sûr, son nom comptera, mais il sera synonyme de patriotisme, victoire, fierté et fin de l'entracte. Je suppose que vous ne discutez pas souvent avec des hommes de troupe ou des petits gradés. C'est un tort. Vous devriez leur demander ce qu'ils pensent de la vie ici. Je vous parle des mobilisés, pas des militaires de

carrière. Au pays, ils ont bien conscience de la différence qu'il y a entre eux et les officiers, mais ici elle leur saute en pleine poire. Et vous voulez savoir ce que pense le petit mécanicien cockney ou le garçon de ferme ou le démarcheur d'assurances qui se sont retrouvés à la frontière birmane ou qui en ont vu revenir les copains amochés? « Continuez à jouer aux boy-scouts, les amis, et profitez-en bien pendant que ça chie. Gagnez cette guerre que vous autres avez démarrée. Quand elle sera finie, j'irai jusqu'à vous acclamer. Mais quand vous aurez remis de l'ordre dans ce merdier, allez donc vous faire voir! Sortez de ma vue, de mon gouvernement, de mon existence! » Et Churchill y aura droit comme les autres. Vous savez ce qu'il éprouve, le pauvre bougre qui entend les officiers sabler le champagne sous leurs tentes pendant qu'il doit se contenter d'un quart de thé ou de bière éventée? Eh bien, il se dit que tout s'arrangerait s'il avait une bonne giclée d'alcool, ou si le colonel devait s'envoyer un quart de thé au bromure pour calmer ses ardeurs. Le colonel et tous ces officiers chichiteux qui s'excitent sur les femmes mais ne savent même pas les contenter.

Sarah se maîtrisait pour ne pas baisser les yeux. Ce langage grossier faisait partie de l'épreuve à laquelle il la soumettait. Elle en avait conscience. Il voulait la piquer, au moyen d'arguments ou de mots gênants.

– Continuez, je vous en prie, dit-elle.

Il rit, lui saisit la main et la serra fort.

– Miss Layton, dit-il, vous êtes une bonne femme comme il y en a peu.

– Non. Je ne suis pas une bonne femme. Je suis moi.

En disant cela, elle s'était raidie. Et l'homme l'avait senti. Dans un geste qui se voulait à la fois moqueur et tendrement masculin, il lui mit la main dans les cheveux, juste derrière l'oreille, et la décoiffa un peu. Comprenant qu'il guettait avec amusement une réaction de jeune fille effarouchée, elle se contenta de tourner lentement la tête – ce qui délogea la main, mais la fit descendre sur son cou.

– Vous êtes tendue. Elle a donc été si dure, cette visite à un blessé?

– Oui, elle l'a été.

– Est-ce que ce garçon que vous êtes allée voir est vraiment mal en point?

– Oui. Demain, on lui coupe l'avant-bras.

– En effet, c'est vraiment moche. Mais cela m'explique votre réaction de rejet dès que vous m'avez vu. Moi j'ai mes deux bras. Ou mes deux jambes. Peu importe.

– Je ne lui porte pas d'affection.

– Ah, oui? dit Jimmy Clark en resserrant légèrement sa main sur le cou de Sarah. Et vous avez fait tout ce voyage pour le voir? De toute façon, ça ne change rien. J'ai senti que vous me rejetiez. Et je vais vous dire encore autre chose.

– Quoi?

– Vous êtes en train de vous détendre.

Il avait raison. Elle éprouvait une sorte de bien-être tout en se sentant très maîtresse d'elle-même. C'était comme un fluide qui émanait de cette main d'homme posée sur son cou. Tourné vers elle, il la regardait bien en face. Une sorte d'amusement flottait sur son visage – à moins que ce soit seulement un effet de l'éclairage qui le frappait obliquement.

– Évidemment, vous êtes vierge.

Elle détourna brusquement les yeux. Elle avait l'impression qu'il l'avait frappée. D'une voix qu'elle s'efforçait de rendre claire et assurée, elle répondit :

– Évidemment, je suis vierge.

La main chaude pesait toujours sur son cou. Elle sentit que l'homme la scrutait attentivement. Puis il la lâcha, lui tapota une main et cessa tout contact physique. Ce geste signifiait-il qu'il la félicitait de son honnêteté alors que, poussée dans ses derniers retranchements, elle aurait pu prendre ses grands airs de fille de colonel de l'armée des Indes?

– J'ai découvert chez vous le défaut de l'armure, n'est-ce pas? Mais est-ce ma question qui vous agace ou la réalité de ce que vous avez dû avouer? Vous n'êtes pas vieux jeu, c'est évident. Vous ne croyez plus à ces histoires de se garder pour son époux. Est-ce que je me trompe?

Sarah préféra se taire. Ce major Clark devait savoir d'avance le genre de réponse qu'elle pourrait faire.

– Quoi qu'il en soit, reprit-il, excusez-moi.

La main chaude revint se poser sur la nuque de Sarah. Le bien-être – ou le plaisir? – l'envahit de nouveau. Elle sentit se durcir la pointe de ses seins. Au même moment, il y eut une sorte de frémissement dans l'assistance. L'homme qui avait tenu les tablas revenait sur l'estrade, en compagnie d'une jeune fille. Jimmy Clark se pencha vers Sarah.

– Mira nous traite somptueusement, lui murmura-t-il à l'oreille. C'est Lakshmi Kripalani. Elle chante, au cas où vous l'ignoreriez.

Sarah fit un signe de tête affirmatif, plus pour signifier qu'elle avait senti son haleine lui caresser subtilement l'oreille que pour montrer qu'elle avait compris les mots. Mira venait dans leur direction. La maharani la suivait mais elle continua tout droit et quitta le salon. Arrivée devant le canapé, Mira se pencha vers Sarah et lui dit :

– La partie chantée du programme va bientôt commencer. Si vous voulez auparavant vous refaire une beauté, venez.

Clark lâcha le cou de Sarah et la débarrassa de son verre.

– Bonne idée, dit-il. S'ils se sentent en veine de création, ça pourra continuer sans interruption pendant une heure.

Sarah se leva, et ne trouva pas le courage d'objecter qu'elle devrait rentrer tout de suite, parce qu'aussi bien elle que lui se levaient à l'aube le lendemain matin. Elle suivit Mira. Elles traversèrent le bar, longèrent un couloir, montèrent un escalier tournant qui débouchait sur une galerie dont les baies, simplement barrées de grilles, laissaient pénétrer l'air nocturne, tiède et chargé d'odeurs de terre et de vase. Elles tournèrent deux fois à angle droit, car la galerie devait courir tout autour de la maison. Elle était éclairée par des ampoules nues pendant du plafond. Une fois de plus, Sarah se fit la réflexion que les Indiens semblaient considérer les ampoules électriques comme des éléments décoratifs. Sous son sari, Mira ne portait pas le *tcholi* traditionnel, qui est une sorte de corselet, si bien qu'à travers la mince étoffe sombre on voyait l'élastique de son soutien-gorge. Au bout de la galerie, elle pénétra dans une chambre dont la porte était ouverte. Sarah la suivit mais marqua un léger temps d'arrêt, surprise par l'opulence de la pièce. Elle contenait un grand lit placé sur une estrade large et basse. La moustiquaire blanche qui tombait du plafond et l'enfermait tout entier lui composait une sorte de dais royal, dont l'air brassé par les deux ventilateurs agitait les plis. L'estrade était tapissée d'une moquette blanche. La gaze de la moustiquaire laissait voir le couvre-pied de satin d'un blanc crémeux. Mira se dirigea vers une porte, l'ouvrit, alluma l'électricité :

– Vous trouverez probablement tout ce qui vous est nécessaire. A défaut, vous n'avez qu'à sonner et une servante viendra.

C'était la salle de bain, odorante mais glaciale, à cause de la climatisation. Cette pièce était plus grande que la chambre de Sarah à Pankot. Sur le sol dallé de marbre étaient jetés des tapis en peau de chèvre. Le pourtour de la baignoire à moitié encastrée dans le sol était carrelé de marbre vert. Sarah remarqua la robinetterie dorée. Au bout de la pièce, un panneau de verre rose dépoli masquait la cabine de douche.

Elle regarda Mira, prête à lui dire son admiration pour un pareil décor. Mais la maîtresse de maison paraissait tout à fait indifférente à sa réaction. Elle restait près de la porte ouverte, apparemment pressée de s'en aller.

A peine Sarah avait-elle dit : « Je vous remercie », qu'elle se retrouva seule. Elle continua d'explorer les lieux. Les toilettes étaient dans une petite pièce attenante à la salle de bain. Elles étaient très modernes, avec une chasse-réservoir actionnée par un levier à bascule, qui se vidait instantanément et sans bruit. Elles comportaient aussi un lavabo alimenté en eau froide et chaude. Elle repassa dans la salle de bain et s'assit sur le luxueux tabouret capitonné de velours vert. De même que la grande table de toilette à dessus de marbre, il avait des pieds dorés galbés se terminant en patte de tigre. Sarah se regarda un moment dans l'immense miroir et, pour une fois, ne se trouva pas trop mauvaise figure. Sur la table s'alignaient tout un tas de flacons, de vaporisateurs et de récipients. Mais elle ne voulait pas se servir de ce qui ne lui appartenait pas. Elle allait ouvrir son sac pour en tirer son modeste poudrier quand une sorte de réflexe différé lui fit reporter les yeux sur la table. Parmi toute cette batterie d'objets de toilette féminins, il y avait deux brosses de sanglier et une trousse de cuir dont la fermeture à glissière n'était qu'à moitié tirée. Elle finit de l'ouvrir. La trousse contenait quatre boîtes en plaqué or et un rasoir mécanique.

Du regard elle fit le tour de la salle de bain pour y chercher d'autres indices d'une utilisation masculine, mais elle ne découvrit rien d'autre. Elle se poudra, se remit du rouge à lèvres, puis consulta sa montre. Il était presque minuit. Depuis deux jours elle ne dormait pas assez, et cette nuit-là aussi serait courte. Dès que Pyari aurait terminé son récital, elle insisterait auprès du major Clark pour rentrer – au besoin seule, s'il préférait rester. En se levant, elle vit dans un angle un coffre à linge sale dont le dessus capitonné formait siège. Elle alla l'ouvrir : il contenait du linge de corps, des slips en jersey qui paraissaient légers et soyeux. Et pendant une fraction de seconde elle eut l'impression qu'il était là, tout près d'elle. Elle fut secouée d'un bref frisson de plaisir. Mais à présent, elle devait retourner au salon. La main sur l'interrupteur, pour éteindre la lumière en sortant, elle ouvrit la porte.

La chambre était plongée dans le noir. En sortant, Mira avait sans doute éteint machinalement. Mais il devait y avoir un commutateur à proximité de la porte de la salle de bain. Elle le chercha à tâtons. Dans le pan de lumière s'échappant de la pièce derrière elle, elle vit son ombre démesurément agrandie sur le sol et le mur opposé. Le commutateur restait introuvable, mais elle distingua la direction de la porte, parce que l'éclairage de la galerie la bordait en bas d'un fin liséré lumineux. Elle fit quelques pas dans la chambre.

– Ce n'est pas par-là, dit-il. Je suis ici.

Elle stoppa net, se retourna. La lumière de la salle de bain l'éblouit. Elle n'arrivait pas à distinguer le lit.

– Vous ne m'attendiez pas?

– Non.

Elle repartit vers la porte donnant sur la galerie, déjà sûre de la trouver fermée à clé. Elle manœuvra vainement le bec-de-cane en se disant qu'elle devait avoir l'air ridicule.

– C'est triste. Je pensais que vous aviez compris que vous et moi avions rendez-vous. Notre absence n'inquiétera pas Mira. C'est une fine mouche. Est-ce l'obscurité qui vous déconcerte? J'ai pensé que vous aimeriez mieux cela. Du moins, au début.

– Nous n'avons pas de rendez-vous. Veuillez allumer et ouvrir la porte.

Ses yeux s'accoutumaient à l'obscurité. Elle distingua une silhouette. Et brusquement, la lampe de chevet s'alluma. Il était assis au bord du lit, nu, le bras encore tendu vers la lampe. Il regardait Sarah. Sarah crut voir un personnage descendu des fresques d'un plafond Renaissance. Il abaissa son bras, découvrant un torse musclé.

– Vous voulez vraiment sortir? dit-il.

– Oui.

– La clé est là, sur la table. Moi qui avais même songé à apporter nos verres... Me suis-je trompé? Ça m'arrive rarement, mais ce ne serait pas la première fois. Ce sont les risques du métier de mâle. On subit parfois des avanies, mais dans l'ensemble, on baise, et c'est le principal. Vous êtes sûre que vous ne voulez pas vous débarrasser de votre pucelage?

– Tout à fait sûre. Je vous donne une minute pour déverrouiller cette porte.

Elle se dirigea vers la salle de bain. Il se leva et lui barra le chemin. Sans chaussures, il avait exactement la même taille qu'elle avec ses hauts talons. Elle le regarda droit dans les yeux. Mais, sans qu'il l'ait touchée, elle sentit le poids, la force de cet homme. Elle se laissa tomber sur une chaise capitonnée de satin et s'aperçut qu'elle tremblait. Alors, elle leva les yeux vers lui. Puis elle le regarda des pieds à la tête.

– Et maintenant que je vous ai vu, dit-elle, puis-je partir?

– Ce n'est pas pour ça que je m'étais déshabillé, puisque j'avais éteint la lumière. Mais vous faites des avances à une fille, elle est pantelante, vous vous préparez à passer à l'acte et vous devez la lâcher pour vous déshabiller. Je trouve ça comique. Pour vous autres femmes, c'est différent, parce que vous êtes si gracieuses en vous débarrassant de vos vêtements. Ainsi, j'ai perdu mon temps?

– Oui.

– Ça aussi, c'est un des risques du métier.

Il se retourna, alla vers le lit, fourragea sous la moustiquaire et en tira une culotte de pyjama bleue qu'il enfila. Il alluma une cigarette, prit les verres sur la table, les posa par terre, retourna chercher un cendrier, et s'installa lui-même sur la moquette. Levant la tête vers Sarah, il la regarda.

– Vous êtes beaucoup plus jolie que vous ne le croyez. Vous avez des épaules fines, et je suis sûr qu'à poil vous avez des seins plus plantureux. Vos hanches sont un peu maigres, mais je parie que vous avez un petit derrière ferme. Ce que j'apprécie le plus chez vous, c'est que vous ne prononcez jamais de banalités. J'aime ça, et aussi votre cran de fille de colonel. Parce que c'est une combinaison rare. Allons, finissez donc votre verre, dit-il en buvant lui-même. Ne vous inquiétez pas, je ne profite jamais d'une fille qui est un peu partie. En plus, vous avez l'air de tenir sacrément l'alcool. Encore un point en votre faveur. D'après votre tante, vous n'êtes pas toujours gâtée à la maison parce que votre mère force sur la boisson. Une situation vraiment gênante, n'est-ce pas? Mon père buvait énormément. Et après, il chialait. Est-ce le cas de votre mère? Elle ferait mieux de laisser tomber la bouteille et de se trouver un gentil petit officier qui sera trop heureux de baiser quand elle en a envie et qui s'effacera sans problème quand le colonel reviendra. Comme ça, il retrouvera une femme calme et aimante, et pas une mélancolique qui tire son plaisir de l'alcool.

– Comme votre père.

– Oui, comme lui.
– Et que faisait votre mère pour *baiser*?
– Oh, elle n'a jamais été en peine. Elle aimait les chauffeurs jolis garçons. Mais à dix-huit ans, j'ai dû mettre les choses au point, parce que même si les chauffeurs couchaient avec elle, je voulais qu'ils me parlent avec déférence.
– Et elle a réussi à l'obtenir?
– Oui. Mais ça a dû lui coûter une petite fortune dans les boutiques pour hommes de Bond Street. Continuez, dit-il en souriant. Vous vous en tirez épatamment. Un instant, j'ai craint que vous disiez : « Veuillez laisser mon père et ma mère en dehors de tout ça. » J'espère que vous n'en tiendrez pas rigueur à votre tante Fenny, elle a voulu vous dépeindre sous un jour qui éveillerait mon instinct protecteur. Pourquoi tremblez-vous?
– Parce que je ne supporte pas qu'on me contraigne. Je vous prie d'ouvrir cette porte. Si le taxi a attendu, je le prendrai. Sinon, vous devrez malheureusement organiser mon retour, car j'ignore où nous nous trouvons.
– Ne vous inquiétez donc pas. J'ai promis à votre tante Fenny qu'il ne vous arriverait rien de fâcheux. Et d'ailleurs, personne ne vous contraint, dit-il en se levant pour aller prendre la clé sur la table et la placer sur le tapis, non loin des pieds de Sarah. C'est une fameuse bonne femme, vous savez, dit-il en se réinstallant par terre. Si elle avait cinq ans de moins et moi cinq ans de plus, nous nous serions déjà retrouvés entre les draps. Elle le sait bien. Et elle savait très bien ce qu'elle faisait en vous confiant à moi. Ou en tout cas, elle le pressentait. Mais vous êtes coriace, et en plus vous avez de la tête. Ce qui n'est pas son cas. Elle a une cervelle d'oiseau. Seulement, elle a aussi ce qui vous manque : la joie. Elle sait encore s'amuser, profiter de ce qui s'offre à elle. Et ce n'est pas votre cas, Miss Sarah Layton.
– Non, ce n'est pas mon cas, dit Sarah en se pendant et en tendant la main vers la clé.

Elle tâtonna sur le tapis, parce que les larmes lui brouillaient la vue. Juste au moment où ses doigts recontrèrent la petite tige de métal, l'homme lui saisit la main.

– Pourquoi pleurez-vous? dit-il. Parce que la vérité, c'est que vous avez envie que je vous fasse l'amour. Ce qui n'a rien à voir avec l'amour lui-même. Vous êtes trop honnête pour vouloir que nous nous jouions la comédie des sentiments. Et trop honnête aussi pour nier que je vous attire autant que vous m'attirez. Alors?

– Non. Ce n'est pas si simple. Lâchez-moi.

Il s'exécuta, et elle s'empara de la clé.

– Attendez, dit-il.

Il passa de l'autre côté du lit. A ses mouvements indistincts derrière la moustiquaire, Sarah comprit qu'il s'habillait. Rien n'arrivait comme dans ce rêve qu'elle avait fait maintes fois : cette tendre étreinte avec un homme sans qu'il y ait eu de rencontre, de préliminaires, qui s'achevait par la fin du rêve, sans jouissance mais très doucement.

– Eh bien, Sarah Layton, dit Jimmy Clark habillé de pied en cap, sommes-nous prête. Dans ce cas, il faut d'abord vous tamponner les yeux avec de l'eau fraîche. Parce que si vous avez cette tête, tante Fenny imaginera le pire.

Elle le regarda à travers ses larmes. Il s'approcha d'elle à la toucher, leva la main et lui prit la clé. De son autre main, il la débarrassa de son sac, qu'il alla placer sur la table de chevet. Se dirigeant ensuite vers la porte, il glissa la clé dans la serrure. Puis il ramassa sur le tapis le cendrier et les verres et les posa également sur la table de chevet dont il éteignit la lampe. Tout se remettait en place exactement comme au début : la chambre plongée dans l'obscurité, le pan de lumière s'échappant de la salle de bain. La silhouette de l'homme traversa la zone lumineuse, s'approcha de Sarah, s'accroupit à ses pieds. Avec douceur il lui saisit une cheville. Lentement, il la déchaussa. Puis ses mains s'emparèrent des mains de Sarah et les portèrent à son visage. Elle sentit sous ses paumes la peau un peu râpeuse, esquissa une caresse. L'homme leva les bras et ses mains enserrèrent le visage de Sarah. Ils restèrent un moment ainsi, oscillant légèrement, aussi soudés que par une étreinte. Alors, baissant la tête, Sarah le laissa défaire les agrafes de sa robe de jeune fille bien élevée.

IV

La main de l'homme pesait doucement sur son bras pour la réveiller, et juste avant d'ouvrir les yeux Sarah éprouva le délicieux soulagement d'avoir fait un mauvais rêve, dans lequel tante Fenny lui annonçait que, bouleversée par la mort brutale de tante Mabel, Susan accouchait prématurément. La réalité, c'était la chaude quiétude de ce réveil, son corps tout contre le corps de cet homme qui l'avait pénétrée, libérée, et qui la réveillait pour une nouvelle étreinte, une nouvelle extase.

– Pardonnez-moi, disait la voix, mais nous arrivons.

Extraordinaire, incroyable télescopage du temps et de l'espace! Sarah ouvrit les yeux et vit l'une des deux femmes, celle qui s'appelait Mrs Roper.

– Je suis désolée de vous tirer de votre bon sommeil, Miss Layton. Nous arrivons à Ranpur.

Elle se redressa sur la couchette. Elle avait compris le sens des mots mais restait ahurie. Ces deux femmes, Mrs Roper et Mrs Perryman, avaient été vraiment bonnes de l'accueillir dans leur coupé, ce petit compartiment de queue ne comportant que deux couchettes, et de pousser l'amabilité jusqu'à faire préparer la couchette supérieure pour qu'elle se repose pendant le trajet Calcutta-Ranpur. La lumière du plafonnier lui révéla que son uniforme était froissé.

– Vous pourrez descendre, ma belle?

D'en haut, Sarah voyait les cheveux gris de Mrs Roper, dont le ventilateur faisait voleter les petites mèches folles. Cette dame avait longtemps vécu en Birmanie où son mari était officier dans le Corps des Forestiers. Il l'avait renvoyée en Inde en 1941 et elle demeurait sans nouvelles de lui depuis l'invasion des Japonais. Elle pensait qu'il se cachait dans une des tribus de montagnards qui avaient été leurs amis. Avec ses cheveux d'un blond cuivré, Mrs Perryman paraissait plus jeune. Veuve d'un médecin militaire mort du choléra en 1939, elle prenait des pensionnaires. Elle et Mrs Roper – sa pensionnaire actuelle – étaient allées retrouver le frère de cette dernière qui passait avec sa famille une permission à Ootacamund, et à présent elles regagnaient Simla. Mais elles avaient d'abord fait un détour par Calcutta pour rendre visite à une amie de Mrs Perryman dont le mari était dans le jute. C'étaient les premières vacances qu'elles prenaient depuis le début des hostilités. Sarah pensa qu'elles avaient dû économiser pour se permettre ce grand voyage, bien qu'à aucun moment elles n'aient fait allusion à leur situation pécuniaire.

Elle savait toutes ces choses sur elles parce qu'elles n'avaient pas cessé de parler depuis midi, quand le train avait quitté la gare de Howrah à Calcutta, jusque très largement après le déjeuner. Mais si elles avaient autant bavardé, c'était par sollicitude pour Sarah. En les remerciant d'accueillir la jeune femme dans leur coupé jusqu'à Ranpur, oncle Arthur leur avait demandé de veiller discrètement sur sa nièce qui regagnait Pankot où l'attendaient bien des chagrins : sa grand-tante, qu'elle aimait beaucoup, venait de mourir brusquement, et sa sœur allait accoucher prématurément.

Juste au moment où elle se tournait pour se préparer à descendre de la couchette, Sarah fut assaillie inopinément par une sensation familière : les objets devenaient minuscules, les sons s'éloignaient... Elle perçut cependant la voix de Mrs Roper :

– Ne vous pressez pas. Je vous ai prévenue largement à l'avance, parce que le train ne s'arrête que dix minutes à Ranpur.

Du pied, Sarah tâta la première marche du léger escalier qui lui semblait haut de plusieurs étages, et réussit à descendre sans encombre.

– Vous avez fait une sieste prolongée. Et nous aussi nous avons un peu sommeillé. Ne vous occupez pas de nous. Pouvons-nous faire quelque chose pour vous?

– Non, merci, Mrs Roper. Tout va bien.

Dans la petite cabine, Sarah se passa de l'eau froide (mais en réalité tiède) sur le visage. Pour ne rien salir, elle s'essuya avec son mouchoir et vit qu'elle y laissait des traînées de suie. Le train franchissait des aiguillages successifs en tanguant un peu. S'agrippant à la poignée, elle contempla son reflet dans la glace. Est-ce que ça se voyait? Est-ce qu'on s'apercevrait qu'elle était devenue une femme? Oui, son visage en témoignait – et plus éloquemment que de son inquiétude pour Susan, que de son chagrin de la disparition de tante Mabel, qui, à présent, appartenait encore doublement à son passé. Ce passé qu'elle avait peut-être abandonné avec gaucherie, mais pour entrer dans la plénitude de son corps de femme.

Le train stoppait en gare de Ranpur. D'un œil exercé par trente ans d'expérience, Mrs Roper choisit le coolie qui porterait la petite valise de Sarah – un coolie qui ne profiterait pas de ce qu'elle était seule pour lui extorquer plus qu'il ne le méritait, qui lui rendrait facile son transbordement dans le train de Pankot.

Mrs Perryman s'inquiétait, proposait d'appeler un de ces jeunes officiers massés sur le quai. Il accompagnerait Miss Layton. Ce serait plus sûr.

– Je vous remercie, dit Sarah, mais le train de Pankot ne part que dans deux heures, et je ne veux pas mobiliser quelqu'un pendant tout ce temps. Je vais dîner au buffet et, ensuite, je peux toujours aller dans la salle d'attente. Et merci encore de votre gentillesse.

Elle échangea une poignée de main avec les dames et descendit du coupé. Apercevant les serveurs qui, levant bien haut leurs plateaux garnis, se frayaient un chemin parmi la cohue, elle se retourna pour annoncer aux deux dames que leur dîner arrivait et leur fit un dernier signe d'adieu. Puis elle suivit son vieux coolie qui avait chargé la valise sur sa tête. Elle retrouvait l'excitation des voyages de nuit quand elle était petite fille. Elle avait toujours aimé les bruits et les risques des gares. Et son voyage à Calcutta était le premier qu'elle avait fait seule. Lorsque la foule la séparait du coolie, elle ne voyait plus que sa valise qui paraissait se propulser d'elle-même.

Le coolie s'arrêta devant la porte du buffet. La position rigide de sa tête enturbannée – une tête qui lui faisait gagner un *anna* la course, quel que soit le poids de la charge – lui donnait une sorte d'expression inquiète. Mais Sarah changea finalement d'avis. Si le train de Pankot était déjà en stationnement, elle pourrait peut-être faire ouvrir le compartiment où elle avait réservé sa place, s'y installer et se faire apporter un plateau. Elle donna ses instructions au coolie. Le vieil homme repartit et elle lui emboîta le pas. Ils remontèrent le quai sur toute sa longueur, jusqu'à un endroit où deux voies secondaires, séparées par un quai, aboutissaient chacune à un butoir. Sur l'une des voies, il y avait trois voitures éclairées, dont une aux flancs peints en bleu et blanc. Sarah n'avait jamais vu un train peint de telles couleurs. Le train de Pankot était garé en face. Elle reconnut ses wagons de bois désuets, aux parois agrémentées de motifs. Il n'était pas éclairé. Sur le quai il n'y avait que deux agents de police indiens, un employé des chemins de fer en casque colonial blanc et, un peu plus loin, des soldats jouant aux cartes sous un lampadaire. Elle interrogea l'employé. Le train n'était pas encore en service. Il n'avait pas la clé permettant d'ouvrir les portières. Mais il eut l'obligeance de l'aider à chercher son compartiment en éclairant avec sa lampe électrique les noms des occupants calligraphiés sur une carte glissée dans un cadre métallique fixé à la portière. Ils le trouvèrent en arrivant presque en pleine lumière, près des soldats. Elle éprouva une joie quasi enfantine en constatant qu'elle voyagerait en coupé et seule, car il n'y avait que son nom sur la carte. Ainsi, elle pourrait dormir tranquillement. « *Idhar thairo. Idhar thairo* », dit-elle au coolie. « Reste là ! » L'homme déchargea la valise, la posa précautionneusement sur le sol et s'assit à côté.

– Qu'est-ce que c'est que ce wagon bleu et blanc? demanda-t-elle à l'employé.

– Un wagon privé. Il appartient à un maharaja.

– Lequel.

– Je n'en sais rien. Il y en a tellement.

Elle le remercia de l'avoir aidée à trouver son compartiment. Il lui tardait d'arriver au buffet, qui serait plein de lumières et de bruits. Ce quai à peine éclairé la rendait mélancolique. Alors qu'elle était encore à une certaine distance du wagon bleu et blanc, elle en vit descendre un homme en costume blanc et panama. L'homme tenait une canne et il semblait se déplacer avec raideur. Au moment où elle le dépassait, il allumait une cigarette. Certaine qu'il s'agissait du comte Bronowsky, elle fit encore quelques pas, puis la curiosité la poussa à se retourner et à revenir vers lui.

– Comte Bronowsky? dit-elle.

Instantanément il se découvrit. Cependant, à la façon dont il la scrutait de son œil unique, elle vit qu'il ne la reconnaissait pas. S'était-elle trompée? Mais personne ne pouvait ressembler à ce point au comte, y compris le bandeau...

– Je suis Sarah Layton. Nous avons séjourné à la maison des hôtes au moment du mariage de ma sœur, en octobre.

– Miss Layton! Mais bien entendu. Pourquoi ne vous ai-je pas immédiatement reconnue? Ah, j'y suis! C'est votre uniforme.

Il saisit sa main tendue et la porta à ses lèvres.

– Le nabab sahib et moi-même avons appris avec consternation la mort du capitaine Bingham, reprit-il.

Son accent très prononcé surprit Sarah. A Meerut, elle n'avait pas remarqué cette élocution presque comique. Mais elle ne s'étonna pas de ce qu'il ait retenu le nom de Teddie. La mémoire proverbiale du Premier ministre du nabab comptait parmi ses nombreux dons.

– Nous avons été très touchées de votre lettre, dit-elle. Vous venez de séjourner à Ranpur?

– Non. Et vous-même?

– Moi non plus. J'arrive de Calcutta et dans deux heures je pars par le train de Pankot. C'est celui-là. J'étais venue vérifier si ma place était bien réservée, et à présent je vais au buffet.

– Ma chère Miss Layton, je ne le souffrirai pas. Une jeune fille seule! Au surplus vous attendrez vingt minutes une nourriture indigeste, qui vous empêchera de fermer l'œil de toute la nuit. Non. Nous pouvons faire mieux, beaucoup mieux.

Transférant dans la main qui tenait la canne son chapeau et sa cigarette, il saisit le coude de Sarah et la guida vers les marches du wagon du nabab. Sarah tenta de protester.

– Ne dites rien, reprit-il. Je vous invite. Au nom du nabab sahib, car il n'est pas ici. Un dîner qui, j'espère, vous plaira, dans un cadre nettement plus agréable. Et non seulement vous me ferez plaisir, mais vous réjouirez un beau jeune homme anglais qui s'ennuie en ma compagnie, bien que sa bonne éducation l'empêche de le montrer. Et aussi son sens du devoir, qui lui fait écouter mes moindres paroles comme si elles importaient. Et Ahmed va nous rejoindre. Vous vous souvenez de lui? Est-ce que vous aimez le champagne? Mais je vous pose là une question ridicule. Bien sûr, vous l'aimez! Voyons, nous pourrions avoir du caviar, puis un pâté de gibier en croûte ou, mieux encore, melon et jambon fumé. En présence du nabab sahib, je dois me priver de jambon fumé, évidemment. Le champagne vient de ma réserve personnelle, constituée avant la guerre. Depuis le début de l'année je m'en montrais parcimonieux, mais le débarquement allié en France me laisse espérer que nous recevrons de nouveaux arrivages dans un temps relativement rapproché.

Dès le haut des marches, les pieds s'enfonçaient dans un tapis moelleux. La porte intérieure était fermée. Sarah attendit le comte Bronowsky qui montait avec difficulté, à cause de la raideur de sa jambe. Elle s'étonnait de n'avoir pas plus remarqué son infirmité que son accent. Sans doute parvenait-il à masquer la première lorsqu'il pouvait – elle le revoyait au Gymkhana Club de Meerut – marcher à pas lents. Ayant enfin négocié les marches raides du wagon, le comte Bronowsky ouvrit la porte devant Sarah. Elle découvrit un salon rouge et or – une salle du trône ambulante où Nicolas, le dernier tsar de toutes les Russies, se serait senti chez lui. Il y avait des tables portant des lampes à abat-jour rouge, des fauteuils dorés au capiton cramoisi, comme celui des canapés et des tabourets bas. Tout au bout, une embrasure à moitié masquée par une tenture de velours retenue par une embrasse laissait entrevoir une table couverte d'une nappe d'un blanc éblouissant – peut-être un buffet froid.

A l'entrée de Sarah et du comte Bronowsky, le jeune Anglais leva la tête d'un air surpris. Avant de se mettre debout, il glissa rapidement dans sa serviette les papiers qu'il était en train de lire.

Bronowsky fit les présentations.

– Capitaine Rowan, dit-il. J'ai arrêté Miss Layton sur le chemin du buffet. Le nabab sahib et moi avons eu le plaisir de sa présence à la maison des hôtes du palais, l'année dernière. A l'occasion du mariage de sa sœur.

Rowan s'inclina. Le comte Bronowsky avait parlé d'un « beau jeune homme ». Tel n'était pas l'avis de Sarah. Certes il était un peu plus jeune que Clark, et pas laid, mais il paraissait trop fermé pour être attirant. Il avait serré ses papiers dans sa serviette et, en se levant pour la saluer, il ne l'avait pas lâchée. Si la méfiance était une arme, cet homme-là était armé.

A l'autre bout du salon, un serviteur s'encadra dans l'ouverture communiquant avec l'autre partie du wagon.

– Commençons par le champagne, dit Bronowsky. J'avais songé à attendre Ahmed. Mais faut-il toujours se contraindre? Le champagne se boit dans des circonstances agréables, et votre présence parmi nous en est une. Tenez, Miss Layton, prenez ce fauteuil. Vous fumez? demanda-t-il en lui tendant un coffret d'argent empli de cigarettes roses à bout doré. Personnellement, je ne fume que le soir, dit-il quand ils furent installés, et avec excès, je l'avoue, mais ces cigarettes sont très légères. Mon initiation au tabac fut paradoxale : contrairement à ce qui arrive aux autres adolescents, c'est mon père qui m'a forcé à fumer alors que je n'aimais pas ça. Il trouvait mon aversion indigne d'un homme. Cela a duré tout un été, dans notre maison de campagne. Je n'avais que seize ans. Chaque jour, à dix heures du matin, je devais m'asseoir en face de lui, dans son bureau et fumer un cigare sous ses yeux, *sans donner le moindre signe de dégoût* sous peine d'être fouetté par mon précepteur britannique. Tout en sachant que la menace ne serait jamais suivie d'effet, car mon brave précepteur n'aurait jamais fait de mal à une mouche, et en méprisant mon père qui dissimulait sa lâcheté foncière derrière des airs pompeux, je mettais un point d'honneur à fumer jusqu'au bout cette chose répugnante en maîtrisant mes nausées.

» Mais l'hiver qui suivit, à Saint-Pétersbourg je me pris d'un goût pervers pour les cigarettes à bout doré que fumait une certaine dame que nous recevions souvent. Je dois vous préciser que ma mère était morte quand j'avais dix ans. Chaque fois que s'en présentait la possibilité, je fouillais dans le sac de cette dame pour lui voler une cigarette. Je sens encore sous mes doigts le contact de l'étui en écaille de tortue dans lequel elle les rangeait. Et le soir, fier de mon larcin, je fumais avec délices cette cigarette dans mon lit. D'où l'habitude dont je ne devais jamais me défaire : fumer le soir des cigarettes à bout doré, et roses de préférence. Quand on garde vivace une habitude juvénile, on a l'impression de retenir à jamais une parcelle de jeunesse. Et vous, Miss Layton, savez-vous ce que vous conserverez de vos jeunes années quand vous aurez mon âge?

– J'avoue que non.

– Il en va peut-être différemment pour les femmes. Quand elles deviennent mères, elle abandonnent leurs souvenirs d'enfance. Et puis leurs enfants grandissent et les quittent. Que reste-t-il alors des années qu'elles leur ont consacrées? Rien. Mais les femmes sont plus courageuses que les hommes. Elles acceptent la fin irrémédiable de leur tâche – je veux dire, au sens biologique. Tandis que les hommes s'accrochent à leur carrière. Évidemment, ils ignorent les métamorphoses du corps. Leur vie n'est pas scindée de la sorte. D'où, sans doute, l'importance qu'ils attachent à leurs souvenirs de jeunesse.

Le serviteur en gants blancs fit sauter le bouchon du champagne, emplit les coupes et les leur présenta sur un plateau d'argent.

– Capitaine Rowan, reprit Bronowsky, je n'avais pas l'intention d'introduire ce soir une note personnelle, mais l'heureuse présence de Miss Layton parmi nous me pousse à révéler pourquoi j'avais fait préparer du champagne. J'ai soixante-dix ans aujourd'hui. Avec sa délicatesse habituelle, le nabab sahib, qui se trouve à Nanoora, m'a adressé ce matin ses vœux par télégramme.

– Veuillez accepter les miens, dit le capitaine Rowan. Mais que vous souhaiter? Votre voyage ici semble couronné de succès.

– Merci, capitaine Rowan, dit Bronowsky en faisant signe au serviteur de remplir de nouveau les coupes. Miss Layton, avez-vous des nouvelles de votre père?

– Nous n'en avons pas reçu tout récemment. Mais nous pensons qu'il va bien.

– Sans doute reviendra-t-il bientôt. Comment se portent votre mère et votre sœur? Et surtout votre sœur.

– Elles vont bien, dit Sarah, qui ne voulait parler ni de son inquiétude ni de son chagrin.

– Et vous êtes allée seule à Calcutta! C'est un grand voyage.

– Ma tante y est installée depuis quelque temps.

– Vous parlez de Mrs Grace? Je me souviens parfaitement d'elle. Et du colonel, puisque c'est lui qui a conduit la mariée à l'autel. Savez-vous ce qu'il est advenu du garçon d'honneur, le capitaine Merrick?

Sarah hésita à répondre. Était-il opportun d'évoquer le triste état du blessé alors que ce vieillard célébrait son anniversaire? Et d'ailleurs, il ne posait sans doute cette question que par politesse.

– Il m'a beaucoup intéressé, reprit le comte. Un homme peu banal.

– En fait, je me suis rendue à Calcutta pour aller le voir à l'hôpital militaire.

– A-t-il été blessé?

– Oui, et assez grièvement, à côté de mon beau-frère qui, lui, a trouvé la mort. Ma sœur tenait à savoir si nous pouvions faire quelque chose pour le capitaine Merrick, car il a reçu ses blessures en portant secours à Teddie. Le chef de son unité l'a proposé pour une décoration.

– Oui, l'homme a du courage physique, dit Bronowsky qui était resté un instant songeur. On s'en aperçoit tout de suite. Dans quel état est-il?

– Il a perdu un bras. Sous le feu de l'ennemi il a extrait Teddie d'un véhicule en feu.

– Quel bras?

– Le gauche.

– C'est déjà ça, si j'ose m'exprimer ainsi. Je me souviens distinctement de certains de ses gestes : il est droitier. Vous savez de qui nous parlons, capitaine Rowan?

– Non, je ne vois pas.

– Vous ne pouvez pas le connaître personnellement, car ce n'est pas un militaire de carrière. Il vient de la police. Mais vous avez sûrement entendu parler d'une affaire criminelle sur laquelle il a enquêté. Le viol d'une jeune fille britannique à Mayapore, en 1942. L'affaire des jardins du Bibighar.

– Oui, maintenant je vois, dit Rowan en tirant calmement sur sa cigarette.

– Il était le chef de la police du district. A Meerut, j'ai eu là-dessus une longue conversation avec lui. Très intéressante. Il demeurait absolument convaincu d'avoir arrêté les vrais coupables, alors que pratiquement tout le monde, et moi le premier, estime qu'il s'était trompé. Est-ce que ces jeunes gens sont toujours détenus?

– Quels jeunes gens?

– Ceux dont je vous parle, qui ont été arrêtés et maintenus en détention sur des chefs d'inculpation politiques, mais qui ne sont jamais passés en jugement.

– J'avoue l'ignorer, comte.

– J'espère qu'on ne les oublie pas, qu'on ne les laisse pas tout simplement moisir. Il incombe aux autorités provinciales d'y veiller.

– Je suis sûr qu'on ne les oublie pas.

– Les Indiens, eux, s'en souviennent. Et malheureusement, pas toujours des personnages recommandables. Tel vénérable vieillard qui fit son apparition à Meerut l'année dernière s'est livré à de tortueux procédés d'intimidation. C'est certainement à son instigation que fut jetée la pierre

– vous vous souvenez de la pierre, Miss Layton? Il est de ceux que nous tenons à l'œil. Mais pardonnez-moi. Je m'étends sur un sujet attristant alors que nous devons faire dîner Miss Layton. Nous n'attendrons pas Ahmed. De toute façon, s'il venait ce ne serait sans doute que pour le champagne, dit Bronowsky en se levant. Ne vous souciez pas, rassura-t-il le capitaine Rowan en le voyant consulter sa montre, nous partirons à l'heure prévue. Ahmed s'en occupe. A présent, allons dîner.

Ils passèrent dans la partie du wagon aménagée en salle à manger. En les voyant entrer, les deux serviteurs découvrirent les plats.

***

– Je vais devoir vous quitter, dit Sarah en reposant sa tasse à café.

Sa montre marquait minuit moins vingt. Depuis un moment, les bruits extérieurs indiquaient une grande animation sur le quai. Elle l'avait d'ailleurs constaté en écartant brièvement les rideaux de velours rouge fermant la vitre à côté de laquelle elle était assise : il y avait beaucoup de soldats, des familles indiennes attendant à côté de leurs montagnes de bagages fermés par des cordes; certaines femmes étaient voilées. Le train de Pankot était éclairé mais son wagon était trop loin pour qu'elle pût apercevoir le coolie qui devait attendre au pied des marches du coupé en veillant jalousement sur la valise.

– Accordez-nous encore cinq minutes, insista Bronowsky.

Il avait fait rapporter du champagne pour ses invités, il les régalait de souvenirs de la Russie d'avant 1914 et de l'Europe des années 20, mais depuis une dizaine de minutes Sarah craignait tellement de manquer son train qu'elle ne l'écoutait plus vraiment. Heureusement, le capitaine Rowan, qui semblait avoir pleinement conscience du temps qui passait, lui lançait de temps à autre des regards rassurants.

– Non, comte Bronowsky. Si je reste cinq minutes de

plus je n'aurai plus du tout envie de partir. Et puis, il faut encore que je fasse ouvrir mon compartiment.

– Je me conduis en égoïste, dit le comte en posant son verre. Mais Ahmed sera déçu. Il parle souvent de vous, ajouta-t-il en se levant, imité par ses invités. Merci de m'avoir fait un tel cadeau d'anniversaire, dit-il en lui baisant la main. Reviendrez-vous à Meerut? Bientôt?

– Oui, cela me ferait grand plaisir.

En prononçant ces paroles de courtoisie, Sarah s'aperçut qu'elle était sincère, et la séparation lui parut alors beaucoup plus dure, parce qu'il y avait peu de chances qu'elle revoie le comte, qu'elle retourne à Meerut.

– Au revoir, capitaine Rowan, dit-elle en lui tendant la main.

– Non. Je vous conduis à votre compartiment.

Mais le comte intervint. C'était à lui qu'il revenait d'escorter Miss Layton. Sarah crut lire une déception sur le visage du capitaine, comme si l'initiative du comte Bronowsky dérangeait ses plans. Toutefois, elle mit cette idée sur le compte de son imagination, puisqu'elle ne connaissait pas le capitaine Rowan et que, selon toute vraisemblance, elle ne le reverrait jamais.

Le comte Bronowsky passa devant. Une fois sur le quai, il tendit la main à Sarah pour l'aider à descendre.

– Tiens, il y a des cordes pour barrer l'accès à votre train, remarqua la jeune fille.

– Sans cela, les voyageurs n'arrêtent pas de monter et on s'époumonne à leur expliquer qu'il s'agit d'un train privé.

L'agent de police posté au bout de ce barrage détacha une corde pour les laisser sortir. Cinq autres agents se tenaient à proximité; en arrivant, Sarah n'en avait vu que deux. Elle trouva étrange une telle protection, alors que le nabab ne se trouvait pas dans son train privé. Elle avait cru comprendre, d'après les propos échangés entre Bronowsky et Rowan, que le comte devait rejoindre le monarque à Nanoora.

Et justement, une locomotive arrivait lentement en marche arrière sur la voie du train princier.

– Voilà notre machine, remarqua le comte, qui marchait à la gauche de Sarah et la guidait en lui tenant le coude. Nous devons partir à minuit et demi. J'espère qu'Ahmed ne tardera pas. Sans ça, le trafic ferroviaire est tel que nous ne pourrions plus quitter Ranpur qu'à deux heures du matin. Regardez! Ce doit être votre coolie. Il vous fait des signes. A qui faut-il demander d'ouvrir votre compartiment? Cet employé, avec le casque blanc?

Bronowsky leva sa canne. Le coolie chargea la valise sur sa tête et se dressa, raide et attentif. L'employé au casque blanc n'était pas celui à qui Sarah avait parlé, mais il avait la clé. Il déverrouilla la portière du coupé, y grimpa, alluma les lumières, mit en marche les ventilateurs. A son tour le coolie grimpa dans le coupé, y déposa la valise de Sarah, puis descendit et la salua en touchant son turban. Elle avait préparé pour lui deux roupies – trente-deux fois le prix d'une course normale. Mais Bronowsky lui retint la main et glissa au vieillard un billet plié qui devait être de cinq roupies car, après avoir salué pour remercier, il resta sur place, comme s'il avait contracté l'obligation de voir partir cette dame, pour la remettre lui-même en sécurité dans les mains de Dieu.

Dans le compartiment jouxtant son coupé, il y avait trois jeunes officiers arrivant apparemment tout droit du pays, et qui ne la quittaient pas des yeux, pensant certainement que ce vieillard à la canne d'ébène et au bandeau sur l'œil était son père, un sahib à la mode ancienne. Sarah aurait voulu leur dire qu'ils se trompaient, que tout cela n'était qu'apparence.

– Vous avez un plaid et toutes ces choses nécessaires? lui demanda Bronowsky.

– Oui, dans ma valise.

– Et vous n'avez pas oublié la clé de votre valise à Calcutta?

Elle rit mais n'en regarda pas moins dans son sac. Non, elle ne l'avait pas oubliée.

– Je vous en prie, comte Bronowsky, dit-elle en lui tendant la main, ne vous attardez pas. Je vous remercie de ce merveilleux dîner. Et... bon anniversaire!

Il saisit la main de Sarah, mais resta d'abord silencieux. De son œil unique, il la contemplait.

– Vous êtes très indépendante, n'est-ce pas? Je n'avais pas remarqué ce trait lors de votre séjour à Meerut. Mais l'occasion ne s'y prêtait pas, car on ne s'occupait que de la mariée. Celui qui vous a remarquée, c'est Ahmed. Il a beau prétendre que les jeunes filles blanches le laissent insensible, je l'ai observé, quand ses séances matinales d'équitation le conduisaient dans le grand espace vide que dominent mes fenêtres : il refaisait exactement la même promenade, s'arrêtait aux mêmes arbres, mettait sa bête au trot sur le même chemin. En vous disant cela, je me démasque, n'est-ce pas? remarqua-t-il en souriant. Eh bien, oui, je vous avais vus ensemble. Mais je ne vous épiais pas. Simplement, je vous avais aperçus par hasard, et le spectacle que vous offriez m'a retenu. Parce que, la veille, Ahmed m'avait prévenu : « C'est entendu, je l'escorterai, mais je chevaucherai derrière elle. Nul ne pourra dire qu'Ahmed Kassim ne sait pas se tenir à sa place. Et d'ailleurs, cela me fera bien rire! » Cependant, je doute qu'il en ait vraiment ri. Vous me comprenez?

– Oui.

– Mais vous ignorez pourquoi je vous confie cela. Et je n'en suis pas très sûr moi-même. Le champagne y est certainement pour quelque chose. Et en plus, à la différence de bien des gens, je deviens intarissable quand arrive le moment des adieux. Parce que je crains de ne jamais revoir ceux qui partent, et de garder sur la conscience le poids de ce qui n'a pas été dit. Il se peut aussi que je bavarde ainsi pour ne pas vous laisser l'occasion de me poser certaines questions auxquelles je serais dans l'impossibilité de répondre. Pardonnez-moi si, en parlant de la sorte, j'épaissis encore le mystère. Et d'ailleurs, les mystères ne sont pas désagréables, surtout pour les personnes jeunes. Il est de beaux mystères qui vous ouvrent l'esprit.

Sur le quai, le premier coup de sifflet retentit. Bronowsky serra encore plus fort la main de Sarah en l'assurant qu'elle avait encore tout son temps.

– Ne vous méprenez pas sur le compte d'Ahmed, reprit-il. Quand j'ai dit qu'il refaisait le parcours de votre promenade à cheval avec lui, je ne suggérais rien de romanesque. Ce garçon voit les choses avec objectivité, mais il reste spectateur, non acteur. S'il doit vraiment participer à une action, il ne le fait qu'avec détachement. Il est indifférent aux passions qui soulèvent ses compatriotes. Encore qu'on puisse comprendre une telle réaction de rejet chez quelqu'un dont la famille ne vit que pour la politique, elle est tout de même rare dans ce pays. Récemment, sa mère lui a demandé de bien méditer une phrase de son père dans une lettre envoyée de la prison : « Ce que nous cherchons, c'est un pays. » Et il m'a confié : « Ce pays est là et nous aussi. Mon seul commentaire, c'est que nous devrions cesser de nous quereller à son sujet et commencer à y vivre. Qu'est-ce que cela peut faire qu'il soit dirigé par les uns ou par les autres, que les uns croient au Christ et les autres à Allah ou aux divinités hindoues, que les uns aient la peau foncée et les autres la peau claire ? »

– Oui, dit Sarah, qu'est-ce que ça peut faire ?

Le second coup de sifflet s'éleva.

– Il ne m'avait jamais parlé aussi sincèrement. Je sens que, d'une certaine façon, il y a un rapport entre ces réflexions et le parcours matinal qu'il refait à cheval. Et il me semble qu'il cherche à retrouver quelque chose.

– Oui. Il y a eu un certain instant... Il restait toujours en arrière.

– Vous lui avez demandé de s'en expliquer ?

– Non. Vous nous observiez, n'avez-vous donc rien vu ?

– Je vous ai vus partir au galop en direction du *nullah*. Vous étiez trop loin pour que je vous distingue vraiment. Mais à présent, cela me revient : vous sembliez avoir des difficultés à retenir votre cheval.

– Ce n'était qu'une feinte. Et pendant un instant, j'ai supprimé l'écart entre nous.

– Et puis ?

– C'est tout. Il a attendu que je reparte en tête.

Le troisième coup de sifflet s'éleva.

– Merci, Miss Layton, dit Bronowsky. A présent, il vaut mieux que vous vous installiez dans votre compartiment. Mais ne refermez pas la portière. Nous avons un supplément de bagages pour vous, expliqua-t-il en montrant un des deux serviteurs qui apportait un panier.

Le comte aida Sarah à monter dans le compartiment. Le serviteur la suivit et déposa le panier sur le sol. En redescendant, il ferma la portière. Par la vitre baissée, elle se pencha en souriant vers le comte.

– Le champagne est pour le baptême, lui dit-il en haussant la voix pour être entendu malgré le tumulte. Mais il y a aussi des petites choses à grignoter si vous avez faim. Fermez bien les vitres, verrouillez la portière et abaissez les stores. Si vous avez le moindre ennui, frappez à la cloison. Les jeunes officiers du compartiment voisin vous ont assez regardée pour se faire un plaisir de vous venir en aide. Et quand vous écrirez au capitaine Merrick, rappelez-moi à son bon souvenir et dites-lui que je n'ai pas oublié notre conversation. Il comprendra ce que je veux dire.

– Oui, comptez sur moi. Encore merci pour tout.

Le quatrième coup de sifflet retentit et presque aussitôt le train s'ébranla. Bronowsky restait immobile sur le quai, appuyé sur sa canne et tenant son panama contre son cœur. A cause du mouvement du train, Sarah eut l'impression qu'il reculait. Puis des groupes de personnes le cachèrent à sa vue. Elle aperçut encore le train du nabab, échoué sous les taches lumineuses des rares lampadaires. Il lui sembla entrevoir deux silhouettes, celles d'un homme et d'une femme voilée, qui pénétraient dans le périmètre fermé par des cordes – image si fugitive qu'elle se demanda même si elle ne l'avait pas rêvée.

Elle s'affaira dans le coupé, verrouilla les portes, baissa les stores, étala le drap et la couverture sur la couchette, gonfla son oreiller pneumatique. Puis elle s'étendit. La veille, à la même heure, elle était déjà entrée dans la plénitude de son corps.

Heureuse? avait-il demandé. Je suis bien. Alors, nous sommes amis? Non, pas amis. Ennemis? Non, pas ennemis – mais encore étrangers. Alors, nous recommençons? Elle tourna sa tête sur l'oreiller, désirant cet homme parce qu'elle n'en connaissait pas d'autre. Le désir était une douleur exquise.

Elle s'assoupit, se réveilla, tira sur elle la couverture parce que le froid se ferait sentir en montant dans les collines, mais n'eut pas le courage de se lever pour éteindre la lumière et arrêter les ventilateurs. Elle s'assoupit de nouveau, sans parvenir pourtant à dormir vraiment, parce qu'elle essayait de remettre bout à bout tous les moments de la nuit précédente.

Il n'était pas tout à fait deux heures et demie et il la raccompagnait. Ils traversaient la zone dangereuse. Vous êtes triste? avait-il demandé. Non, simplement silencieuse. Vous savez être bien et vous savez vous taire. Vous mènerez une bonne vie. « Je t'ai attendue, ma chérie, avait dit tante Fenny. Susan était dans la véranda. Soudain, elle a vu tante Mabel poser son panier sur la balustrade entre deux azalées et s'asseoir. Et tante Mabel est morte. »

V

A quatre heures, un serviteur réveilla Ahmed. Une demi-heure plus tard, vêtu d'un complet de serge gris foncé dû au tailleur de Bronowsky, il sortit dans le couloir et alla frapper à la porte du compartiment de sa mère. Elle était étendue toute habillée sur sa couchette. Sur l'autre couchette sa servante ronflait, le dos tourné à la lumière éclairant la tête de sa maîtresse.

– C'est l'heure? demanda Mrs Kassim à voix basse.

– Oui, mère. Ne vous levez pas.

– As-tu dormi?

– Oui. Avez-vous besoin de quelque chose?

– Non, Ahmed, je te remercie.

– Vous n'auriez pas dû veiller.

– Comment aurais-je pu m'en empêcher? Reste avec moi jusqu'à l'arrêt du train, mais taisons-nous. Cette pauvre Farina est très fatiguée. Tu es très élégant, murmura-t-elle tandis qu'il s'asseyait au bord de la couchette.

Elle ferma les yeux et lui étreignit la main, comme pour le remercier de s'occuper ainsi d'elle. Il remarqua qu'en six mois les cheveux de sa mère avaient beaucoup blanchi. Que pensait-elle vraiment? Il ne l'avait jamais su. Elle s'était toujours fait l'écho des paroles de son mari. Il aurait voulu lui demander ce que lui avait apporté cette vie tout entière de dévouement et de sacrifice.

Peu après, le train ralentit et roula bientôt pratiquement au pas. Dans ces cas-là, Ahmed avait toujours l'impression que la machine se transformait en créature intelligente cherchant sa route au milieu d'une forêt d'obstacles.

Ahmed se pencha pour recevoir le baiser de sa mère.

– Tu as bien la lettre?

– Oui, ici, dit-il en tapotant son veston à la hauteur de la poche intérieure.

Elle le regarda sortir et refermer la porte. Dans le couloir, il alluma une cigarette puis se dirigea vers le wagon-salon. A son passage, un serviteur qui sommeillait se réveilla brusquement. Ahmed trouva Bronowsky installé dans un fauteuil. Il lisait un petit volume relié en fumant une de ses cigarettes roses.

– Je me suis livré à plusieurs de mes vices personnels : veiller quand les autres dorment, lire Pouchkine, boire du champagne. En voulez-vous une coupe? Mais non, vous préférez sûrement quelque chose de plus fort. Apporte un whisky à Kassim sahib, dit-il au serviteur. Un grand. Et sec.

– Est-ce que le capitaine Rowan est levé?

– Je le suppose. On l'a réveillé à quatre heures et quart. Tenez, j'ai un cadeau pour vous, dit Bronowsky qui, voyant Ahmed avaler une grande gorgée de whisky, lui tendit une gousse d'ail. Mâchez-la avant d'arriver à destination, mais veillez à ne pas souffler votre haleine dans la direction du capitaine Rowan. Sa courtoisie l'empêcherait de se détourner. Savez-vous qu'il attend plus ou moins sa nomination au Département politique? Je suppose que Sir Malcolm lui a confié la présente affaire surtout pour lui mettre le pied à l'étrier. Mais je suis sûr qu'il se signalera. Cet homme a un talent pour découvrir ce qui l'intéresse en bavardant de la façon la plus anodine, et pour feindre l'indifférence quand surgit l'information qu'il voulait.

– Que voulait-il savoir hier soir?

– Le maximum sur Merrick, l'incident de la pierre et le Pandit Baba. Comme je lui demandais s'il savait qui était le capitaine Merrick, il a prétendu que non. Mais on n'en conte pas à un vieux routier comme moi. Je l'ai senti en alerte quand j'ai parlé de Merrick à Miss Layton puis, un peu plus tard, quand je vous ai informé devant lui que Merrick avait perdu un bras. Une fois que nous nous sommes retrouvés seuls, il a ramené la question sur le tapis avec une grande habileté, en me demandant dans quelles circonstances j'avais perdu un œil. Évidemment, je lui ai facilité les choses. Lui et moi sommes des hommes de métier.

– Vous voulez me faire comprendre que je dois surveiller mes paroles devant lui? Vous savez bien que je ne parle jamais à tort et à travers, remarqua Ahmed en souriant.

Le jeune homme avala de nouveau une bonne gorgée de whisky. Il n'arrivait pas à démêler s'il avait finalement contracté, ou non, un goût pour cet alcool.

– Non, j'essaie de vous montrer comment opèrent les Anglais pour réinstaurer un principe de justice, afin de mettre leur conscience en repos, tout en s'efforçant de préserver le *statu quo* obtenu justement par la violation de ce principe. Si, comme j'ai tout lieu de le croire, Rowan sait qui est Merrick, le fait qu'il ait prétendu le contraire signifie que les dossiers des six malheureux jeunes gens emprisonnés à cause de l'affaire Manners viennent d'être déposés sur le bureau de Son Excellence. On va donc réexaminer leur mise en détention, et la réputation de ce pauvre capitaine Merrick va en souffrir beaucoup plus que de sa simple relégation dans un poste reculé, qui permettait à la justice de ne pas perdre la face – puisque sa sacro-sainte impartialité était préservée par la mise à l'écart d'un protagoniste gênant. Si mon interprétation est exacte, vous comprenez donc pourquoi le capitaine Rowan s'intéresse à l'ancien chef de la police du district de Mayapore?

– Non, comte sahib. A cette heure matinale, j'en suis incapable. Et d'ailleurs, nous arrivons.

– Ahmed, il vous arrive d'être si bouché qu'on a envie de vous mettre au pain et à l'eau pendant une semaine! Écoutez-moi : il y a toutes les chances pour que les six jeunes gens emprisonnés soient innocents, pour que le capitaine Merrick ait commis un abus de pouvoir. Comment rééquilibrer les choses? Mr Merrick va recevoir une décoration pour bravoure au feu – ce qui résout la question de son avenir, dans le civil ou dans l'armée. Son amputation d'un bras ne pouvait mieux venir à point! On referme les dossiers des jeunes gens et on les libère. Et tout rentre dans l'ordre. Mr Merrick n'aura pas à répondre de ses actions.

– Vous pensez qu'il aurait dû répondre de certaines choses?

– Assurément.

Le train s'immobilisa. Ahmed alla regarder par la vitre. Dans la lumière diffuse, il vit une limousine appartenant au nabab et un camion de l'armée. Il finit son whisky et regarda Bronowsky.

– *Courage, ami,* dit Bronowsky en français. *Le Diable est mort.*

Ahmed se répéta ses paroles pour les traduire.

– En êtes-vous sûr? dit-il.

Ils attendirent Rowan.

***

Ils avaient dépassé la ville. Les vitres de la limousine étaient à demi baissées. De temps en temps, des éclairs de chaleur incendiaient le ciel et le paysage aride.

– La mousson se rapproche, dit Rowan. Avec un peu de chance, nous aurons de la pluie demain.

Ahmed en convint, tout en restant mentalement sur la défensive. Mais, entre gens civilisés, où pouvait se situer le danger dans cet échange de propos sur le temps? Ne revêtaient-ils pas, l'un et l'autre, un personnage stéréotypé? Rowan, l'incarnation du Britannique, le geste sobre, la parole encore plus contenue, mais intérieurement ému de son entremise, qui lui assurerait une place modeste dans les coulisses de l'histoire. Et lui-même, le plus jeune fils d'un vétéran musulman du Congrès, – le fils qui, pour n'avoir rien fait de bon, avait été relégué dans un État princier où son attitude ne pouvait gêner personne –, un garçon aimant la boisson et les femmes, imperméable à la politique, un fils prodigue, preuve vivante que les meilleures familles peuvent malheureusement donner naissance à des bons-à-rien.

– Souhaitez-vous encore discuter de certains points? demanda Rowan.

– Non. Tout est clair.

Ahmed se dit que, pour lui, les choses étaient même plus claires que pour Rowan, sans que ce soit pourtant une certitude. Il chercha dans sa poche la gousse d'ail et, non sans une certaine gêne, se la mit dans la bouche. Rowan lui jeta le regard d'un garde qui, menant un prisonnier à l'interrogatoire, veille à ce qu'il ne fasse pas de tentative de suicide. La suspension de la limousine amortissait les cahots de la chaussée défoncée avec plus de souplesse que le camion qui la précédait pour lui ouvrir la voie, et où deux hommes de la police militaire britannique résistaient stoïquement, vaguement hypnotisés par les pinceaux des phares.

Brusquement, la limousine se retrouva tout contre l'arrière du camion.

– Je crois que nous y sommes, dit Rowan.

Le camion franchit sur un petit pont une sorte de fossé. La limousine suivit. Ils entrèrent dans une aire non ceinte de murs, où se dressait la Circuit House [1] dont plusieurs fenêtres était éclairées. On voyait des gens se déplacer sous la véranda. Devant le bâtiment, deux autres véhicules étaient déjà garés. Ahmed descendit de la limousine et suivit Rowan. Sous la véranda, Rowan serra la main d'un Britannique en civil et d'un autre en uniforme de la police. Mais comme il se retournait pour faire les présentations, Ahmed dit :

– Si vous le voulez bien je vais attendre là-bas.

1. Bâtiment où siégeaient les juges en tournée (« circuit »). *N.d.T.)*

Et il alla prendre place au bout de la véranda, à un endroit où se trouvaient une chaise et une table.

– Ne voulez-vous pas rencontrer le commissaire de division? demanda Rowan qui était venu le rejoindre.

– Pas maintenant, à moins que ce soit capital.

– Très bien, dit Rowan en s'éloignant.

« Très bien ». Une expression dont les Anglais abusaient et qu'Ahmed n'avait jamais comprise. Rowan et les autres devaient croire qu'il s'isolait d'eux par affectation de patriotisme, alors qu'en fait il voulait rester le plus longtemps possible extérieur à une situation dans laquelle il n'était qu'un pion.

Très loin, une lumière apparut et disparut aussitôt. Ahmed se raidit mais resta immobile sur sa chaise. Enfin la lumière reparut, cette fois beaucoup plus proche : les phares d'un véhicule qui paraissait rouler très vite. Ahmed se leva et se dirigea vers les marches de la véranda, sans se retourner vers Rowan dont l'ombre s'allongeait dans le pan de lumière s'échappant de la porte ouverte. Il l'entendit rentrer et parler aux autres. L'auto ralentit, vira et vint stopper devant le bâtiment. Ahmed resta un instant ébloui par l'éclat des phares qui avaient brusquement troué la nuit. Puis il distingua un officier qui avait dû être assis à l'avant et qui maintenant ouvrait la portière arrière. Le jeune homme descendit les marches.

Un vieillard émergea du véhicule, saisit le bras de l'officier et se redressa lentement, la tête tournée vers la lumière. Puis il mit sa main en visière devant ses yeux.

– Ahmed? C'est toi? Tu es là?

L'officier se recula, et le vieillard s'accrocha des deux mains au bras gauche d'Ahmed.

– Oui, père.

– Ta mère, Ahmed? Comment va ta mère?

– Elle va bien. Vous la verrez bientôt.

– Ils ont libéré le Mahatma, parce que la pauvre Kasturbaï est morte.

– Je le sais. Mais ce n'est pas pour cela.

– Alors, Dieu est bon envers moi.

Le vieillard se cramponnait à Ahmed. Il tremblait. L'officier s'était détourné.

– Venez, dit Ahmed, montons nous asseoir.

Lâchant le bras de son fils, le vieillard regarda le bâtiment avec méfiance.

– Qui se trouve ici? demanda-t-il.

– Un aide de camp du gouverneur et deux autres que je ne connais pas.

– Tant de monde? Y a-t-il une pièce où je puis être seul?

– Nous pouvons parler sous la véranda.

– Non. J'ai besoin de quelques minutes de solitude. Dis à cet officier de s'en occuper.

– J'y vais moi-même.

La pièce dans laquelle Ahmed pénétra était sommairement meublée. Rowan et les autres étaient debout autour d'une table de bois blanc. Il s'adressa à Rowan, sans même regarder le commissaire et l'homme en uniforme de la police.

– Mon père demande qu'on mette à sa disposition une pièce où il pourra s'isoler quelques minutes.

– Il y a une pièce au bout de la véranda, dit le commissaire.

– Est-ce pour accomplir des devoirs religieux? demanda Rowan à Ahmed.

– Au Fort, personne n'a pris soin de le rassurer sur la santé de ma mère. Il s'attendait au pire. Il a besoin d'être seul pour se ressaisir.

– Je suppose que le commandant du Fort a cru devoir s'en tenir strictement à ses instructions, mais je suis désolé que Mr Kassim ait pu concevoir des inquiétudes. Je pense que nous devrions mettre cette salle à la disposition de Mr Kassim, dit-il au commissaire, et nous retirer nous-mêmes dans la pièce dont vous avez parlé. Peut-on s'y rendre autrement que par la véranda?

Le commissaire marmonna quelque chose et, suivi de Rowan et du policier, il sortit par la porte du fond. Ahmed alla chercher son père. Il le trouva assis dans la voiture. Il l'aida à en sortir et le soutint pour monter les marches. Dans la salle, la lumière crue du plafonnier révéla les ravages de près de deux ans de captivité. Mohammed Ali Kassim flottait dans sa tunique longue à col droit. Il avait les joues creuses. Sur ses cheveux devenus tout gris, le calot du Congrès semblait trop grand. Le nez busqué donnait à ce visage amaigri une expression à la fois avide et inquiète.

– Père, voici une lettre que mère vous a écrite il y a quelques heures. Je vais vous laisser en prendre connaissance.

– Ta mère est par ici?

– Pas très loin.

– Reste avec moi, dit Mohammed Ali Kassim en regardant Ahmed pour la première fois depuis leur entrée dans la salle. Il faut que nous parlions. Tu as grandi, tu t'es étoffé. Tu as atteint ta stature d'homme. Tu me domines pratiquement d'une tête. Tu sais, ils ne m'ont informé de rien. Simplement, hier, à cinq heures, ils m'ont dit de rassembler ce qui m'appartenait et de me coucher tôt pour dormir quelques heures. Est-ce qu'on me libère ou suis-je transféré dans une autre prison?

– Vous êtes libéré, dit Ahmed, mais il avait marqué une légère hésitation.

– A quelles conditions? Non, ne réponds pas. Assieds-toi et laisse-moi lire la lettre de ta mère.

Laissant son père installé à la table, Ahmed préféra aller s'asseoir près de la porte qui était restée ouverte. Il faisait très chaud dans la salle, parce que le ventilateur n'était pas en marche. Sans se presser, son père sortit ses lunettes de leur étui et les chaussa. Seul le léger tremblement de ses mains révélait son émotion. Bien que la lettre fût courte, il s'y attarda, la lisant avec cette concentration que lui avait toujours connue Ahmed. Minutes, résolutions, lettres étaient longuement scrutées et analysées. Pourquoi y passe-t-il tant de temps? avait un jour demandé Ahmed. Parce qu'il lit entre les lignes, avait répondu sa mère.

Mohammed Ali Kassim replia la lettre et la glissa dans l'enveloppe. Il retira ses lunettes, les remit dans l'étui et remit l'étui dans sa poche.

– Ta mère dit qu'elle espère que j'accepterai, mais que

je ne dois pas me laisser influencer par des considérations familiales ou privées. Explique-moi ce qu'on me demande d'accepter. Elle ajoute simplement qu'elle se rend à Nanoora pour y séjourner auprès du nabab, mon parent, et que ce pourrait être le lieu de notre réunion. Je suis donc, moi aussi, invité dans l'État de Meerut?

– Oui.

– Comme hôte du nabab?

– Oui. Ils appellent ça... sous sa protection.

– Je vois! Accueilli dans l'État souverain de Meerut, j'y jouirai de tous mes droits de citoyen pourvu que je ne fasse rien qui puisse mettre le nabab dans une situation désagréable, c'est-à-dire rien qui puisse déplaire au gouvernement. Et si je sors de l'État, si je retourne à Ranpur par exemple, on m'arrêtera de nouveau.

– Ils n'ont pas dit cela, père.

– Qui, « ils »?

– Le gouverneur.

– Tu as vu le gouverneur?

– Non, et mère non plus. Mais il nous a envoyé des émissaires. L'un d'eux est ici cette nuit.

– A l'instigation de qui agit-il? Certainement du vice-roi, lord Wavell. D'après les journaux et les lettres que j'ai reçus, il tient absolument à sortir du blocage politique résultant de l'incarcération des dirigeants du Congrès. Nehru est-il libéré aux mêmes termes que ceux qu'on me propose?

– Le vice-roi est au courant, mais l'initiative vient entièrement du gouverneur, Sir George Malcolm. Ce n'est pas une mesure générale.

– Ainsi, je serais le seul dirigeant du Congrès à être libéré sur parole?

– A ma connaissance, oui, père.

– Et pourquoi donc?

L'art consommé de l'avocat: une question brève, lancée d'un ton tranchant. Impossible de ruser, de répondre par un faux-fuyant.

– A cause de Sayed.

– Ainsi, on a des nouvelles de ton frère? dit calmement Mohammed Ali Kassim après un instant de silence.

– Oui.

– Il est mort dans un camp de prisonniers de guerre?

– Non, père. Il a été capturé.

– Je le sais bien. Il a été capturé par les Japonais en 1942, à Kuala Lumpur.

– Nous avons des nouvelles récentes, père.

Ahmed fit un effort sur lui-même. Ce qu'il allait devoir dire, peut-être son père ne le lui pardonnerait-il jamais. Sayed avait toujours été son préféré, celui qui ne le décevait pas, en qui il plaçait ses espérances. Ahmed voyait son père se tasser, reprendre son attitude de vieillard.

– Nous ignorons où il est interné, mais il se trouve dans un camp de prisonniers en Inde. Dès que les militaires ont appris qui il était, ils ont prévenu l'autorité civile à Calcutta qui, à son tour, a informé le gouverneur à Ranpur. Il a invité mère à venir le voir, mais sans dire pourquoi. Elle a donc refusé. Alors, il a envoyé un émissaire chez nous. Et elle m'a écrit à Meerut. Dans sa lettre, elle me disait qu'elle soupçonnait depuis quelque temps que Sayed combattait dans l'Armée nationale indienne parce qu'il y a six mois elle avait reçu un billet par porteur, non signé et annonçant simplement que Sayed la reverrait bientôt et qu'il lui envoyait toutes ses affections. En plus, une de ses amies croyait avoir reconnu la voix de Sayed dans une émission de radio japonaise à destination de l'Inde.

– Il est possible qu'un lieutenant Sayed Kassim ait été capturé à Manipur, mais c'est un homonyme.

– Il est major à présent.

– Justement, c'est une confusion. Les prisonniers de guerre n'obtiennent pas de promotions.

– Il est major dans l'ANI, l'Armée nationale indienne.

– Qu'est-ce que tu me chantes? Sayed est le lieutenant Kassim du régiment des Ranpur Rifles. Comment avez-vous tous pu croire pareilles sornettes? Il y a méprise, un point, c'est tout! L'ANI n'est qu'une malheureuse poignée de fous dirigés par ce dément de Subhas Chandra

Bose. Un mégalomane qui a toujours été néfaste au Congrès. Pour commencer, il fuit l'Inde, reparaît à Berlin puis file à Tokyo. Il constitue ce gouvernement fantoche de l'« Inde libre », et il est possible que quelques Indiens de Malaisie endossent l'uniforme et se prosternent avec lui devant les Japonais, en croyant que si les Japonais gagnent la guerre, Subhas prendra la tête du pays. Ils sont égarés par leurs illusions et par la propagande. Mais l'Armée nationale indienne n'a pas d'existence. Si un major Kassim a été fait prisonnier à Manipur, c'est un garçon qui a eu la malchance d'accompagner les Japonais en tant qu'observateur pour Bose. Mais ce ne peut pas être Sayed. Sayed ne combattrait pas d'autres Indiens. Il n'aiderait pas les Japonais à envahir son pays.

– Des milliers d'Indiens ont été faits prisonniers par les Japonais en Malaisie et en Birmanie. Beaucoup pensaient que les officiers britanniques les avaient abandonnés. On parlait d'un chemin de fuite pour les Blancs...

– Tu les défends? Tu crois que ton frère était avec eux. Tu dis que c'est un traître? lança Mohammed Ali Kassim en se dressant. (Ahmed l'imita, mais sans se rapprocher de lui.) Tu oublies que Sayed est un officier indien par brevet du roi-empereur. C'était un remarquable élément, le premier officier indien de ce corps d'élite. Étant un homme politique, je ne souhaitais pas le voir entrer dans l'armée. Mais cela lui plaisait. Il m'a dit un jour qu'au mess ils étaient tous égaux, parce que le seul critère était celui de leurs qualités d'officier. Je l'ai trouvé naïf, et en fait, tel était son caractère. Il n'aurait jamais pu réussir en politique. Certains ne se gênaient pas pour me reprocher la carrière de mon fils et surtout son brevet royal. Des gens à courte vue. Quel genre d'indépendance pouvions-nous espérer si, une fois que nous l'aurions obtenue, nous n'avions pas été en mesure de la défendre par les armes? Et comment la défendre si nous n'avions pas des garçons comme Sayed, acceptant la discipline et la formation militaires des Britanniques? Et quand on est officier par brevet du roi, ce brevet n'est pas un simple chiffon de papier. Il représente un contrat. Toute notre législation musulmane est basée sur le contrat, sur la parole donnée et tenue. Quand on s'engage, on doit être prêt à mourir pour respecter son engagement. C'est une révélation divine, écrite dans le Livre saint et inscrite dans nos cœurs. Et tu viens me raconter que Sayed aurait eu l'infamie de l'oublier? D'oublier son honneur, celui de toute sa famille? Et voilà l'Inde pour laquelle j'ai été emprisonné! Non, l'homme dont tu parles n'est pas mon fils. Cet homme n'est pas Sayed.

– Nous avons reçu une lettre. Il a écrit à mère.

– C'est un faux.

– Il dit que vous pouvez l'aider. Parce qu'ils vont passer en cour martiale.

– Ah oui? Et alors?

– Il dit qu'il a refusé de combattre dans l'ANI jusqu'au moment où on lui a appris votre incarcération.

– Et quoi encore?

– Il nous demandait de vous transmettre ses affections. Il regrettait d'avoir échoué.

– Échoué à quoi?

– Échoué à marcher sur Delhi.

– A marcher sur Delhi? répéta son père comme s'il mâchait ses paroles. Qu'est-ce que c'est que cette ville? Une cité sur la lune? Alors, de nos jours, on marche sur sa capitale? A moins qu'il croie vivre encore sous l'empire mogol ravagé par les barbares? Et il m'imagine, enchaîné dans un cul de basse-fosse, et l'exhortant à lever une armée pour me délivrer? Dieu me garde d'une telle délivrance! Je refuse ses affections. Et qu'il garde ses regrets pour lui.

Le vieillard avait retrouvé sa voix de tonnerre qui faisait basculer les jurys, qui ramenait le calme dans une tumultueuse session de l'Assemblée législative et qui envoyait galoper les ministres à minuit dans les couloirs du Secrétariat. Ahmed alla fermer la porte. Il en profita pour se ressaisir et pour se fortifier dans sa résolution : il devait parler.

– J'ai fermé la porte, dit-il, parce qu'il vaut mieux qu'on ne nous entende pas. L'Armée nationale indienne existe bel et bien, et elle ne se compose pas d'une poignée de déments. Cela arrangerait les Anglais que tous les membres du Congrès parlent comme vous. Parce qu'une dizaine d'officiers indiens ralliés au camp japonais, quelle importance? Ils les passeraient par les armes pour trahison et sans susciter la moindre protestation. Mais des centaines d'officiers et des milliers d'hommes, voilà qui a une grande portée politique. Quoi que vous en pensiez individuellement dans votre parti, collectivement vous allez devoir les défendre, parce que l'Indien ordinaire ne verra aucune différence entre des hommes comme ceux-là, qui ont pris un fusil, envahi la Birmanie et marché sur l'Inde aux côtés des Japonais, et les hommes qui ont dit aux Indiens qu'ils n'avaient rien contre les Japonais et ont appelé tout le pays à la non-coopération avec les Britanniques pour saboter leur effort de guerre. Simplement, les jeunes gens qui ont pris le fusil paraîtront des héros comparés aux hommes d'âge qui se sont laissé incarcérer et n'ont rien subi d'autre que des désagréments personnels.

– Dans ce cas-là, je ferais mieux de retourner dans ma prison pour y vivre dans le confort relatif de mes désagréments personnels.

– Vous ne pouvez y retourner, père. Je sais que mère vous a dit qu'elle espérait que vous accepteriez, mais la vérité, c'est que le Fort vous expulse. Ils prétendront vous avoir libéré par compassion, et des hommes comme le gouverneur en éprouvent certainement à votre égard. Il vous connaît suffisamment pour savoir que vous ne serez pas fier mais honteux de Sayed. En fait, la véritable marque de compassion aurait été de vous garder enfermé, parce que cette incarcération est la garantie publique de votre honneur, non?

– Non. J'ai été enfermé d'autres fois, et je ne m'en suis jamais fait un honneur. Tu t'imagines qu'on éprouve de la fierté quand on regarde le monde à travers une lucarne en sachant qu'on ne vous permettra pas d'en voir plus? Ce qu'on éprouve, c'est de l'humiliation. Mais il est des circonstances dans lesquelles il faut choisir entre deux humiliations. J'ai déjà dû faire maintes fois ce choix, et je peux toujours le faire.

– Cette fois, père, je crains que vous n'ayez pas le choix.

– Et pourquoi donc? Ils peuvent me conduire de force à Meerut, mais on verra bien s'ils m'empêchent de retourner à Ranpur.

– Et vous y passerez votre temps à expliquer à vos amis et aux femmes de vos collègues que, bien qu'il n'y ait pas d'amnistie, vous avez été libéré sans conclure de marché avec le gouverneur ni avec Mohammed Ali Jinnah?

– Je dirai la vérité.

– Sur Sayed? Vous leur parlerez comme vous venez de le faire, en clamant que c'est un traître? Alors préparez-vous à démissionner du Congrès et demandez à la Ligue de Jinnah de vous accueillir dans ses rangs. Et s'il tient à sa future carrière de ministre, lui aussi dira que Sayed est un patriote!

Mohammed Ali Kassim avait ôté son calot et il n'avait cessé de le contempler pendant qu'Ahmed parlait. Il releva la tête, l'œil étincelant.

– Avec qui as-tu discuté? Ta mère est hors de cause, évidemment. Alors, ces représentants du gouvernement? Mon parent le nabab, cet homme sans caractère? Ce pédéraste européen, son émigré de *wazir*?

– J'ai discuté avec tous, mais pas de cela.

– Alors, je m'excuse de t'avoir sous-estimé, dit le vieil homme en fixant de nouveau son calot. Je croyais que ton désintérêt pour mes affaires venait de ton incompréhension. Mais ton analyse est pénétrante, elle m'ouvre les yeux et je t'en remercie. Au moment où j'apprends qu'un de mes fils est un déserteur et un traître, j'ai cette compensation de découvrir que, contrairement à ce que je pensais, l'autre n'est pas stupide.

Ahmed baissa les yeux. Il comprenait ce besoin de le blesser qu'avait eu son père. Ils restèrent tous deux silencieux. Finalement, Mohammed Ali Kassim reprit la parole :

– Pardonne-moi. Quand je pense que tu as fait tout ce chemin pour venir me voir! Tu sais, en prison on oublie que la vie continue, que les circonstances se modifient, que les choses avancent. Peut-être m'as-tu épargné de m'entêter dans des attitudes anachroniques et irréalistes, avoua-t-il en croisant ses mains sur la table, d'un air faussement assuré qui ne trompa pas Ahmed. Tu vas pouvoir incessamment appeler ces messieurs, mais je souhaite encore quelques éclaircissements. Pour commencer, qui a suggéré ma libération du Fort à condition que je sois placé sous la protection du nabab de Meerut?

– Le gouverneur, par le truchement d'un représentant. Mère m'a demandé de sonder le nabab à ce sujet.

– Nous n'avons donc pas à nous interroger sur les motifs initiaux du nabab et de son ministre, mais simplement à songer aux avantages politiques qu'ils pourront retirer de leur générosité. Quelles raisons le gouverneur a-t-il données pour motiver sa proposition?

– Il n'en a pas donné, mais il me semble facile de les inférer : le représentant a appris à mère le sort de Sayed, puis il a dit que le gouverneur était habilité – sous-entendu : par le vice-roi – à vous libérer dans les mains d'une tierce partie acceptable de part et d'autre. Il a promis à mère que, si elle obtenait l'accord du nabab, ce pourrait être fait sur-le-champ.

– A condition?

– L'unique condition était que rien ne s'en ébruite avant votre sortie du Fort. La thèse officielle sera qu'on vous relâche pour raisons de santé.

– Pourquoi ma santé?

– Parce que si on avait prétexté la mauvaise santé de mère, il ne manquerait pas de médecins pour certifier que toutes les épouses des membres du Congrès emprisonnés sont atteintes de maladies incurables.

– Et il pense aussi que cette thèse me paraîtra acceptable dans la mesure où, devant mes collègues du Congrès moins heureux que moi, elle me lave de toute collusion éventuelle avec le pouvoir en place.

– Ce point ne m'avait pas échappé, père. Et il y a encore autre chose, ajouta Ahmed d'un ton hésitant. Des dispositions pourraient être prises pour que vous puissiez voir Sayed.

– Où résiderai-je?

– Vous aurez un appartement au palais d'été de

Nanoora. La voiture nous conduira à Meerut, où le train privé du nabab est allé nous attendre. Mère est à bord, de même que Bronowsky. Le nabab est au palais d'été.

– Où je serai « protégé » par une garde pléthorique.

– Pas pléthorique.

– Mais qui ne laissera personne arriver jusqu'à moi. Bronowsky sait-il que Nanoora va être envahie par la presse, qui fouinera partout et inventera n'importe quoi sur mon état mental et physique?

– Il publiera des communiqués. Vous ne serez pas importuné.

– Évidemment, puisque personne ne pourra accéder jusqu'à moi. Certes, je ne doute pas que le nabab de Meerut se révèle un geôlier autrement prévenant que le gouvernement. Mais enfin, je continuerai à être prisonnier, et cette fois, ta mère partagera mon sort, – ce que j'ai toujours voulu lui épargner. Tu comprends bien tout cela, Ahmed?

– Oui, père. Et maintenant, dit-il en constatant que son père, sans rien ajouter, s'absorbait de nouveau dans la contemplation de son calot, puis-je aller les prévenir que vous êtes prêt?

Le vieil homme fit un signe de tête affirmatif. Mais juste au moment où Ahmed ouvrait la porte, la voix de son père s'élevant derrière lui le fit se retourner.

– Qu'essayais-tu de me dire? Que je dois me résigner à l'inévitable, et supporter cette humiliation après tant d'autres? Que je dois suivre l'opinion pour assurer mon avenir politique? Ou bien que je dois m'avouer vaincu, abandonner la scène et cultiver mon jardin? Figure-toi que je suis capable de faire pousser des choses. Au Fort, on m'a concédé un petit carré de terre... Malheureusement, nous ne vivons qu'une fois, et chacun a ses idées personnelles sur ce qui justifie son existence.

– Je le sais.

– Non. Tu l'ignores encore. A ton âge, tu as toute la vie devant toi.

Oui, songea Ahmed, mais quel genre de vie? Jusque-là, il n'avait existé que dans l'ombre de son père. Quand, à son tour, jetterait-il aussi une ombre? Le sang fouetté par ce désir, il crut entendre une voix intérieure l'appelant à la révolte.

Mais contre quoi? En Inde, il n'y avait qu'une seule forme de révolte, monopolisée par des vieillards. Entamée depuis bien longtemps, la partie n'était toujours pas terminée. Le jeu et les hommes avaient vieilli ensemble, et l'Inde avait vieilli avec eux.

– Eh bien? demanda Mohammed Ali Kassim, qu'est-ce que tu attends? Va les chercher. A moins que tu n'aies pas encore fini de t'expliquer? A ton sens, quel parti dois-je prendre?

Ahmed hésita. Le jeu avait mal tourné, mais son père y avait toujours figuré avec honneur. Il continuerait, c'était certain. Le malheur, c'était que son père ne cherchait pas un pays pour lui mais pour ses fils, alors qu'un pays est le lieu qu'on habite soi-même, et au présent, pas au futur. Dans l'Inde de son père, il se sentait en exil. Il commençait seulement à se faire un tableau cohérent de cette question, à entrevoir les problèmes de son père. Or, il ne pouvait pas prendre ces problèmes en charge. Et d'ailleurs, son père ne vacillait pas. Il ne transigerait jamais. Et il n'abandonnerait pas le combat. En le voyant là, prêt à affronter trois hommes qu'il considérait comme les oppresseurs de son pays, Ahmed éprouva une immense tristesse et en même temps un immense élan d'amour pour l'Inde, incarnée par cet homme diminué par la prison mais toujours pur, ardent, plein d'espoir.

Il manquait encore un détail. Ahmed s'en rendit compte. Il allait pouvoir ainsi, sans répondre à la question, faire pressentir à son père ce qu'il était en train d'éprouver. Il prit sur la table le calot du Congrès et le lui tendit.

– Vous alliez l'oublier, dit-il. Ils ont beau prétendre s'en moquer, en réalité ils le redoutent. En le voyant sur la table, ils pourraient en faire des déductions fausses.

Son père contemplait le calot. Ahmed le lui plaça sur le crâne, un peu incliné sur l'oreille. Son père lui prit les mains pour redresser le calot.

– Non, bien d'aplomb, dit-il. Il ajouta quelques mots que Ahmed ne saisit pas.

Mais dehors, sous la véranda, les paroles de son père s'imposèrent à lui. Dans le ciel qui commençait à pâlir, le Fort découpait sa sombre, son immense, son implacable silhouette.

« Bien d'aplomb, avait dit Mohammed Ali Kassim, comme une couronne d'épines. »

Le jour du scorpion

Finalement, quoi qu'en ait dit Susan à Sarah, l'épisode lointain du scorpion n'était pas entièrement sorti de sa mémoire. Ce jour-là, Dost Mohammed avait fait un cercle de chiffons qu'il avait imbibés d'essence, et déposé au centre un scorpion qu'il conservait dans une petite boîte de fer-blanc. Arquant sa queue, le petit insecte cuirassé en avait fouetté l'air à trois reprises. Lorsque les flammes s'éteignirent, le scorpion ne bougeait plus. Dost Mohammed l'avait poussé avec une brindille sans en obtenir de réaction. Récupérant la petite bête morte, il l'avait replacée dans la boîte.

Quand on lui avait mis l'enfant dans les bras, elle avait demandé s'il était « entier », n'arrivant pas à croire que ce fût possible alors qu'il était venu au monde trois semaines trop tôt. Elle l'avait pris non sans répugnance, craignant que, même à ce stade, l'un des deux détruise l'autre. Comme on lui demandait quel prénom elle avait choisi, elle avait répondu qu'un prénom était trop important pour qu'elle pût en décider toute seule. L'accouchement avait été difficile. « Mais elle s'est remarquablement comportée », disait Mrs Layton. Et chacun en convenait. Remarquablement comportée. A l'image de sa mère.

La seule voix discordante au sujet de l'attitude de Mildred Layton pendant l'absence de Sarah vint de Barbie Batchelor. Muette et les yeux rouges, elle faisait ses préparatifs pour quitter un refuge où elle s'était crue à jamais installée. Il y avait eu l'affaire dont elle ne s'était ouverte confidentiellement qu'à Mr Maybrick, l'ancien planteur de thé, mais dont, sans doute grâce à lui, bien des gens avaient eu vent. Mildred Layton avait brutalement rejeté la suggestion de Barbie de faire inhumer Mabel dans le cimetière de St. Luke à Ranpur, à côté de son second mari, et non dans celui de St. John à Pankot. Apparemment, seule Barbie savait que c'était le vœu de Mabel, mais le testament de la défunte ne le confirmait pas. Et même si elle l'avait spécifié, qui aurait pu reprocher à Mildred de passer outre, étant donné son obligation légale de faire enterrer le corps dans les vingt-quatre heures après le décès et alors que Susan accouchait prématurément, à cause du choc éprouvé devant cette mort subite survenue quand elle était seule sous la véranda de Rose Cottage? Les frais et les complications (l'horreur, pour tout dire!) afin de transporter à Ranpur le cadavre dans de la glace auraient été intolérables, et il était plus important d'aider une jeune vie à venir au monde que de satisfaire au soi-disant vœu d'une morte, dont seule Barbie attestait.

Mabel Layton avait donc été déposée dans son dernier séjour le lendemain de sa mort, à la fin de l'après-midi. La tombe débordait de fleurs, ce qui compensait la minceur du cortège après le service funèbre. Mrs Layton s'attira le respect pour y avoir été présente (et on nota sa nervosité). On aurait d'ailleurs compris qu'elle s'abstînt de paraître aux obsèques, considérant que sa fille était en travail à la clinique de Pankot. Mrs Layton y avait passé la nuit auprès d'elle et elle allait y retourner aussitôt. Ce devait être terrible pour cette pauvre jeune femme d'avoir assisté à une mort subite. Certes, Mabel était âgée, et elle était partie de la meilleure manière souhaitable. Mais quand on imaginait Susan, d'abord intriguée, puis alarmée par la façon dont la vieille dame gardait la tête penchée, et lui criant, à cause de sa surdité : « Tu dors, tante Mabel? » – quelle tragédie! Et trois heures plus tard, alors que Rose Cottage était déjà presque vide de tous les gens que Susan avait eu la présence d'esprit et le courage de prévenir, sa mère l'avait trouvée dans la petite chambre d'ami, les mains pressées sur son ventre.

– Non, ce n'est pas possible, avait dit Susan au Dr Travers lorsque, vingt minutes plus tard, il lui annonçait que le travail avait commencé. Ce n'est pas encore le moment. Le bébé n'est pas terminé.

A la clinique, Mrs Rankin était intervenue pour lui faire attribuer une des jolies chambres réservées aux épouses des officiers supérieurs d'active. Les douleurs durèrent trente-six heures. Et à cinq heures du matin Susan mit au monde un garçon ressemblant de façon émouvante et absurde à Teddie. (A ce moment-là, dans le train de nuit parti de Ranpur, Sarah s'agitait dans son sommeil, et sous la véranda de Circuit House, près de Premanagar, Ahmed Kassim montait la garde.)

– Ça ne fait rien, dit Susan lorsque Sarah lui transmit les regrets du colonel Merrick et ses remerciements. Je vais demander au général Rankin, mais comme, pour un garçon, il faut deux parrains, de ton côté demande à Dicky. Lui, au moins, il a ses deux bras.

Ce fut tout ce qu'elle dit qui pût indiquer qu'elle avait écouté ce que sa sœur lui avait rapporté de la mort de Teddie et des blessures de Ronald Merrick. En revanche, elle se montrait une mère attentive et tendre, ce qui fit dire au Dr Travers, qu'elle était sortie de cette phase de repliement sur soi que les prophètes de malheur rapprochaient de l'histoire de la fille de Poppy Browning.

– Qui a parlé de ça? demanda Mrs Layton.

– Je crois que c'est Miss Batchelor, avait répondu le médecin.

– Oh! Cette femme! s'était exclamée Mrs Layton.

Au-dessus de la tête de Barbie, les nuages noirs s'amoncelaient.

Le jour où Barbie quitta Rose Cottage pour trouver provisoirement asile auprès du Révérend Peplow et de sa femme, Sarah la découvrit en train d'errer dans le jardin, avec le panier de Mabel et ses sécateurs.

– J'aurais dû me taire, dit Barbie. Au sujet du cimetière de St. Luke à Ranpur. Mais elle y *tenait*. Elle me l'a dit. Comme je lui proposais de descendre faire les achats de Noël à Ranpur, elle m'a dit : « Je n'y retournerai jamais, sauf dans mon cercueil. » J'ai cru que votre mère le savait, mais qu'elle n'y pensait pas, à cause de l'affolement général. Ce qui me chagrine, c'est de partir en mauvais termes. Je n'ignorais pas que si Mabel mourait, il faudrait que je m'en aille. Et d'ailleurs, combien de fois lui ai-je dit : « Mabel, ne devrais-je pas leur céder la place? Elles sont si à l'étroit dans le bungalow de fonction. Et tout de même, je ne suis pas de la famille. » Mais elle ne voulait pas en entendre parler. Je ne sais pas pourquoi. Elle menait vraiment une vie à part, n'est-ce pas? Quelquefois, j'avais l'impression qu'elle s'était *trouvée.* Je veux dire... qu'elle avait découvert son véritable moi et préférait rester seule, mais en ayant quelqu'un qui lui parle. Et Dieu sait si je parlais. Enfin, tout cela c'est du passé. J'ai écrit à la Mission, parce que j'aimerais faire du bénévolat. Il y a tant d'affamés, tant de gens qui meurent. Je dois pouvoir me rendre utile, ne serait-ce que pour ensevelir les morts. Je ne demanderai rien en échange car j'ai ma pension et la petite rente que Mabel m'a laissée. Ce qui, d'ailleurs, me gêne, et doit certainement déplaire à votre mère.

– Ne pensez plus à tout ça, Barbie. Grâce à vous, tante Mabel a eu une fin de vie agréable. C'était sa seule façon de vous en remercier. Et puis, à présent nous sommes tout à fait à l'aise.

– Allez-vous être heureuses, ici, toutes les trois? demanda Barbie en jetant un regard circulaire sur le jardin où la présence de Mabel semblait encore planer comme une odeur.

– Je ne sais pas. Franchement, Barbie, je ne peux vous le dire.

– Est-ce que Susan se remariera avec le capitaine Beauvais? On dit que ce serait mieux. Que l'enfant devrait avoir un père. A votre place, je l'y pousserais. Parce que si elle ne se remarie pas, vous ne pourrez jamais vous en aller, déclara Barbie qui, soudain empourprée, saisit le bras de Sarah. Et c'est ce que vous voulez, hein? Si vous restez, vous finirez comme moi. Et probablement pire parce que tout ça, dit-elle en montrant d'un large geste le jardin et les collines, tout ça va bientôt se terminer. Très bientôt, dit-elle en la lâchant brusquement.

Sarah ne revit Barbie qu'à l'église, pour le baptême. La vieille institutrice resta seule à un banc tandis que Sarah et Dicky Beauvais, le général et Mrs Rankin, et la mère de Sarah se tenaient devant les fonts baptismaux, où Mr Peplow recevait dans l'Église Edward Arthur David Bingham. La cérémonie fut rapide, presque furtive. A la sortie, l'assistance se sépara car il n'était pas prévu de fête. Dicky raccompagna Sarah et sa mère au bungalow de fonction où l'emballage des objets dans des caisses, en vue du déménagement à Rose Cottage, avait déjà commencé la veille. On confia l'enfant à Minnie, qui avait été promue au rang d'*ayah* et s'en acquittait fort bien. Mais ce fut Sarah qui prépara le biberon et réussit à le faire prendre au bébé, sous l'œil attentif de Minnie qui, jusque-là, avait échoué à lui faire accepter ce substitut au sein maternel.

Dans l'après-midi, Dicky conduisit Sarah à la clinique, pratiquement une semaine jour pour jour et presque heure pour heure après l'en avoir ramenée, l'enfant dans les bras. Il n'entra pas dans l'établissement, et Sarah lui dit qu'elle prendrait un tonga pour rentrer.

– Voulez-vous que je vienne vous voir ce soir? demanda-t-il.

Elle n'y tenait pas, mais elle accepta, en pensant que, pour sa mère, il valait mieux avoir à la maison un tiers à qui l'une et l'autre pourraient parler.

– Nous vous attendrons pour les cocktails, dit-elle.

– J'espère que vous allez la trouver mieux. Je l'espère de tout cœur.

Accompagnée du jeune psychiatre de l'établissement et du Dr Travers, elle pénétra dans la chambre de Susan. Cette chambre-là était assez sinistre, avec son mobilier réduit et sa fenêtre fermée d'une grille intérieure. Assise sur une chaise, les mains jointes sur ses genoux, Susan regardait tomber la pluie en souriant. Sarah s'assit sur l'autre chaise à proximité et attendit. Susan finit par tourner lentement la tête dans sa direction.

– Bonjour, Su. Je suis venue voir si tu as besoin de quoi que ce soit.

Comme tu es jolie, pensait Sarah. Et tu parais si

heureuse. Non, ce n'est même pas ça. Tu as trouvé le chemin de ton monde clos, celui que tu avais toujours imaginé, et dans lequel tu te sens entièrement à l'abri de l'autre monde, celui dont tu refuses la réalité.

Tu regardes les barreaux sans les voir et tu as un sourire de béatitude. Comment pouvons-nous te déclarer malade ? Et prier pour que tu nous reviennes ? Ce que tu as fait nous effraie. Nous ne le comprenons pas. Nous pressentons en toi quelque chose d'obscur, un désir de mort, et cela nous force à nous interroger sur nous-mêmes. A renoncer à notre illusion d'une lumière perpétuelle. Il n'existe qu'une lumière crue et brutale, dans laquelle nous nous révélons extraordinairement laides et incapables.

– Susan, c'est moi, c'est Sarah, dit-elle très doucement.

Mais Susan avait détourné la tête. Elle attendit encore un peu, pour ne pas troubler le monde dans lequel s'absorbait sa sœur, puis reprit :

– Au revoir, Susan, je reviendrai te voir demain.

En sortant dans le couloir avec les deux hommes, elle demanda :

– Pouvez-vous la garder ici ?

Le Dr Travers dit qu'il l'espérait. Parce que la seule autre solution, c'était de l'envoyer à Ranpur, qui possédait un établissement spécialisé – solution que redoutait Mrs Layton. Mais la patiente était très calme. Ce n'était probablement qu'une phase transitoire. Son attitude était tellement normale après la naissance de l'enfant, dit le Dr Travers, elle était le type même de la mère aimante et possessive.

Sarah aurait voulu lui dire que Susan n'avait pas eu une attitude normale, seulement aucun des deux praticiens ne l'avaient vue alors. Le seul témoin avait été Minnie, la nièce de Mahmoud. Et elle s'était cantonnée dans son rôle en ne disant rien mais en restant sur ses gardes et en faisant des offrandes aux petits dieux tribaux des collines.

Elle attendit que la pluie cesse et prit un tonga pour se faire conduire à St. John. Elle n'avait pas envie de se retrouver seule avec sa mère. A l'église, elle dit à l'homme de l'attendre et, traversant le vieux cimetière aux pierres rongées par les lichens, elle contourna l'édifice et pénétra dans le nouveau cimetière où tante Mabel était enterrée. La tombe n'était plus qu'un amoncellement de fleurs fanées. Sur les cartes encore attachées aux bouquets, l'encre qui avait coulé dessinait des réseaux qui lui rappelèrent la robe de dentelle. « *Ah, oui, pauvre papillon. C'est un de mes prisonniers.* » Barbie connaissait forcément cette histoire, et ce ne pouvait être qu'elle qui l'avait racontée à Susan. « Petit prisonnier, avait dit Susan, petit prisonnier, te délivrerai-je? »

Quittant la tombe, Sarah sentit que quelque chose la poussait à pénétrer dans l'église, par la porte de l'abside que le révérend Peplow laissait toujours ouverte dans la journée. Alors qu'elle s'était assise sur un banc juste devant le chœur, elle éprouva la bizarre sensation d'une autre présence. « Pauvre petit prisonnier. » Cela s'était passé la veille. Seule avec les domestiques dans le bungalow de fonction, tandis que Sarah était au bureau et sa mère à Rose Cottage, à prendre les mesures pour les rideaux, Susan avait envoyé Mahmoud au bazar pour lui acheter des rubans bleus, et puis elle avait dit à Minnie de courir le rattraper, pour lui dire que c'étaient des rubans blancs et non bleus qu'elle voulait.

Sarah se retourna mais ne vit personne au fond de l'église. Au même moment, elle entendit ronronner une voiture et deux coups de klaxon. Et puis, tout près d'elle, un pas résonna sur les dalles. Elle se retourna encore une fois. Une femme coiffée d'un casque colonial drapé d'un voile à l'ancienne mode remontait l'allée centrale. Elle était donc restée au fond, dans la partie peu éclairée. Arrivée au chœur, elle fit une génuflexion et dut se tenir à un banc pour se relever.

Vous savez tant de choses, pensa Sarah, et tant de choses terribles. Et moi, j'en connais à présent quelques-unes, et j'ai compris que ce savoir consiste simplement à courber la tête sous leur poids, comme vous le faites.

La femme arriva jusqu'à elle, parut hésiter. Sarah entrevit vaguement ses traits à travers le voile et lui sourit. La femme leva la main, dans un geste qui était autant un salut qu'un adieu, et sortit par la porte latérale.

Sarah se dressa. Il fallait qu'elle lui demande, qu'elle lui demande... en fait, elle ne savait quoi. Elle sortit, aperçut la femme qui atteignait presque l'entrée du cimetière où attendait l'automobile, se mit à courir et puis stoppa net. La pluie s'était remise à tomber doucement. Toutes les collines de Pankot étaient d'un vert moelleux. Elle se remit à courir, passant au milieu des tombes des Layton et des Muir, et comprenant que cette course faisait partie de son rêve, de ce voyage où elle n'arrivait jamais à destination. Quand elle atteignit la route, l'auto avait disparu.

Petit prisonnier. Te libérerai-je? Intervention divine! En tout cas, Minnie veillait. Au lieu de courir derrière Mahmoud au sujet des rubans, elle était rentrée sans se faire voir et s'était mise en faction au bout de la véranda où, avant d'être dérangée, elle triait les ballots de linge pour le *dhobi*. Susan memsahib était en train de mettre au bébé la robe de dentelle qu'il devait porter le lendemain. Elle lui parlait dans une langue gutturale.

Intervention divine; bizarre coutume étrangère. Laquelle des deux. Comment Minnie l'aurait-elle su? Tout ce qu'elle pouvait faire, c'était de rester en éveil. Une fois l'enfant habillé, la mère le serra contre elle et sortit dans l'éclatant soleil de l'après-midi épargné par la pluie. Elle traversa la pelouse en direction du mur dissimulant le quartier des domestiques. A cause du déménagement prochain, depuis plusieurs jours Mahmoud brûlait là des choses de rebut accumulées au fil des ans. Déposant l'enfant sur le gazon, Susan saisit le bidon d'essence que Mahmoud gardait sous la main et versa le liquide en décrivant un grand cercle. Minnie resta d'abord fascinée par cette cérémonie, qui devait être une initiation secrète. Mais lorsqu'elle vit Susan enflammer l'essence et les flammes décrire un cercle parfait, elle arracha une couverture d'un des ballots et s'élança, jeta l'étoffe de laine sur le feu, pénétra dans le cercle et emporta l'enfant.

Restant ensuite à distance, elle vit que Susan memsahib n'avait pas bougé. Agenouillée devant les flammes, elle les regardait mourir. Le gazon était imprégné d'eau, le feu ne s'était pas propagé, et il laissait simplement un grand cercle noir.

⁂

– Au dépôt des Pankot Rifles *ki taraf jao*, dit Sarah au cocher.

L'homme encouragea sa bête d'un claquement de langue et fit siffler son fouet. De la butte où se dressait St. John, ils descendirent vers la vallée. Lorsqu'ils passèrent devant la clinique, nichée loin de la route et toute entourée d'arbres, Sarah laissa aller sa tête contre la capote en s'imaginant être Susan, la tête appuyée à la grille la séparant de la vitre. Elle ferma les yeux, comme Susan les fermait peut-être au même moment, et se sentit bientôt envahie par son propre bonheur de femme. Et, souriante, elle abandonna son visage à la pluie.

TABLE

Cet ouvrage a été réalisé sur
Système Cameron
par la SOCIÉTÉ NOUVELLE FIRMIN-DIDOT
Mesnil-sur-l'Estrée
pour le compte des Éditions Messinger
le 4 mai 1985

Imprimé en France
Dépôt légal : mai 1985
N° d'impression : 2387